光盘操作方式

将随书附赠光盘放入光驱，几秒钟后光盘将自动运行。如果没有自动运行，可在桌面双击“我的电脑”图标，在打开的窗口中右击光盘所在的盘符，在弹出的快捷菜单中选择“自动播放”命令，即可启动并进入多媒体情景化视频教学光盘的主界面。

视频操作结合语音教学，体验坐在家中上课的感觉

情景化视频教学 • 演示、跟练、交互 • 轻松自由学习模式

本书多媒体语音光盘导航主界面

价值266元超值正版软件

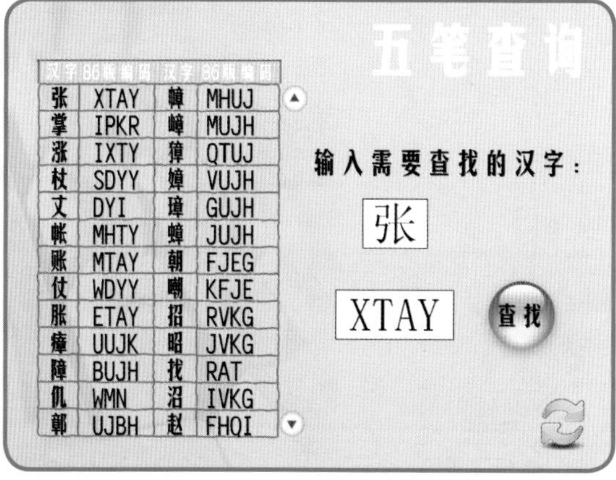

汉字	86版编码	汉字	86版编码
张	XTAY	幛	MHUJ
掌	IPKR	嶂	MUJH
涨	IXTY	獐	QTUJ
杖	SDYY	嫜	VUJH
丈	DYI	璋	GUJH
帐	MHTY	蟑	JUJH
账	MTAY	朝	FJEG
仗	WDYY	嘲	KFJE
胀	ETAY	招	RVKG
瘴	UUJK	昭	JVKG
障	BUJH	找	RAT
仉	WMN	沼	IVKG
鄣	UJBH	赵	FHQI

含近10000个汉字的五笔编码电子字典1

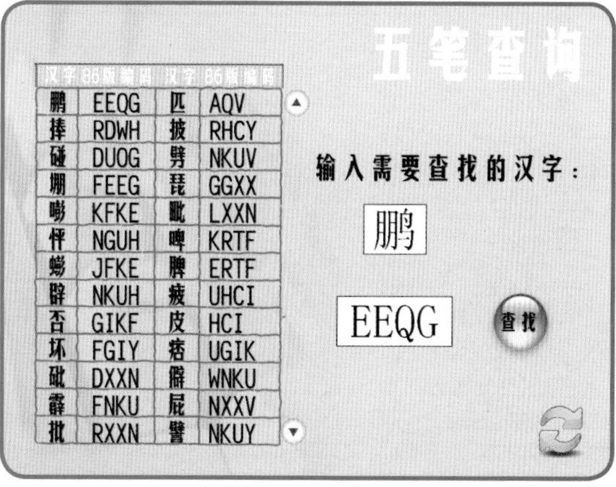

汉字	86版编码	汉字	86版编码
鹏	EEQG	匹	AQV
捧	RDWH	披	RHCY
碰	DUOG	劈	NKUV
堋	FEEG	琵	GGXX
嘭	KFKE	毗	LXXN
怦	NGUH	啤	KRTF
蟛	JFKE	脾	ERTF
辟	NKUH	疲	UHCI
否	GIKF	皮	HCI
坯	FGIY	痞	UGIK
砒	DXXN	僻	WNKU
霹	FNKU	屁	NXXV
批	RXXN	譬	NKUY

含近10000个汉字的五笔编码电子字典2

五笔打字练习模式1

五笔打字练习模式2

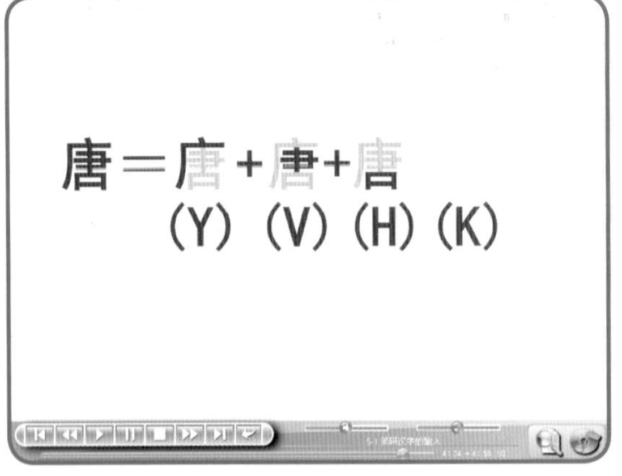

简码汉字的输入

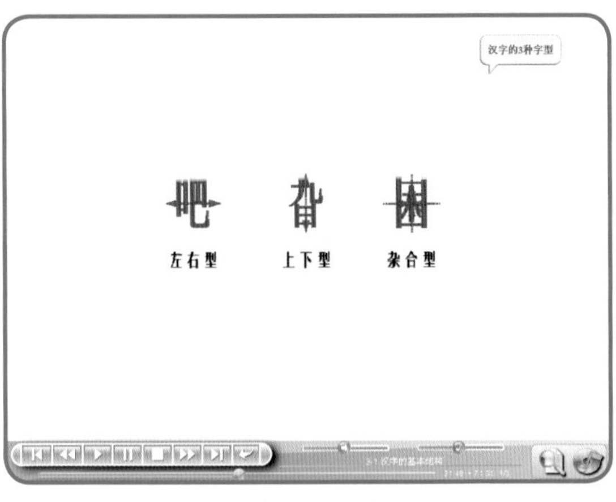

汉字的基本结构

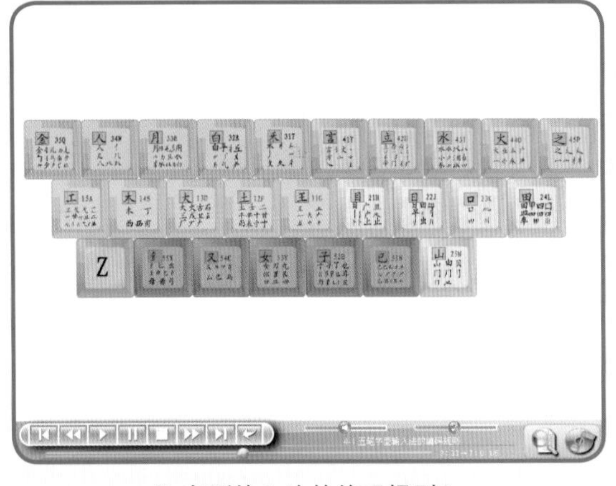
字型输入法的编码规则1

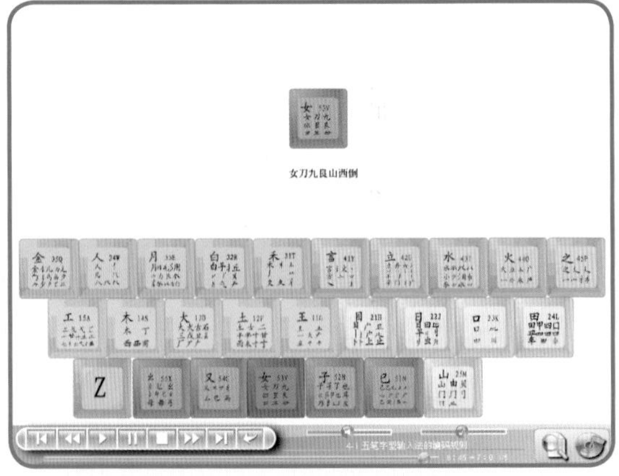

字型输入法的编码规则2

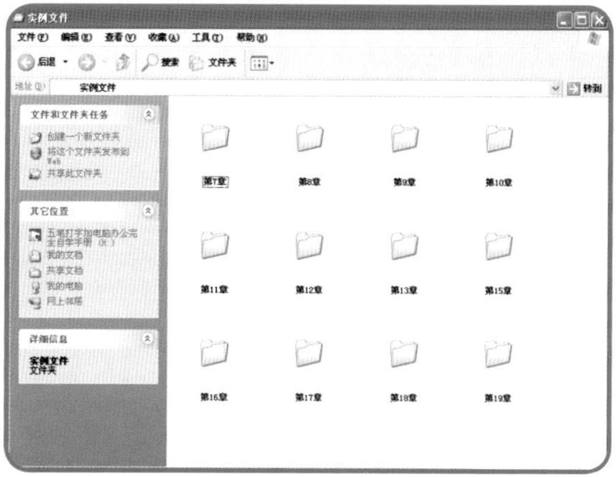

本书实例文件

计算机基础知识——鼠标操作

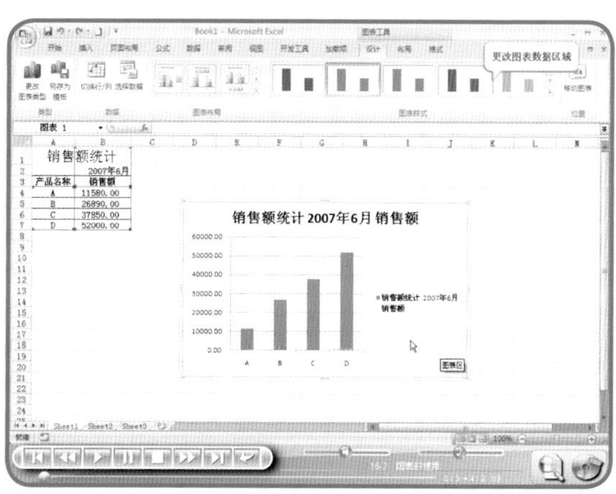

图表的使用1

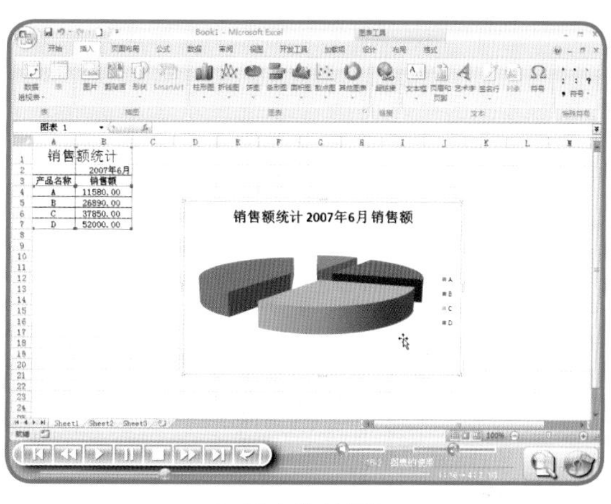

图表的使用2

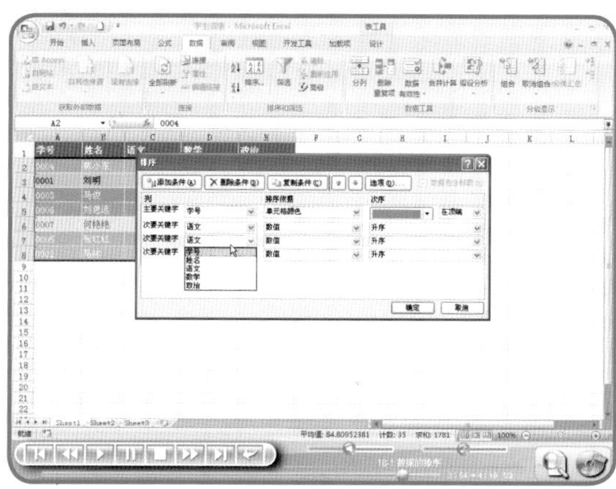

数据的排序

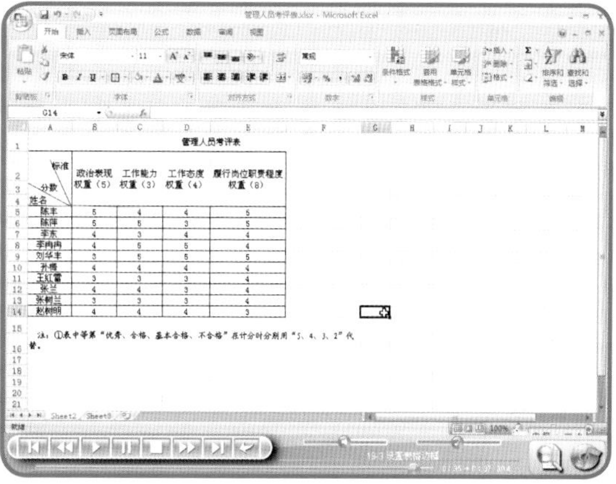

设置表格边框

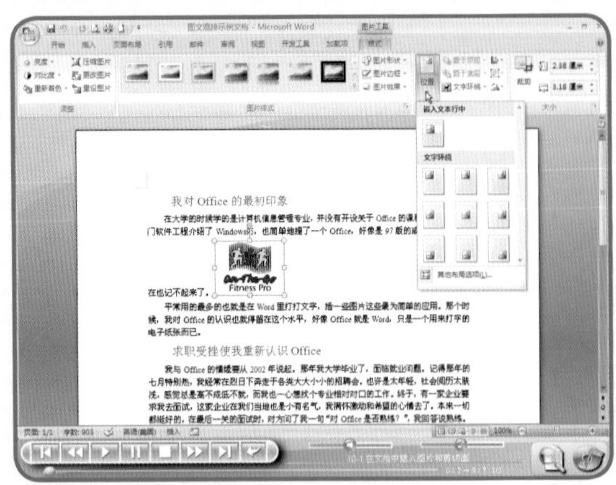

在文档中插入图片和剪贴画1

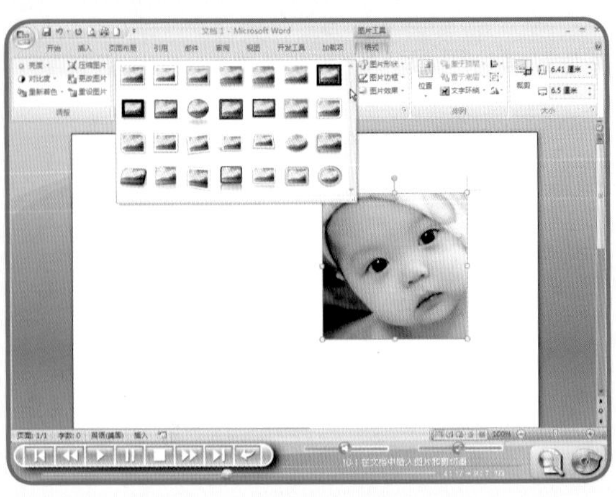

在文档中插入图片和剪贴画2

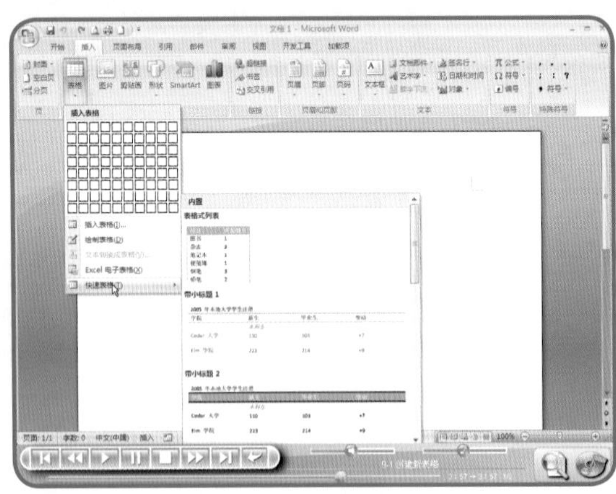

创建新表格1

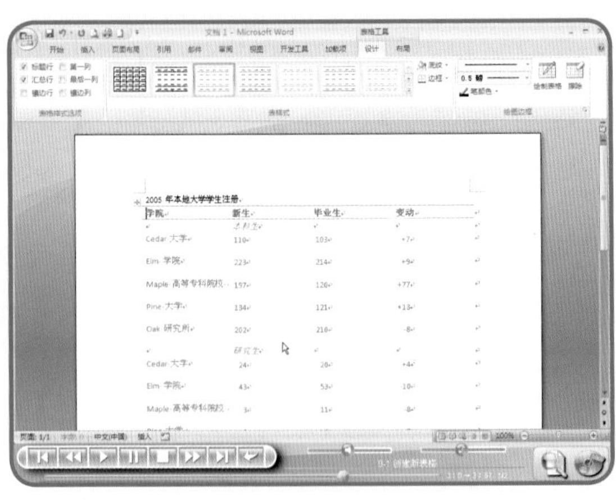

创建新表格2

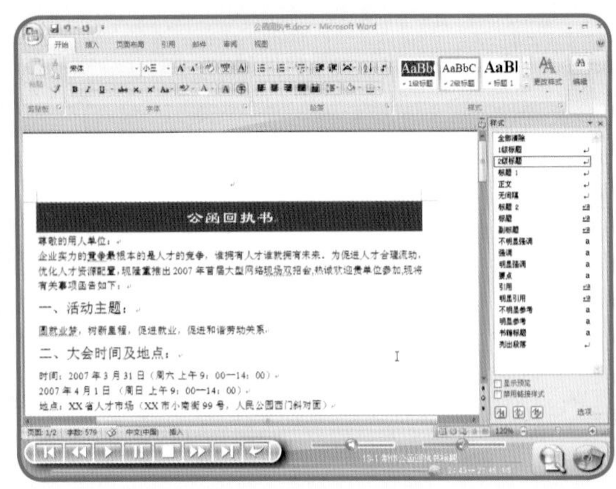

制作公函回执书标题

查找和替换功能

五笔打字+电脑办公

完全自学手册

杰诚文化/编著

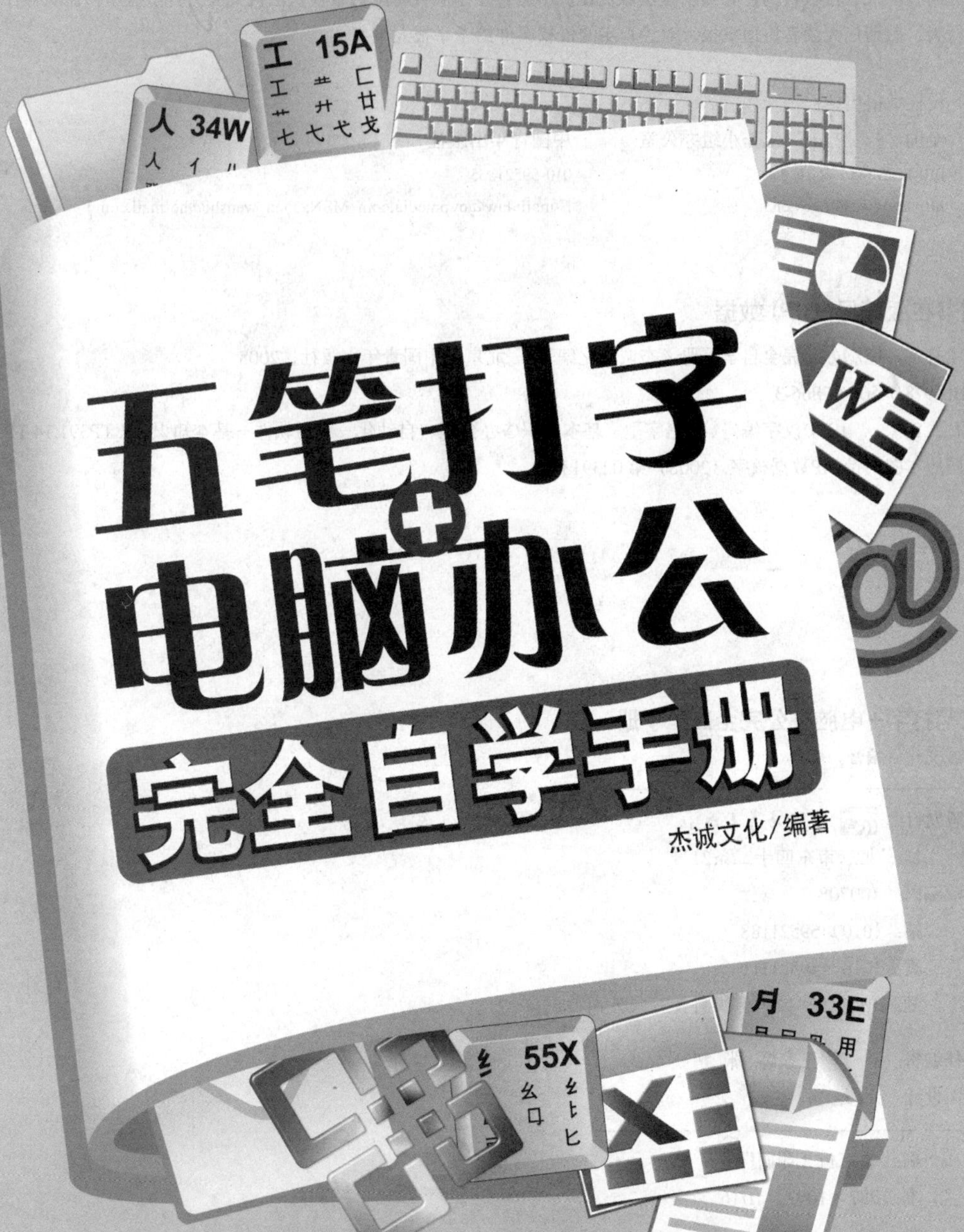

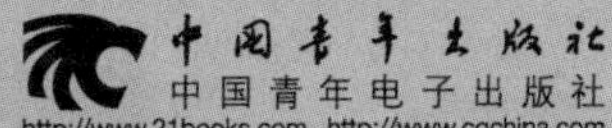

律师声明

北京市邦信阳律师事务所谢青律师代表中国青年出版社郑重声明：本书由著作权人授权中国青年出版社独家出版发行。未经版权所有人和中国青年出版社书面许可，任何组织机构、个人不得以任何形式擅自复制、改编或传播本书全部或部分内容。凡有侵权行为，必须承担法律责任。中国青年出版社将配合版权执法机关大力打击盗印、盗版等任何形式的侵权行为。敬请广大读者协助举报，对经查实的侵权案件给予举报人重奖。

侵权举报电话：

全国“扫黄打非”工作小组办公室 010-65233456 65212870 http://www.shdf.gov.cn

中国青年出版社 010-59521255 E-mail: law@cypmedia.com MSN: chen_wenshi@hotmail.com

图书在版编目 (CIP) 数据

五笔打字＋电脑办公完全自学手册 / 杰诚文化编著. —北京：中国青年出版社，2008

ISBN 978-7-5006-7866-3

I.五… II.杰 … III.①汉字编码．五笔字型－基本知识②办公室－自动化－应用软件－基本知识 IV. TP391.14 TP317.1

中国版本图书馆CIP数据核字（2008）第 023913号

五笔打字＋电脑办公完全自学手册

杰诚文化 编著

出版发行：中国青年出版社

地　　址：北京市东四十二条21号

邮政编码：100708

电　　话：（010）59521188

传　　真：（010）59521111

企　　划：中青雄狮数码传媒科技有限公司

责任编辑：肖 辉 王家辉 张 鹏

封面设计：于 靖

印　　刷：北京机工印刷厂

开　　本：787 × 1092 1/16

印　　张：22

版　　次：2009年4月北京第2版

印　　次：2009年4月第1次印刷

书　　号：ISBN 978-7-5006-7866-3

定　　价：32.00元（附赠1光盘+键盘贴）

本书如有印装质量等问题，请与本社联系 电话：(010) 59521188

读者来信: reader@cypmedia.com

如有其他问题请访问我们的网站：www.21books.com

PREFACE

前言

为何编写本书

(1) 为了顺应当今的办公趋势，提高从业人员的办公效率，本书针对五笔字型输入法，以及微软公司推出的最新 Office 办公处理软件中的 Word 2007 文字处理程序和 Excel 2007 数据处理程序进行了全面的介绍，使用户能够接受更新的资讯。

(2) 目前，随着电子商务的普及，电脑越来越成为人类所必不可少的办公设备，掌握计算机操作成为每个办公人员的必备条件，在众多输入法中，五笔字型输入法具有编码少、重码率低、不受方言限制、查找率低等优点，而且经过了多年的发展，软件也相对成熟，所以在电脑用户中使用的范围非常广范，成为办公的好帮手。

学前指导

(1) 初学五笔输入法的用户最关心的话题便是如何快速掌握五笔输入法，本书针对读者的需求，对于五笔输入法的拆分规则、编码规则等知识，以及进行打字练习的软件等进行了详细的讲解。

(2) Word 2007 和 Excel 2007 是微软公司推出的最新的办公处理软件，在众多文本程序中，Word 程序是一款非常受欢迎的文本处理程序，在此程序中用户可以方便地进行字符的编辑设置、图片和表格的插入及设置、文档背景的设置、页面中页眉和页脚的设置等文本操作。Word 2007 更是在原有 Word 2003 版本的基础上进行了一些页面布局等方面的改变，使用起来更为方便。本书中就如何在 Word 2007 中进行文本处理，以及在文档中插入表格等内容做了详细的介绍。在 Excel 2007 数据处理部分，本书对于如何进行表格的制作、表格底纹的添加、图表的插入及函数的运算等做了全面的介绍。

(3) 作为一个文秘类工作人员或从事文字处理工作的人来说，制作一份精美、简约的文本文件是至关重要的，本书同样针对以上问题，详细介绍了在 Word 2007 文档中插入并设置图片、艺术字等操作，从而使文档图文并茂，还介绍了如何在文档中插入并设置表格，从而使文档可更加简约地表达繁琐的数字内容。学习了本书的内容后，你会发现制作一个精美的文档并不难。

(4) 对于从事财务工作的人员或进行数据处理类工作的人来说，Excel 2007 无疑是一个非常好的搭档，通过 Excel 2007 数据处理程序的使用，不但可以制作表格，还可以插入图表，以及进行财务函数、工程函数等复杂的函数运算等操作。

本书特色

(1) 以图为主，文字辅之，使读者在学习过程中对所学知识一目了然，一学便会。

（2）本书在进行文本操作时全部使用实例，这些实例都是日常工作中经常使用的。

（3）每章后都有一个技能提升，使你掌握与本章内容相关的、更深一层的知识与技巧。

（4）本书的 Word 部分和 Excel 部分的最后一章分别有一个典型实例操作，帮助读者快速掌握本书要领，以便尽快将书中的知识运用到实际中去。

（5）配备语音视频光盘，体验坐在家中上课的感觉，增强了知识的接受程度。

内容导读

全书共分四部分：五笔字型输入法、Word 2007 文本处理程序的使用、Excel 2007 数据处理程序的操作应用，以及附录部分。

五笔字型输入法部分首先介绍了计算机的基础知识及操作计算机时正确的坐姿；然后介绍了五笔输入法的安装和使用知识；最后对于五笔输入法的应用技巧做了讲解。本书还对五笔打字的练习软件“五笔打字通”的安装和使用做了介绍，因为初学者如果想快速地使用五笔输入法进行输入，必须通过刻苦的练习，才能达到预期的效果。Word 2007 文本处理程序的使用部分首先介绍了 Word 2007 程序的操作界面及程序中的一些基本操作，然后对如何美化文档做了一个全面的介绍，最后对于长文档的一些设置和操作进行讲解。在 Excel 2007 数据处理程序的操作应用部分，首先介绍了 Excel 2007 的操作界面及程序中的一些基本操作，然后对如何美化表格做了介绍，最后对表格中的数据运算进行讲解。附录部分包括最新五笔字型常用字速查辞典和 18030 版五笔字型支持的生僻汉字两部分。

附赠光盘

（1）含近 10000 个常用汉字的五笔编码查询电子字典，及价值 766 元的正版软件

（2）五笔安装软件及 20 种五笔打字互动练习

（3）5 小时语音视频教学，另附 91 个实例文件

本书适用于五笔输入法的初学者、文职类电脑办公人员，以及经常从事数据运算的财务办公人员等用户群，是一本非常实用的学习手册。

本书可操作性强、便于理解记忆。由于时间有限，在编写过程中难免会有一些疏漏之处，希望广大读者发现之后及时指正，并提出宝贵意见。

编 者

2008 年 5 月

目录

08 输入与编辑文本

09 Word 文档中的表格制作

10 美化 Word 文档

目录

15 表格样式

16 图表的使用

17 函数与公式

目录

01 计算机基础知识

本章建议学习时间

本章建议学习时间为 60 分钟，其中 30 分钟用于学习教材知识，30 分钟用于上机操作。

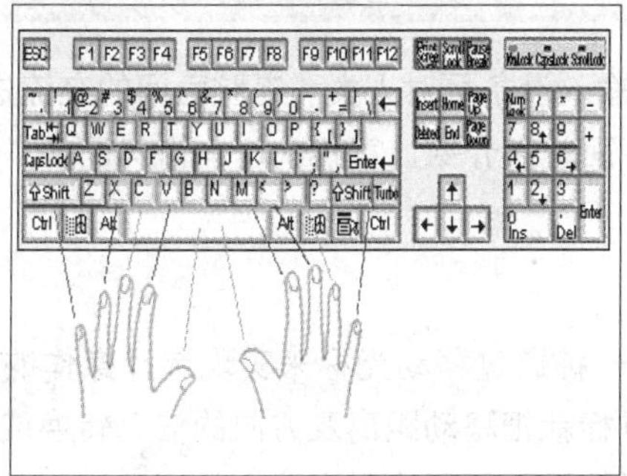

使用键盘时的指法

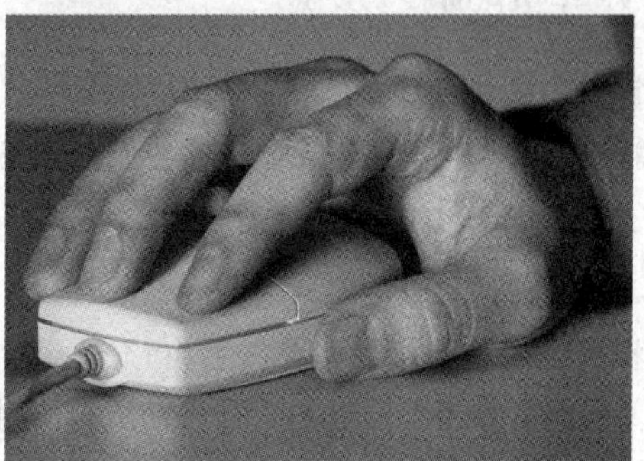

握持鼠标的方法

学习完本章后您可以

1. 认识并熟悉鼠标、键盘及手写板这三种输入设备
2. 开关计算机
3. 了解正确的坐姿
4. 了解电脑中所使用的几种输入法

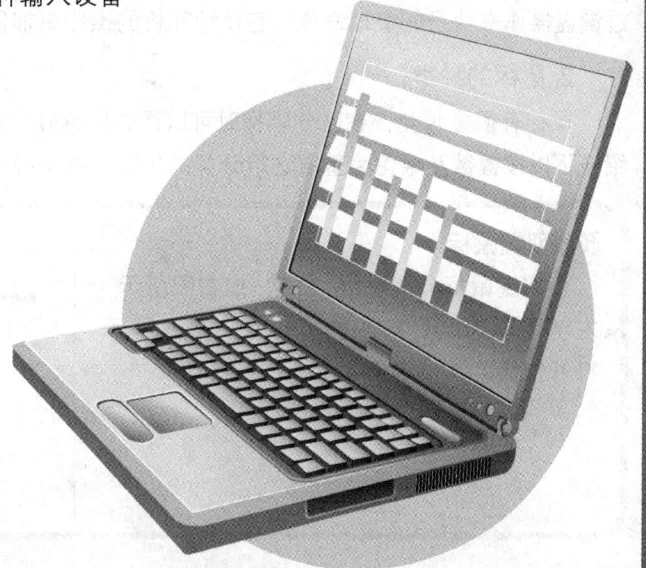

第01章 计算机基础知识

随着电子信息化的发展，计算机越来越成为人类所必不可少的办公设备，计算机的应用作为一种文化，正在向世界每个角落普及，其发展的速度远远超出了人们的预期。在21世纪的今天，各行、各业、各个层次的工作人员都在以前所未有的热情学习着计算机知识。然而，要熟练地进行计算机操作，就必须从最基本的计算机入门知识开始学起，本章就来介绍一下电脑的基本设备和一些基本操作，以及要在电脑中输入文本时有哪些输入法。

1.1 计算机的输入设备

计算机的输入设备包括鼠标、键盘以及手写板，输入设备可对人类和电脑之间的交流进行转换，使电脑能够听懂人类的语言，是非常重要的设备。下面就来介绍计算机的这些输入设备。

1.1.1 鼠标

鼠标的全称为鼠标器，英文名为Mouse，它是一种通过移动光标来实现选择操作的计算机输入设备，它的基本工作原理是：当移动鼠标器时，鼠标就把移动距离及方向的信息转换成脉冲传递给计算机，计算机再把脉冲转换成鼠标器光标的坐标数据，从而达到指示位置的目的。

1. 鼠标的历史

鼠标从出现到今天已经有近40年的历史了，1968年12月9日，全世界第一个鼠标器诞生于美国加州斯坦福大学，它的发明者是Douglas Englebart博士。鼠标的出现简化了一些原来只能通过键盘操作来执行的繁琐命令，它使计算机的操作更加便捷。

2. 鼠标的种类

鼠标有很多种类，在区分鼠标时可以通过按键数、接口、内部结构及滚轮等进行分类。下面介绍一下以按键数及滚轮为基准进行分类的传统双键鼠标、三键鼠标和滚轮鼠标。

传统双键鼠标

双键鼠标分为左键、右键，如右图所示，左键用于选定目标或执行命令，右键用于打开快捷菜单或常用命令。

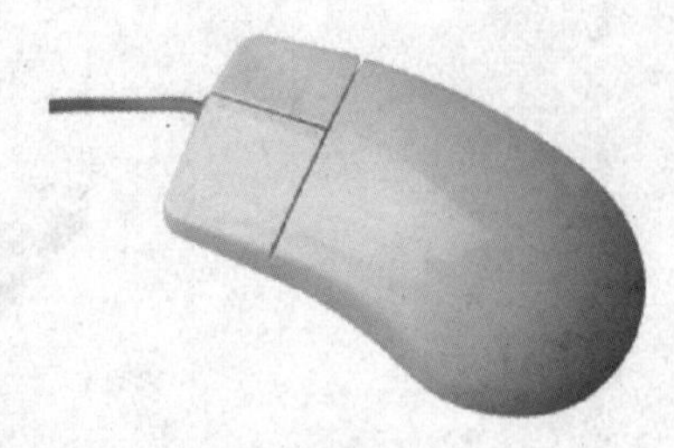

三键鼠标 三键鼠标如右图所示，它的左右两个按键和双键鼠标的左右按键功能完全一致，三键鼠标中间的按键使用频率较低，只有在使用特殊软件（如 AutoCAD 等）时，这个键才会起作用。	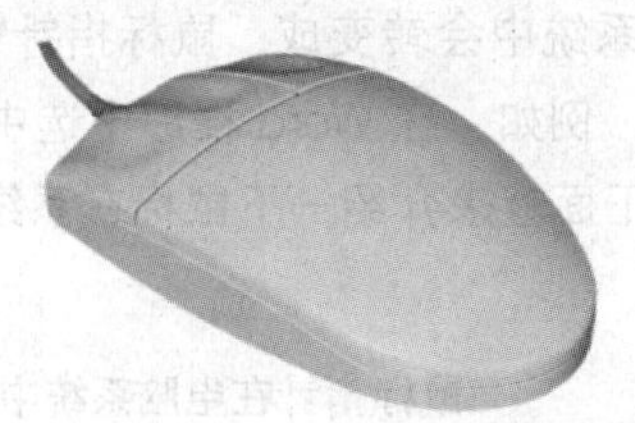
滚轮鼠标 滚轮鼠标如右图所示，它的左右两个按键和双键鼠标的左右按键功能一致，当向上或向下转动滚轮时，计算机界面会随之向上或向下进行调整。	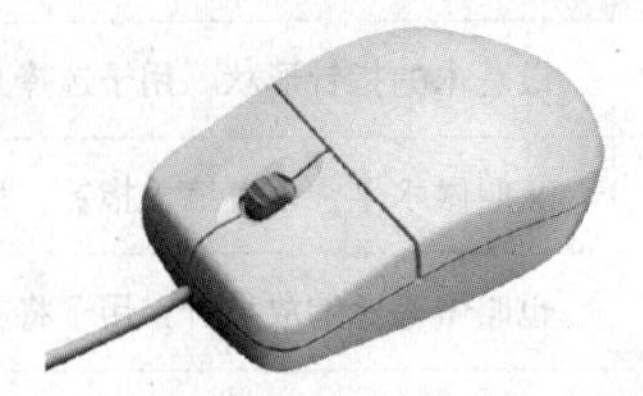

3. 握持鼠标的方法

用户在使用鼠标时，一定要掌握正确的握姿，这样会减少手部由于长时间拿握鼠标而产生的疲劳。其正确的握持方法如下。

在手握鼠标时可将食指和中指分别自然地放在鼠标的左键和右键上，而大拇指自然放置在鼠标的左侧，无名指和小指放置在鼠标的右侧。此时再用大拇指、无名指和小指轻轻握住鼠标，手掌贴放在鼠标后部，手腕自然放置在桌面上即可，如右图所示。	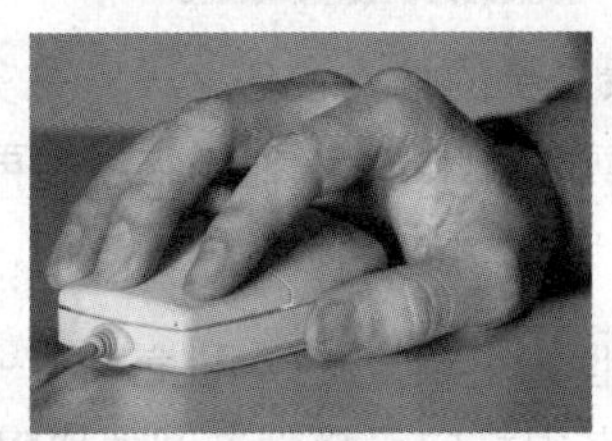

4. 鼠标的操作方法及专用语

鼠标的操作动作主要包括指向、单击、双击、拖动、右击，这些词语都是比较专业的用语，下面通过表格的方式解释这些专用语并介绍其操作方法与作用。

鼠标专用语及其对应的操作方法和作用

专用语	操作方法与作用
指向	移动鼠标，使鼠标指针位于操作对象上
单击	将鼠标指针指向操作对象，然后快速按下一次鼠标左键并释放。主要用于选定目标对象
双击	将指针指向目标对象后，连续两次快速按下鼠标左键并释放。双击一般用于打开窗口，启动应用程序等
右击	将指针指向目标对象后，按下鼠标右键然后释放。右击一般用于打开一个与操作相关的快捷菜单
拖动	将指针指向目标对象后，按住鼠标左键不放，移动鼠标到指定位置后，再释放鼠标。拖动一般用于选择多个操作对象、复制或移动对象等

5. 鼠标在电脑中的形状及功能

鼠标在计算机系统中会转变成“鼠标指针”，而鼠标指针在进行各种操作时会根据不同的用途而变成不同的形状，例如，在 Word 程序中选中插入的图片后，再指向图片四周的控制点时指针会变成双箭头形状。下面就来介绍一下鼠标在系统中比较常见的指针形状以及它所代表的不同意义及作用，如下表所示。

鼠标指针在电脑系统中常见的形状及其对应的用途

指针类型	用　途
箭头指针 ➪	最基本的指针形状，用于选择文本、菜单、命令或选项
双向箭头指针 ↔	又叫做水平、垂直缩放指针，用于横向或纵向调整图片或窗口大小
斜向箭头指针 ⤢	也叫做等比缩放指针，用于将图片或窗口等比例放大或缩小
十字箭头指针 ✥	也叫搬移指针，用于移动选定的对象
漏斗指针 ⧗	表示计算机正忙，需要用户等待
I 型指针 I	用于在文字编辑区内指示编辑位置

1.1.2 键盘（基本键位、指法）

键盘是计算机最主要的输入设备之一，是实现人机对话相互沟通的主要途径，其作用是将文字转换成计算机能够读懂的代码输入到电脑中，再通过电脑显示器输出显示给用户。

1. 键盘的历史

键盘产生于 19 世纪中期，“打字机之父”——克里斯托夫·拉森·肖尔斯（Christopher Latham Sholes）于 1868 年获得打字机模型专利并取得经营权经营，又于几年后设计出现代打字机的实用形式，并首次规范了键盘，即现在的 QWERTY 键盘，到了 20 世纪中期，键盘成为电脑的基本输入设备，它的出现使电脑的操作更方便。

2. 键盘的种类

键盘的种类根据计算机的不同而被划分为台式机类型和笔记本类型两种，本书中所讲的是台式机类型的键盘。

3. 键盘的区位划分

标准键盘上的按键数量为 107 个，通过这些按键，用户可以向计算机输入英文字母、数字、特殊符号和汉字，并指挥计算机进行一些操作。键盘中按键的具体分布情况如下。

一个完整的键盘分为功能键区、主键盘区、指示灯区、编辑控制区、数字小键盘区这五个区域，如右图所示。

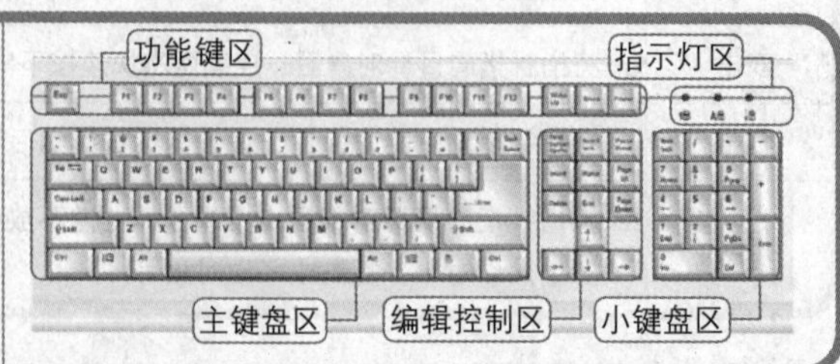

4. 键盘的使用

键盘中的每个区内的按键都有其特定的作用，为了在以后的工作和学习中能够快速熟练地使用键盘进行操作，下面就来学习一下键盘中各区按键的名称及其特定的作用。

键盘中的按键功能表

键盘区	按键名称	作　用
主键盘区	Enter 键又称回车键	1. 输入命令后，按下此键表示确认并执行输入的命令 2. 在输入文本信息后，可按下此键来换行，将插入点移至下一行
	Shift 键又称上档键	用于输入双字符按键中的上档字符。使用时在按住上档键的同时按下键盘中的双字符键，即可输入双字符键的上档字符
	Space 键又称空格键	1. 在输入文本时，按下此键可在文本中输入一个空字符 2. 在某些输入法中，也用于选中窗口中最上一行的备选字或词
	Tab 键又称制表键	在输入文本时，按下此键插入点将连续向右移动 n 个字符
	Caps Lock 键又称大小写字母切换键	用于切换要输入的字母的大小写状态。系统默认键盘为小写字母输入状态，需要输入大写字母时，按下此键，键盘右上方状态指示灯区的 Caps Lock 指示灯变亮，即可进行输入。转换时再按一次 Caps Lock 键即可
	BackSpace 键又称退格键	在输入文本时，按下此键将删除插入点左侧的一个字符，如果按住该键不放，将会删除插入点左侧的所有字符
	Ctrl 键和 Alt 键又称控制键	一般与其他键配合使用，因此，在不同的应用程序软件中其作用也各不相同。例如：按下组合键 Alt+Space 可以打开当前应用程序最右上角的菜单；而按下 Alt+F4 可以关闭当前的应用程序
	Windows 键	用于打开 Windows 窗口中的"开始"菜单
	快捷菜单键	用于打开系统及软件等的右键快捷菜单
功能键盘区	Esc 键	1. 用于将已输入的命令或字符串删除 2. 在某些应用程序中用于撤销命令的操作
	F1~F12 功能键	每个按键的功能都不同，按下它们时会执行不同的命令，并且在不同的应用程序中，同一按键的功能也会有所不同
	Power 键	用于计算机电源状态的控制，当电脑在打开状态时按下它会快速地切断电源
	Sleep 键	用于将计算机转入休眠状态，可进入省电状态，延长计算机的使用寿命
	Wake Up 键	用于将计算机从休眠状态中唤醒
指示灯区	Num Lock 键	用于显示是否锁定小键盘工作的指示灯，按键在数字小键盘中
	Caps Lock 键	用于显示大小写字母状态的指示灯，按键在主键盘区
	Scroll Lock 键	用于显示是否锁定滚动的指示灯
	Print Screen 键	在 Windows 系统中按下此键，可为当前屏幕截图。此外，此键还可以与 Alt 键配合使用来捕捉当前活动窗口

（续表）

键盘区	按键名称	作　用
编辑控制区	Scroll Lock 键又称屏幕滚动锁定键	用于控制屏幕的滚动状态。需要切换到锁定屏幕滚动状态时，按下此键，当 Scroll Lock 状态指示灯区中 Scroll Lock 指示灯变亮时，则表示已处于锁定状态
	Pause Break 键	用于使正在执行的命令或应用程序暂停，按下 Enter 键解除暂停状态。如果按组合键 Ctrl+Pause Break，则可以强行中止命令的执行或程序的运行
	Insert 键	用于切换插入和改写状态
	Page Up 键	用于将当前页面向前翻一页
	Delete 键	用于删除插入点当前位置右边的字符，并且右侧的字符会向左移动一个字符位
	Home 键	在输入文本时，用于将插入点移至当前行的行首，按下组合键 Home+Ctrl 则将插入点移到首行的行首
	End 键	在输入文本时，用于将插入点移至当前行的行尾，按下组合键 End+Ctrl 则将插入点移到尾行的行尾
	Page Down 键	用于将当前文本页面向后翻一页
	↑←↓→键又称光标方向键	用于移动插入点所在位置，按下相应按键后，插入点可以向上、左、下、右移动且不删除任何字符，也不会使文字发生变动
小键盘区	包括数字 0~9 十个数字键以及运算符号等共 17 个按键	用于快速输入数字及运算符号，也用于光标控制状态的转换。输入数字时，需先按下 Num Lock 键，在其指示灯亮的情况下才能进行输入。要转换到光标控制状态时，应再次按下 Num Lock 键，在指示灯不亮的情况下才能进行

5. 使用键盘时的指法

为了在使用键盘进行操作时更为快捷方便，在使用键盘时需要将手指进行一下分工，也就是电脑键盘的指法分工，这是通过键盘进行电脑输入的基础知识，用户必须熟练掌握，并在以后的工作中不断地应用。

基本键

基本键是打字时手指所处的基准位置。位于主键盘区的正中央，共有 8 个基本键，即左边的 A、S、D、F 键及右边的 J、K、L、; 键，开始打字前，左手小指、无名指、中指和食指应分别虚放在 A、S、D、F 键上，右手的食指、中指、无名指和小指应分别虚放在 J、K、L、; 键上，大拇指则虚放在空格键上，如右图所示。

键盘分区

根据基本键的分布情况，左手和右手的每个手指都要控制一些相应的按键，其分布情况如下：

（1）左手食指负责的键位有 4、5、R、T、F、G、V、B 共 8 个键；中指负责 3、E、D、C4 个键；

无名指负责 2、W、S、X4 个键；小指负责 1、Q、A、Z 及其左边的所有键位。

（2）右手食指负责 6、7、Y、U、H、J、N、M8 个键；中指负责 8、I、K、,4 个键，无名指负责 9、0、O、P、L、.6 个键；小指负责 -、[、;、/ 及其右边的所有键位。

（3）大拇指用来控制空格键，如右图所示。

6. 键盘按键的练习

在基本键位中的 F、J 两个键上分别有一个凸起的小棱杠，这是为了方便用户在盲打时进行手指定位而设的。用户在熟悉了键盘的分布及指法的分工后，一定要进行按键的敲打练习，这样才能够熟练地使用键盘与电脑进行交流，用户在进行按键练习时，手指要从基本按键出发，敲打完毕后须立即退回到基本键位上。在进行按键的敲打练习时要注意以下几点：

（1）各手指最好能够遵守手指指法分工的规定进行敲打。

（2）手腕要平直，手臂要保持静止。

（3）手指保持弯曲，稍微拱起，指尖后的第一关节微成弧形，手指轻轻放在各基本键的中央。

（4）输入过程中，要用相同的节拍轻轻地敲击键盘，不可用力过猛。

1.1.3 手写板

手写板又称手写仪，是一种手写绘图输入设备，它已经有十几年的历史了，其作用和键盘类似，但是只局限于输入文字或者绘画，也带有一些鼠标的功能。

1. 手写板的使用

手写板的工作原理是通过电磁感应技术将笔或者手指在其上经过的轨迹记录下来，输入到电脑中并识别为文字或图像。对于不喜欢使用键盘或者中文输入法的人来说非常有用，它不需要敲打按键并学习输入法，只需直接用手或笔在手写板上写下要输入的内容后，就可以自动输入到电脑中。

2. 手写板的类型

手写板的种类很多，根据感应方式的不同，可分为电阻压力式、电磁压感式和电容触控式三种类型，其具体情况如下表所示。

手写板类型表

类　型	工作原理
电阻压力式	由一层可变形的电阻薄膜和一层固定的电阻薄膜构成，两层中间有一定的间隔。当用笔或手指接触手写板时，上层电阻受压变形并与下层电阻接触，下层电阻薄膜就能感应出笔或手指的位置
电磁压感式	手写板下方的布线电路通电后，会在一定空间范围内形成电磁场，通过电磁场来感应带有线圈的笔尖的位置进行工作
电容触控式	当使用者的手指接触到触控板的瞬间，会在板的表面产生电容。在触控板表面附着有一种传感矩阵，这种传感矩阵与一块特殊芯片一起，持续不断地跟踪着使用者手指电容的轨迹。它可以时刻精确定位手指的位置（X、Y 坐标），同时测量由于手指与板间距离（压力大小）而形成的电容值的变化，确定 Z 坐标，最终完成 X、Y、Z 坐标值的确定

1.2 如何开关计算机

要进行计算机的学习，第一步要做的就是学会如何开关计算机。下面就来介绍一下开关计算机的具体操作方式。

1.2.1 开启计算机

用户在开启计算机时首先要了解计算机的显示器电源按钮和主机电源按钮，然后再进行操作。其具体操作步骤如下：

步骤 01 打开显示器电源

显示器电源一般位于电脑屏幕的下方，按下显示器电源按钮，如下图所示，电源指示灯亮了表示已经开启了显示器电源。

步骤 02 打开主机电源

主机电源位于电脑主机的前面板的下方，如下图所示，按下主机电源按钮，即可打开主机电源。

步骤 03 进入电脑启动界面

在分别按下电脑显示器电源和主机电源按钮后，电脑进入启动界面，如下图所示。

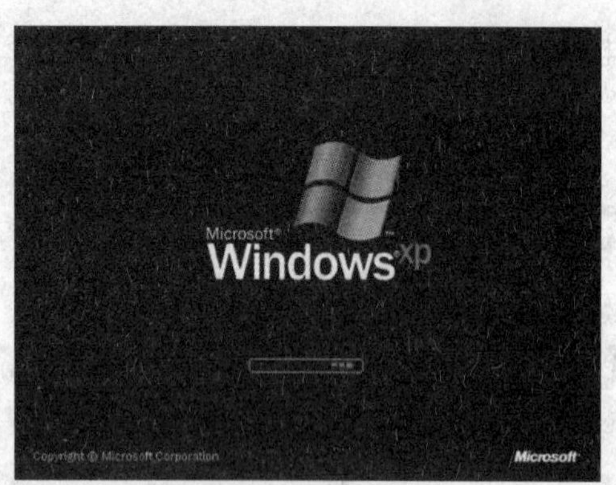

步骤 04 显示桌面效果

等待几秒后，电脑就可以完成启动工作，进入到操作系统并显示桌面，如下图所示。

1.2.2 关闭计算机

计算机使用完毕后，要进行关闭操作，在关闭计算机时一定要按照正确的步骤进行操作，这样才会延长计算机的使用寿命。下面就来介绍一下关闭计算机的具体操作方法。

步骤 01　打开“关闭计算机”对话框

单击位于桌面左下角的“开始”按钮，在弹出的“开始”菜单中单击“关闭计算机”按钮，如下图所示。

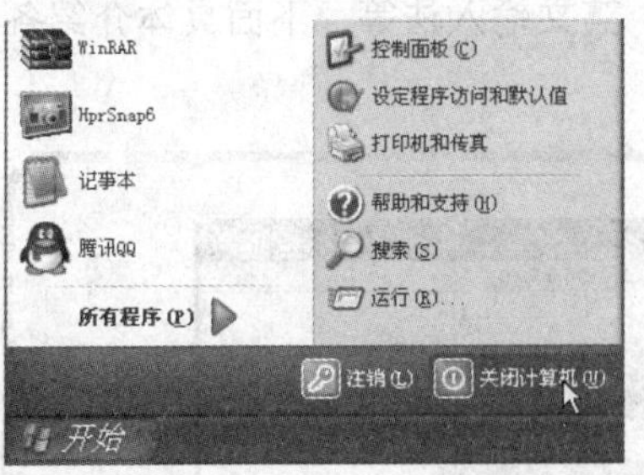

步骤 02　执行关闭计算机操作

在弹出的“关闭计算机”对话框中，单击“关闭”按钮，如下图所示，即可完成计算机的关闭操作。

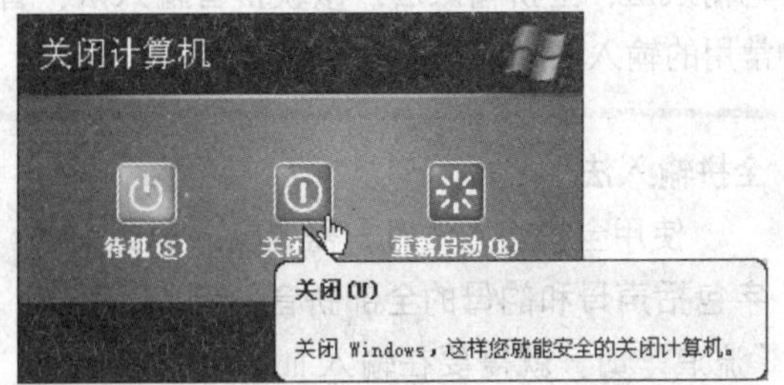

提示：取消关机的操作

如果用户在打开“关闭计算机”对话框后，又不想关闭计算机，可以单击对话框右下角的“取消”按钮，即可取消操作。

1.3 正确的坐姿

在学习了一些计算机的基本操作内容后，下面来了解一下正确的坐姿方式，以确保用户在长时间进行电脑操作时，不会太过疲劳。另外，不良的坐姿也会影响用户的身体健康，所以在进行电脑操作时一定要掌握正确的坐姿。

掌握正确的计算机操作姿势，需要调整好身体各部位的相对姿势，其正确坐姿如右图所示。操作计算机时要做到以下几点：

视幕角度 0-7°
视距 38-76 公分
视角 15°-20°
背靠斜角 10°-76°
屏幕高度 84-106 公分
文件架
肘角 90°
腰靠
键盘高度 83-78 公分
座板背靠夹角 100°-120°
膝部间隙
膝部夹角
桌高 66-81 公分
座面高 38-51 公分
10 公分
脚垫 3-5 公分

（1）在进行电脑操作时，计算机屏幕与眼睛要保持 15°～20° 的角度，以及 30cm～40cm 左右的距离。

（2）计算机屏幕及键盘应确保在用户的正前方，脸部要正对着屏幕。

（3）身体要保持直立，切忌半坐半躺。

（4）大腿部应尽量保持与前手臂平行的状态。

（5）座椅应调到适合用户身高的高度，以手指能够自然地架在键盘的正上方为准。

（6）椅子需要有护背曲线，如果没有可以加一个护背垫。

1.4 五笔输入法与其他输入法的比较

在进行电脑的操作之前还要学习一下电脑中的几种输入法，在了解了如何将文字输入到电脑中后，才能顺利地使用电脑进行操作。

1.4.1 常见的几种电脑输入法

电脑的输入法包括“音码”和“形码”两大类，音码是指通过拼音输入的方法，如全拼输入法，形码是指通过字形输入的方法，如五笔输入法、笔画输入法。一般比较常用的文字输入法包括五笔输入法、全拼输入法、微软拼音输入法、智能 ABC 输入法、英文输入法等，下面具体介绍各种常用的输入法。

全拼输入法

使用全拼输入法时，需要输入词组中各字包括声母和韵母的全部拼音，例如，输入“流浪”时，就需要在输入 liulang 后按下空格键，即可转换成汉字输入到文档中，如右图所示。

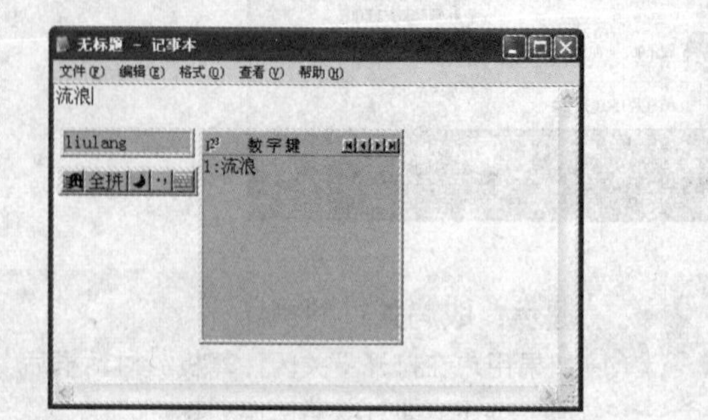

微软拼音输入法

使用微软拼音输入法时，需要输入词组中各字的全部拼音，输入时，拼音窗口中每次只显示一个汉字的拼音，当键入下一个音节或音节切分符时，它会自动将上一个音节的拼音转换为汉字并显示在组字窗口中，如右图所示。

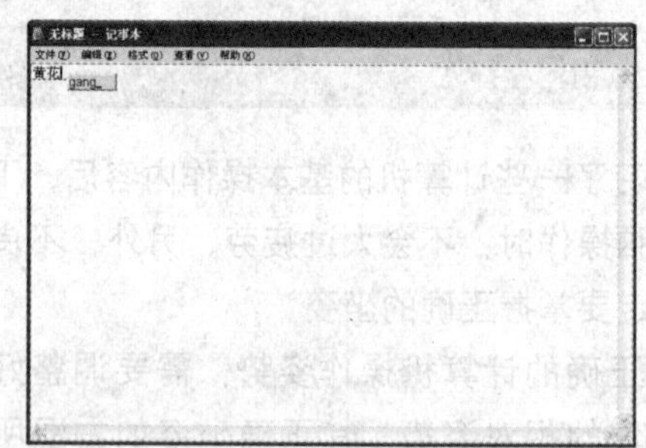

智能 ABC 输入法

使用智能 ABC 输入法时，既可以通过输入词组中各字的声母和韵母来得到词组，也可以通过输入词组中各字的声母来得到词组，例如，在输入词组“长城”时输入 changcheng 可以得出该词组，输入 chch 也可以得出该词组，如右图所示。

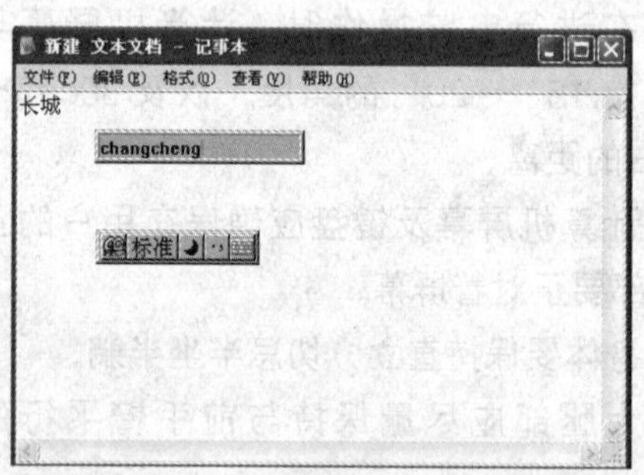

英文输入法

英文输入法是在输入一些英文文本时才会使用的输入法，使用时按下键盘上相应的字母按键，电脑中就会显示出相应的字母，如右图所示。

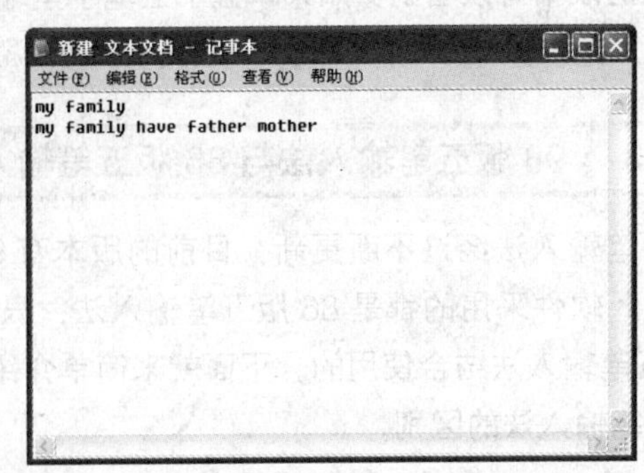

五笔输入法

五笔输入法中将一个汉字拆分成若干字根，并分布在相应的键盘按键上，输入时按照汉字的字根拆分顺序敲击相应的按键，即可完成汉字的输入，例如，输入“红海”时按照汉字拆分规则，只需输入 Xait 即可完成输入，如右图所示。

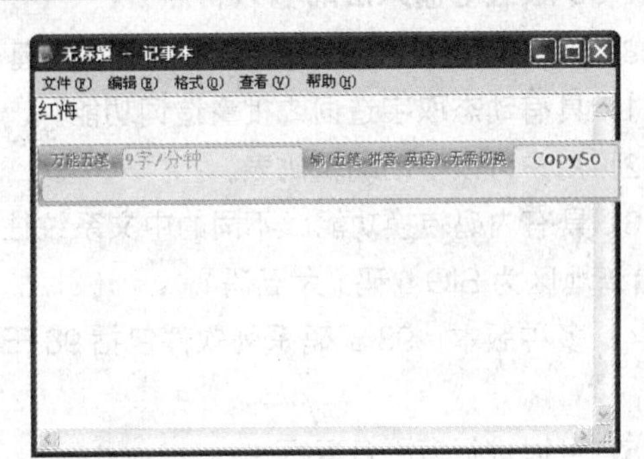

1.4.2 五笔输入法与其他输入法的比较

五笔输入法是目前输入法中打字效率较高，使用范围也较广的一种输入法，因为它具有击键次数少，无需翻页查找目标字符等优点，所以用户只要掌握了五笔字根在键盘中的分布及字根拆分规则以后，再勤加练习，即可方便快捷地进行输入操作。

输入法中的智能 ABC 输入法，由于既可输入全部拼音，也可只输入声母的特点，用户在使用时也能够快速掌握，但是由于在使用时具有按键次数多，翻页查找频率高等缺点，因此在进行输入时会影响到输入速度。

在输入相同的汉字时，五笔输入法比智能 ABC 输入法的击键次数少。在五笔输入法中，通常输入一组 4 位的编码便可得到所需要的词组，而对于一些常用的汉字其编码更加简单，最少只需输入 1 位编码即可得到。下面就将同样的汉字词组在使用智能 ABC 输入法与五笔输入法输入时的击键情况做一个比较，如下表所示。

智能 ABC 输入法与五笔输入法比较

汉字 / 编码	经	任务	接下来	同甘共苦
智能 ABC 编码	JING+ 空格 + 数字识别码	RW + 空格 + 数字识别码	JIE+ 空格 + XIALAI+ 空格	TONGGANGONGKU+ 空格 + 空格
五笔输入法编码	X+ 数字识别码	WTTL	RGGO+ 数字识别码	MAAA
编码比例	6 : 1	4 : 4	11 : 5	15 : 4

从上表中可以看到，如果掌握了五笔字型输入法的规则后，使用五笔输入法进行输入时会大大提高输入速度。

1.4.3 98 版五笔输入法与 86 版五笔输入法的比较

五笔输入法经过不断更新，目前的版本有 98 版五笔输入法和 86 版五笔输入法两种。一般的五笔输入软件采用的都是 86 版五笔输入法，只有个别几个五笔输入软件是将 98 版五笔输入法和 86 版五笔输入法结合使用的。下面就来简单介绍一下 98 版五笔输入法的特点以及 98 版和 86 版这两种五笔输入法的区别。

1. 98 版五笔输入法的输入特点

98 版五笔字型输入法是在 86 版五笔字型基础上发展而来的，具有以下几个新特点：

（1）具有动态取字造词或批量造词功能。

（2）用户可以手动编辑码表。

（3）具有内码转换功能。不同的中文系统往往采用不同的内码标准，如中国为 GB 码（国标码）、中国台湾地区为 BIG 5 码（大五码）。

（4）多种版本。98 王码系列软件包括 98 王码国标版、98 王码简繁版和 98 王码国际版等多种版本。

（5）可以进行多平台运行。

（6）多种输入法合并。98 王码除了配备新老版本的五笔字型之外，还有王码智能拼音、简易五笔画和拼音笔画等多种输入方法。

2. 98 版与 86 版五笔字型输入法的区别

98 版五笔字型在 86 版五笔字型的基础上作了大量的改进，二者的主要区别如下：

（1）对构成汉字的基本单位的称谓不同。86 版五笔字型输入法中，把构成汉字的基本单位也就是拆分汉字的基本单位称为字根，而在 98 版五笔字型输入法中称为码元。

（2）增加处理汉字数量。在 98 版五笔输入法中，拥有了英文键符小写时输入简体、大写时输入繁体这一专利技术，98 版五笔输入法除了可以处理国标简体中的 6763 个标准汉字外，还可处理 BIG 5 码中的 13053 个繁体字及大字符集中的 21003 个字符。

（3）取码顺序不一致。虽然 98 版五笔输入法与 86 版五笔字型输入法的取码规则是一样的，但是不少由同样码元构成的字，两版本的取码顺序却发生了明显变化。例如，“象”字的编码在 86 版五笔字型输入法中为 QJEU，而在 98 版五笔字型输入法中却为 QKEU 等。

提示：86 版五笔输入法与 98 版五笔输入法的使用范围

由于 86 版五笔输入法的发行时间早于 98 版五笔输入法，大多数计算机用户已熟悉了 86 版五笔输入法的使用，因此 86 版五笔输入法的使用范围要大于 98 版五笔输入法的使用范围。本书中以讲述 86 版五笔输入法的使用为主。

02

本章建议学习时间

本章建议学习时间为 60 分钟，其中 20 分钟用于学习教材知识，40 分钟用于上机操作。

五笔输入法简介与安装使用

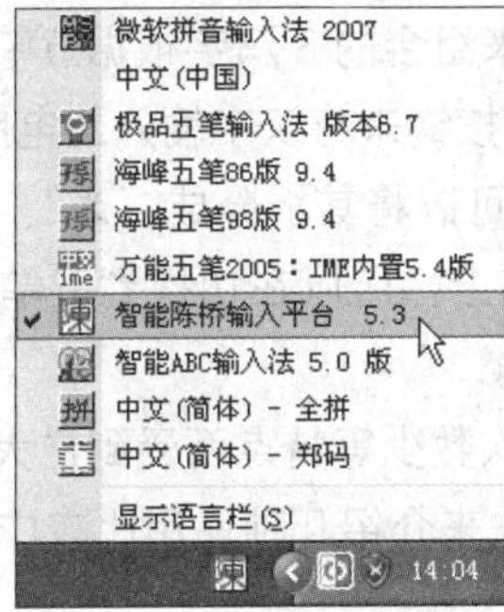

安装的五笔字型输入法

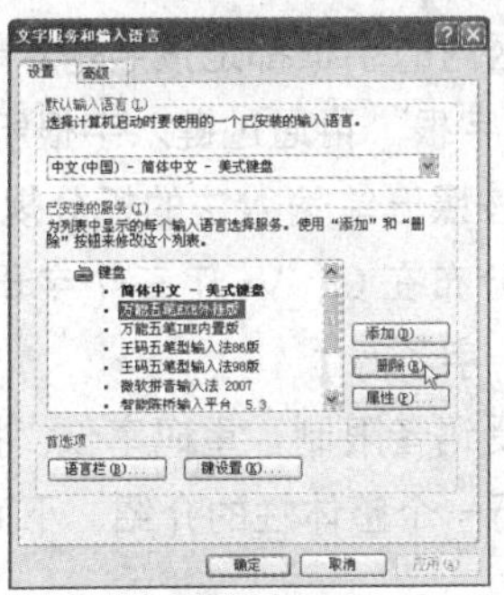

删除不需要的输入法

学习完本章后您可以

1. 认识并了解五笔字型输入法
2. 安装五笔输入法
3. 进行输入法之间的切换
4. 删除不需要的输入法

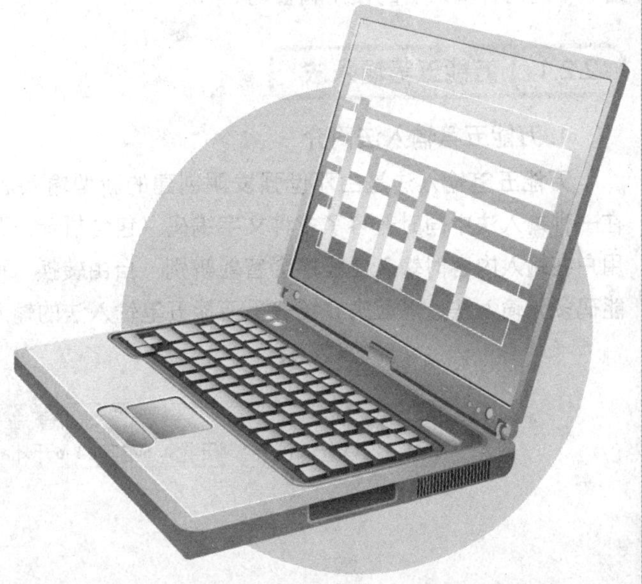

第02章 五笔输入法简介与安装使用

什么是五笔输入法，它是如何安装并使用的，本章就此进行全面的介绍。在学习了本章的内容之后，用户就会对五笔输入法有一个大概的认识，了解其概念，并学会如何安装使用，以便对五笔输入法进行更深一步的了解。

2.1 认识五笔字型输入法

五笔字型输入法将汉字的偏旁部首按照横、竖、撇、捺、折五个基本笔画分布在键盘上，键盘共分成五个区，每个区内的字根都是按照基本笔画来组合的，汉字根据五笔拆分规则被拆分成一个或几个（不超过四个）字根，再通过键入字根所在的按键来将汉字输入到电脑中。

例如“数”字，按照五笔输入法的拆分规则，可以将其拆分成“米”、“女”、“夂”三个字根，而这三个字根又分别分布在O、V、T三个字母按键上，所以在切换到五笔输入法后依次按下这三个键就可以得到“数”字了。

五笔字型因其不受语音限制、重码率低、按键次数少等特点而受到广大电脑使用者的欢迎。本章将对五笔输入法进行一个整体性的介绍，下面首先来介绍几种使用比较广泛的五笔输入法。

2.2 目前常用的五笔输入法介绍

目前使用的五笔输入法中万能五笔输入法与智能五笔输入法的使用范围比较广泛，下面就来介绍一下这两种输入法的使用和技巧。

2.2.1 万能五笔输入法

1. 万能五笔输入法简介

万能五笔输入法是由邓世强发明创建的新型输入法软件，该软件是一种多元输入法软件。它在一种输入法中同时兼容了多种文字编码（包含拼音、五笔、英语、笔画、拼音加笔画等）的输入，用户在输入内容时输入法程序会智能辨别，自由转换，而不需要用户手动进行切换，因此又称为万能码多元输入法。下面来介绍一下万能五笔输入法的输入栏，如下图和下表所示。

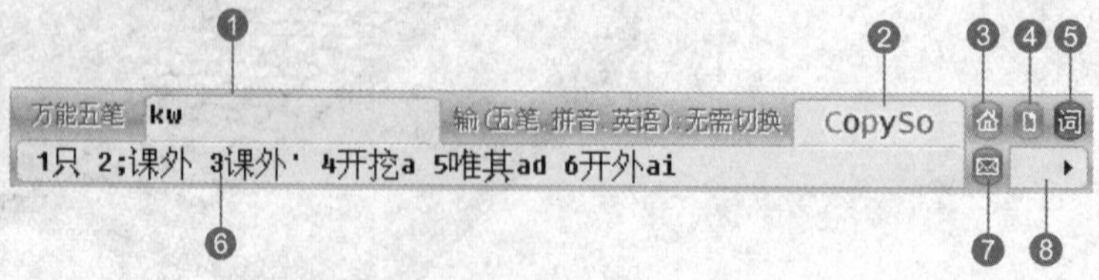

万能五笔输入法输入栏选项介绍

序 号	名 称	作 用
❶	编码区	输入汉字编码的显示区
❷	搜索区	不需输入网址或字词，只要把需要搜索的内容选中，用鼠标单击此按钮或直接将内容拖放到万能五笔输入界面即可连接网络进行搜索
❸	网络导航	单击此按钮，用户可直接访问万能五笔网站，可进行其他网页的查询
❹	功能菜单	单击此按钮可弹出万能五笔输入法功能菜单
❺	造词按钮	用户可在屏幕中取词再单击该按钮进行造词
❻	文字预览区	显示对应编码的汉字、词组，也是整句联想输入功能显示区
❼	发送邮件按钮	单击此按钮，可以直接连网发送邮件
❽	翻页按钮	单击上翻或下翻按钮，可对汉字预览区中的内容进行翻页查看

2. 万能五笔输入法的使用

万能五笔输入法是一个多元输入法，它打破了传统输入法单向编码的禁锢，传统的输入法规定了只能用一类输入法编码进行输入，用户在输入过程如果遇到一个不会输入的字或词组时就会比较麻烦。而万能五笔输入法则不会出现这样的情况，当用户在使用五笔打字时遇到不会拆分的汉字时，就可以使用音码输入法直接输入该字的拼音，万能五笔输入程序会自动识别并输出该字及与该字有关的字符供用户选择，如果用户在使用音码输入时，遇到类似的情况也可直接使用形码输入法进行输入。

万能五笔的多元输入功能大大地提高了用户的输入速度，为用户节省了大量的时间，下面就向读者介绍万能五笔的多元输入法中几种常用的输入方法。

五笔输入

五笔字型输入是万能五笔输入法中最主要的一种输入方法，用户在进行五笔字型输入时只需要按传统的 86 版五笔字形输入法进行输入即可，如“沉默”一词，只要输入 IPLF 编码即可得到，如右图所示。

一段长长的沉默之后，是一段更长时间的↵

ipl　CopySo选字搜　网信词

1浑 2;沉默f 3党团f 4学园f 5浑h 6渾h

拼音输入

用户在使用拼音输入时，只需按正确的汉字拼音进行输入即可，在输入常见双字词组或多字词组时，输入每个字的声母即可，如“办公桌”一词，只要输入 bgz 即可得到，如右图所示。

办公桌↵

bgz　CopySo选字搜　网信词

1笔杆子 2;办公桌 3包干制 4不规则

英语输入

英语基础好的用户还可以使用英语进行输入，在输入时用户可以直接输入英文单词，例如，“桌子”一词，只要输入 table，即可得到，如右图所示。

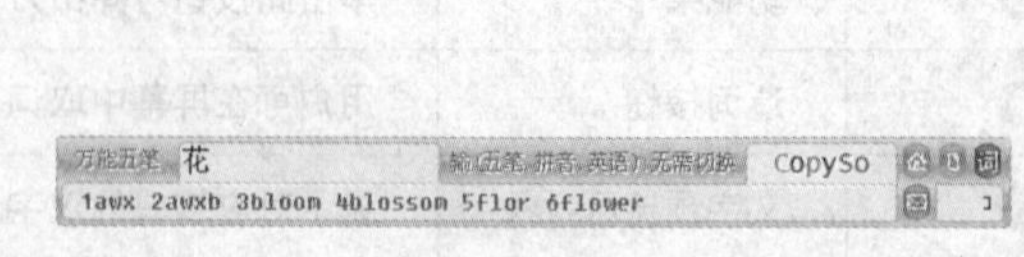

中译英输入

用户在需要输入英文，却又不知道该英文写法时，可进行中译英的输入，即输入该英文单词的中文释义。例如，输入“花”后，在万能五笔的文字预览区中就会出现它的英文单词，如右图所示，用户按下所需英文选项所对应的数字键即可完成输入。

提示：设置中译英输出选项

万能五笔输入法特别设计了反查输入编码功能，在编码区输入汉字后可看到有关英语单词的编码反查内容。如果用户还不会使用此功能，可按如下方法进行设置。

右击输入栏，在弹出菜单中单击选中“中译英输出”选项即可切换至中译英输出状态，如右图所示。

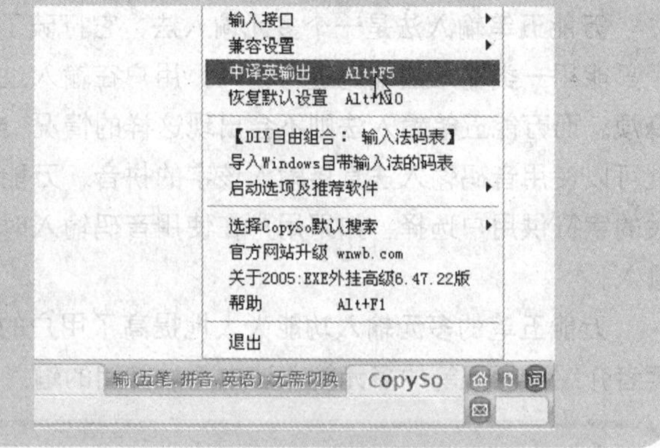

2.2.2 智能五笔输入法

1. 智能五笔输入法简介

智能五笔输入法也称智能陈桥五笔输入法，它是由陈桥工作室经过多次的改进推出的一种汉字输入平台软件。智能陈桥五笔输入法是第一套支持全部 GBK 汉字编码的五笔字型输入法，其功能十分强大，支持两万多汉字的编码，还提供新颖实用的陈桥拼音，具有智能提示、语句输入、语句提示、简化输入及智能选词等多项非常实用的独特功能，下面来介绍一下智能五笔输入法的输入栏，如下图和下表所示。

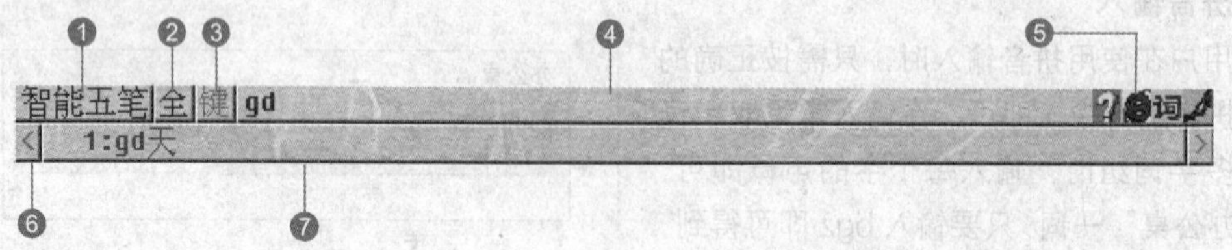

智能五笔输入法输入栏选项介绍

序号	名称	作用
❶	输入法名称显示区	用于显示当前使用的汉字输入法的名称，智能陈桥输入法默认的输入法为“智能五笔”，如用鼠标单击该区域，系统将在“陈桥拼音”和“智能五笔”二者之间相互转换
❷	全角、半角状态区	用于当前系统输入法的全角或半角状态的设置和显示。单击该区域按钮，系统将在“全角”和“半角”状态之间切换
❸	软键盘按钮	用于输入种类特殊的字符，单击该按钮将显示软键盘，再次单击将隐藏软键盘
❹	输入信息区	用于显示输入的编码以及各种提示信息
❺	功能快捷操作区	系统设置了三项常用功能和一个灵活的自定义功能，其中三项常用功能分别是帮助说明、增加词组和保密开头。当需要查看帮助说明时，可用鼠标单击相应的图标，例如，当需要增加词组时，可用鼠标单“词”图标
❻	向前（向后）翻页按钮	当输出字词较多时，可通过单击向前、向后翻页按钮来进行操作，以查找需要输出的字词
❼	输出信息区	用于显示输出信息的结果，如显示输出的汉字、语句等

2. 智能五笔输入法的使用

与其他五笔字型输入法相同，智能五笔输入法在输入汉字或词组时只需要输入其编码或简码，即可得到需要的内容。除此之外，陈桥五笔输入法还可以使用其他输入法进行输入，下面就来简单地介绍一下。

智能语句的输入

在使用智能五笔输入法时，用户只要按照传统的 86 版五笔字型输入法进行输入即可。

智能语句的输入是针对一些不是词库中常用词，却会被多次重复使用的语句而设的，例如，输入“蓝蓝的天上白云飘”时，输入一次后，再次输入时可先按下“；”键，然后再输入每个字的第一个字根编码，就可得到该语句，如右图所示。

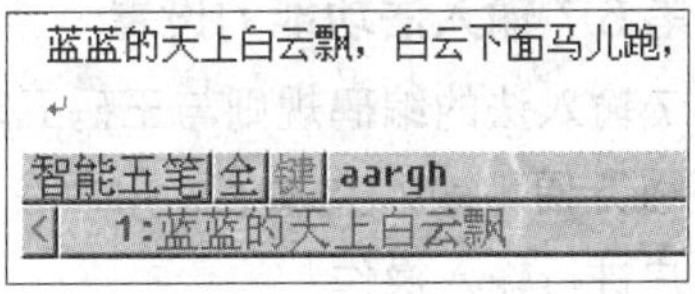

蓝蓝的天上白云飘，白云下面马儿跑，
智能五笔|全|键| aargh
< 1:蓝蓝的天上白云飘

拼音输入

智能陈桥输入法还内置了全拼和双拼拼音输入法。当用户在使用五笔输入法进行输入时，遇到不会拆分的汉字时即可切换到“陈桥拼音”输入法下进行输入，如右图所示。

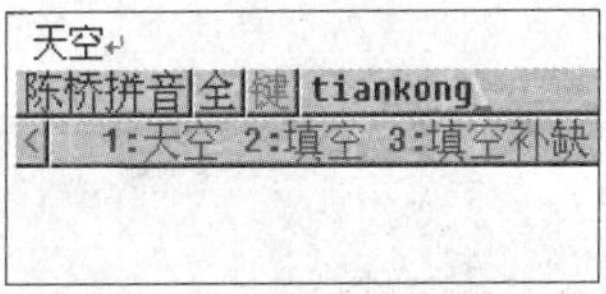

天空
陈桥拼音|全|键| tiankong
< 1:天空 2:填空 3:填空补缺

2.2.3 极品五笔 6.7 输入法

1. 极品五笔 6.7 输入法简介

极品五笔兼容了王码五笔字型 4.5 版，并且精心筛录了 51000 条词组，创造了五笔词汇的新标准。极品五笔在完全支持 GB231280 简体汉字字符集的基础上，选择增加了一些 GBK 汉字，避免了传统五笔对于"镕"、"瞭（望）"、"啰（嗦）"、"堃"、"槃"、"焗"等汉字不能输入的缺点，实用性强、输入方法简单，并且对于经常出现的词组会在输入栏中给出提示。

2. 极品五笔 6.7 输入法语言栏

极品五笔 6.7 输入法的语言栏如下图所示，其中的各选项按钮介绍如下表所示。

极品五笔 6.7 输入法语言栏选项介绍

序号	名称	作用
❶	输入状态显示区	用于显示当前的输入状态，有中文和大写英文字母两种，用户可以通过用鼠标单击它来改变输入状态，也可以通过按下 Caps Lock 键来进行转换
❷	输入法名称显示区	用于显示当前输入法的名称
❸	全角、半角状态区	用于当前系统输入法的全角或半角状态的设置和显示，单击该区域按钮时，系统将在"全角"和"半角"状态之间切换
❹	标点符号状态区	显示标点符号所处的状态，单击该按钮可将标点符号在中文状态与英文状态之间转换
❺	软键盘按钮	用于输入种类特殊的字符，单击该按钮将显示软键盘，再次单击将隐藏软键盘

3. 极品五笔 6.7 输入法功能的设置

极品五笔 6.7 输入法的编码规则与王码五笔 86 版的规则是一致的，用户只要掌握了五笔字型的拆分规则就可以方便地输入文本了。用户在使用极品五笔 6.7 输入法时可以进行一些功能设置，这样会更方便用户进行输入操作。

下面来设置光标跟随状态及外码提示。

步骤 01 打开"输入法设置"对话框

右击除软键盘按钮外的其他语言栏区域，在弹出菜单中选择"设置"选项，如右图所示。

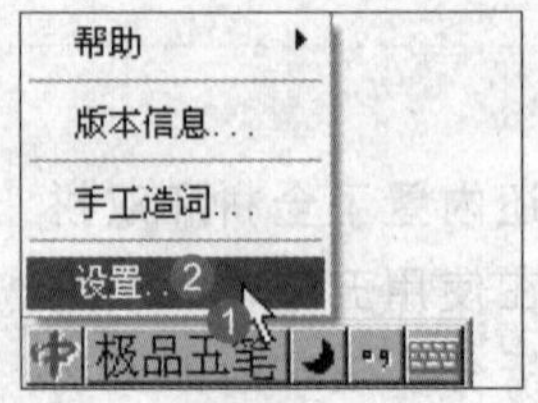

步骤 02 设置“输入法设置”对话框

在弹出的“输入法设置”对话框中单击勾选“光标跟随”复选框，然后单击选中“编码查询”列表框中的“全拼”选项，再依次勾选“逐渐提示”和“外码提示”复选框，最后单击“确定”按钮，即可完成设置，如右图所示。

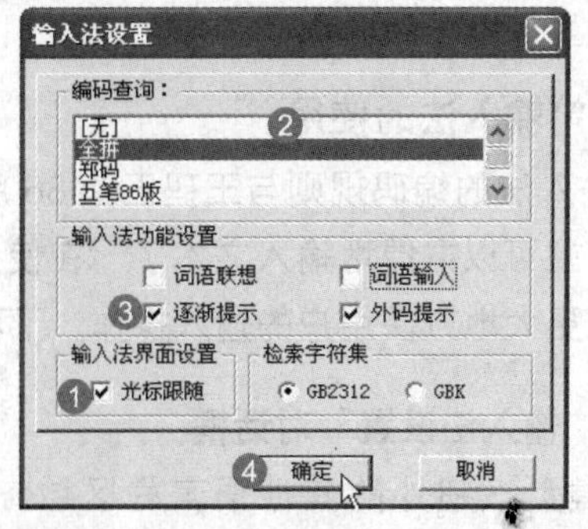

提示：设置其他功能

用户在使用极品五笔 6.7 输入法时，该程序默认设置的选项有“词语联想”、“词语输入”、“逐渐提示”、“外码提示”、“光标跟随”、“GBK”，如果用户想撤销这些设置时单击对应选项取消勾选即可，想设置该项时用同样的方法单击选择即可。

4. 手工造词

使用极品五笔 6.7 输入法时，当遇到一些使用比较频繁，但在词库中没有的词时，用户可以通过“手工造词”功能来进行设置，以便下次的使用。

步骤 01 打开“手工造词”对话框

右键单击除软键盘按钮外的其他语言栏区域，在弹出菜单中选择“手工造词”选项，如右图所示。

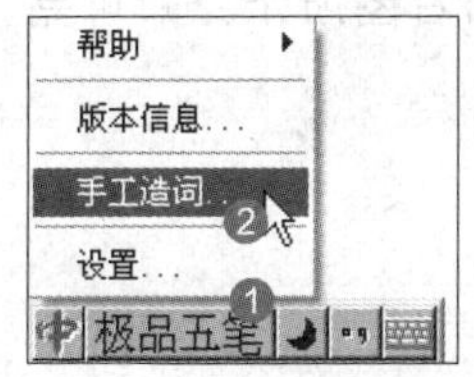

步骤 02 进行手工造词

在弹出的“手工造词”对话框中，单击选中“造词”单选按钮，在“词语”文本框中输入“光年的计算方法”，在“外码”文本框中就会出现相应的编码，再单击“添加”按钮，在“词语列表”列表框中就会出现编码及所造词语，最后单击“关闭”按钮，即可完成造词，如右图所示。

2.2.4 海峰五笔输入法

1. 海峰五笔输入法简介

海峰五笔输入法包括 86 版和 98 版两种版本。其中 86 版抛弃了王码 18030 方案，用纯 86 版编码重新整理全部 GBK 汉字，与老五笔完全兼容；98 版更经过彻底检查，剔除了所有混杂的 86

版编码，是目前最纯正的 GBK 标准 98 版五笔。由于海峰五笔输入法语言栏与王码五笔输入法的语言栏类似，在这里就不多做介绍了。

2．海峰五笔输入法的使用

海峰五笔输入法的编码规则与王码五笔 86 版的规则是一致的，用户只要按照五笔字型的拆分规则进行拆分，就可以方便地输入文本了，在使用海峰五笔输入法时可以对一些程序特有的功能进行设置，这样会更大地方便用户的输入操作。下面就来介绍一下海峰五笔输入法特有的功能。

步骤 01 打开“输入法设置”对话框

右击除软键盘按钮外的其他语言栏区域，在弹出的菜单中，选择“设置”选项，如右图所示。

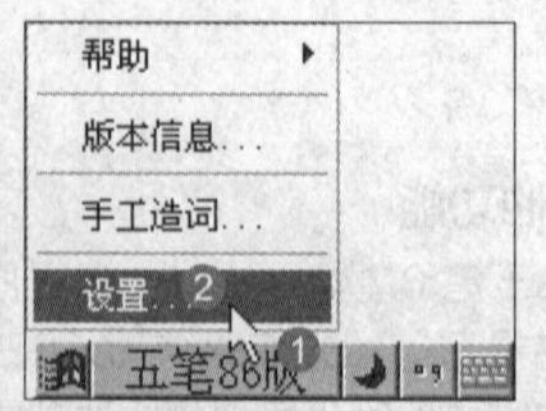

步骤 02 设置“输入法设置”对话框

在弹出的“输入法设置”对话框中，用户可以看到程序的默认设置，选项前有勾的为已设置的选项，没有勾的为未使用的设置，用户在设置时单击选项，即可进行设置或取消设置，然后单击“确定”按钮，如右图所示，即可完成设置。

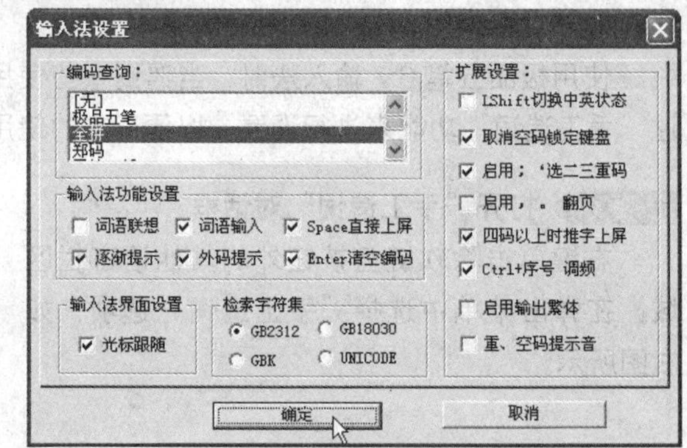

2.3 安装五笔字型输入法程序

计算机系统中没有自带五笔字型输入法程序，因此用户在使用五笔输入法之前要对其进行安装，下面来介绍三种比较常用的五笔输入法程序的安装。

2.3.1 王码五笔输入法程序的安装

王码五笔输入法在安装时需要注意的是对于版本的选择，它有 86 版和 98 版两个版本，用户可以选择其中一个版本，也可以两个版本都选择，具体可根据用户自身情况而定。下面以安装王码五笔 2.5.0.0 版为例介绍操作步骤。

步骤 01 启动王码五笔安装程序

将王码五笔字型安装盘放入计算机光盘驱动器中，打开五笔安装程序文件夹，双击文件夹中的安装程序，如下图所示。

步骤 02 确定安装

在弹出的“王码五笔型输入法安装程序”对话框中勾选“86 版”和“98 版”复选框，然后单击“确定”按钮，如下图所示。

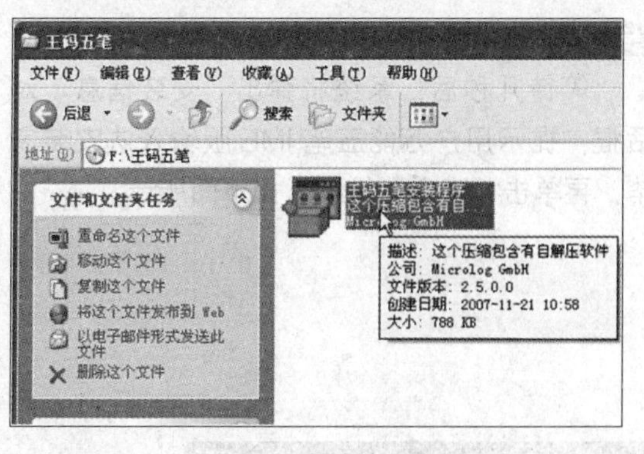

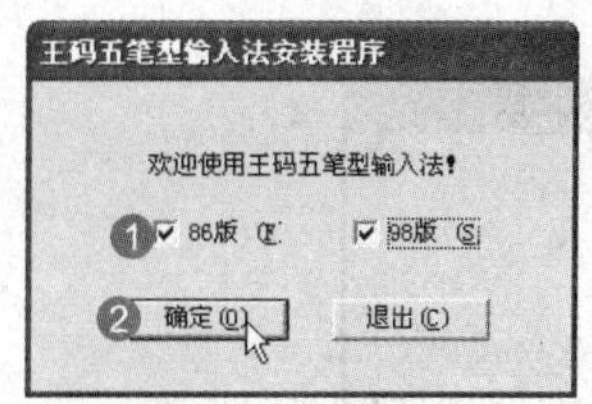

步骤 03 确定安装完毕

程序开始自动安装，几秒钟后对话框中将显示“安装完毕”字样，单击“确定”按钮，如下图所示，完成安装。

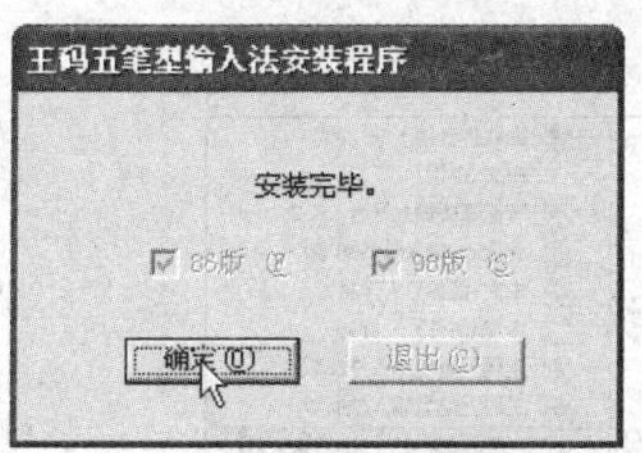

步骤 04 显示安装五笔输入法最终效果

经过以上操作后，电脑的输入法列表中就添加了王码五笔输入法，如下图所示。

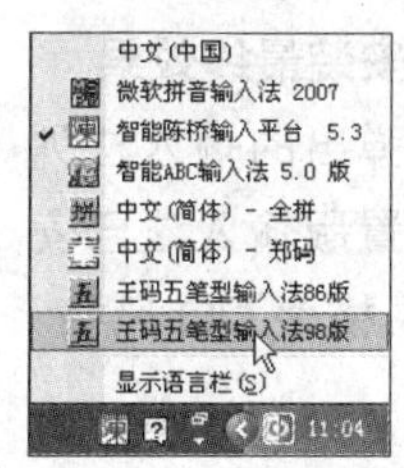

2.3.2 万能五笔输入法程序的安装

万能五笔输入法有内置版和外挂版两个版本，内置版即内置于输入法列表中，使用时切换至万能五笔输入法即可使用，外挂版即外挂于输入法列表外。下面以安装万能五笔内置 5.4 版和外挂 6.4 版为例介绍安装方法。

1. 万能五笔字型内置版的安装

步骤 01 启动万能五笔安装程序

将万能五笔字型安装盘放入计算机光盘驱动器中，打开五笔安装程序文件夹，双击文件夹中的内置版安装程序，如下图所示。

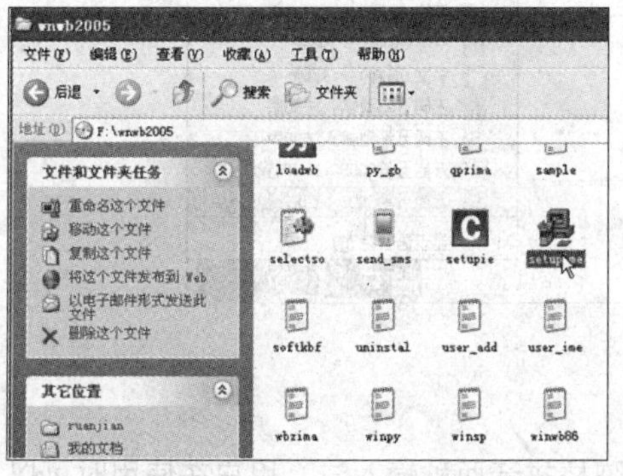

步骤 02 确定安装

在弹出的“万能五笔 2004：IME 内置 5.4 版安装提示”对话框中单击选中“安装”单选按钮，然后单击“下一步”按钮，如下图所示。

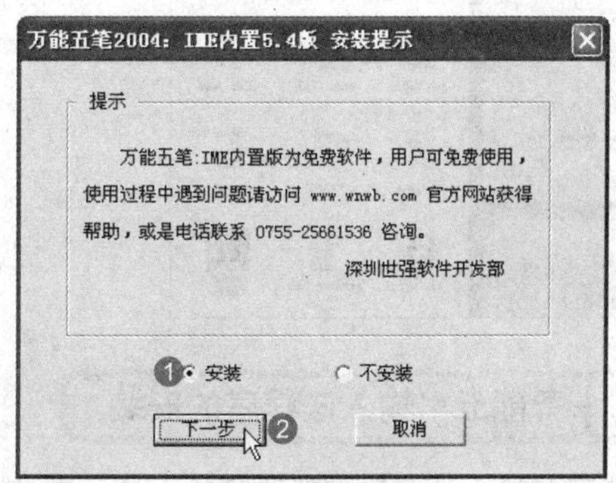

步骤 03 选择五笔输入栏风格

在弹出的选择颜色风格对话框中单击选中"QQ风格"单选按钮，然后单击"下一步"按钮，如下图所示。

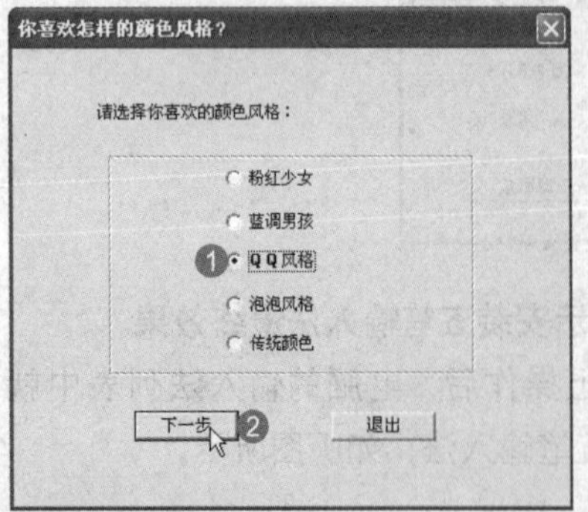

步骤 04 确定安装完毕

等待几秒后，系统将弹出"安装信息"对话框，提示用户万能五笔IME版输入法安装完毕，再单击"确定"按钮，如下图所示。

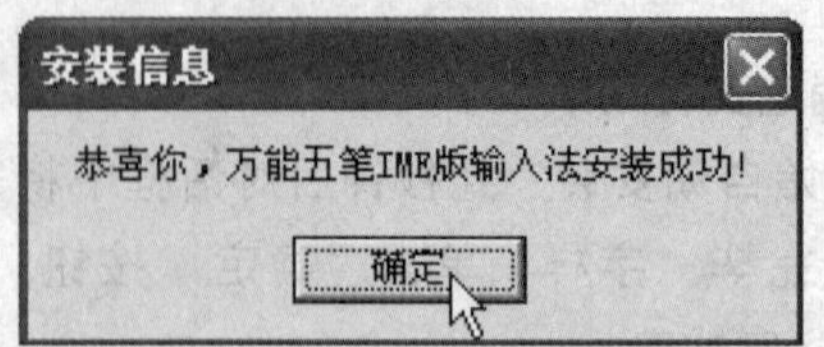

步骤 05 显示万能五笔输入法安装最终效果

单击当前输入法选项，在弹出的输入法列表中用户可以看到万能五笔内置版输入法已安装完毕，并且输入栏的颜色风格为QQ风格，如右图所示。

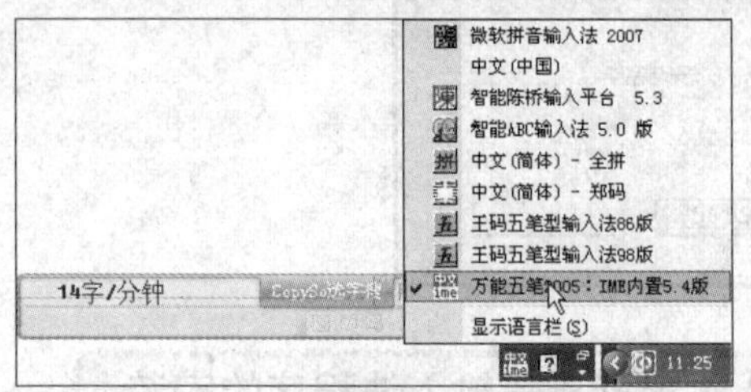

2. 万能五笔外挂版的安装

步骤 01 启动五笔安装程序

将万能五笔字型安装盘放入计算机光盘驱动器中，打开五笔安装程序文件夹，双击文件夹中的外挂版安装程序，如下图所示。

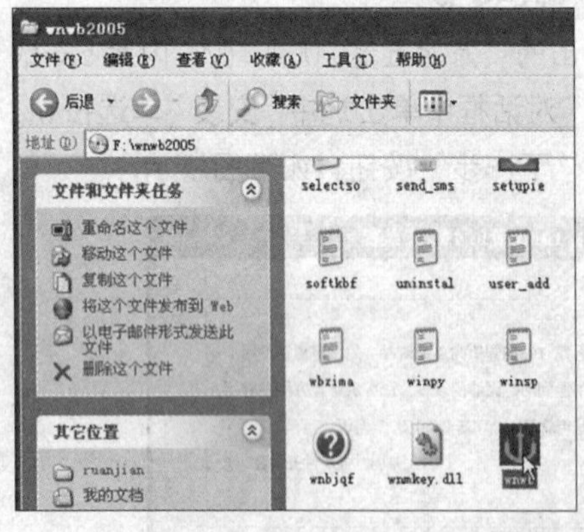

步骤 02 安装结束后显示最终效果

等待几秒后，系统就完成了万能五笔输入法外挂版的安装，此时即可在输入法选项列表中找到该输入法，如下图所示。

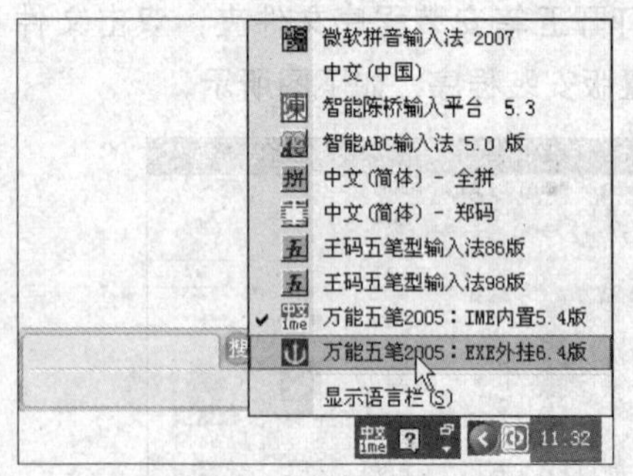

2.3.3 智能五笔输入法程序的安装

智能五笔输入法也称智能陈桥输入法，兼容了五笔和陈桥拼音两种输入法，用户在使用时可以随时切换，下面以安装智能五笔5.3版为例进行安装说明。

步骤 01 启动智能五笔安装程序

将智能五笔字型安装盘放入计算机光盘驱动器中，打开智能五笔安装程序文件夹，双击文件夹中的安装程序，如下图所示。

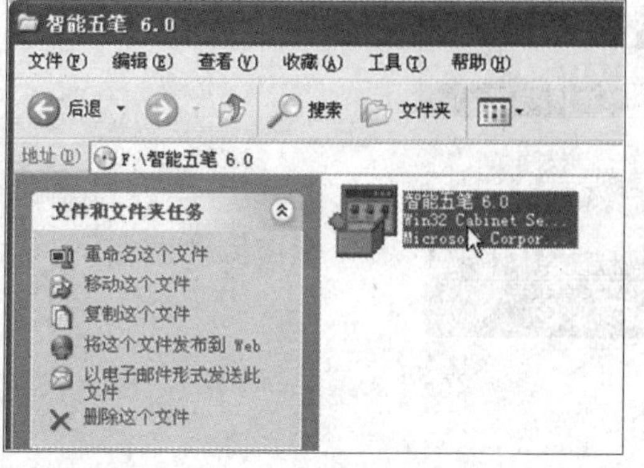

步骤 02 确定安装

在弹出的“智能陈桥系统安装”对话框中单击“确定安装”按钮，如下图所示。

步骤 03 确定安装路径

此时，对话框中会显示出智能五笔输入法程序的安装路径，可通过输入进行更改，完成后单击“确定安装”按钮，如下图所示。

步骤 04 确定安装

系统开始进行自动安装，当弹出“智能陈桥输入平台”对话框，提示用户智能五笔安装完毕时，单击“确定”按钮即可，如下图所示。

步骤 05 显示智能五笔安装效果

单击桌面任务栏中的输入法选项，在弹出的输入法列表中即可找到智能五笔输入法，如右图所示。

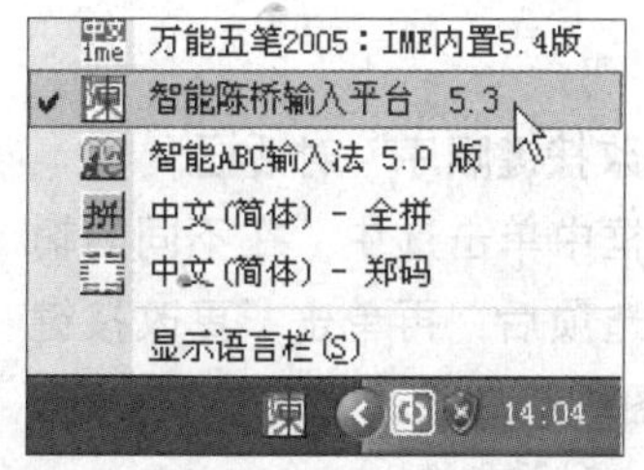

2.4 五笔输入法的切换

安装了五笔输入法之后，当用户需要使用此输入法进行文本输入时，首先要切换到五笔输入法下，然后再进行使用。用户可以通过两种方法切换输入法，下面对其进行一一介绍。

＊方法一 使用鼠标选择输入法

单击桌面任务栏中的输入法选项，在弹出的列表中选择需要使用的五笔输入法，如万能五笔输入法选项，如右图所示。

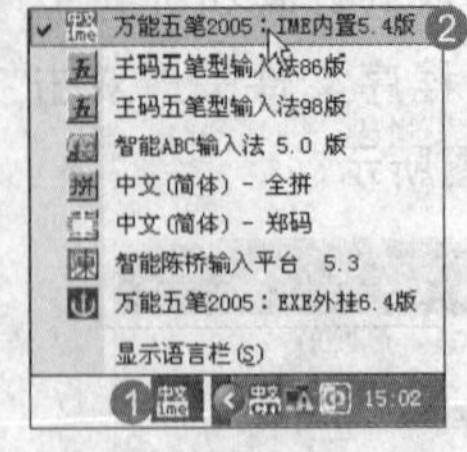

＊方法二 利用Ctrl+Shift快捷键切换输入法

当用户需要将输入法切换至极品五笔输入法时，可不断按下Ctrl+Shift快捷键直到切换到该输入法为止，效果如右图所示。

设置使用Ctrl+Shift快捷键切换输入法的方法如下：

步骤01 打开“文字服务和输入语言”对话框

右击桌面任务栏右侧的输入法选项，在弹出的列表中选择“设置”选项，如下图所示。

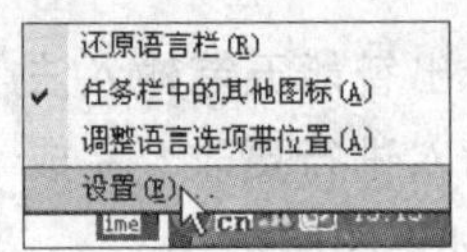

步骤02 打开“高级键设置”对话框

在弹出的“文字服务和输入语言”对话框中切换至“设置”选项卡下，单击选中“极品五笔输入法”后，单击“键设置”按钮，如下图所示。

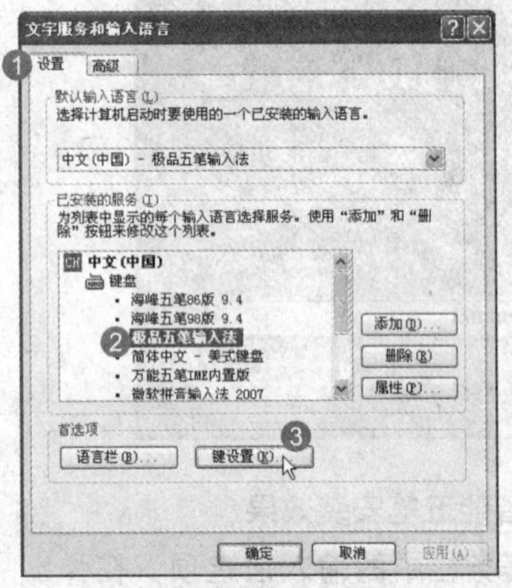

步骤03 打开“更改按键顺序”对话框

在弹出的对话框中单击选中“在不同的输入语言之间切换”选项后，再单击“更改按键顺序”按钮，如右图所示。

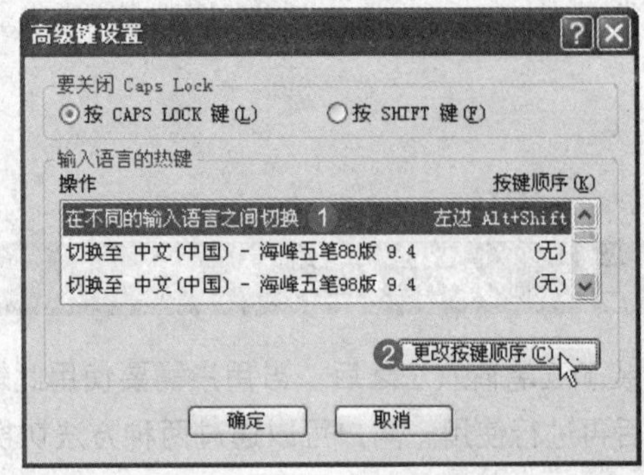

步骤 04 设置“更改按键顺序”对话框

在弹出的对话框中勾选“切换输入语言”复选框，并在其下单击选中“左手 ALT+ SHIFT”单选按钮，再勾选“切换键盘布局”复选框，并在其下单击选中“CTRL+SHIFT”单选按钮，如右图所示，然后依次单击各对话框的“确定”按钮，返回到桌面，用户就可以使用 Ctrl+Shift 快捷键来切换输入法了。

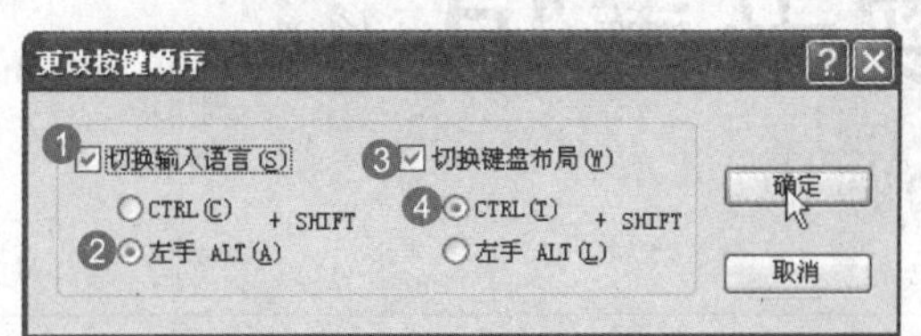

Column 技能提升

本章中主要介绍了五笔输入法的一些基础知识及程序的安装和使用，在本章介绍的几种五笔输入法中，用户可以在试用以后选择适合自己的输入法，并删除不需要的输入法，以减少对计算机的资源消耗。删除输入法的方法如下。

步骤 01 打开“文字服务和输入语言”对话框

右击桌面任务栏右侧的输入法选项，在弹出的列表中选择“设置”选项，如右图所示。

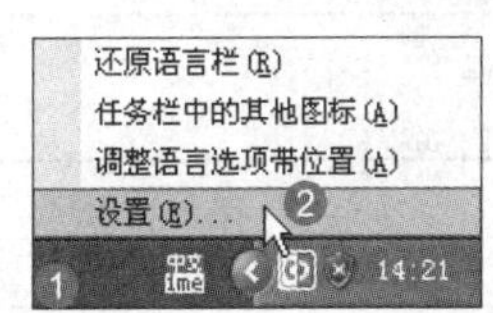

步骤 02 删除输入法

在弹出的“文字服务和输入语言”对话框中，单击选择要删除的输入法，如“万能五笔 EXE 外挂版”选项，然后单击“删除”按钮，如下图所示。再单击“确定”按钮，即可完成输入法的删除操作。

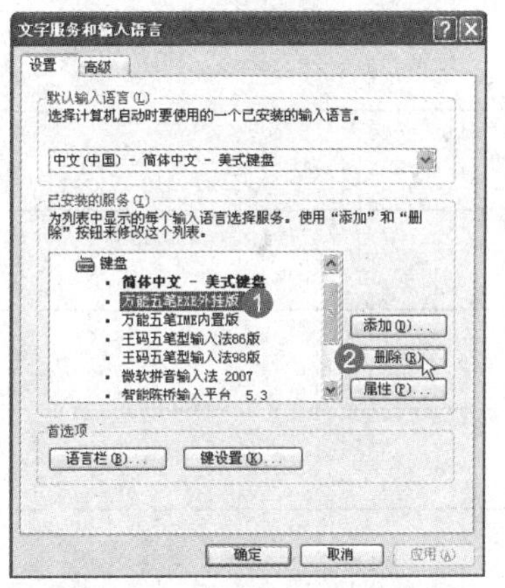

步骤 03 显示删除输入法最终效果

返回到桌面后，再单击输入法选项查看输入法列表时会发现“万能五笔 EXE 外挂版”已经被删除，如下图所示。

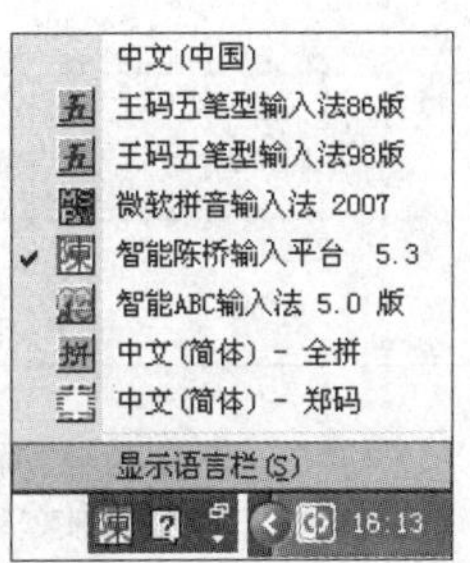

提示：取消删除设置的方法

用户在删除了输入法后，单击对话框内的“确定”按钮，会确认此次操作，单击“取消”按钮，则可以取消此次删除操作。

读书笔记

03

本章建议学习时间

本章建议学习时间为 60 分钟，其中 30 分钟用于学习教材知识，30 分钟用于上机操作。

五笔字型编码的基本常识

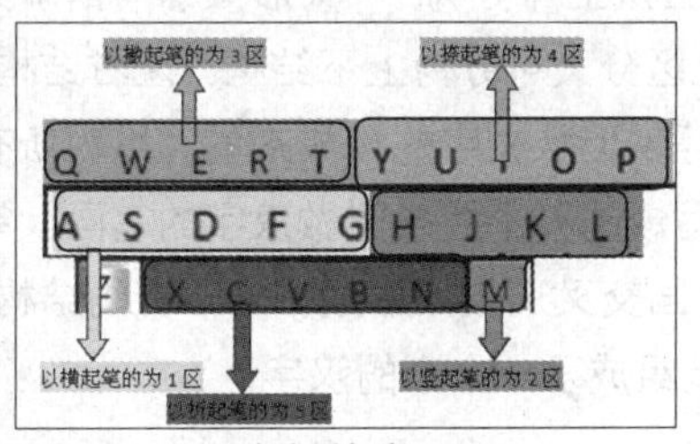

字根的分区

字根的分布

学习完本章后您可以

1. 了解汉字的结构知识
2. 了解字根在键盘中的分布
3. 了解键盘中字根的区位划分
4. 了解汉字的拆分规则

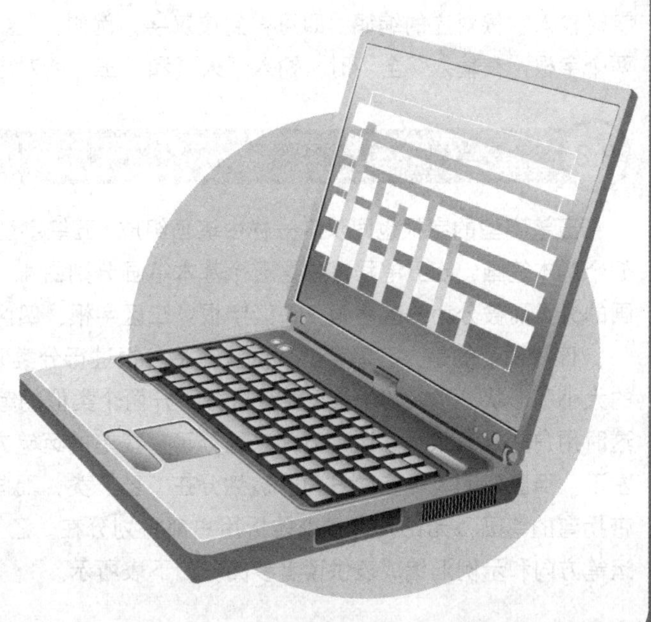

第 03 章 五笔字型编码的基本常识

认识并安装了五笔字型输入法后，用户对其只是有个大致的认识，还不能通过它来输入文本，想要使用它输入文本，还需要对汉字的结构、五笔字根的拆分、五笔字型的编码规则等内容有一个详细的了解，下面就来介绍一下汉字的结构与五笔字型的拆分等内容，使用户对五笔字型输入法有更深一步的认识。

3.1 汉字的基本结构

中国的文字有着几千年的历史，它包括很多种类，从构字方法上可分为：象形文字、指事文字、会意文字、形声文字、转注文字、假借文字六种，从结构上区分又可分为上下结构、左右结构、上中下结构、左中右结构、全包围结构、半包围结构、独体字等。但从文字的构成来看，纵观所有汉字都是由笔画组成的。在书写汉字时，不间断地一次性连续写成的一个线条叫做汉字的笔画，笔画的基本形式是点和线，笔画与笔画连接又形成部首，由若干笔画交叉连接而形成相对不变的结构，如：日、月、金、木、水、火等就是部首，部首与部首结合就组成了一个个的汉字。

汉字的组成规则为：笔画组成部首，部首组成汉字。

3.2 字根与汉字的关系

五笔输入法中所讲的字根可以看成是汉字的部首，在五笔输入法中汉字由一个个的字根组成，五笔程序将每个汉字拆分成一个或多个（不超过四个）字根，并分布在相应的按键上，在输入该汉字时输入字根对应的编码，即可得到该汉字，例如，“全”字在五笔程序中被拆分成“人”和“王”两个字根，在输入“全”时，输入“人”和“王”所对应的编码 WG，即可得到“全”字。

3.3 五笔字型的字根分类

五笔字型的字根也同汉字一样由笔画组成，五笔字型的笔画包括“一”、“丨”、“丿”、“丶”、“乙”五个基本笔画，在五笔程序中这五个基本笔画分别由 1、2、3、4、5 来作为代码，字根也就根据笔画的分类而被分为一区字根、二区字根、三区字根、四区字根和五区字根五个类别。

值得说明的是，五笔字型输入法在将字根进行分类时，只考虑笔画的运笔方向，而不考虑笔画的大小和形状，所以初学者可能会区分不开两个类似的笔画，例如，提笔和撇，从外观上很难区分，这时用户就只有根据其运笔方向来区分了，提笔的运笔方向是从左至右，撇的运笔方向是从右上至左下；而竖勾的笔画在向右勾时被划分在“乙”类，而向左勾时就被划分在“丨”类了，还有一些带拐弯的笔画，无论其有多少转折用户都将划分在“乙”分类中。下面将五种笔画的名称、代码、运笔方向和示例汇编成表供读者参阅，如下表所示。

五种基本笔画分类表

代码	名称	笔画方向	字例
1	横	左→右	三、现
2	竖	上→下	中、则
3	撇	右上→左下	人、用、师
4	捺	左上→右下	八、点、水
5	折	转折	乙、己

3.4 键盘上字根的分布

由于五笔字型汉字编码方案中有 130 多个字根，但计算机键盘没有这么多，并且有很大一部分是功能或数字键，真正能够用来分布字根的只有 26 个字母键，加之键盘安排的优劣，很大程度地影响着汉字输入的速度、效率，也影响着方法的易学易用性，因此必须精心安排这 130 多个字根在键盘上的分布。

3.4.1 字根的分区

按照设计，字根分布在除 Z 键之外的其余 25 个键上，这样，每个键位上都对应了非常多的字根。

为了方便记忆，设计者把这些字根按其特点进行了分区。前面章节讲到，所有的汉字都是由字根组成的，而所有的字根都是由汉字的五种基本笔画：横、竖、撇、捺、折组成。

所以就按每个字根的起笔笔画，把字根人为划分为 5 个区，如下图所示。其中：

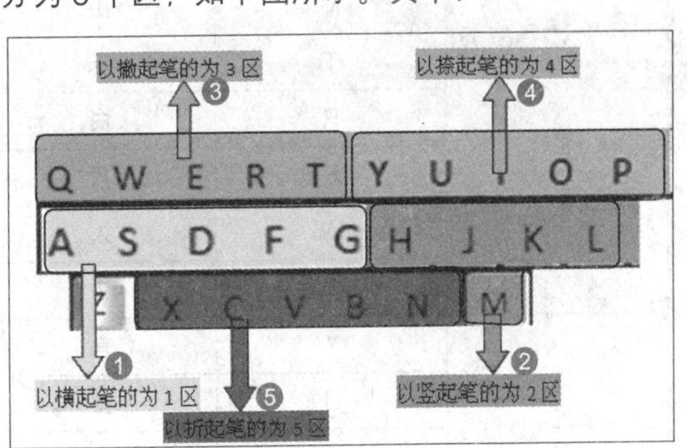

❶以横起笔的为 1 区，对应键盘上的 A、S、D、F、G 键

❷以竖起笔的为 2 区，对应键盘上的 H、J、K、L、M 键

❸以撇起笔的为 3 区，对应键盘的上 Q、W、E、R、T

❹以捺起笔的为 4 区，对应键盘上的 Y、U、I、O、P

❺以折起笔的为 5 区，对应键盘上的 X、C、V、B、N

3.4.2 字根的分位

为了方便地输入汉字，设计者按键盘结构将对应汉字的笔画分成了五个区。但是，同一类型的笔画又对应了不同字根，为便于区分，设计者把每个区又划分成了五个位。

键盘上各区的位号，都是从键盘区的中间向两边扩散排列，与敲击时的手指从食指到小指的顺序相一致。每一个区位号都是由两位数字构成的，区位号中，十位数是区号，个位数是位号，如右图所示。

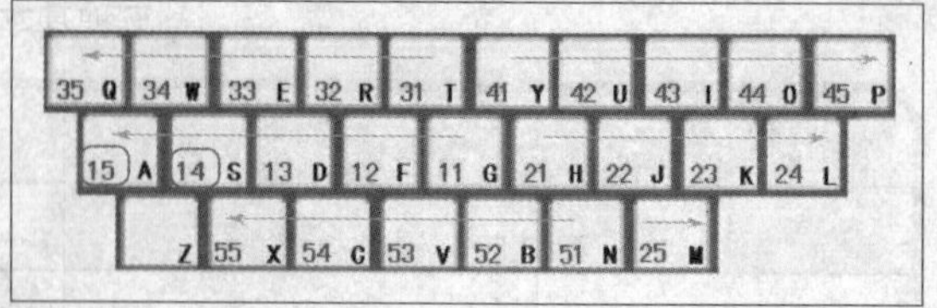

3.4.3 各按键的键名、区位号、起笔画与各字母的对应

经过以上区位的划分后，就可以将字根分布在相应的区位上了。下面将各按键的键名、区位号以及字根的起笔画与各字母的对应做一个详细的介绍，如下表所示。

按键键名、区位号、起笔画对应表

区	对应键	键名	起笔画	区号	区位号
第一区	G	王	横	1	G/11
	F	土	横	1	F/12
	D	大	横	1	D/13
	S	木	横	1	S/14
	A	工	横	1	A/15
第二区	H	目	竖	2	H/21
	J	日	竖	2	J/22
	K	口	竖	2	K/23
	L	田	竖	2	L/24
	M	山	竖	2	M/25
第三区	T	禾	撇	3	T/31
	R	白	撇	3	R/32
	E	月	撇	3	E/33
	W	人	撇	3	W/34
	Q	金	撇	3	Q/35
第四区	Y	言	捺	4	Y/41
	U	立	捺	4	U/42
	I	水	捺	4	I/43
	O	火	捺	4	O/44
	P	之	捺	4	P/45
第五区	N	已	折	5	N/51
	B	子	折	5	B/52
	V	女	折	5	V/53
	C	又	折	5	C/54
	X	纟	折	5	X/55

提示：字母代码

每区的第一个字母键对应的字母，又作为基本笔画的字母代码，即 G 代表横，H 代表竖，T 代表撇，Y 代表捺，N 代表折，这种字母代码与前面所说过的数字码相对应，主要用作构成识别码。

3.5 字根的分布

字根根据笔画的分类也被分成了 5 个类别，分布在键盘上的 5 个区内，每个区内的字母代码上又分布了很多字根，下面就来介绍一下键盘上每个区内的字根分布情况。

26 个字母键中除 Z 以外全部都被划分成区，分布了相应的字根，其具体分布情况如右图所示。

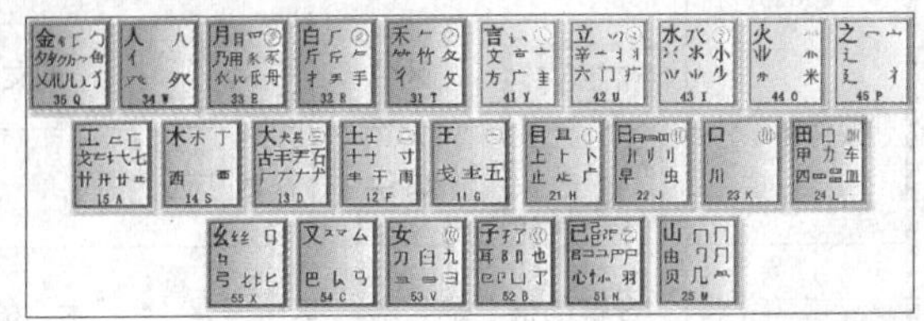

3.5.1 一区字根

一区字根是横起笔类字根区，以横起笔的字根的运笔方向是从左至右。下面介绍一区字根，用户通过介绍来熟练掌握每个按键上的字根分布，并为后面的学习奠定坚实的基础。

1. 按键及字根分布图

键盘中一区的字母键包括 G、F、D、S、A 五个键，其在键盘中的分布情况如右图所示。	
一区中每个按键的字母、区号、位号，以及字根分布情况如右图所示。	

2. 字根口诀综合记忆表

按键图	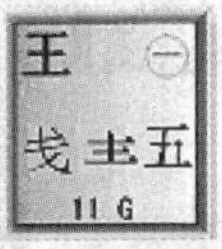	区位	11	英文键名	G	击键手指	左食指
		口诀	王旁青头戋（兼）五一	分布的字根	王、龶、一、五、戋		
记忆要点	G 键的键名为“王”，区位号是 11。“一”为笔画字根；“龶”和“五”与键名相似，属于键名类字根；“王”旁指“王”可以作为偏旁部首用，也可以做为汉字使用；“青头”指青字头字根“龶”；括号中的“兼”与“戋”同音						
按键图	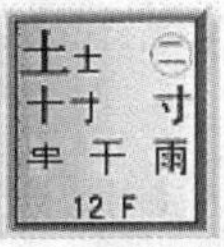	区位	12	英文键名	F	击键手指	左食指
		口诀	土士二干十寸雨	分布的字根	土、士、二、干、𠀎、十、寸、雨		

（续表）

记忆要点	F 键的键名是“土”，区位号是 12。“二”为笔画字根，字根“⺷”与字根“干”相似；“土”、“士”、“干”、“十”、“寸”、“雨”的第二笔都是竖，与该键的位号对应					
按键图	区位	13	英文键名	D	击键手指	左中指
	口诀	大犬三羊古石厂	分布的字根	大、犬、古、石、厂、𠂇、ナ、𠂆、三、⺷、手、镸、		
记忆要点	D 键的键名是“大”，区位号是 13。“三”为笔画字根；“古”与“石”相似；“羊”指羊字底为该键中字根“⺷”；由“三”可以想到“⺷”、“手”、“镸”；由“厂”则可以想到“𠂇”、“ナ”、“𠂆”					
按键图	区位	14	英文键名	S	击键手指	左无名指
	口诀	木丁西	分布的字根	木、丁、西		
记忆要点	S 键的键名是“木”，区位号是 14，“木”的最后一笔为捺，捺的代号为 4，“丁”在“甲”、“乙”、“丙”、“丁”中也排第 4，“西”的下部类似于“四”，这都与该键的位号对应，并且都是以横起笔					
按键图	区位	15	英文键名	A	击键手指	左小指
	口诀	工戈草头右框七	分布的字根	工、匚、艹、廾、廿、𠀎、七、弋、戈		
记忆要点	A 键的键名是“工”，区位号是 15。“草头”指字根中的“艹”，由“艹”也可以想到“廾”、“廿”、“𠀎”；“右框”指向右开口的方框“匚”，并且与字根“工”相似；由“七”则可以联想到“弋”和“戈”					

3.5.2 二区字根

二区字根是竖起笔类字根区，以竖起笔的字根的运笔方向是从上至下。下面介绍二区字根，通过介绍来熟练掌握每个按键上的字根分布，并为后面的学习奠定坚实的基础。

1. 按键及字根分布图

键盘中二区的字母键包括 H、J、K、L、M5 个键，其在键盘中的分布情况，如右图所示。	
二区中每个按键的字母、区号、位号，以及字根分布情况如右图所示。	

2. 字根口诀综合记忆表

按键图	区位	21	英文键名	H	击键手指	右食指
	口诀	目具上止卜虎皮	分布的字根	目、且、丨、⺊、卜、上、止、⺌、广、⺁		
记忆要点	H 键的键名是“目”，区位号是 21。“具上”指的是“具”的上半部分字根“且”与“目”相似，属于键名类字根；“虎皮”有两种理解，分别是“广”和“⺁”；由字根“丨”可以想到“⺊”、“卜”，并扩散想像为“上”和“止”					
按键图	区位	22	英文键名	J	击键手指	右食指
	口诀	日早两竖与虫依	分布的字根	日、⺜、早、刂、刂、川、虫		
记忆要点	J 键的键名是“日”，区位号是 22。“两竖”指的是“‖”，并由此记忆“刂”、“刂”；字根“⺜”和“⺜”与“日”相似，属于键盘类字根，并可以想到字根“早”与“虫”					
按键图	区位	23	英文键名	K	击键手指	右中指
	口诀	口与川，字根稀	分布的字根	口、川		
记忆要点	K 键的键名是“口”，区位号是 23。“字根稀”是指字根很少；“口”的汉语拼音第一个字母即是 K；“三竖”则联想到“川”					
按键图	区位	24	英文键名	L	击键手指	右无名指
	口诀	田甲方框四车力	分布的字根	田、甲、□、四、皿、罒、⺫、车、力		
记忆要点	L 键的键名是“田”，区位号是 24。“方框”指字根“□”；“甲”与“田”相似，属于键名类字根；“四”意义与该键的位号一致，并可由“四”联想到“皿”、“罒”、“⺫”；“‖‖”为笔画字根					
按键图	区位	25	英文键名	M	击键手指	右食指
	口诀	山由贝，下框几	分布的字根	山、由、贝、冂、⺆、几		
记忆要点	M 键的键名是“山”，区位号是 25。“下框”指向下开口的方框“冂”，由此可以想到字根“几”，并由“几”联想记忆“贝”和“⺆”（骨头）；由“山”可联想到“由”					

3.5.3 三区字根

三区字根是撇起笔类字根区，以撇起笔的字根的运笔方向是从右上至左下。下面介绍三区字根，通过介绍熟练掌握每个按键上的字根分布，并为后面的学习奠定坚实的基础。

1. 按键及字根分布图

键盘中三区的字母键包括 T、R、E、W、Q 五个键，其在键盘中的分布情况如右图所示。

三区中每个按键的字母、区号、位号，以及字根分布情况如右图所示。

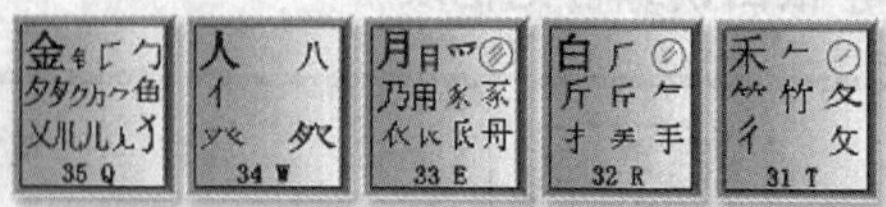

2. 字根口诀综合记忆表

按键图		区位	31	英文键名	T	击键手指	左食指
		口诀	禾竹一撇双人立，反文条头共三一		分布的字根	禾、竹、⺮、丿、𠂉、彳、攵、夂	
记忆要点	T键的键名是“禾”，区位号是31。“禾竹”指的是字根“禾”与“竹”，并可由此联想到“⺧”，由“竹”联想到“⺮”；“一撇”指字根“丿”，为笔画字根，并可由此记忆“𠂉”；“双人立”指偏旁“彳”；“反文”指偏旁“攵”；“条头”指“条”字上半部分的“夂”；“共三一”指这些字根都们位于代码为31的键位T上						
按键图		区位	32	英文键名	R	击键手指	左食指
		口诀	白手看头三二斤	分布的字根	白、手、龵、扌、⺈、厂、𠂉、斤、⺁		
记忆要点	R键的键名是“白”，区位号是32。“看头”指“看”的上半部分“龵”，并由此记忆“龵”和“手”；“𠂉”是笔画字根；“厂”和“斤”的第二笔为撇，与该键的位号一致；由“斤”来记忆“⺁”；字根“扌”与“手”同义；“三二”指这些字根都位于代码为32的键位R上						
按键图		区位	33	英文键名	E	击键手指	左中指
		口诀	月彡（衫）乃用家衣底		分布的字根	月、丹、用、彡、⺌、乃、豕、𧰨、𠂢、𧘇、⺁、⺝	
记忆要点	R键的键名是“月”，区位号是33。括号豸中的“衫”指的是字根“彡”；“家衣底”分别指的是“家”字下部的字根“豕”和“衣”字下部的字根“𧘇”；并可由“豕”记忆“𧰨”和“豸”；由“𧘇”记忆“⺁”；“彡”为笔画字根并可由此记忆一撇加三点的“⺌”；“⺝”、“丹”、“用”、“乃”与“月”相似，属于键名类字根						
按键图		区位	34	英文键名	W	击键手指	左无名指
		口诀	人和八，三四里	分布的字根	人、亻、八、癶、𠈌		
记忆要点	W键的键名是“人”，区位号是34。“人和八”指字根“人”和“八”，“亻”为单人旁，与“人”同义；字根“癶”和“𠈌”则与字根“八”形似。“三四里”指这些字根都在代码为34的键位W上						
按键图		区位	35	英文键名	Q	击键手指	左小指
		口诀	金勺缺点无尾鱼，犬旁留叉儿一点夕，氏无七		分布的字根	金、钅、⺈、儿、勹、犭、乂、⺃、⺈、夕、⺈、𠂆	
记忆要点	Q键的键名是“金”，区位号是35。“金”指字根“金”，并可由此记忆偏旁字根“钅”；“勺缺点”指字根“勹”；“无尾鱼”指字根“⺈”；“犬旁”指“犭”，注意此处并不是“豸”，因此需要特别注意；“留叉儿”指字根“乂”和“儿”，由此可联想记忆“⺃”；“一点夕”指的是字根“⺈”，并可以由此记忆“夕”、“⺈”；“氏无七”指“氏”字去掉中间的“七”字，字根为“𠂆”						

3.5.4 四区字根

四区字根是捺起笔类字根区，以捺起笔的字根的运笔方向是从左上至右下。下面介绍四区字根，通过介绍来熟练掌握每个按键上的字根分布，并为后面的学习奠定坚实的基础。

1. 按键及字根分布图

键盘中四区的字母键包括 Y、U、I、O、P 五个键，其在键盘中的分布情况如右图所示。	
四区中每个按键的字母、区号、位号，以及字根分布情况如右图所示。	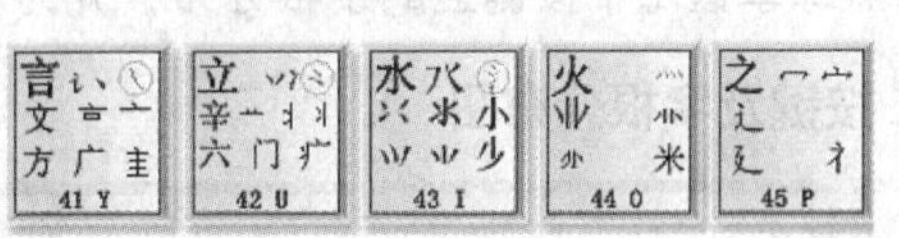

2. 字根口诀综合记忆表

按键图		区位	41	英文键名	Y	击键手指	右食指
		口诀	言文方广在四一，高头一撇谁人去		分布的字根	言、讠、文、方、丶、亠、䒑、广、圭	
记忆要点	Y 键的键名是“言”，区位号是 41。“言文方广”指字根“言”、“文”、“方”、“广”；“在四一”指这些字根都位于代码为 41 的 Y 键上；“高头”指“高”的上部“䒑”，并由此记忆“亠”；“一撇”指字根“㇏”，由此可扩展记忆“丶”；“谁人去”指去掉“谁”字中间的单人旁“亻”，指字根“讠”和“圭”						
按键图		区位	42	英文键名	U	击键手指	右食指
		口诀	立辛两点六门疒		分布的字根	立、六、辛、冫、丬、丷、丶、䒑、疒、门	
记忆要点	U 键的键名是“立”，区位号是 42。“立辛”指字根“立”和“辛”，由“立”联想到“亠”或变形到“六”；“两点”指“冫”、“丷”、“丷”，并由此记忆“丬”、“䒑”；“六门疒”分别指字根“六”、“门”、“疒”						
按键图		区位	43	英文键名	I	击键手指	右中指
		口诀	水旁心头小倒立		分布的字根	水、氺、氵、⺌、⺍、⺗、氺、小	
记忆要点	I 键的键名是“水”，区位号是 43。“氵”属于笔画字根；“氺”是水的变形；“兴头”指“兴”字的上部“⺍”和“⺌”；“小倒立”指字根“小”和“⺌”，并可由此记忆“⺍”						
按键图		区位	44	英文键名	O	击键手指	右无名指
		口诀	火业头，四点米		分布的字根	火、业、⺌、灬、米	
记忆要点	O 键的键名是“火”，区位号是 44。“业头”是指“业”字的上部分“业”，并由此可以联想记忆“⺌”、“⺌”；“四点米”指字根“灬”和“米”						

（续表）

按键图	区位	45	英文键名	P	击键手指	右小指
	口诀	之宝盖，摘礻(示)衤(衣)	分布的字根	之、辶、廴、冖、宀、礻		
记忆要点	P键的键名是“之”，区位号是45。“辶”和“廴”与“之”相似，也就是经常说的“走之底”，属于键名类字根；“宝盖”指字根“冖”和“宀”；“摘示衣”指将“礻”和“衤”末笔摘去后的字根“礻”					

3.5.5 五区字根

五区字根是折起笔类字根区，以折起笔的字根的运笔方向是转折的。下面介绍五区字根，通过介绍来熟练掌握每个按键上的字根分布，并为后面的学习奠定坚实的基础。

1. 按键及字根分布图

键盘中五区的字母键包括N、B、V、C、X五个键，其在键盘中的分布情况如右图所示。	
五区中每个按键的字母、区号、位号，以及字根分布情况如右图所示。	

2. 字根口诀综合记忆表

按键图	区位	51	英文键名	N	击键手指	右食指
	口诀	已半巳满不出己，左框折尸心和羽	分布的字根	已、巳、己、コ、乙、尸、尸、心、忄、⺗、羽		
记忆要点	N的键名是“已”，区位号是51。“已半”是指仅封口一半的字根“已”；“巳满”指全封口的“巳”；“不出己”指开口的“己”；“乙”属于笔画字根；“左框”指左边的方框“コ”；“折”指“乙”及所有带折笔画的字根；由“尸”可联想记忆“尸”；“心和羽”指字根“心”、“忄”、“⺗”和“羽”					
按键图	区位	52	英文键名	B	击键手指	左食指
	口诀	子耳了也框向上	分布的字根	子、耳、了、也、孑、阝、卩、凵		
记忆要点	B键的键名是“子”，区位号是52。“子耳了也”分别指字根“子”、“耳”、“了”、“也”，并可由此联想记忆“孑”、“阝”、“卩”；“框向上”指方框向上“凵”；“《”为笔画字根					
按键图	区位	53	英文键名	V	击键手指	左食指
	口诀	女刀九臼山朝西	分布的字根	女、刀、九、臼、彐、巛		

（续表）

记忆要点	V 键的键名是"女"，区位号是 53。"女刀九臼"分别指字根"女"、"刀"、"九"、"臼"；"山朝西"指字根"彐"；"巛"为笔画字根。						
按键图	又 厶 巴 马 54 C	区位	54	英文键名	C	击键手指	左中指
		口诀	又巴马，丢矢矣	分布的字根	又、巴、马、厶		
记忆要点	C 键的键名是"又"，区位号是 54。"又巴马"分别指字根"又"、"巴"、"马"；"丢矢矣"指"矣"字去掉下半部分的"矢"字后的字根"厶"，并由此可联想记忆"ㄨ"和"ㄟ"						
按键图	幺 纟 口 弓 匕 55 X	区位	55	英文键名	X	击键手指	左无名指
		口诀	慈母无心弓和匕，幼无力	分布的字根	纟、幺、幺、口、弓、匕、		
记忆要点	X 键的键名是"纟"，区位号是 55。"慈母无心"指"母"字去掉中间为字根"口"；"弓和匕"指字根"弓"和"匕"；"幼无力"指"幼"字去掉"力"的字根为"幺"，并由此记忆"纟"和"幺"						

提示：Z 键的作用

Z 键在五笔输入中充当"万能键"的作用，它代替未知或模糊的字根，也可以代替未知的或模糊的识别码，因此该键又被称为"学习键"。例如：在输入"尬"时，如果只记得前两位字根所在的键位，此时就可以用 Z 来代替未知的键位，输入编码 DNZ 后，选字窗口中就会出现相应的内容，供用户选择。

3.6 五笔输入法中汉字的拆分规则

使用五笔输入法输入汉字时要严格按照五笔输入法的拆分汉字规则，将汉字拆分为一个个的字根，这样输入编码时五笔输入程序才会识别，然后输出汉字。如果不按照规则进行汉字拆分，则五笔输入程序不会识别，不能输出汉字。下面就来介绍一下五笔输入法汉字拆分的规则。

3.6.1 五笔输入法中汉字的三种组成结构

根据构成汉字的每个字根之间的位置关系，五笔输入法程序将所有汉字的组成结构分为三类，并将其编号，以便于输入文字时进行区分。其组成结构类型如下：

1. 左右型（代号为 1）

字根与字根左右两边有一定的间距。

例：肚、位、胡、理、胆、咽、仲

2. 上下型（代号为 2）

字根与字根上下之间有一定的间距。

例：字、灵、学、导、筒、显、苦

3. 杂合型（代号为 3）

除左右型、上下型之外的汉字。

例：团、圆、因、固、斗、头、习

3.6.2 汉字的字型结构分析

基本字根组成汉字后，五笔输入法程序根据汉字的字型结构和位置关系可以将其分为四种类型，具体内容如下。

1. 单结构

指基本字根本身可单独成为一个汉字。

例：口、上、日、田、马、雨、寸

2. 散结构

指基本字根之间以一定的间距构成的汉字。它们之中有左右、上下、杂合之分，从而形成了三种不同的字形，当对汉字提取左右、上下、杂合型的字型信息时，正是以字根之间这种“散”的关系为前提的。由字根散离拼合形成的字结构，称为“散根结构”。

例：仇、字、如、汉、没、吕、红

3. 连结构

指基本字根连一单笔画或带点结构（属于杂合型）。

例：自（丿、目）、义（丶、乂）、产（立、丿）、勺（勹、丶）、术（木、丶）

提示：分析汉字的字型结构时的注意事项

所有基本字根连一单笔画或带点结构所形成的汉字，都是不能分为几个可保持一定距离的部分。所以，这一类汉字的字型不可能是左右型或上下型，而只能是属于杂合型。

4、交结构

指由基本字根相交叉形成的汉字。

例：里（日土）、未（二小）、末（一木）、申（日丨）、东（七小）、必（心丿）

3.6.3 五笔字根的拆分规则

运用五笔字型输入法拆分汉字时，不是完全依据汉字的书写顺序来拆分，而是应该按照专门的规则来拆分汉字。用户在拆分汉字时应遵循以下拆分原则：

1.“书写顺序”原则

在拆分汉字时按照汉字的书写顺序拆分，由左至右，由上至下，由外至内。拆分出的字根应为键面上存在的基本字根。

例如：拆分汉字“晰”字时，拆分成“日、木、斤”是正确的，如拆分成“日、斤、木”就错了，因为不符合汉字的“从左到右”的原则。

2.“取大优先”原则

“取大优先”指在拆分汉字时，保证按书写顺序拆分出来的是尽可能大的字根，以保证拆分出的字根数最少。

例如：拆分“则”字时，可以拆分成“冂、人、刂”，也可以拆分成“贝、刂”，但是根据五笔拆分规则中的“取大优先”原则可以得知，拆分成“贝、刂”是正确的，因为这样字根数最少。

3．“兼顾直观”原则

“兼顾直观”是指拆分出来的字根要符合一般人的直观感觉。

例如：“丰”字拆分为“三”和“丨”，就比拆分为“二”和“十”直观得多，“且”字拆分成“月”和“一”就比拆分成“冂”和“三”要直观。

4．“能散不连”原则

“能散不连”原则是指在拆分汉字时，以拆成“散”结构为优先，能拆分成“散”结构的字根就不要拆分成“连”的字根。

例如：“午”字既可以拆分成“𠂉”、“十”两个字根，又可以拆分成“丿”、“干”两个字根，但拆分成“𠂉”、“十”时两字根是相连的，所以不能采取这种拆分法，正确的拆分应该是拆分为“丿”、“干”两个字根。

5．“能连不交”原则

“能连不交”是指当一个汉字同时能够拆分成互相连接的几个字根和互相交叉的几个字根两种情况时，就要以拆分成互相连接的字根为准，而不能拆分成互相交叉的几个字根。

例如：“天”字既可以拆分成“一、大”两个字根，此时为相连的关系，又可以拆分成“二、人”两个字根，此时为相交的关系。因此就要以相连的为准，而不能拆分成相交的字根。

Column 技能提升

用户通过本章的学习就可以拆分汉字了，但是如果想要熟练快速地拆分汉字必需先牢记每个按键上的字根，然后再进行练习。在记忆字根时，用户可以先背诵每个按键的记忆口诀，然后根据口诀联想字根。下面就将记忆口诀汇编如下，供用户使用。

王旁青头戋（兼）五一

土士二干十寸雨

大犬三羊古石厂

木丁西

工戈草头右框七

目具上止卜虎皮

日早两竖与虫依

口与川，字根稀

田甲方框四车力

山由贝，下框几

禾竹一撇双人立，反文条头共三一

白手看头三二斤

月彡（衫）乃用家衣底

人和八，三四里

金勺缺点无尾鱼，犬旁留乂儿一点夕，氏无七

言文方广在四一，高头一撇谁人去

立辛两点六门疒

水旁兴头小倒立

火业头，四点米

之宝盖，摘礻（示）衤（衣）

已半巳满不出己，左框折尸心和羽

子耳了也框向上

女刀九臼山朝西

又巴马，丢矢矣

慈母无心弓和匕，幼无力

读书笔记 

04 五笔字型输入详解

本章建议学习时间

本章建议学习时间为 60 分钟，其中 20 分钟用于学习教材知识，40 分钟用于上机操作。

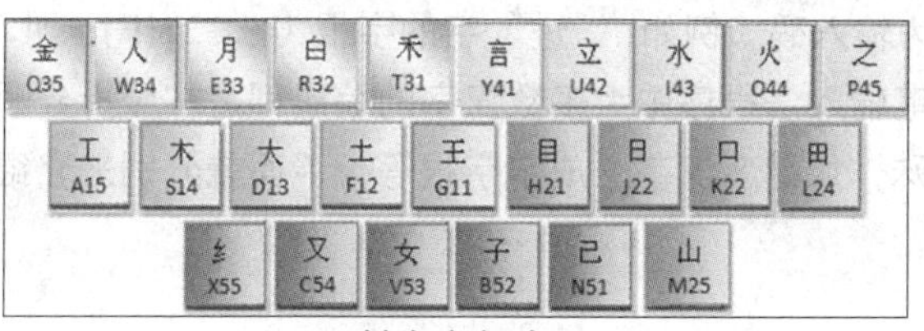

键名字根表

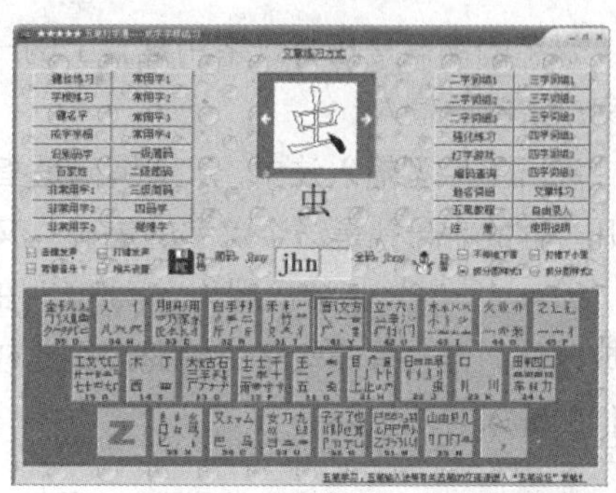

五笔练习软件的安装和使用

学习完本章后您可以

1. 了解五笔字型中键名汉字、成字字根的输入
2. 认识识别码
3. 了解五笔字型中重码字的输入
4. 了解五笔练习软件的安装和使用

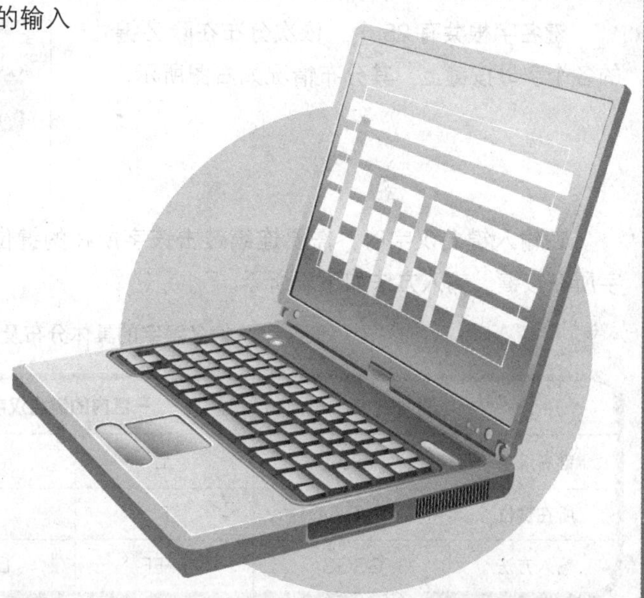

第04章 五笔字型输入详解

在前面的章节中，学习了汉字、字根、字根分布及汉字的拆分规则，使用户可以进行汉字的拆分。在实际工作中，将字根转换为编码输入到电脑中时，由于每个汉字使用的频率各不相同，用户可能会频繁地使用一些词组，因此单纯用字根拆分的方法来完成文本输入时，速度可能会受到很大的影响，针对此问题，本章将就快速输入文本的方法做一个详细的介绍。

4.1 五笔字型输入法的编码规则

汉字的编码是指将汉字用键盘上的一组字母来表示，电脑将字母转换成文本输入到电脑中，从而完成文本的输入。

在五笔字型输入法中，汉字编码是指一个汉字拆分成几个字根，字根分布在几个字母按键上时，这几个键的字母就是这个汉字的编码，又称为输入码。例如："进"字的字根为：二（F）、刂（J）、辶（P）、丨（K）其编码则为：FJPK。在五笔输入法程序中大多数汉字的编码都是按照拆分顺序而形成四位，但也有一些字的编码规则比较特殊，如键名汉字、成字字根等，下面就分别来介绍一下它们的输入方法。

4.1.1 键名汉字及其输入方法

在五笔输入法中，键名汉字是各键位对应的所有字根中最具有代表性的字根，通常是该键位字根口诀中开头的第一个字根，如果熟记了五笔字根的口诀，键名汉字的记忆就很简单了。

键名字根共有25个，依次分布在除Z键外的各个字母按键上，其分布情况如右图所示。

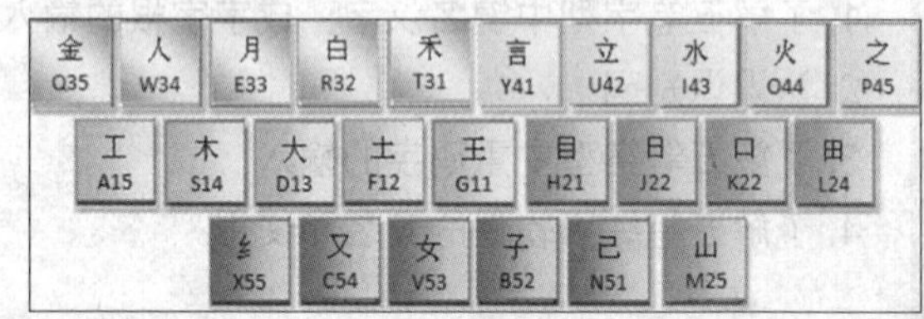

在输入键名汉字时，需要连续敲击该字所在的键位4次，即可输入该键名汉字，每个键名汉字所在按键、输入方法如下表所示。

键名汉字的具体分布及输入方法

一区内的键名汉字					
键名汉字	王	土	大	木	工
所在键位	G	F	D	S	A
输入方法	GGGG	FFFF	DDDD	SSSS	AAAA

(续表)

二区内的键名汉字					
键名汉字	目	日	口	田	山
所在键位	H	J	K	L	M
输入方法	HHHH	JJJJ	KKKK	LLLL	MMMM
三区内的键名汉字					
键名汉字	禾	白	月	人	金
所在键位	T	R	E	W	Q
输入方法	TTTT	RRRR	EEEE	WWWW	QQQQ
四区内的键名汉字					
键名汉字	言	立	水	火	之
所在键位	Y	U	I	O	P
输入方法	YYYY	UUUU	IIII	OOOO	PPPP
五区内的键名汉字					
键名汉字	已	子	女	又	纟
所在键位	N	B	V	C	X
输入方法	NNNN	BBBB	VVVV	CCCC	XXXX

4.1.2 成字字根及其输入方法

五笔字型字根表中，每一个键位上除了有键名汉字之外，还有一些字根本身也是汉字，这种字根就是成字字根。用户在记忆这些字根时，要综合它们的笔画类别和笔画数量再联合每个按键的区位划分规则来记忆。

键盘内各区的成字字根分布情况如下表所示。

键盘内成字字根的分布

一区内成字字根分布					
成字字根	五一戋	士二干十寸雨	犬三古石厂	丁西	戈弋廿七
所在按键	G	F	D	S	A
二区内成字字根分布					
成字字根	上止卜	日早虫	川	甲四车力	由贝几
所在按键	H	J	K	L	M

（续表）

三区内成字字根分布					
成字字根	竹	手斤	乃用	八	夕儿
所在按键	T	R	E	W	Q
四区内成字字根分布					
成字字根	文方广	辛六门	小	米	（无）
所在按键	Y	U	I	O	P
五区内成字字根分布					
成字字根	己巳尸乙心羽	耳也	刀九臼	巴马	弓匕
所在按键	N	B	V	C	X

在输入成字字根时，用户首先要敲击成字字根所在的键，然后按其书写的顺序依次敲击第一和第二笔画所在的键，最后再敲击末笔画所在键，如果该成字字根不足四笔，则以敲击空格键来填补，如下表所示。

成字字根的具体分布及输入方法

成字字根	第一码	第二码	第三码	第四码	输入编码
犬	犬（D）	一（G）	丿（T）	丶（Y）	DGTY
甲	甲（L）	丨（H）	乙（N）	丨（H）	LHNH
八	八（W）	丿（T）	丶（Y）	空格	WTY
辛	辛（U）	丶（Y）	一（G）	丨（H）	UYGH
臼	臼（V）	丿（T）	丨（H）	一（G）	VTHG

4.2 键外汉字及其输入方法

五笔输入法主要是针对键外汉字进行编码的，用户在输入键外汉字时，首先将汉字按拆分规则拆分为几个可组成该汉字的基本字根，然后按书写顺序分别取第一个、第二个和第三个字根进行编码，超过 4 个字根的，最后一码取末笔字根的编码；刚好 4 个字根的则依次取码；不足 4 个字根的则在末尾补充一个识别码即可完成输入。

4.2.1 认识识别码

识别码即末笔字型交叉识别码，是由五笔编码程序中汉字的最后一个笔画的类型编号和单字的字型编号组成的。它的作用是减少重码，加快选字。

1. 识别码的确定

识别代码为两位数字，第一位（十位）是末笔画类型编号（横 1、竖 2、撇 3、捺 4、折 5），第二位（个位）是字型代码（左右型 1、上下型 2、杂合型 3）。把识别代码看成是一个键的区位码，即可得到交叉识别码的字母键，如下表所示。

末笔交叉识别码的规则

末笔画	左右型（1）	上下型（2）	杂合型（3）
横（1 区）	G（11）	F（12）	D（13）
竖（2 区）	H（21）	J（22）	K（23）
撇（3 区）	T（31）	R（32）	E（33）
捺（4 区）	Y（41）	U（42）	I（43）
折（5 区）	N（51）	B（52）	V（53）

提示：汉字的末笔与五笔字型的末笔的区别

汉字结构笔顺中字的末笔指的是该字书写的最后一笔，如“兆”字汉字书写时的最后一笔是丶（点）。五笔字型输入中所说的字型中的末笔，一般说来，指的是组成字的最后一个字根的最后一笔，如“兆”字最后一个字根“儿”的最后一笔是乚（折）。

2. 辨别识别码中的特殊情况

五笔字型的拆分虽然是按照汉字的书写顺序而定的，但与汉字的书写顺序还是有些不同的地方，在辨别汉字的识别码中就有一些特殊情况，下面将一一列举。

（1）关于“力、刀、九、匕”和末笔画。五笔字型输入法程序中特别规定，在末位识别码的识别中，遇到这几个汉字时，一律以其伸得最长的折笔作为末笔。添加识别码特殊字例的具体情况如下表所示。

添加识别码特殊字例（1）

字 例	第一码	第二码	第三码	末笔笔画	识别码
仇	亻（W）	九（V）	无	乙	N
劝	又（C）	力（L）	无	乙	N

（2）独体结构的汉字，如带“囗”的“国”、“团”，和带“辶”的“进”、“远”、“延”等字，因为是一个部分被另一个部分包围，所以五笔字型输入法程序规定，视被包围部分的最后一笔为末笔，字例如下表所示。

添加识别码特殊字例（2）

字 例	第一码	第二码	第三码	末笔笔画	识别码
进	二（F）	刂（J）	辶（P）	丨	K
圆	囗（L）	口（K）	贝（M）	丶	I

（3）关于“我”、“戋”、“成”及带有这些偏旁的汉字的末笔。遵从从上到下的原则，一律规定“丿（撇）”为其末笔，字例如下表所示。

添加识别码特殊字例（3）

字 例	第一码	第二码	第三码	末笔笔画	识别码
我	丿（T）	扌（R）	乙（N）	丿	T
浅	氵（I）	戋（G）	无	丿	T
城	土（F）	厂（D）	乙（N）	丿	T

（4）带有单独点的汉字，如“义”、“太”、“勺”等字，由于离其他字根的距离很难确定，因此五笔字型输入程序将此类汉字定为杂合型（代码为3）汉字，并且一律视单独点为其末笔，字例如下表所示。

添加识别码特殊字例（4）

字 例	第一码	第二码	末笔笔画	识别码
义	丶（Y）	乂（Q）	丶	I
太	大（D）	丶（Y）	丶	I
勺	勹（Q）	丶（Y）	丶	I

提示：使用识别码时的注意事项

（1）键名汉字不需要使用识别码，这里的键名汉字包括键面上对应的字根。

（2）汉字拆分成的字根数等于或大于4个时，不需要使用识别码。

（3）当汉字拆分成的字根数小于4个，并且在添加了识别码后还是不足4个的，则可敲击空格键进行填补。

4.2.2 键外汉字的输入

用户在输入一个键外汉字时，首先将该汉字拆分成基本字根，然后分别取字根的第一个、第二个和第三个进行编码，超过4个字根的，最后一码取末笔字根的编码；刚好4个字根的则依次取码；不足4个字根的则在末尾补充一个识别码进行输入，如果仍不足四个可按下空格键代替编码，如下表所示。

键外字输入规则表

键外字	第一码	第二码	第三码	第四码	汉字编码
灵	彐（V）	火（O）	丶（U）	空格	VOU
辩	辛（U）	讠（Y）	辛（U）	丨（H）	UYUH
数	米（O）	女（V）	攵（T）	丶（Y）	OVTY
圆	口（L）	口（K）	贝（M）	丶（I）	LKMI
赢	亠（Y）	乙（N）	口（K）	丶（Y）	YNKY
圈	口（L）	䒑（U）	大（D）	㔾（B）	LUDB

4.2.3 重码字及其输入方法

在五笔字型输入法中，极有可能出现两个不同的汉字编码是相同的情况，这就造成汉字编码的重复性，例如，在输入“云”时，当输入编码 FCU 后，就会显示“去”、“云”、“支”三个汉字。在五笔字型编码方案中，这些具有相同编码的汉字即称为重码字。

在五笔字型输入法中对于重码字的设置是按使用的频率进行排列显示，在输入重码字的编码后，显示在输入栏第一位的通常是使用频率较高的汉字，其余重码字按使用频率高低依次排列。

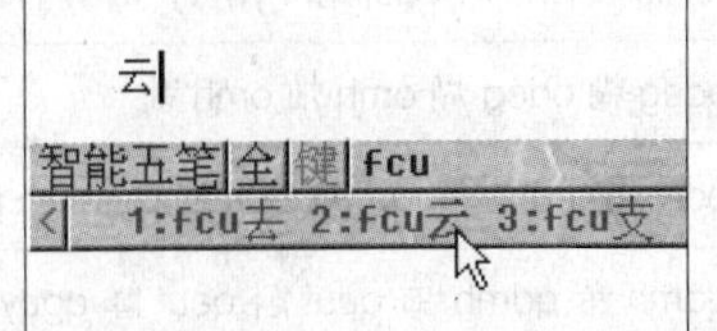

在输入重码字时可以通过数字键的帮忙来完成操作。在输入汉字时出现重码字时，重码字会在输入法的输入栏中按照使用频率依次排列，如输入“云”字，在输入了汉字编码 FCU 后，出现了三个重码字，“云”在第 2 位，可单击键盘内数字区的按键 2 或单击输入栏中的“云“选项，即可完成输入，如右图所示。如果用户所要输入的字在第 1 位，也可直接按下空格键完成输入。

在五笔字型输入法程序中，存在 510 个重码字，为重码率最低的输入法之一。为了便于初学五笔输入法者尽快熟练五笔输入，现将这 510 个重码字汇编成表格供用户学习，如下表所示。

五笔输入法重码字表

编码分类	重码字列表
A	aadn 慝 aadn 萁 adjd 菲 adjd 匪 adnt 藏 adnt 茂 adwf 基 adwf 斟 afcu 芸 afcu 芰 afff 鞋 afff 鞲 afff 葑 afqb 芜 afqb 芫 aftj 著 aftj 蓍 aftj 靳 agn 七 agn 匚 ahf 芷 ahf 苜 ahkm 颐 ahkm 赜 ahnh 臣 ahnh 卧 akhm 蒉 akhm 匮 alkf 茄 alkf 茴 amhk 匝 amhk 菇 amwu 黄 amwu 芮 anb 艺 anb 芑 aqkf 茍 aqkf 茗 aqky 警 aqky 菟 aqyg 茑 aqyg 茑 avdf 菇 avdf 蒳 avkf 茹 avkf 莙 awnb 巷 awnb 孽 awnu 薛 awnu 恭 aysd 蘑 aysd 蘼
B	bnh 了 bnh 卩 bnh 阝 bnh 凵 brcy 孤 brcy 阪 bynw 孩 bynw 陔
C	cbtg 鹬 cbtg 鹜 cbtj 蝥 cbtj 蟊 ccy 双 ccy 驭 cwyg 难 cwyg 骓
D	dfny 砖 dfny 瓠 djdn 悲 djdn 翡 dnv 万 dnv 尤 dnv 尢 dtbh 帮 dtbh 邦 dyi 太 dyi 丈
E	ebf 孕 ebf 孚 evf 妥 evf 舀
F	fcln 动 fcln 劫 fcu 去 fcu 支 fcu 云 fghy 雨 fghy 寸 fief 霄 fief 霆 fkuk 喜 fkuk 嘉 fnn 圯 fnn 圮 fpgc 彀 fpgc 毂
G	gcft 致 gcft 臻 goi 来 goi 灭 gqwe 殄 gqwe 飧
H	hwbk 韶 hwbk 龉 hwbx 龀 hwbx 龇
I	ians 渠 ians 渫 ideg 湖 ideg 洧 idff 涯 idff 溽 ieyy 汲 ieyy 涿 ifh 汗 ifh 汁 ihit 涉 ihit 渺 ijg 汩 ijg 汨 ipgg 泻 ipgg 渲 issy 淋 issy 溧 iugi 澜 iugi 漾 ivkg 沼 ivkg 洳 iwyf 誉 iwyf 雀 iycq 流 iycq 鎏 iyjh 济 iyjh 浏 iyth 洲 iyth 漩
J	jatq 晓 jatq 蛲 jgeg 晴 jgeg 蜻 jiqb 晃 jiqb 晁 jpju 螟 jpju 暝 jqkq 晚 jqkq 冕 jrgg 蝗 jrgg 蚯 jsrh 晰 jsrh 蜥 jthf 昨 jthf 蚱 jtyq 鉴 jtyq 览
K	kaqy 哎 kaqy 呕 kawk 嗒 kawk 嗬 kdht 嗄 kdht 嘁 keyy 吸 keyy 啄 kftb 哮 kftb 嘟 kfwy 呋 kfwy 嚯 khdf 踌 khdf 蹰 khgp 遗 khgp 遣 khtk 路 khtk 踟 khwb 啮 khwb 跄 kkdk 器 kkdk 嚣 kwyc 噙 kwyc 呤

（续表）

编码分类	重码字列表
L	lfod 默 lfod 黩 lgey 辅 lgey 圃 lhng 四 lhng 皿 lhng 囗 ltkg 略 ltkg 辂 lwet 轸 lwet 畛 lwi 办 lwi 囚
M	mef 骨 mef 胄 mgah 赋 mgah 岍 mmgd 凹 mmgd 册 mmqu 岗 mmqu 岚 mqi 风 mqi 冈 mqjh 刚 mqjh 刿
N	naj 异 naj 羿 nfcy 怯 nfcy 忮 nkue 臂 nkue 襞 nkuv 劈 nkuv 嬖 nkuy 譬 nkuy 璧 nngn 己 nngn 巳 ntfh 忏 ntfh 怍 nujf 惮 nujf 憧 nyhy 忄 nyhy 怍 nywf 翠 nywf 悴
O	odeg 糊 odeg 煳 omh 灿 omh 籼
P	pdhk 害 pdhk 豁 pufj 褚 pufj 禱 puwk 裕 puwk 袷 pynn 礼 pynn 祀
Q	qdmh 希 qdmh 铈 qeuf 斛 qeuf 觯 qgey 铺 qgey 镧 qghn 钙 qghn 鲈 qgjf 鲁 qgjf 鲤 qgjf 鲣 qgjf 鲥 qhy 外 qhy 钋 qjh 钊 qjh 刈 qnn 钇 qnn 钆 qnnk 饲 qnnk 锔 qntt 饿 qntt 铋 qqu 多 qqu 爻 qsjh 刹 qsjh 镡 qtfh 钎 qtfh 犴 qtgf 锤 qtgf 锺 qtle 猬 qtle 猥 qtn 儿 qtn 勹 qtoy 锹 qtoy 狄 qtqh 狰 qtqh 獬 qtuq 狡 qtuq 獍 qvhc 皱 qvhc 锼 qwye 飧 qwye 镌 qycq 铳 qycq 铳 qyey 铱 qyey 镣 qyi 久 qyi 勺 qynm 岛 qynm 凫
R	rdfn 挎 rdfn 翱 rfwy 扶 rfwy 擢 rmhj 制 rmhj 帛 rnwy 抉 rnwy 擢 rnyw 拟 rnyw 氯 rqcc 魃 rqcc 魑 rqci 鬼 rqci 魅 rrcy 扳 rrcy 皈 rtol 播 rtol 皤 rufh 拌 rufh 抖 rujf 撞 rujf 掸 rwyc 擒 rwyc 拎
S	saqy 柩 saqy 柩 sdg 枯 sdg 柘 sfiu 票 sfiu 柰 sfiy 标 sfiy 瓢 sgd 本 sgd 酉 sgjg 醒 sgjg 桓 sgkg 梧 sgkg 醒 sgne 酯 sgne 醪 sgnn 配 sgnn 朽 sgtk 酷 sgtk 酪 siqn 桃 siqn 桄 snn 札 snn 杞 sou 杰 sou 粟 stfh 杵 stfh 桁 swyc 檎 swyc 柃
T	tegg 租 tegg 徂 tfj 午 tfj 竿 tfkg 秸 tfkg 鹄 tfnj 穜 tfnj 穜 tfpk 迁 tfpk 迕 thlj 鼻 thlj 劓 tjgf 得 tjgf 笪 tkwy 积 tkwy 雒 tlqi 卤 tlqi 囟 tmgt 微 tmgt 徽 tmgt 徵 tonu 悉 tonu 愁 tqdh 衡 tqdh 稀 ttnt 秭 ttnt 第 tujf 简 tujf 箪 tymk 稿 tymk 篙
U	ubk 疗 ubk 疖 udhf 着 udhf 眷 udjn 阉 udjn 羯 udnv 痨 udnv 疣 udpi 送 udpi 阕 ufk 斗 ufk 半 ugd 闰 ugd 闩 ugki 辣 ugki 竦 ukqb 竞 ukqb 兑 umih 瞥 umih 鳖 uqwn 瓷 uqwn 恣 usgd 奠 usgd 猷 usgf 尊 usgf 酋 usgp 遵 usgp 道 uthf 首 uthf 痄 uujf 阐 uujf 瘅 uwgd 痤 uwgd 阕 uygh 辛 uygh 丬 uywu 瘀 uywu 阏
V	vcbh 即 vcbh 妤 vipi 逮 vipi 逯 vnuv 鼢 vnuv 鼹 vtkd 群 vtkd 君 vyi 刃 vyi 丸
W	wbg 仔 wbg 佴 wdg 估 wdg 仨 wfg 仁 wfg 仕 wfiu 祭 wfiu 佘 wgen 愈 wgen 觎 wgkm 凳 wgkm 颌 wgmy 债 wgmy 俪 wlge 儇 wlge 偎 wtcy 叙 wtcy 么 wtfh 仟 wtfh 件 wtfm 凭 wtfm 赁 wweg 佾 wweg 俎 wycn 瓴 wycn 翎 wyfj 储 wyfj 隼 wyg 信 wyg 隹 wynm 贪 wynm 颔
X	xcag 经 xcag 弪 xnn 纪 xnn 幻 xtdh 疑 xtdh 肄 xtfh 纤 xtfh 绗 xvyy 纫 xvyy 纨
Y	yakg 谨 yakg 廑 ybh 邝 ybh 郝 ycbk 序 ycbk 谲 yeu 衣 yeu 衰 yfh 计 yfh 讦 ynky 赢 ynky 羸 ynky 嬴 ynky 蠃 yntl 劾 yntl 谧 ynwe 谬 ynwe 廖 ynwy 雇 ynwy 诀 ypta 诧 ypta 毫 yqay 底 yqay 诋 yqvg 诌 yqvg 谄 yssc 魔 yssc 麽 yssd 磨 yssd 靡 yssi 麻 yssi 縻 yugi 谰 yugi 斓 yuvo 谦 yuvo 廉 yvwi 庚 yvwi 赓 ywwf 座 ywwf 卒 ywwg 鹰 ywwg 谶 ywxn 论 ywxn 讹 yyn 访 yyn 讠

4.3 五笔字型输入法的练习

学习了如何给汉字编码、如何输入汉字后，还需要多多练习才能熟练掌握五笔字型输入法的输入。用户可以打开一个文本程序进行练习，也可以使用专门的打字练习软件进行练习，在这里建议初学的用户使用专门的打字软件进行练习，因为打字软件内会有一些提示、技巧性的东西，可以帮助初学的用户更快地掌握输入法的要领。下面就来介绍一下如何使用专门的打字练习软件——五笔打字通来进行五笔输入法的练习。

4.3.1　五笔输入法练习程序的安装

五笔打字通的安装软件在各大书店内都有销售，另外在华军、天空等下载网站中都可以下载到。下面以五笔打字通 7.7 为例进行安装，其操作步骤如下：

步骤 01　打开“五笔打字通”安装程序

将五笔打字通的安装盘放入计算机光盘驱动器中，打开安装程序文件夹，双击文件夹中的安装程序，如下图所示。

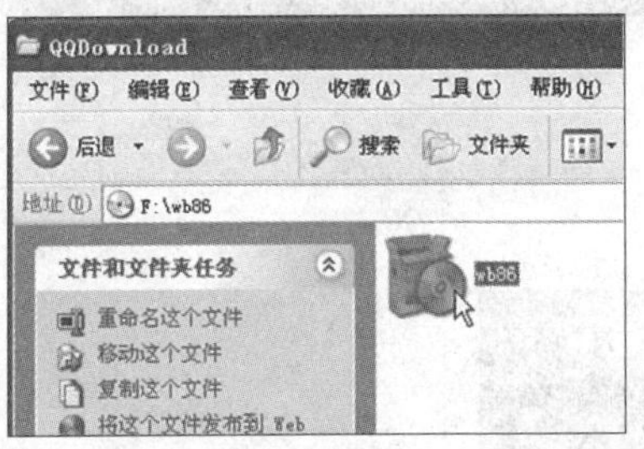

步骤 02　选择安装组件

在弹出的“五笔打字通 7.7 安装程序”对话框中单击选中“创建桌面图标”复选项，然后单击“向后”按钮，如下图所示。

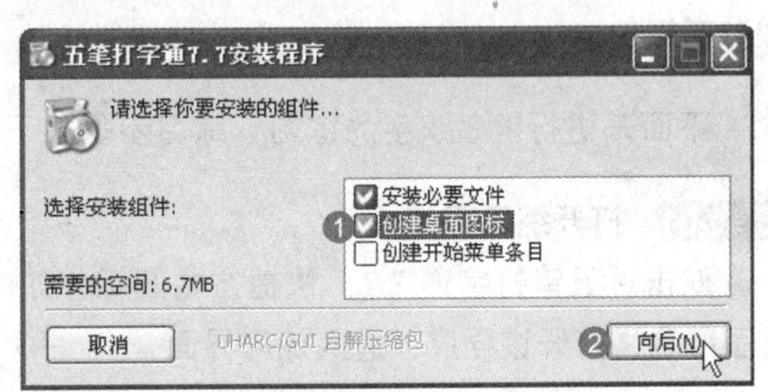

步骤 03　确定解压路径

在对话框中设置“目标目录”的路径，再单击“解压缩”按钮，如下图所示。

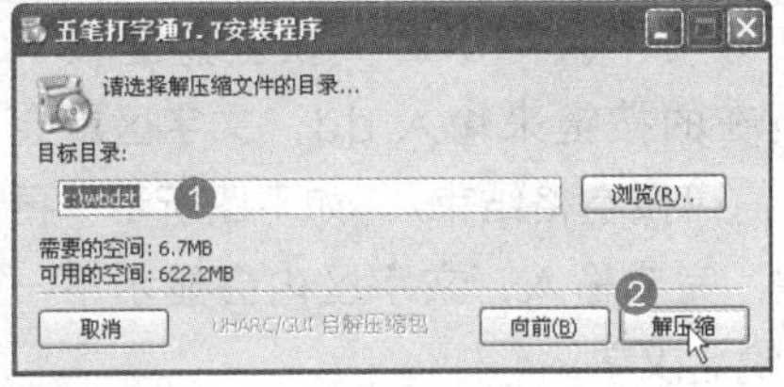

步骤 04　显示安装进度

对话框会显示安装进度，如下图所示。

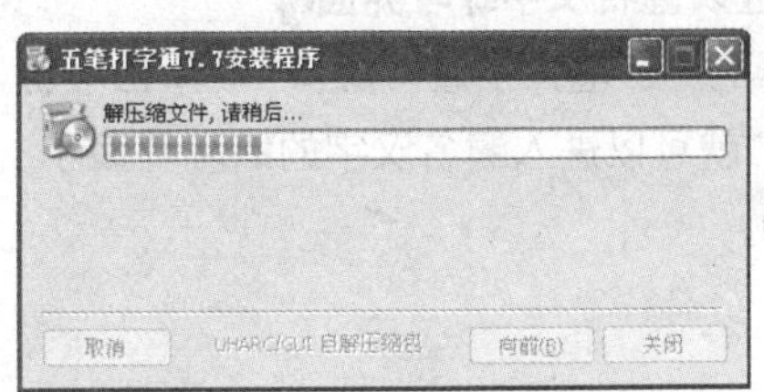

步骤 05　确定安装完成

在等待几秒后，系统会弹出安装完毕的对话框，单击“关闭”按钮，如下图所示，就可以完成五笔打字通的安装了。

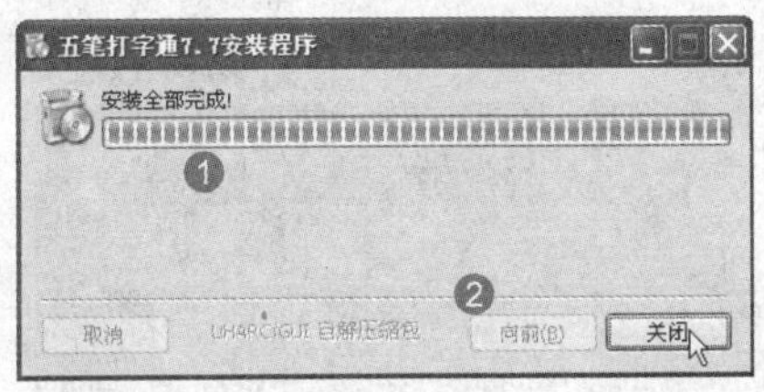

步骤 06　显示安装效果

经过以上操作，就成功地安装了五笔打字通软件，此时，在计算机的桌面上会出现它的快捷方式图标，如下图所示。

4.3.2 键名汉字的练习

用户在进行键名汉字的练习时，可以使用五笔打字通软件来进行练习，它可以帮助用户更快地掌握五笔输入的方法，在进行打字的练习以前，先来认识一下五笔打字通的操作界面，如下图所示。

❶练习选项区：分布在界面左、右两侧，用于选择练习的项目，单击相应选项即可切换到该练习状态下。❷文字区：用于显示要练习的文字，并显示对文字的拆分以便初学者练习。❸设置区：用户在这里可以对击键声音、编码提示、背景音乐等进行设置，单击勾选即可完成设置。❹编码显示区：用于显示用户输入的编码。❺字根分布键位图：用于显示每个键位上的字根分布情况，并且用红框圈住当前要练习文字的字根分布键位。

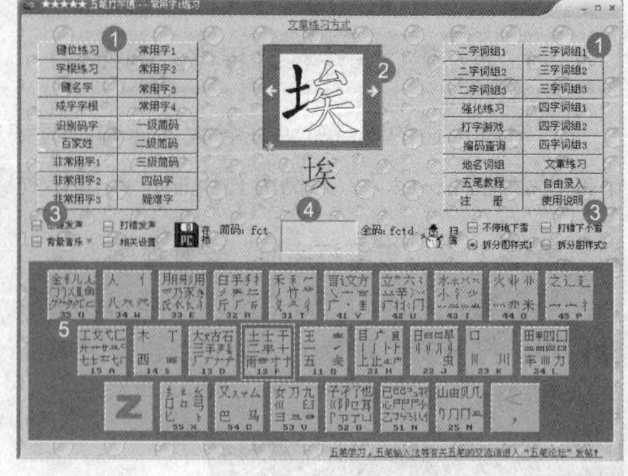

下面来进行键名汉字的练习，练习步骤如下：

步骤 01 打开练习程序

双击“五笔打字通 7.7”快捷方式图标，如右图所示，打开该程序，进入练习界面。

步骤 02 进入键名汉字练习界面

在打开的“五笔打字通”窗口中，单击“键名字”选项，就可以进入键名汉字的练习界面了，如下图所示。

步骤 03 键名汉字的练习

用户在练习“大”字时，在键盘上按下键名汉字所在的按键来输入 dd，文字区就会提示“二级简码按空格结束”，如下图所示，再按下空格键，完成输入，文字区内会显示下一个要练习的键名汉字。

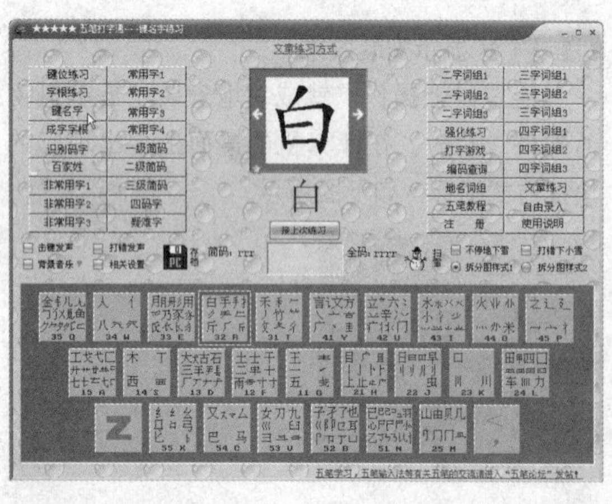

4.3.3 成字字根的练习

成字字根即分布在按键上的已经是汉字的字根，用户想熟练地输入这些汉字时，只要熟练掌握它们的分布情况就可以了。成字字根的练习步骤如下：

步骤 01 进入成字字根练习界面

单击“成字字根”选项，即可进入它的练习界面，如右图所示。

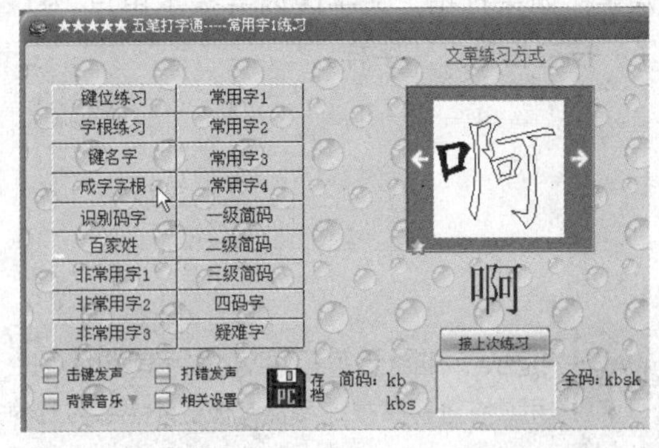

步骤 02 成字字根的练习

进入“成字字根”的练习界面后，在练习“虫”字时，在编码显示区的左侧有该字的编码提示，在字根分布键位图中也用红框圈住了该字字根所在键位，用户可根据提示，按下字根编码所在的键，如右图所示。当前字输入完毕后，系统会出现下一个要练习的成字字根。

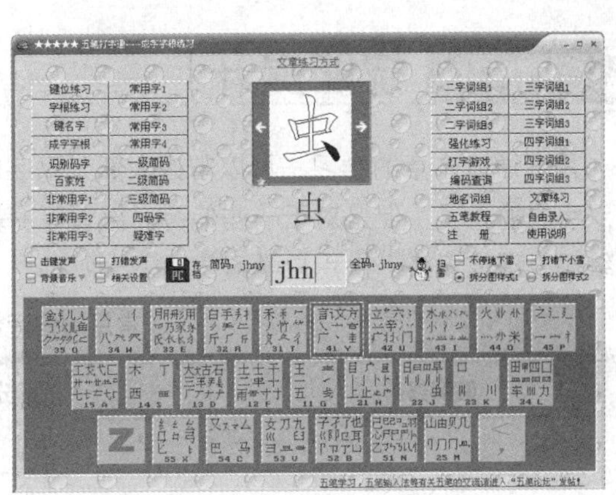

4.3.4 键外汉字的练习

键外汉字即除键名汉字和成字字根以外的由若干字根组合而成的汉字，用户如果想熟练输入这些字，就要熟练记忆每个字根的分布，并进行大量的练习。键外汉字的练习步骤如下：

步骤 01 进入键外汉字练习界面

打开五笔打字通软件后，在练习选项区内的“百家姓”、“非常用字”、“常用字”、“疑难字”都属于键外字，在进入“常用字1”的练习时，单击“常用字1”选项，即可进入键外汉字的练习，如右图所示。

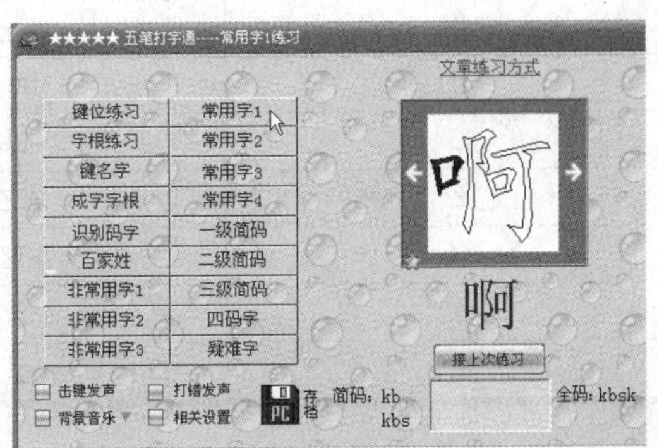

步骤 02 进行键外汉字练习

进入"常用字 1"的练习界面后，用户在练习"皑"字时，可按照文字区内的字根拆分提示输入该字的字根编码 RMNN，如右图所示。当前字输入完毕后，系统会出现下一个要练习的汉字；如果打错，文字区内会提示用户"打错了，按空格重打"字样。

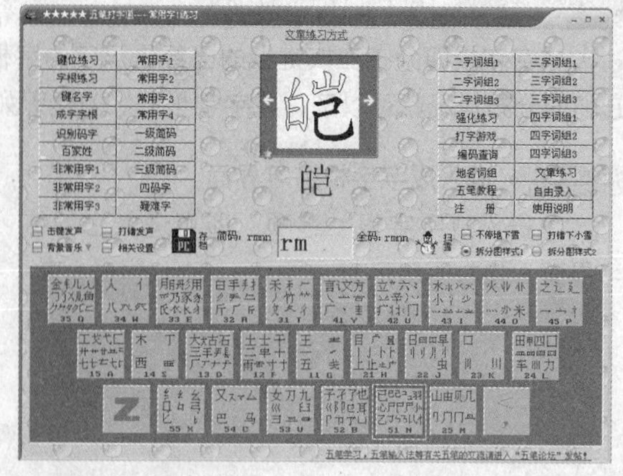

提示：利用五笔打字通进行其他练习

用户在进行字根练习及其他键外字练习时的方法与以上练习步骤一致，用户可自行进行练习。

Column 技能提升

用户通过本章的学习，可以掌握大部分汉字的拆分规则，同时也可以使用五笔输入程序进行单个汉字的输入了，但是对于一些偏旁、部首等的输入也许并不熟悉，下面将常用的偏旁、部首的输入编码整理成表格，供用户学习，如下表所示。

常用的偏旁部首输入编码

偏旁部首	拆分字根	编 码
冫	冫、一	UYG
氵	氵、、一	IYYG
冖	冖、乙	PYN
宀	宀、、乙	PYYN
勹	勹丿乙	QTN
扌	扌一丨一	RGHG
艹	艹一丨丨	AGHH
廾	廾一丿丨	AGTH
廿	廿一丨一	AGHG
凵	凵乙丨	BNH
幺	幺乙乙、	XNNY
巛	巛乙乙乙	VNNN
厶	厶乙、	CNY
乇	丿七乙	TAV

（续表）

偏旁部首	拆分字根	编码
犭	犭丿丿	QTE
弋	弋一乙、	AGNY
口	口丨乙一	LHNG
丬	丬、一丨	UYGH
灬	灬、、、	OYYY
忄	忄、丨、	NYHY
阝	阝乙丨	BNH
屮	屮丨丨	BHK
攵	攵丿一、	TTGY
彳	彳丿丿丨	TTTH
辶	辶、乙	PYNY
廴	廴乙、	PNY
礻	礻、、	PYI
隹	亻主一	WYG
孑	了、、	BYI
殳	几又、	MCU
夭	丿大、	TDI
匚	匚一乙	AGN
刂	刂丨丨	JHH
钅	钅丿一乙	QTGN
疒	疒、一一	UYGG
肀	⺕丨丨	VHK
衤	衤冫、	PUI
虍	广七乙	HAV
冂	冂丨乙	MHN
夂	夂丿乙、	TTNY
彡	彡丿丿丿	ETTT
亻	亻丿丨	WTH
卩	卩乙丨	BNH
系	丿幺小、	TXIU
孑	孑乙丨一	BNHG

读书笔记

05

本章建议学习时间

本章建议学习时间为 60 分钟，其中 40 分钟用于学习教材知识，20 分钟用于上机操作。

使用五笔字型输入法输入汉字

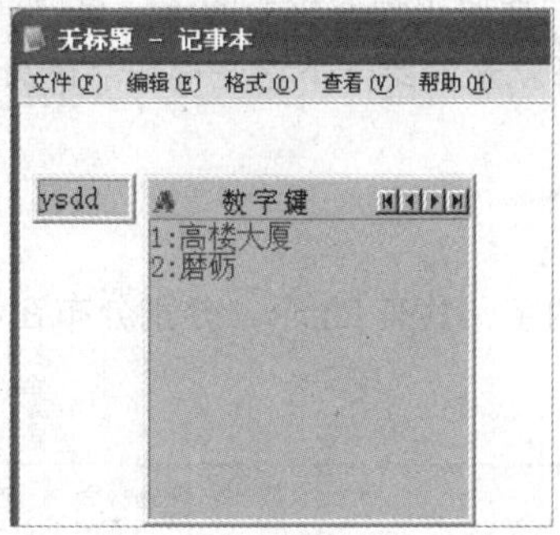

词组的输入

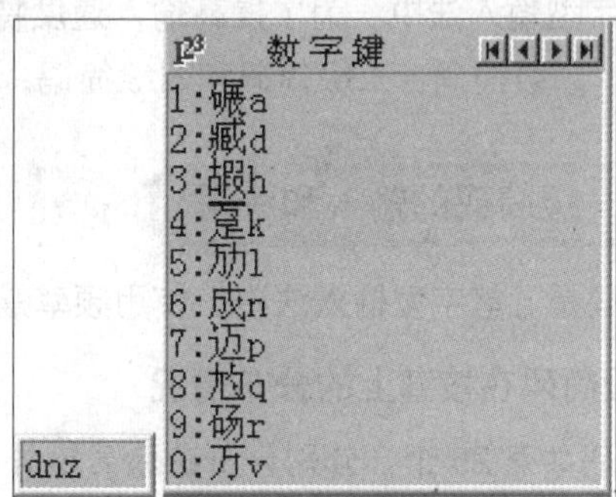

键盘中 Z 键的作用

学习完本章后您可以

1. 进行简码汉字的输入
2. 进行词组的输入
3. 了解键盘中 Z 键的作用

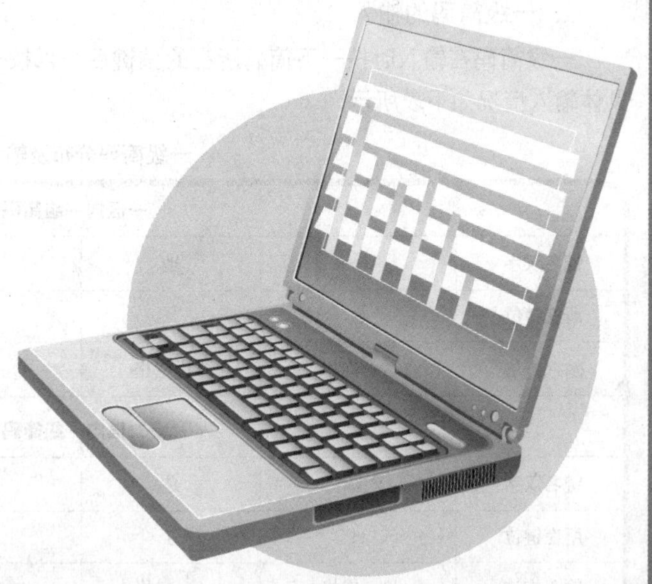

第 05 章 使用五笔字型输入法输入汉字

在前面章节中学习了字根、键名汉字、键外汉字的输入后，用户就可以进行五笔字的输入了，但是单一地使用前面所学的内容进行输入文本，难免会影响整体的输入速度，而在五笔字型输入法程序中为一些高频字设置了简码输入法，使用户大大提高了输入速度，本章就来介绍一下简码字的输入和练习方法。

5.1 简码汉字的输入

在五笔字型输入法中，为了提高输入速度特将一些使用频率较高的字设置成简码字，简码字包括一级简码、二级简码、三级简码和四级简码。本章就来介绍一下这些简码字的分布和输入。

5.1.1 一级简码的输入和练习

一级简码是五笔字型输入法中，使用频率最高的字，共有 25 个，分别分布在 25 个字母键上。

1. 一级简码在按键上的分布情况

一级简码共有 25 个，分别分布在除 Z 键外的 25 个字母键上，其具体分布情况如右图所示。

2. 一级简码的输入

一级简码在输入时按一下简码所在的按键后，再按一下空格键即可完成一级简码字的输入，其具体输入情况如下表所示。

一级简码分布及输入表

一区内一级简码					
键名汉字	一	地	在	要	工
所在键位	G	F	D	S	A
输入方法	G+ 空格	F+ 空格	D+ 空格	S+ 空格	A+ 空格
二区内一级简码					
键名汉字	上	是	中	国	同
所在键位	H	J	K	L	M
输入方法	H+ 空格	J+ 空格	K+ 空格	L+ 空格	M+ 空格

（续表）

三区内一级简码					
键名汉字	和	的	有	人	我
所在键位	T	R	E	W	Q
输入方法	T+ 空格	R+ 空格	E+ 空格	W+ 空格	Q+ 空格
四区内一级简码					
键名汉字	主	产	不	为	这
所在键位	Y	U	I	O	P
输入方法	Y+ 空格	U+ 空格	I+ 空格	O+ 空格	P+ 空格
五区内一级简码					
键名汉字	民	了	发	以	经
所在键位	N	B	V	C	X
输入方法	N+ 空格	B+ 空格	V+ 空格	C+ 空格	X+ 空格

3. 一级简码的练习

在了解了一级简码的分布规则及输入方法后，用户还需要通过练习来增加对一级简码字的记忆，练习方法如下：

步骤 01　进入一级简码练习界面

打开五笔打字通软件后，在练习选项区内单击“一级简码”选项，如下图所示，即可进入一级简码的练习界面。

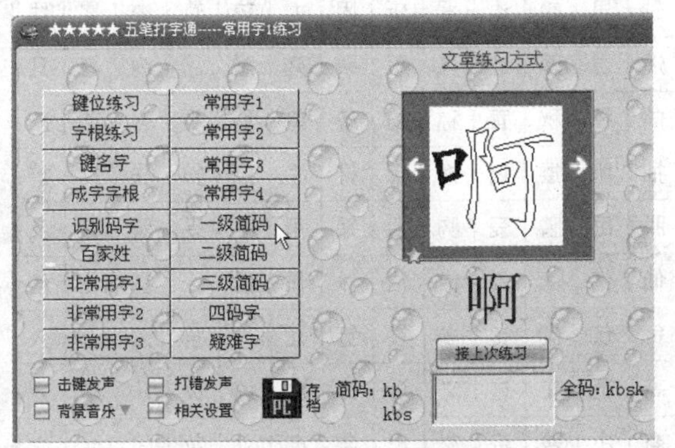

步骤 02　进行一级简码的练习

进入“一级简码”的练习界面后，用户在练习“一”字时，可按照文字区内的简码提示输入该字的编码 g，如下图所示。当前字输入完毕后，系统会出现下一个要练习的汉字。

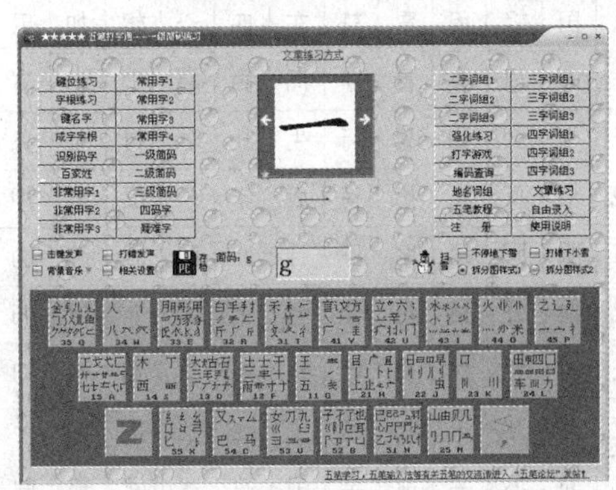

5.1.2　二级简码的输入和练习

五笔字型输入法程序中，选取了使用频率相对于一级简码来说要稍低一些的汉字，设定为二级简码，在输入二级简码时只需输入全码的前两个字根代码即可。这样，就可最大限度地简化汉字的输入，提高输入速度。五笔输入法程序中 86 版的五笔字型输入法有 606 个二级简码，98 版的五笔字型输入法与 86 版的又有所不同，有 613 个二级简码，这是因为两种五笔字型输入法有些组合的位置没有安排二级简码。

1. 二级简码的组成及输入

二级简码是由其全码的前两个字根组成的，因此只有两位编码。在输入二级简码汉字时，只需按顺序敲击该汉字的前两位字根所在的键，再敲击空格键即可完成输入。

例如：在输入“守”字时，按照汉字的输入方法需要输入“宀”和“寸”两个字根的代码和末笔识别码并按下空格键，其编码为 PFU，但“守”作为二级简码在输入时只需输入两个字根代码 PF，再按下空格键即可。

从上述例子中可以总结出，二级简码输入的规则为：首字根代码 + 次字根代码 + 空格键。

2. 二级简码表

在五笔输入法程序中，25 个键位代码的二级简码共计 25×25=625 个，但因为有些按键的位置是空白的，没有安排二级简码，所以在 86 版的五笔字型输入法程序中实际上的二级简码字有 606 个，下表为 86 版二级简码表，供用户练习二级简码时使用。

86 版二级简码表

	A	B	C	D	E	F	G	H	I	J	K	L	M	N	O	P	Q	R	S	T	U	V	W	X	Y
G	开	屯	到	天	表	于	五	下	不	理	事	画	现	与	来	☆	列	珠	末	玫	平	妻	珍	互	玉
F	载	地	支	城	圾	寺	二	直	示	进	吉	协	南	志	赤	过	无	垢	霜	才	增	雪	夫	☆	坟
D	左	顾	友	大	胡	夺	三	丰	砂	百	右	历	面	成	灰	达	克	原	厅	帮	磁	肆	春	龙	太
S	械	李	权	枯	极	村	本	相	档	查	可	楞	机	杨	杰	棕	构	析	林	格	样	要	检	楷	术
A	式	节	芭	基	菜	革	七	牙	东	划	或	功	贡	世	☆	芝	区	匠	苛	攻	燕	切	共	药	芳
H	虎	〇	皮	眶	肯	睦	睛	止	步	旧	占	卤	贞	卢	眯	瞎	餐	睥	盯	睡	瞳	眼	具	此	眩
J	虹	最	紧	晨	明	时	量	早	晃	昌	蝇	曙	遇	电	显	晕	晚	蝗	果	昨	暗	归	蛤	昆	景
K	呀	啊	吧	顺	吸	叶	呈	中	吵	虽	吕	另	员	叫	噗	喧	史	听	呆	呼	啼	哪	只	哟	嘛
L	轼	囝	轻	因	胃	轩	车	四	☆	辊	加	男	轴	思	辚	边	罗	斩	困	力	较	轨	办	累	罚
M	曲	邮	凤	央	骨	财	同	由	峭	则	☆	崭	册	岂	贼	迪	风	贩	朵	几	赠	〇	内	嶷	凡
T	长	季	么	知	秀	行	生	处	秒	得	各	务	向	秘	秋	管	称	物	条	笔	科	委	答	第	入
R	找	报	反	拓	扔	持	后	年	朱	提	扣	押	抽	所	搂	近	换	折	打	手	拉	扫	失	批	扩
E	肛	服	肥	须	朋	肝	且	胩	膛	胆	肿	肋	肌	甩	膦	爱	胸	遥	采	用	胶	妥	脸	脂	及
W	代	他	公	估	仍	会	全	个	偿	介	保	佃	仙	亿	伙	☆	你	伯	休	作	们	分	从	化	信
Q	氏	凶	色	然	角	针	钱	外	乐	旬	名	甸	负	包	炙	锭	多	铁	钉	儿	匀	争	欠	☆	久
Y	度	离	充	庆	衣	计	主	让	就	是	训	为	高	记	变	这	义	诉	订	放	说	良	认	率	方
U	并	闻	冯	关	前	半	闰	站	冰	间	部	曾	商	决	普	帝	交	瓣	亲	产	立	妆	闪	北	六
I	江	池	汉	尖	肖	法	汪	小	水	浊	澡	渐	没	沁	淡	学	光	泊	洒	少	洋	当	兴	涨	注
O	煤	籽	烃	类	粗	灶	业	粘	炒	烛	炽	烟	灿	断	炎	迷	炮	煌	灯	烽	料	娄	粉	糨	米

（续表）

P	宽	字	☆	害	家	守	定	寂	宵	审	宫	军	宙	官	灾	之	宛	宾	宁	客	实	安	空	它	社
N	民	敢	怪	居	☆	导	怀	收	悄	慢	避	惭	届	忆	屡	忱	懈	怕	☆	必	习	恨	愉	尼	心
B	陈	子	取	承	阴	际	卫	耻	孙	阳	职	阵	出	也	耿	辽	隐	孤	阿	降	联	限	队	陛	防
V	毁	好	妈	姑	奶	寻	姨	叟	录	旭	如	舅	妯	刀	灵	巡	婚	☆	杂	九	嫌	妇	☆	姆	妨
C	戏	邓	双	参	能	对	骊	☆	☆	骒	台	劝	观	马	○	驼	允	牟	骠	矣	骈	艰	难	☆	驻
X	红	弛	经	顷	级	结	线	引	纱	旨	强	细	纲	纪	继	综	约	绵	☆	张	弱	绿	给	比	纺

提示：使用二级简码表练习的方法

用户在使用此表进行二级简码的练习时，可以横向一行一行地练习；也可以竖向一列一列地练习，还可以按任何顺序随机练习。

本书中还提供了按拼音顺序编排的二级简码表，如下表所示，供用户有目标性地查找二级简码字。

按拼音顺序排序的二级简码表

A	啊 KB	阿 BS	爱 EP	安 PV	暗 JU									
B	芭 AC	吧 KC	百 DJ	瓣 UR	半 UF	办 LW	帮 DT	包 QN	保 WK	报 RB	北 UX	本 SG	比 XX	笔 TT
	避 NK	陛 BX	边 LP	变 YO	表 GE	宾 PR	冰 UI	并 UA	伯 WR	泊 IR	不 GI	步 HI	部 UK	必 NT
C	才 FT	财 MF	采 ES	菜 AE	餐 HQ	参 CD	惭 NL	灿 OM	册 MM	查 SJ	昌 JJ	长 TA	偿 WI	吵 KI
	车 LG	晨 JD	忱 NP	陈 BA	称 TQ	城 FD	成 DN	呈 KG	承 BD	持 RF	池 IB	弛 XB	耻 BH	赤 FO
	抽 RM	出 BM	处 TH	春 DW	磁 DU	此 HX	从 WW	粗 OE	村 SF	炒 OI	炽 OK			
D	达 DP	答 TW	打 RS	大 DD	呆 KS	代 WA	淡 IP	当 IV	档 SI	刀 VN	导 NF	到 GC	得 TJ	灯 OS
	迪 MP	地 FB	第 TX	帝 UP	电 JN	佃 WL	胆 EJ	甸 QL	盯 HS	钉 QS	锭 QP	定 PG	订 YS	东 AI
	断 ON	队 BW	对 CF	多 QQ	夺 DF	朵 MS	邓 CB	度 YA						
E	几 MT	二 FG												
F	罚 LY	法 IF	凡 MY	反 RC	贩 MR	芳 AY	方 YY	防 BY	妨 VY	纺 XY	肥 EC	分 WV	坟 FY	粉 Ow
	风 MQ	烽 OT	冯 UC	夫 FW	服 EB	负 QM	妇 VV	丰 DH						

（续表）

G	肝 EF	敢 NB	肛 EA	纲 XM	高 YM	革 AF	格 ST	个 WH	各 TK	给 XW	耿 BO	功 AL	攻 AT	公 WC
	宫 PK	贡 AM	共 AW	垢 FR	构 SQ	估 WD	孤 BR	姑 VD	骨 ME	顾 DB	怪 NC	关 UD	官 PN	光 IQ
	归 JV	轨 LV	果 JS	辊 LJ	过 FP									
H	蛤 JW	害 PD	汉 IC	好 VB	恨 NV	虹 JA	红 XA	后 RG	呼 KT	胡 DE	虎 HA	互 GX	画 GL	划 AJ
	化 WX	怀 NG	换 RQ	蝗 JR	煌 OR	晃 JI	灰 DO	毁 VA	会 WF	婚 VQ	伙 WO	或 AK		
J	圾 FE	基 AD	机 SM	肌 EM	吉 FK	极 SE	及 EY	级 XE	几 MT	季 TB	寂 PH	计 YF	记 YN	际 BF
	继 XO	纪 XN	家 PE	加 LK	尖 ID	间 UJ	艰 CV	检 SW	渐 IL	江 IA	匠 AR	降 BT	胶 EU	交 UQ
	角 QE	较 LU	叫 KN	节 AB	杰 SO	结 XF	介 WJ	届 NM	紧 JC	近 RP	睛 HG	景 JY	久 QY	九 VT
	旧 HJ	舅 VL	就 YI	居 ND	具 HW	决 UN	军 PL							
K	开 GA	楷 SX	苛 AS	科 TU	可 SK	克 DQ	客 PT	肯 HE	空 PW	扣 RK	枯 SD	宽 PA	昆 JX	困 LS
	扩 RY													
L	拉 RU	来 GO	乐 QI	累 LX	肋 EL	类 OS	楞 SL	离 YB	理 GJ	李 SB	历 DL	立 UU	力 LT	联 BU
	脸 EW	良 YV	量 JG	辽 BP	料 OU	列 GQ	林 SS	灵 VO	另 KL	刘 YJ	六 UY	龙 SX	娄 OV	搂 RO
	卢 HN	卤 HL	录 VI	吕 KK	屡 NO	率 YX	绿 XV	罗 LQ						
M	妈 VC	马 CN	嘛 KY	慢 NJ	么 TC	玫 GT	煤 OA	没 IM	们 WU	眯 HO	迷 OP	米 OY	秘 TN	绵 XR
	面 DM	秒 TI	明 JE	名 QK	末 GS	牟 CR	姆 VX	睦 HF						
N	哪 KV	奶 VE	南 FM	男 LL	难 CW	内 MW	能 CE	尼 NX	你 WQ	年 RH	宁 PS			
P	怕 NR	炮 OQ	朋 EE	批 RX	皮 HC	平 GU	普 UO							
Q	妻 GV	七 AG	岂 MN	钱 QG	前 UE	欠 QW	强 XK	悄 NI	峭 MI	切 AV	且 EG	亲 US	沁 IN	轻 LC
	顷 XD	庆 YD	秋 TO	区 AQ	曲 MA	取 BC	权 SC	全 WG	劝 CL					
R	然 WD	让 YH	认 YW	扔 RE	仍 WE	如 VK	入 TY	闰 UG	弱 XU					

（续表）

S	洒 IS	三 DG	扫 RV	色 QC	砂 DI	纱 XI	闪 UW	商 UM	少 IT	社 PY	审 PJ	生 TG	失 RW	时 JF
	实 PU	史 KQ	式 AA	示 FI	世 AN	事 GK	氏 QA	收 NH	手 RT	守 PF	曙 JL	术 SY	甩 EN	霜 FS
	双 CC	水 II	睡 HT											
T	啼 KU	天 GD	条 RS	铁 QR	厅 DS	听 DR	烃 OC	瞳 HU	同 MG	屯 GB	驼 CP	妥 EV	拓 RD	
W	外 QH	晚 JQ	宛 PQ	汪 IG	为 YL	委 TV	胃 LE	卫 BG	闻 UB	无 FQ	五 GG	物 TR	务 TL	
X	析 SR	吸 KE	习 NU	细 XL	瞎 HP	下 GH	仙 WM	嫌 VU	显 JO	现 GM	限 BV	线 XG	相 SH	向 TM
	小 IH	肖 IE	协 FL	懈 FQ	心 NY	信 WY	兴 IW	行 TF	凶 QB	胸 EQ	休 WS	秀 TE	旭 VJ	轩 LF
	喧 KP	眩 HY	学 IP	雪 FV	寻 VF	巡 VP	训 YK							
Y	押 RL	呀 KA	牙 AH	烟 OL	炎 OO	眼 HV	燕 AU	央 MD	杨 SN	洋 IU	阳 BJ	样 SU	药 SX	也 BN
	由 MH	用 ET	邮 MB	友 DC	右 DK	于 GF	愉 NW	与 GN	玉 GY	遇 JM	原 DR	员 KM	约 XQ	匀 QU
	业 OG	叶 KF	衣 YE	姨 VG	矣 CT	亿 WN	忆 NN	义 YQ	因 LD	阴 BE	隐 BQ	蝇 JK	哟 KX	允 CQ
	晕 JP													
Z	杂 VS	灾 PO	载 FA	早 JH	澡 IK	灶 OF	则 MJ	增 FU	曾 UL	赠 MU	粘 OH	斩 LR	崭 ML	占 HK
	站 UH	张 XT	涨 IX	找 RA	折 RR	这 YP	珍 GW	贞 HM	针 QF	阵 BL	争 QV	芝 AP	支 FC	知 TD
	脂 EX	之 PP	职 BK	直 FH	止 HH	只 KW	旨 XJ	志 JN	炙 QO	肿 EK	宙 PM	珠 GR	朱 RI	烛 OJ
	注 IY	驻 CY	妆 UV	浊 IJ	籽 OB	子 BB	字 PB	棕 SP	综 XP	最 JB	昨 JT	左 DA	作 WT	

3. 二级简码的练习

在了解了二级简码的分布规则及输入方法后，用户同样需要通过练习来增强对二级简码字的记忆，练习方法如下：

步骤 01　进入二级简码练习界面

打开五笔打字通软件后，在练习选项区内单击“二级简码”选项，如右图所示，即可进入二级简码的练习界面。

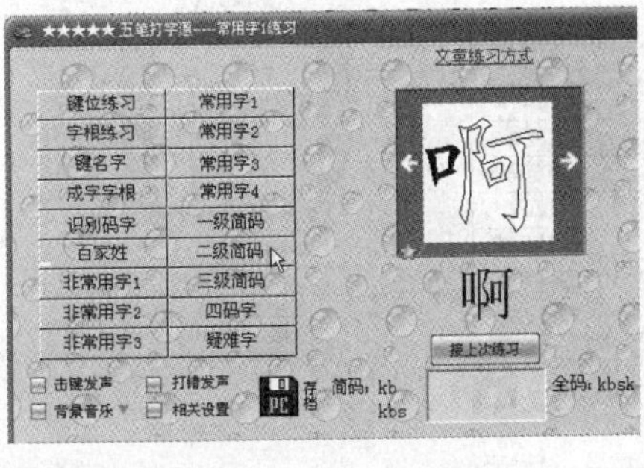

步骤 02 进行二级简码的练习

进入“二级简码”的练习界面后，用户在练习“爱”字时，可按照文字区内的简码提示输入该字的编码 ep，之后在文字区内会提示用户“二级简码按空格结束”，如右图所示，按下空格键，当前字输入完毕，系统会显示下一个要练习的汉字。

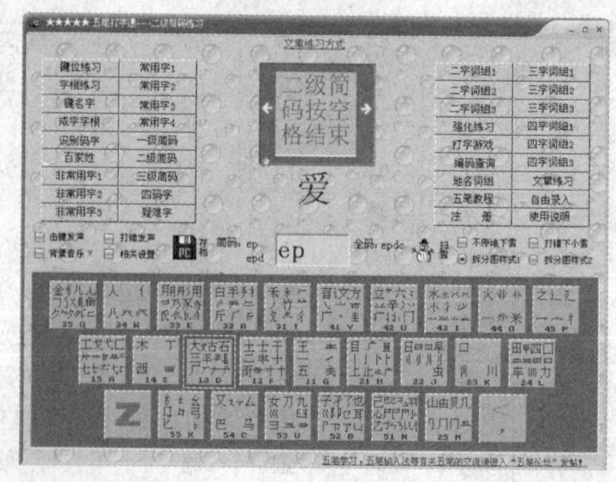

5.1.3 三级简码的输入和练习

与二级简码类似，三级简码由一个汉字的前 3 个字根组成，只要汉字的前 3 个字根代码在整个编码体系中是惟一的，五笔输入法程序都将其作为三级简码。在国际基本集的 5763 个汉字中，三级简码的汉字有 4400 多个。

1. 三级简码的输入

输入三级简码的规则为：首笔字根代码 + 次笔字根代码 + 第三笔字根代码 + 空格键

例如：在输入“数”字时，按照汉字的输入方法需要输入“米”、“女”、“攵”三个字根的代码和末笔识别码，其编码为 OVTY，而“数”作为三级简码输入时只需输入编码 OVT 后再按下空格键即可。

由于用户在输入三级简码时，不需要再进行识别代码的判定，因此可达到提高输入速度的目的。

2. 三级简码的练习

步骤 01 进入三级简码练习界面

打开五笔打字通软件后，在练习选项区内单击“三级简码”选项，如下图所示，即可进入三级简码的练习界面。

步骤 02 进行三级简码的练习

进入“三级简码”的练习界面后，用户在练习“挨”字时，可按照文字区内的简码提示按下该字的编码 rct，之后在文字区内会提示用户“三级简码按空格结束”，如下图所示，按下空格键，当前字输入完毕，系统会显示下一个要练习的汉字。

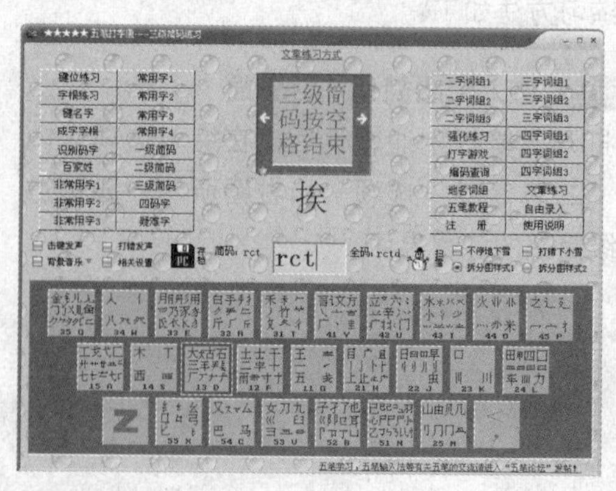

提示：四码字的输入

用户在进行四码字的输入时，只需按照汉字的拆分规则依次输入该汉字的四个字根编码即可。

5.2 多字词汇及重码字的输入方法

在了解了单个汉字的输入方法和常用汉字的简码输入后，可以使用五笔字型输入法输入所有的单个汉字了，但是将汉字一个一个地进行输入时，仍然无法很快地提高汉字的输入速度。因此五笔字型输入法还提供了词组输入的功能，一个词组无论包含多少个汉字，取码时最多也只取 4 码，通过词组的输入可以大大地提高用户的输入速度。

5.2.1 双字词组的输入

双字词组在汉语词汇中占有相当大的比例，五笔字型输入法中规定，双字词组分别取两个汉字中每一个汉字的前两个字根的代码，共四码组合在一起成为词组的编码，即：双字词组编码 = 词组第一个汉字的首字根代码 + 词组第一个汉字的次字根代码 + 词组第二个汉字的首字根代码 + 词组第二个汉字的次字根代码。

例如，输入“名字”一词时，需要输入词组中第一个汉字的前两个字根“夕”、“口”的代码 Q、K 和第二个汉字的前两个字根“宀”、“子”的代码 P、B，即 QKPB 来完成词组的输入。

提示：包括键名汉字或成字字根的词组的拆分方法

当双字词组中包括键名汉字或成字字根汉字时，应该从这个字的全码中取头两位编码。例如：输入“水花”这个词组时，“水”是键名汉字，全码为 IIII，则取前两位 II，再取“花”字的前两个字根“艹”、“亻”的编码 A 和 W，因此词组“水花”的编码为 IIAW。同样地，在输入“牲口”一词时，按前述的规则，“牲”字的，全码为 TRTG，“口”为键名汉字，全码为 KKKK，因此，“牲口”的编码为 TRKK。

5.2.2 多字词组的输入

多字词组是由三个字及三个字以上的汉字所组成的词组，五笔字型输入法中的多字词组的输入可以更加方便用户的输入，提高工作效率。下面就来介绍一下多字词组的输入及拆分规则。

1. 三字词组的输入

要输入三字词组时，需要输入词组前两个汉字的首笔画字根和最后一个汉字的前两个字根，从而组合成为四码，其规则为：三字词组编码 = 第一个汉字的首字根代码 + 第二个汉字的首字根代码 + 第三个汉字的首字根代码 + 第三个汉字的次字根代码。

例如，输入三字词组“计算机”时，首先输入第一个汉字“计”的首笔画字根“讠”的代码 Y，再输入第二个汉字的首笔画“⺮”的代码 T，然后输入第三个汉字首笔画“木”的代码 S，最后输入第三个汉字的次笔画“几”的代码 M，即输入三字词组“计算机”时输入编码 YTSM 即可得到，如右图所示。

用户在输入时一定要注意，所输入的内容应为平时经常使用的词组，不能自己编一个三字词组，这样计算机不会识别。

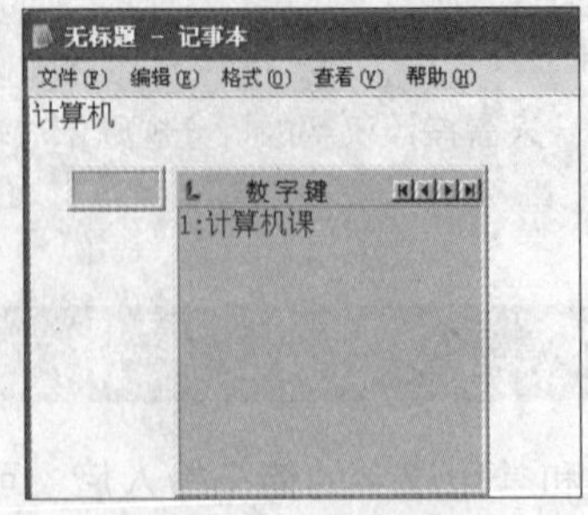

2. 四字词组的输入

要输入四字词组时，需要输入词组中每个汉字的首笔画字根代码，从而组合成为四码，规则为：四字词组编码 = 第一个汉字的首字根代码 + 第二个汉字的首字根代码 + 第三个汉字的首字根代码 + 第四个汉字的首字根代码。

例如，输入四字词组“高楼大厦”时，首先输入第一个汉字“高”的首笔画“亠”，其代码为Y，再输入第二个汉字的首笔画“木”，其代码为S，然后输入第三个汉字首笔画“大”，其代码为D，最后输入第四个汉字的首笔画“厂”，其代码为D，即在输入四字词组“高楼大厦”时，输入编码YSDD，如右图所示。再按下空格键，即可得到“高楼大厦”四字词组。

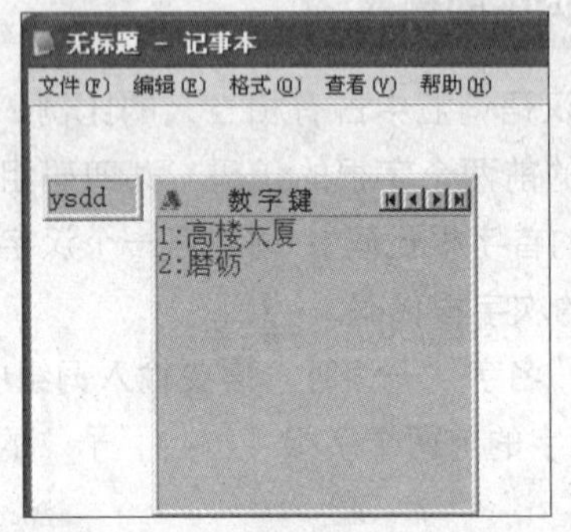

用户在输入时一定要注意，所输入的内容为平时经常使用的词组或成语，不能自己编一个四字词组，这样计算机不会识别。

3. 多字词组的输入

输入多字词组时，依次取第一、第二、第三和最后一个汉字的首笔画字根，从而组合成为四码，规则为：多字词组编码 = 第一个汉字的首字根代码 + 第二个汉字的首字根代码 + 第三个汉字的首字根代码 + 最后一个汉字的首字根代码。

例如，输入多字词组“中国共产党”时，首先输入第一个汉字“中”的首字根“中”的代码K，再输入第二个汉字“国”的首字根“丨”的代码L，然后输入第三个汉字“共”的首字根“艹”的代码A，最后输入最后一个汉字“党”的首字根“小”的代码I，即输入多字词组“中国共产党”时输入编码KLAI，即可得到该词组，如右图所示。

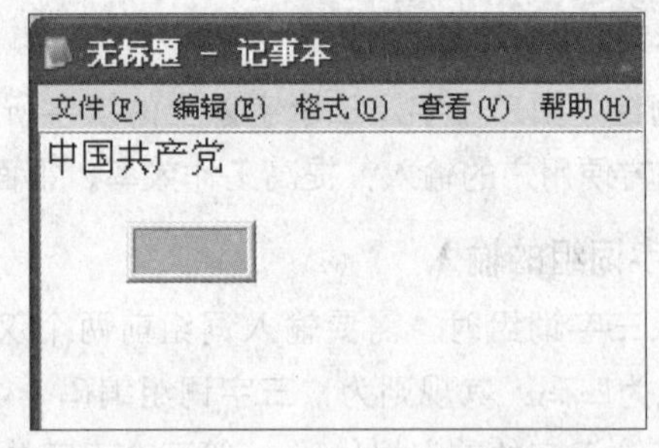

4. 重码字的输入

在五笔字型编码方案中，将一部分无法惟一确定编码的汉字，用相同的编码来表示，这些具有相同编码的汉字称为重码字。在输入重码字时，需要输入汉字的编码后，再通过数字键来选择汉字，其编码规则为：重码字 = 汉字首字根 + 次字根 + 第三个字根 + 第四个字根 + 数字识别码。

步骤 01 输入该字编码

例如，在输入“云”字时，输入该字编码 FCU 后会出现很多汉字选项，如下图所示。

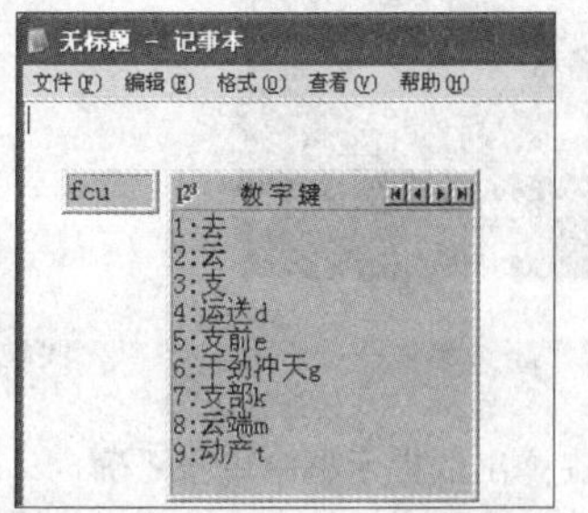

步骤 02 输入数字识别码

用户在输入“云”时，需要按下键盘上的数字识别码 2 对应的数字键，就可以得到“云”字了，如下图所示。

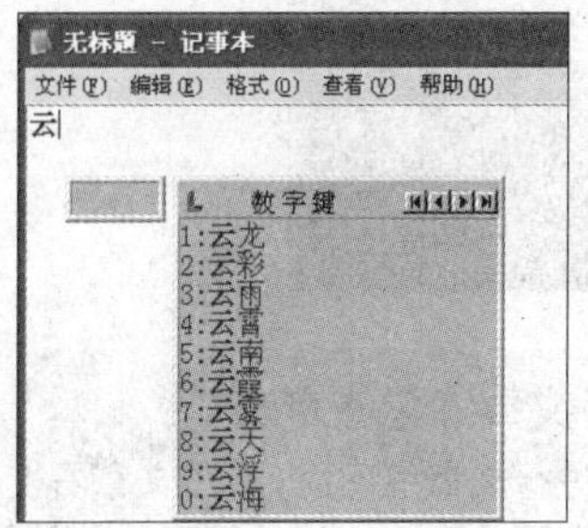

5.2.3 文章的输入练习

在了解了单个汉字、简码字及词组的输入后，用户就可以进行文章的输入练习了，经过此阶段的练习，用户可基本掌握五笔字形输入法程序，并使用五笔输入法输入文本或与电脑进行交流。进行文章输入练习的步骤如下：

步骤 01 进入文章练习界面

打开五笔打字通软件后，在练习选项区内单击“文章练习”选项，如下图所示。

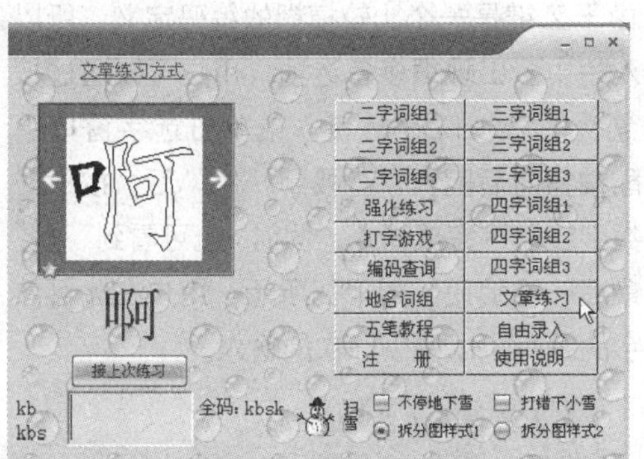

步骤 02 选择练习文章

此时，用户会进入到一个选取练习文章的界面，单击“中国当虎还是当驴”选项，如下图所示，即可进入练习界面。

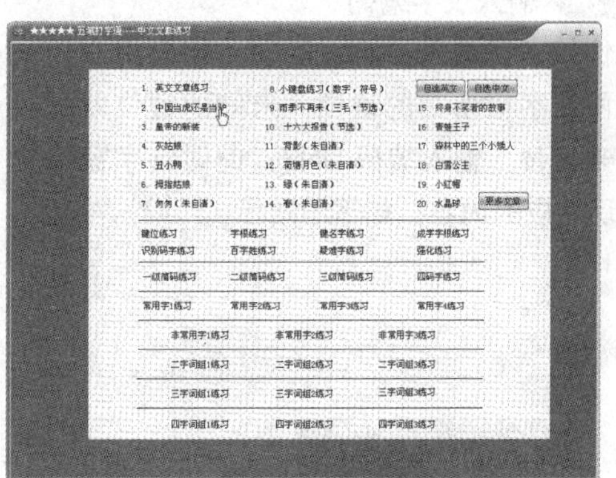

步骤 03 设置速度测试

单击“文章练习”界面右侧的“速度测试”按钮，弹出“提示”对话框，提示用户进行测试，单击“确定”按钮，如下图所示。

步骤 04 进行文章的测试练习

进入“速度测试”的界面后，用户可以运用前面章节中学到的知识，进行五笔字型输入法的测试练习，当用户将当页的内容输入完毕后，会弹出一个速度测试框，告知用户测试的成绩，如下图所示。单击“确定”按钮后，用户可继续进行测试练习。

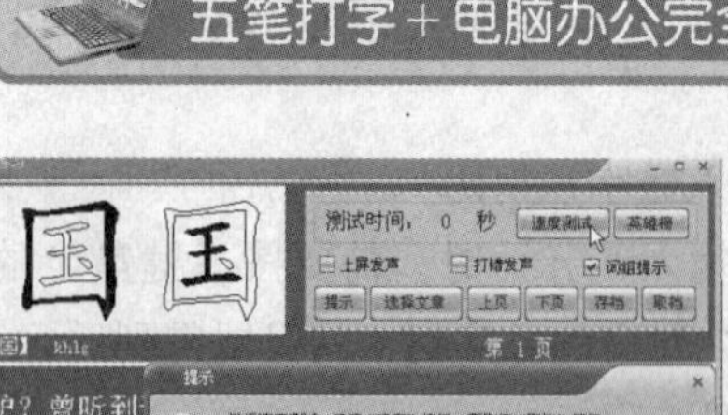

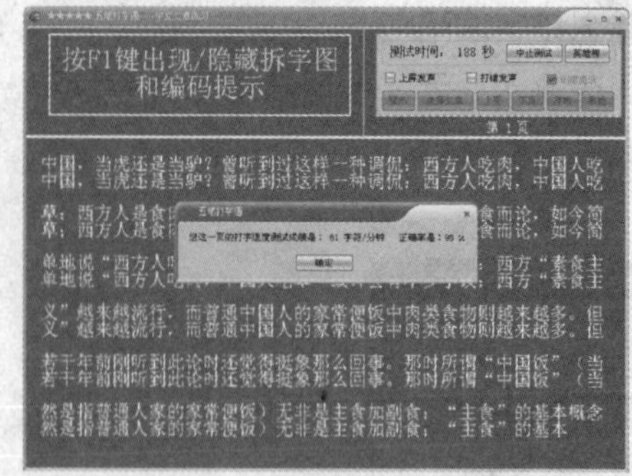

提示：进行文章练习的方法

当用户需要进行文章练习时，单击文章右上角的“中止测试”按钮，在弹出的提示框中单击“确定”按钮，即可进入文章练习界面，在文章练习界面内有当前字的拆分提示。

Column 技能提升

电脑的键盘中共有26个字母键，在A~X的25个字母键上分布了五笔输入法中的字根，而Z键上没有分布任何字根，但是在五笔输入法中，该键被安排了一个重要的作用，即作为万能键使用。

在初学五笔字型输入法时，许多用户很难在短时间内记住所有的字根。因此，针对初学者难以记忆字根的分布以及在拆分汉字时的不准确性，五笔字型输入法提供了万能学习键Z来帮助用户。

万能键Z又称为学习键，它可以代替未知或模糊的字根，也可以代替未知的或模糊的识别码。

步骤 01 输入汉字编码

例如，在输入“尬”字时，如果用户只记得前两位字根所在的键位，未知的键位就可以用Z来代替，输入编码DNZ，此时选字窗口中会出现相应的内容，如下图所示。

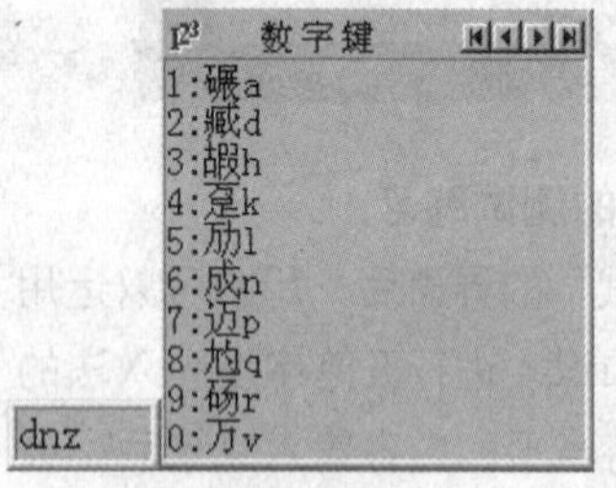

步骤 02 查找要输入的汉字

由于Z键是一个比较模糊的编码定义，所以在输入栏中会出现很多备选项，用户可以通过按下键盘上的Page Down键，或单击选字窗口中的手翻按钮向后翻页，查找到“尬”后，按下对应的数字键即可完成输入。同时，也可看到“尬”字的最后一位编码，如下图所示，用户在此可熟记该字的编码，以便下一次的输入。

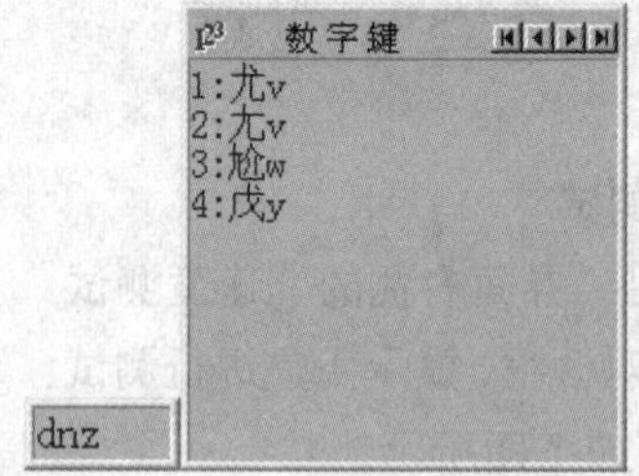

用户在使用Z键时，可以明显感觉到，使用它增加了重码率和汉字的选择时间，因此，它只适合初学者在未能熟记字根与识别码时使用，也只会为初学者带来一定的方便。所以，用户在使用Z键时，不应仅限于用其输入想输入的汉字，而更应在输入的同时，记住所输入汉字的编码，以便下次输入时提高输入速度。

06

本章建议学习时间

本章建议学习时间为 60 分钟，其中 20 分钟用于学习教材知识，40 分钟用于上机操作。

五笔输入法的应用技巧

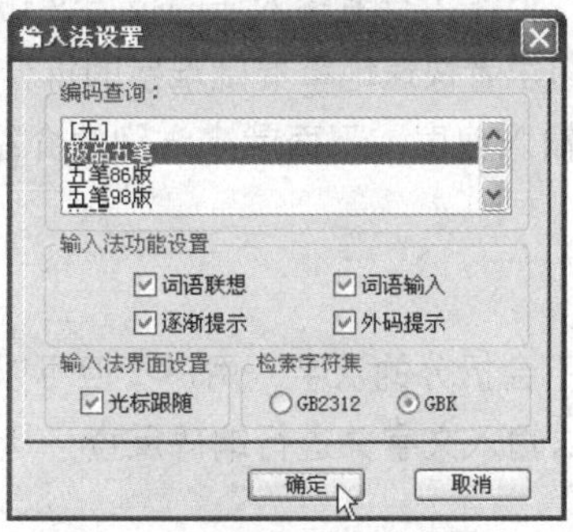

设置编码反查功能

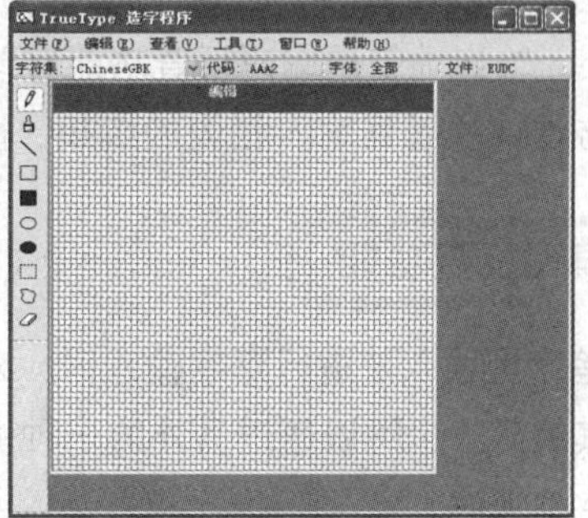

利用造字程序造字

学习完本章后您可以

1. 设置五笔输入法的编码反查与光标跟随功能
2. 使用系统工具进行手工造字
3. 插入生僻字和特殊字符
4. 设置输入法状态

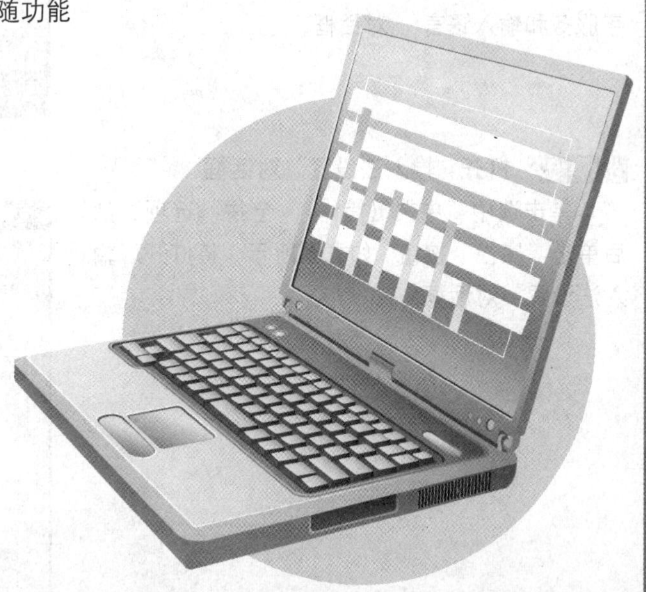

第06章 五笔输入法的应用技巧

了解了五笔输入法程序中所有汉字的输入规则后，再上机进行实践练习，用户就可以快速地进行输入文本的操作了。在输入法程序中还有一些应用的技巧性内容，本章将对这些技巧性的操作进行介绍，通过这些内容，用户可进一步了解五笔输入法，使文字输入更加得心应手。

6.1 编码反查与光标跟随功能

这两个功能在前面章节中已做过简单的介绍，但作为五笔输入法的技巧性功能，在本章中还要做进一步介绍。恰当地使用编码反查功能有助于初学者快速地掌握疑难字的拆分；而光标跟随功能可使用户更方便地查看到输入栏内的编码，提高输入速度。下面就来详细地介绍一下这两种功能。

6.1.1 编码反查功能

在用五笔字型输入法进行汉字输入时，对于不会拆分的汉字，用户不但可以通过万能学习键Z来慢慢找到其编码，也可以通过另外的一种输入法输入文字并进行编码反查，从而能够方便地查找文字的五笔字型编码。

步骤01 打开“文字服务和输入语言”对话框

右击桌面右下角的输入法图标，在弹出的菜单中选择“设置”选项，如右图所示，将打开“文字服务和输入语言”对话框。

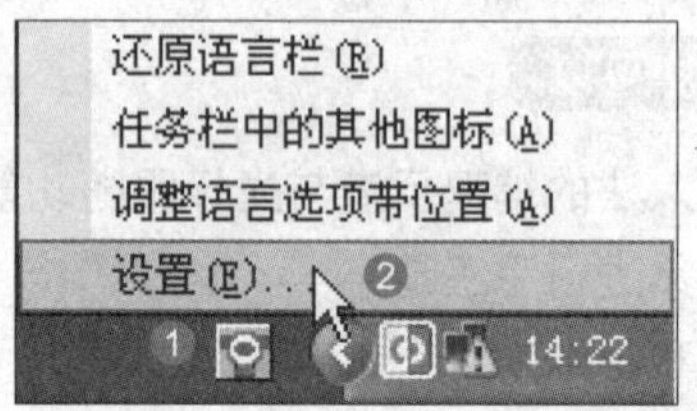

步骤02 打开“输入法设置”对话框

单击选中“中文（简体）-全拼”选项，然后单击“属性”按钮，如右图所示，将打开“输入法设置”对话框。

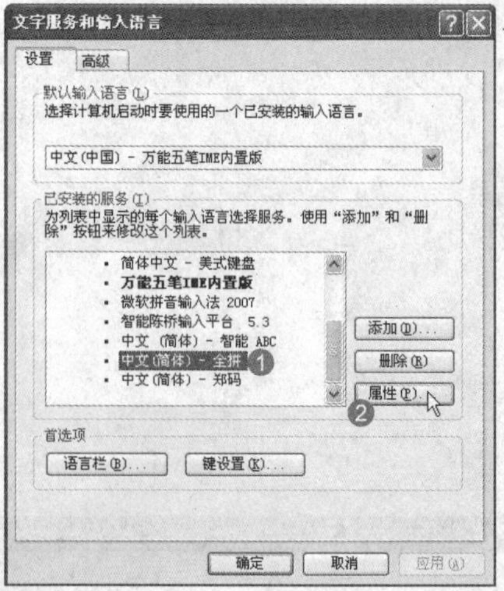

步骤 03 设置外码提示

单击选中“编码查询”列表中的“极品五笔”选项，然后依次勾选“逐渐提示”、“外码提示”复选框，如下图所示，最后再依次单击各对话框中的“确定”按钮。

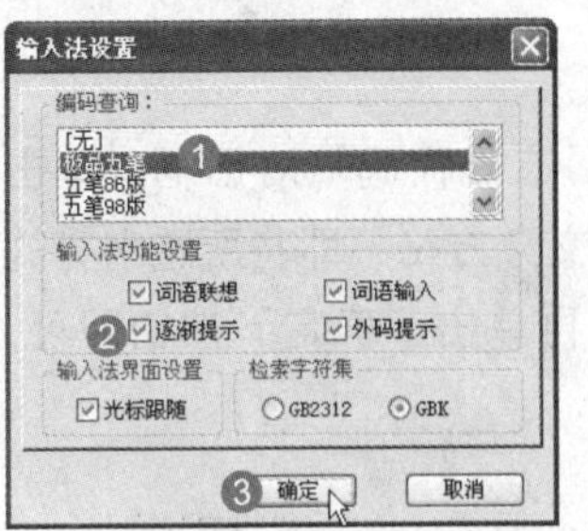

步骤 04 显示最终效果

完成设置后，用户在遇到不会拆分的汉字时就可以使用全拼输入法进行输入了，在输入了该汉字之后，输入栏中会显示出该汉字的极品五笔编码，例如，在输入汉字“赣”时，通过全拼输入该字后，输入栏中就会显示编码 ujt，如下图所示。

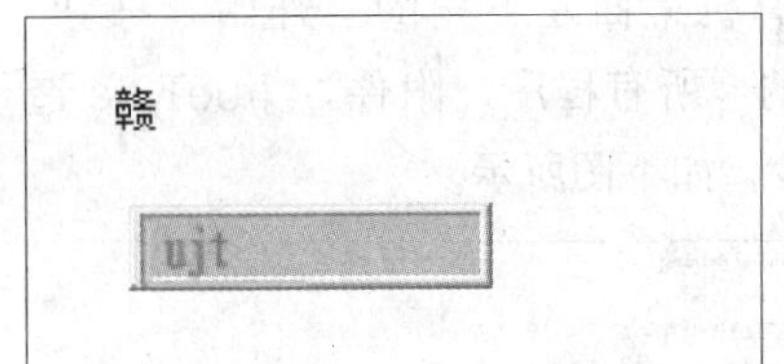

6.1.2 光标跟随功能

光标跟随功能可以应用于各种五笔输入法程序中，用户可方便地在任意一种五笔输入法程序中进行光标跟随的设置，其设置步骤如下：

步骤 01 打开智能五笔输入法设置对话框

右击智能五笔输入法的输入栏，在弹出的菜单中将鼠标指针指向“参数设置”选项，再在其级联菜单中选择“主参数设置”选项，如下图所示。

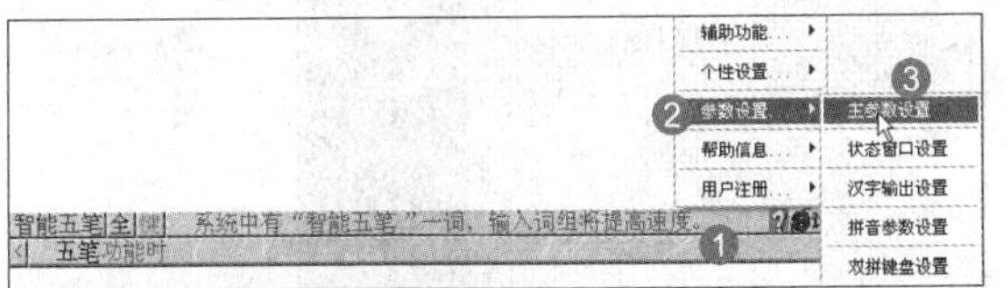

步骤 02 设置光标跟随功能

在弹出的“智能陈桥汉字输入平台参数设置”对话框中，勾选“光标跟随”复选框，然后单击“确定”按钮，如下图所示。

步骤 03 显示最终效果

完成设置后，当用户再次输入文本时，输入栏就会跟随光标显示在它的下方，如右图所示。

6.2 手工造字程序

用户通过前几章的学习，就可以掌握输入常用字的方法，但是当遇到无法拆分的生僻字或要输入特殊符号时该怎么办呢？遇到这种情况后，用户可以使用系统中自带的造字程序对无法拆分的生僻字进行造字，然后输入到文本中。

6.2.1 打开并认识系统中的造字程序

电脑系统中自带有“TrueType 造字程序”，用户可以使用此程序进行造字。本节中就来认识一下如何打开该造字程序，并认识一下“TrueType 造字程序”的编辑窗口。

1. 打开“TrueType 造字程序“编辑窗口

步骤 01 打开“选择代码”对话框

单击计算机桌面左下角的“开始”按钮，执行菜单中的“所有程序>附件> TrueType 造字程序”命令，如下图所示。

步骤 02 选择代码

此时，会弹出“选择代码”对话框，单击 AAA0 行与第 2 列的交叉方格，即将所造字符的代码设置为 AAA2，再单击“确定”按钮即可，如下图所示。

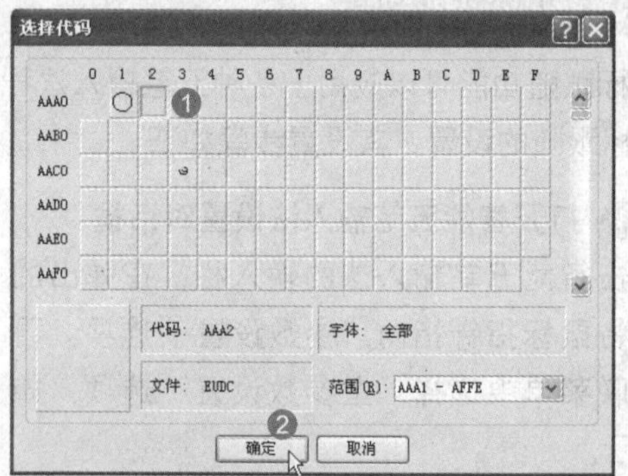

步骤 03 显示打开的“TrueType 造字程序”窗口

此时，就打开了“TrueType 造字程序”窗口，如右图所示。

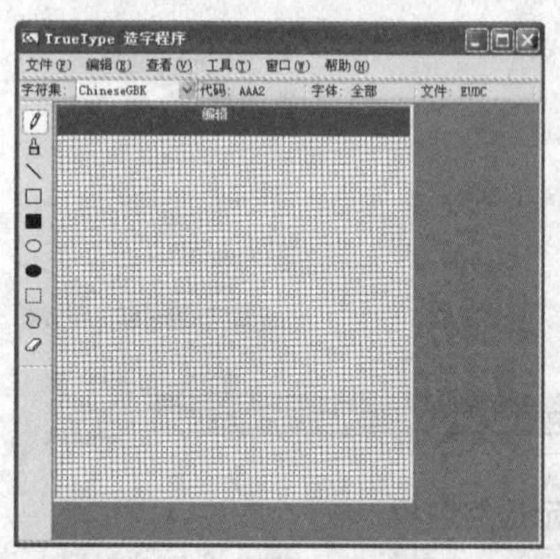

2. 认识“TrueType 造字程序”编辑窗口

“TrueType 造字程序”的编辑窗口包括标题栏、菜单栏、指示栏、工具栏和编辑区等，下面就来分别了解一下造字程序的窗口界面。

认识造字程序中的标题栏、菜单栏和窗口控制按钮：

❶标题栏：位于程序窗口最上方，用于显示当前程序的名称。

❷窗口控制按钮：在标题栏的右侧，其从左向右的作用分别是最小化、最大化和关闭编辑窗口。

❸菜单栏：位于标题栏下方，包括进行造字时的一些菜单命令，如下图所示。

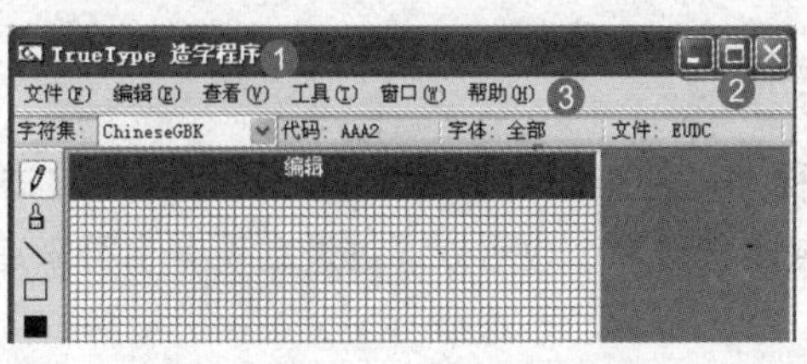

认识造字程序中的指示栏，指示栏包括：

❶字符集：可选择造字字符的字符集类型。

❷代码：显示所造字符的十六进制代码。

❸字体：显示关联的字体或“全部”体。

❹文件：显示造字字符集的名称，如右图所示。

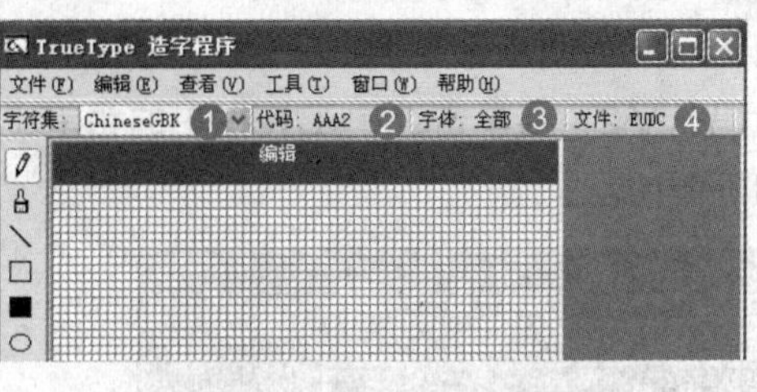

认识造字程序中的工具栏：

❶工具栏：工具栏一般位于窗口的左侧，可通过拖动将其置于指示栏下方，如右图所示。其作用是绘制字符或图形。

工具栏内从左到右的工具名称和功能如下：

铅笔工具：用于绘制需要的图形。

画笔工具：用于绘制所需的图形，但绘制时的宽度是铅笔工具的两倍，也可用来填充图形。

直线工具：用于绘制直线图形。

空心矩形工具：用于绘制空心矩形。

实心钜形工具：用于绘制实心矩形。

空心椭圆形工具：用于绘制空心椭圆图形。

实心椭圆形工具：用于绘制实心椭圆图形。

矩形选项工具：选择矩形区域内的图形。

自由图形选择工具：用于选择任意形状区域内的图形。

橡皮擦工具：用于擦除图形。

认识造字程序中的编辑区：

❶编辑区：位于指示栏下方，如右图所示，在编辑区域内可以使用工具栏中的工具进行造字，菜单栏、指示栏都是为编辑区域服务的。

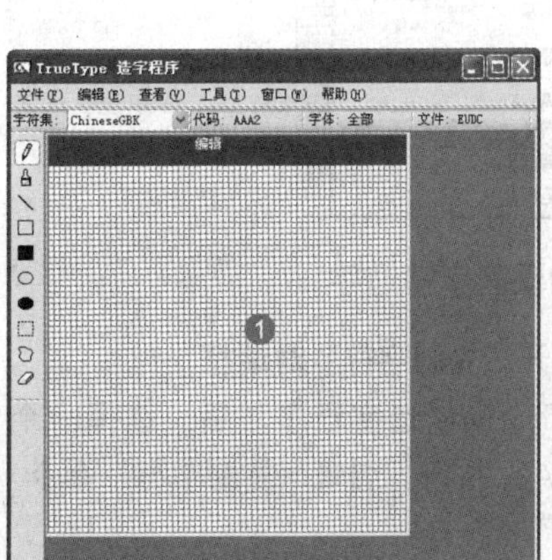
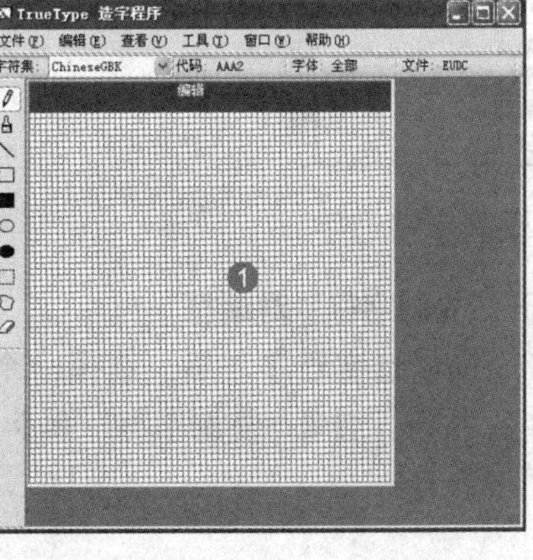

6.2.2 利用造字程序造字

认识了“TrueType 造字程序”的编辑界面后，用户可以利用它进行造字了，在造字时用户可以通过工具栏内的工具进行自定义造字，也可以通过调动现有字符来造字，还可以通过抓图造字。

1. 自定义造字

步骤 01 选择造字工具

打开“TrueType 造字程序”后，选择一个空白代码 AAA2，再单击选中工具栏中的铅笔工具，如下图所示。

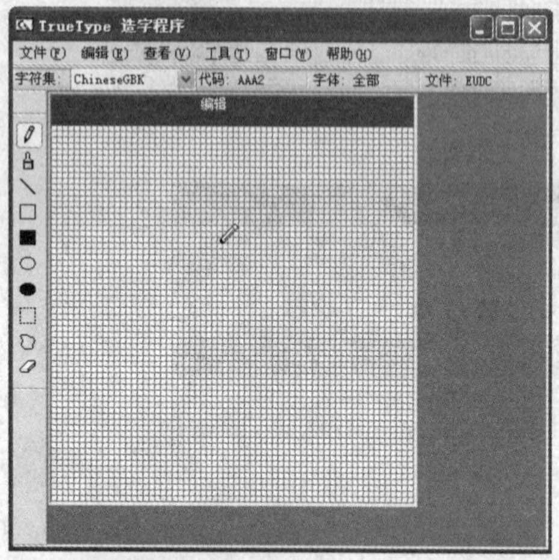

步骤 02 开始造字

按住鼠标左键不放拖动鼠标，在编辑区内绘制出一个“折”的形状，如下图所示。

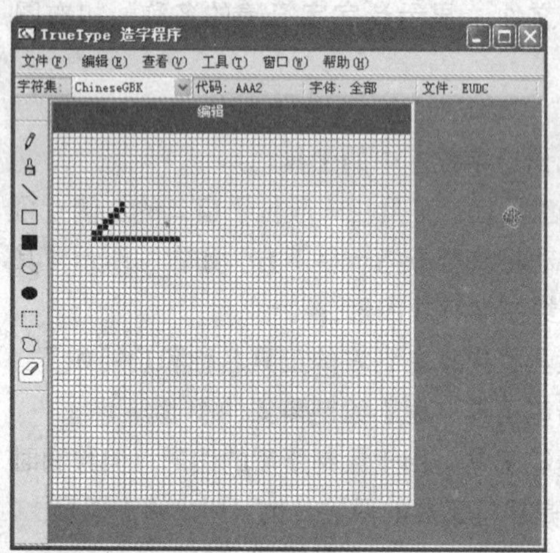

步骤 03 保存所造字符

字符绘制完成后，执行“编辑>保存字符”命令，如下图所示，即可将字符保存在专有字符代码中了。

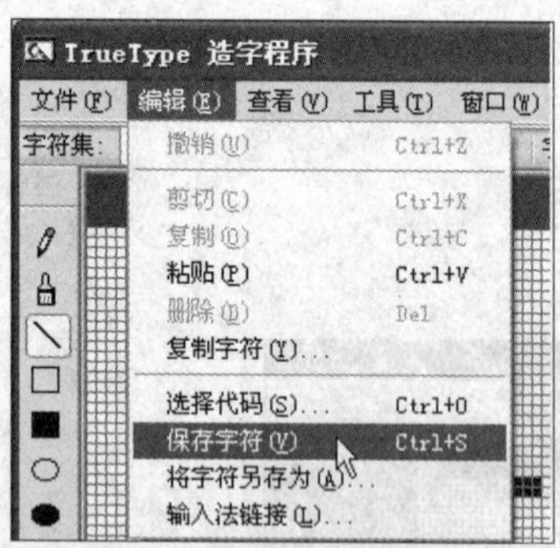

步骤 04 查看所造字符

执行“编辑>选择代码”命令，在打开“选择代码”对话框中，单击选中 AAA2 代码，在对话框的左下角可看到所造的字符，如下图所示。

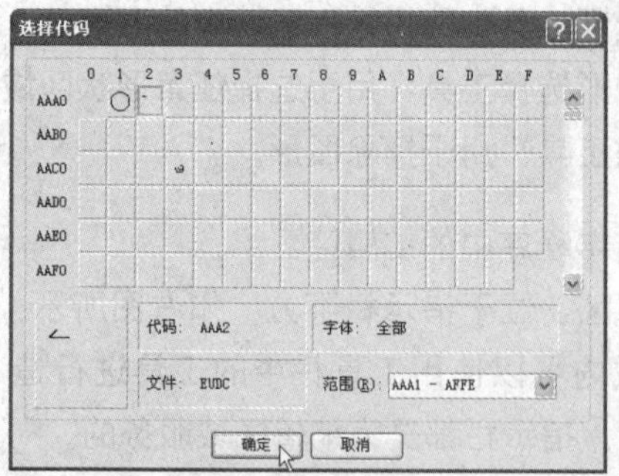

2. 调动现有字符造字

步骤 01 打开“复制字符”对话框

打开“TrueType 造字程序”后，选择一个空白代码 AAA3，执行“编辑>复制字符”命令，如下图所示。

步骤 02 选择现有字符

在打开的“复制字符”对话框中选择需要的字符，这里选择代码为 003D 的文本符号，并单击“确定”按钮，如下图所示。

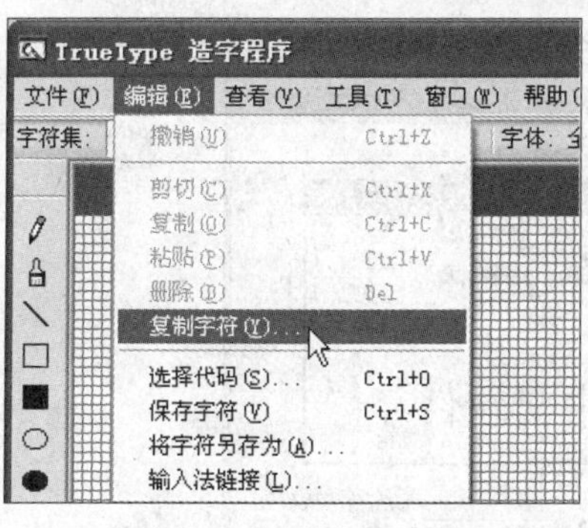

步骤 03 在现有字符基础上造新字

单击选中直线工具，在原有符号上按住鼠标左键不放，拖动绘制一条斜线，形成一个不等号，如下图所示。

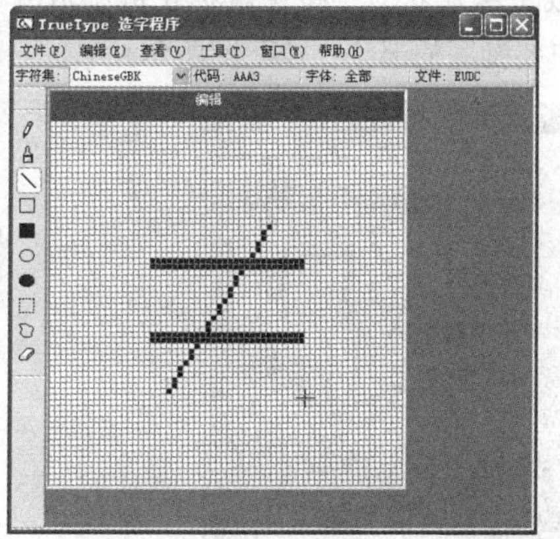

步骤 04 保存新造字符

字符制造完成后，执行“编辑>保存字符”命令，如下图所示，即可将字符保存在专有字符代码中了。

步骤 05 查看所造字符

保存完毕后，执行“编辑>选择代码”命令，在打开“选择代码”对话框中，单击选中AAA3代码，在对话框的左下角可看到所造的字符，如右图所示。

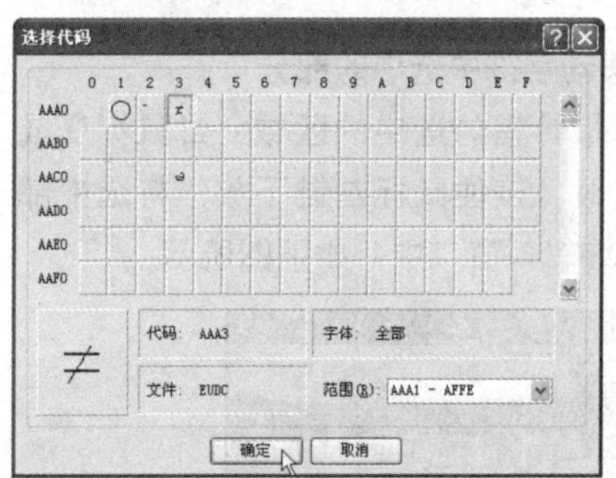

3. 抓图造字

步骤 01 打开“参照”对话框

打开“TrueType造字程序”后，选择一个空白代码AAA4，执行“窗口>参照”命令，如下图所示。

步骤 02 选择要参照的字体类型

在弹出的“参照”对话框中单击“字体”按钮，即会弹出“字体”对话框，在其中选择“字体”列表中的“宋体－方正超大字符集”选项，再选择“字形”列表中的“常规”选项，然后单击“确定”按钮，如下图所示。

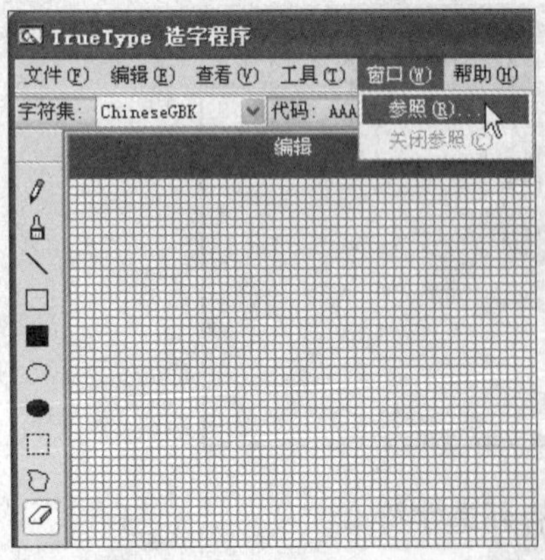

步骤 03 选择参照字符

在“参照”对话框中选择要参照的字符，这里选择代码为7F0A的文本符号，然后单击“确定”按钮，如下图所示。

步骤 04 选择选中字符中要参照的部分

将鼠标指针指向“参照”编辑窗口，当鼠标指针变成十字形状时，按住鼠标左键不放并拖动，选中要参照的部分，如下图所示。

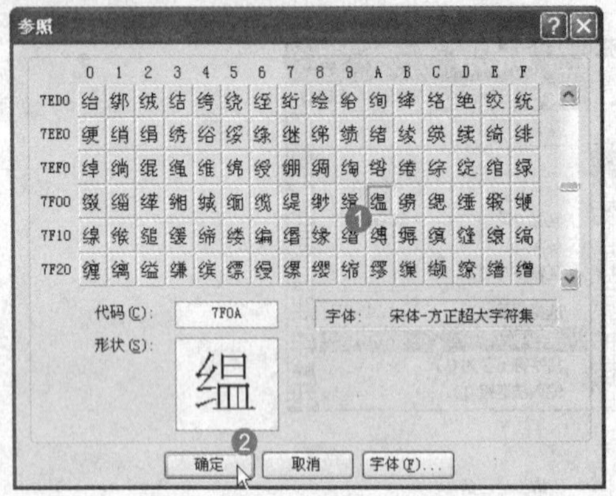

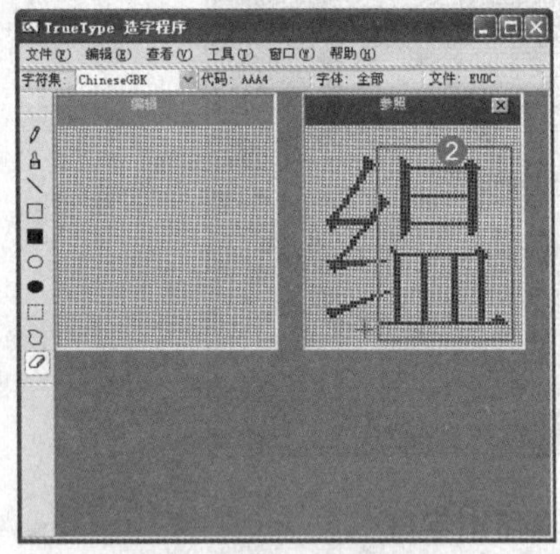

步骤 05 移动字符中选中的部分

将鼠标指针指向选中的区域，当鼠标变成十字双箭头时，按住鼠标左键不放，将选中部分拖动到”编辑“窗口中，如下图所示。

步骤 06 制作字符的左半部

按照步骤3、步骤4、步骤5的操作得到部分字符并移至”编辑“窗口中，最终形成一个如下图所示的字符。

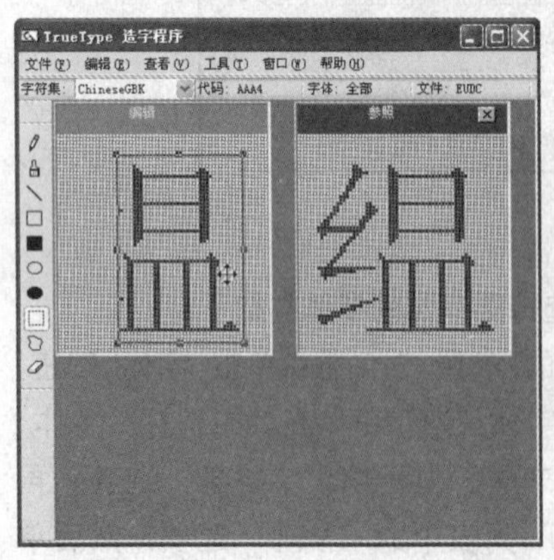

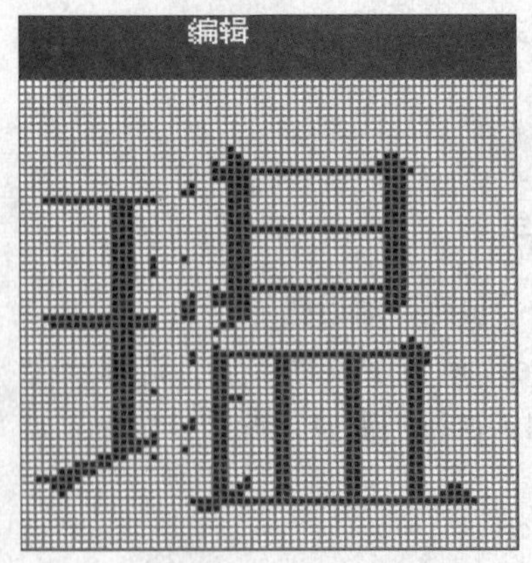

步骤 07 擦除字符中多余的部分

关闭“参照”编辑窗口，单击选中工具栏中的橡皮擦工具，擦除字符中多余的部分，最终效果如下图所示。

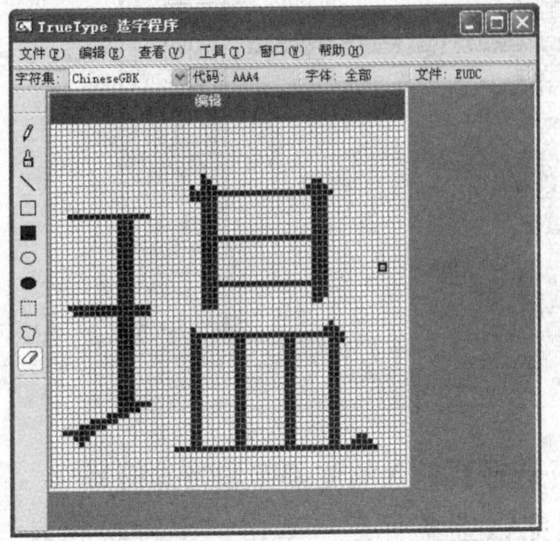

步骤 08 保存所造字符

字符制造完成后，执行“编辑>保存字符”命令，如下图所示，即可将字符保存在专有字符代码中。

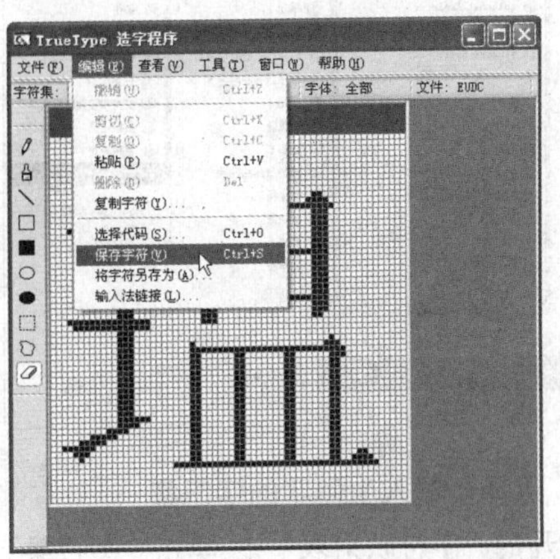

步骤 09 查看所造字符

保存完毕后，执行“编辑>选择代码”命令，在打开“选择代码”对话框中，单击选中 AAA4 代码，在对话框的左下角即可看到所造的字符，如右图所示。

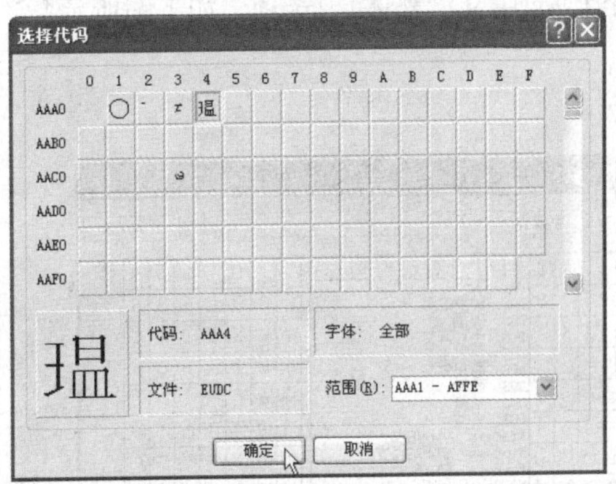

6.3 特殊字符和生僻字的插入

当用户在使用五笔输入法输入文本时遇到一些不会拆分的生僻字或需要输入一些特殊字符时，可以通过“字符映射表”来将其插入到文本中。下面本节就来介绍一下如何通过“字符映射表”插入特殊字符和生僻字。

步骤 01 打开“字符映射表”对话框

单击计算机桌面左下角的“开始”菜单按钮，执行菜单中的“所有程序>附件>系统工具>字符映射表”命令，如下图所示。

步骤 02 选择要输入生僻字的字体

在打开的“字符映射表”对话框中，单击“字体”列表框右侧的下拉箭头，在弹出的列表中选择“黑体”选项，如下图所示。

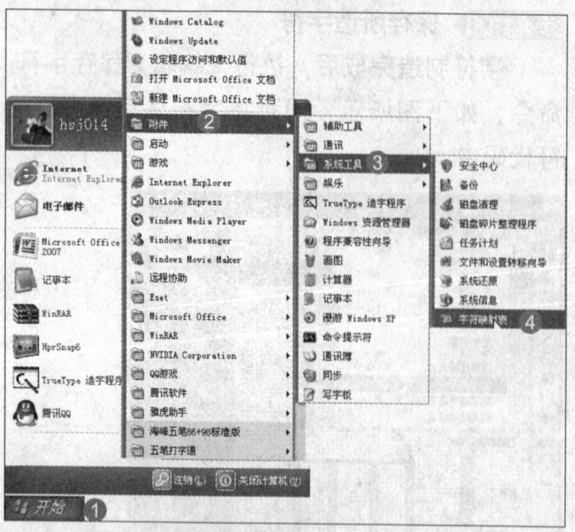

步骤 03 选择要输入生僻字的字符集

在打开的“字符映射表”中，单击“字符集”列表框右侧的下拉箭头，在弹出的列表中选择“Windows 中文（繁体）”选项，如下图所示。

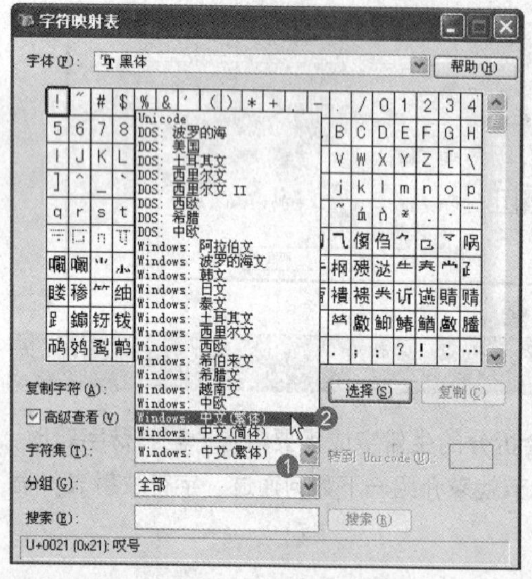

步骤 05 复制所选字符及符号

选择了要复制的生僻字及符号后，单击“字符映射表”内的“复制”按钮，如下图所示，即可复制所选字符及符号。

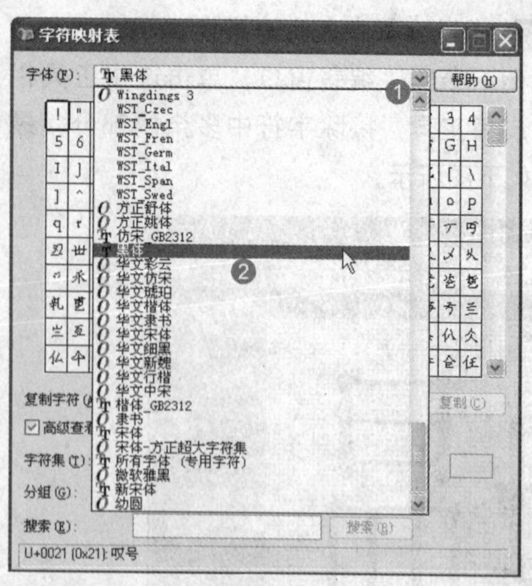

步骤 04 选择要输入的生僻字和特殊符号

设置完以上条件后，单击“字符映射表”列表框右侧的下微调按钮，单击选择字符“炤”，并单击“选择”按钮，该字符即会在“复制字符”文本框内显示，如下图所示。再按照同样的方法选择“$”符号。

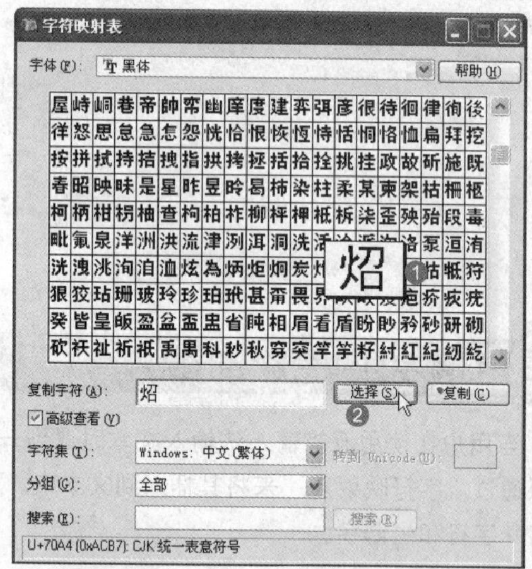

步骤 06 将生僻字及符号插入到目标文本中

切换到要插入生僻字及符号的文本程序内，右击鼠标，在弹出的快捷菜单中选择“粘贴”命令，如下图所示。

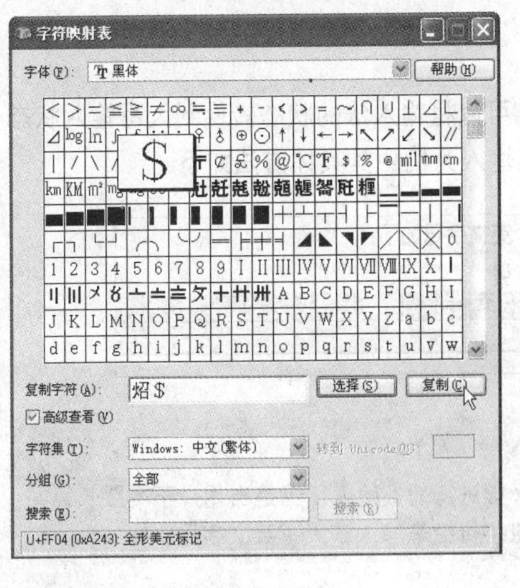

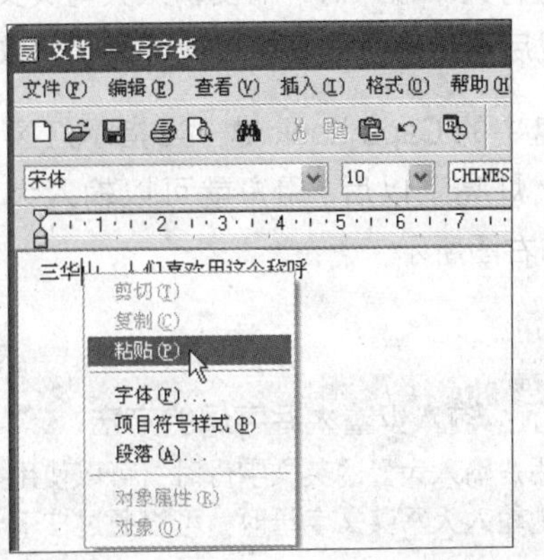

步骤 07　显示最终效果

经过以上操作，就完成了生僻字以及符号的插入，最终效果如右图所示。

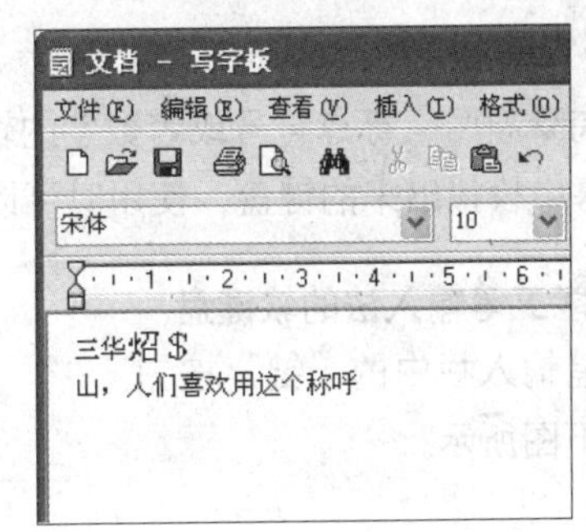

Column 技能提升

用户在使用不同的输入法输入文本时，输入法的输入栏或者语言栏中的图标起着重要的作用，它用于显示当前输入状态是全角还是半角、是大写还是小写、软键盘是否处于使用状态。下面就来介绍一下输入法的输入栏。

输入法全角、半角的切换

用户在进行文本输入时，表示使用全角输入的图标和使用半角输入的图标形状会有差别，当用户需要特定的符号时，就需要通过切换输入法的全角和半角后再进行输入。

步骤 01　打切换全角、半角输入状态

以智能五笔输入为例，单击输入栏中的“全”或“半”按钮即可进行切换，当输入法图标为“全”时，单击后就会切换到“半”，也就是由全角输入切换到半角输入，如下图所示。

步骤 02　显示最终效果

当用户使用全角输入一个“＞”后，再切换到半角输入状态下，输入相同的符号，就会变为“>”，如下图所示。

输入法大小写的转换

用户在进行文本输入时，需要输入大写英文字母时，可以将输入法的状态转换到大写输入状态下，输入完成后再转换回文本输入就可以了。以智能五笔输入为例，其具体方法如下：

按下键盘中的 Caps Lock 键，当指示灯区的 Caps Lock 灯亮了以后，用户就可以输入大写字母了，如右图所示。

提示：输入少量大写字母的方法

当用户输入大量的英文字母时，可以使用 Caps Lock 键进行转换输入，但是当用户不需要长篇幅地输入大写英文字母时，可以通过按下 Shift+ 相应字母键来输入该大写英文字母。

软键盘的使用

用户在进行特殊符号、标点符号或者数字的输入时，可以使用软键盘进行方便快捷的输入。软键盘即电脑在屏幕中模拟出来的键盘，使用时可以通过鼠标单击的形式输入文本。

步骤 01 打开智能五笔输入法的软键盘

单击智能五笔输入栏中的“键”按钮，将弹出软键盘，如下图所示。

步骤 02 使用软键盘

打开软键盘后，用户可以通过鼠标单击键盘左侧和下方的红字按钮来切换所要输入的文本类型，如单击“标点符号”按钮，键盘将切换到标点符号输入状态下，如下图所示。

步骤 03 使用软键盘输入文本

用户可以通过鼠标单击软键盘中的相应按键来完成文本输入，也可以通过按下键盘中相应的按键来完成文本输入，最终效果如右图所示。

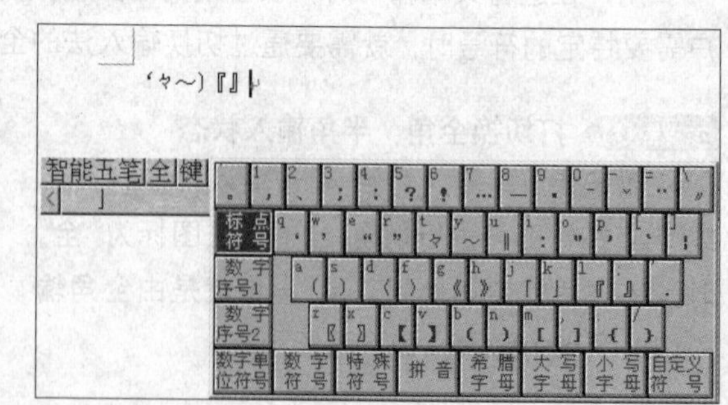

07

本章建议学习时间

本章建议学习时间为 60 分钟，其中 30 分钟用于学习教材知识，30 分钟用于上机操作。

认识 Word 2007

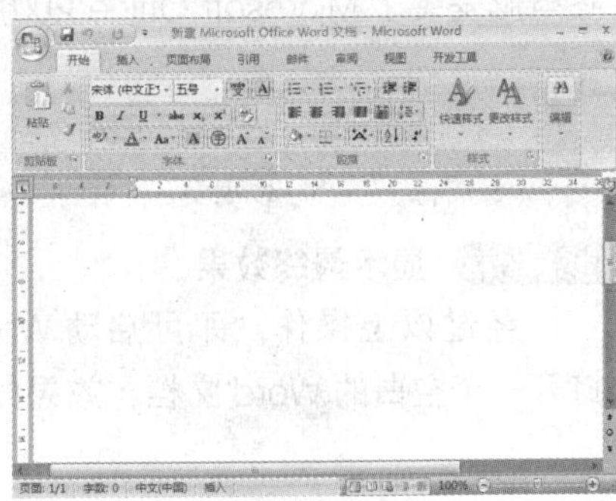
启动 Word 2007

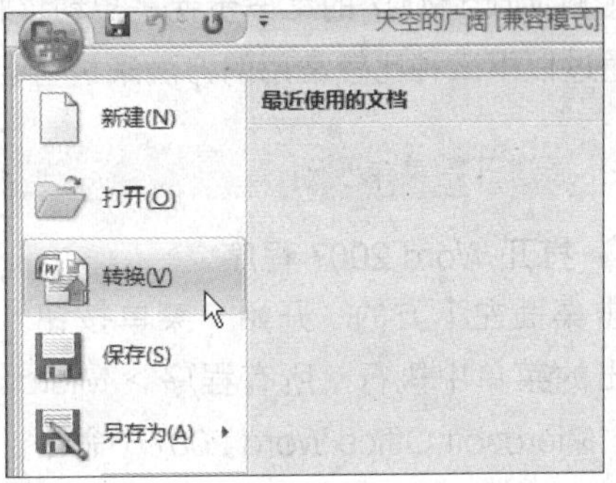

Word 2007 与 Word 2003 文档的转换

学习完本章后您可以

1. 认识 Word 2007 操作界面
2. 了解文档的新建、保存、关闭及打开操作
3. 进行 Word 2007 与 Word 2003 文档的转换

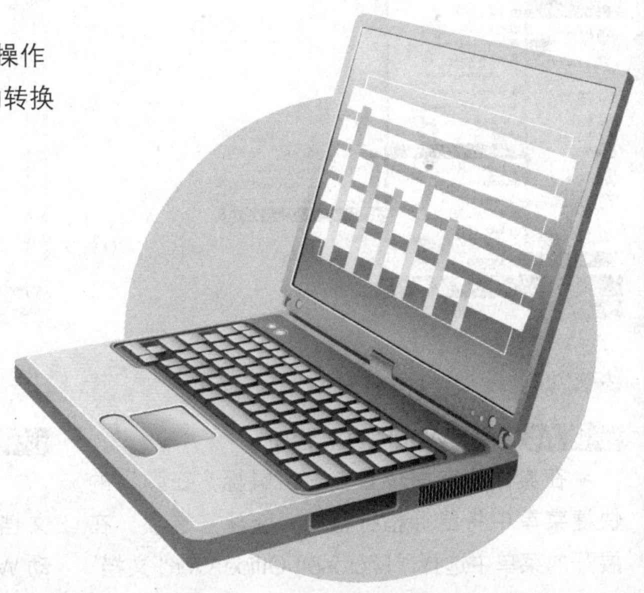

第07章 认识 Word 2007

Word 2007 是 Microsoft Office 软件中最新版本的文本处理程序，集文字编辑、图片处理、表格制作 、文档排版等操作于一身，是一款功能非常强大的文本处理程序，通过它不但可以编辑文本，还可以制作表格及处理图片，它的使用范围非常广泛。下面就来认识一下 Word 2007 的界面与一些基本操作。

7.1 启动 Word 2007

要了解 Word 2007 的第一步就是启动该程序，在电脑安装了 Microsoft Office 2007 程序后，用户可以通过以下三种比较常用的方法来进行启动。

* 方法一 通过开始菜单启动

步骤 01 打开 Word 2007 程序

单击桌面左下方的“开始”菜单按钮，然后在弹出的菜单中执行“所有程序> Microsoft Office > Microsoft Office Word 2007”命令，如下图所示。

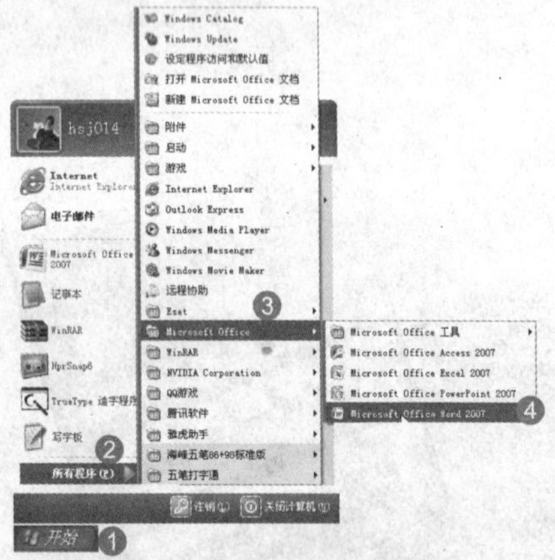

步骤 02 显示最终效果

经过以上操作，即可启动 Word 2007，并打开一个空白的 Word 文档，效果如下图所示。

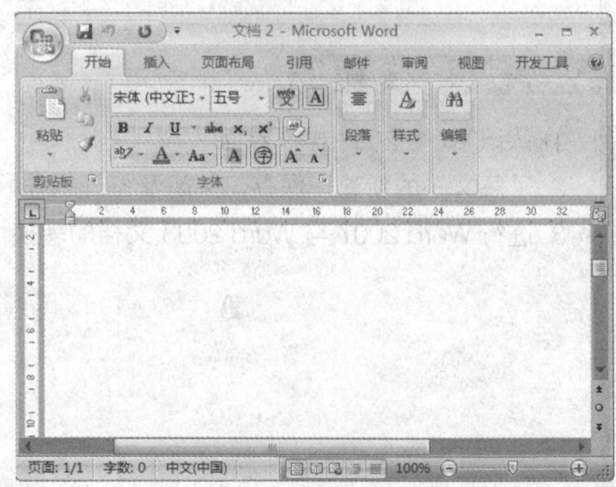

* 方法二 通过快捷菜单启动

步骤 01 打开 Word 2007 程序

在桌面的空白位置上右击鼠标，在弹出的快捷菜单中将鼠标指针指向“新建”选项，在展开的菜单中选择“Microsoft Office Word 文档”选项，如下图所示。

步骤 02 显示最终效果

此时，桌面上会显示新建的一个空白 Word 文档图标，如下图所示，双击该图标，即可启动 Word 2007。

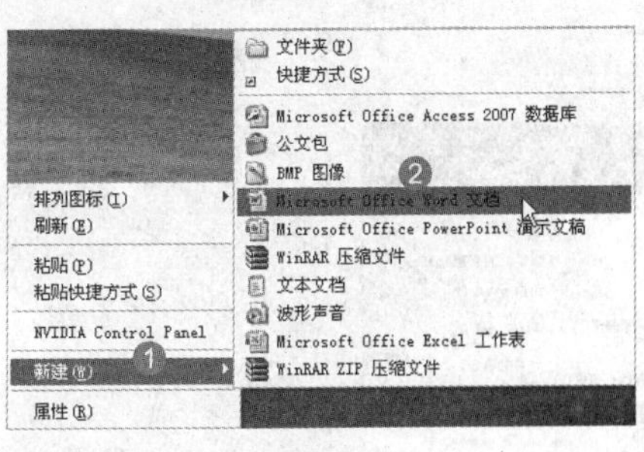

步骤 03 **显示最终效果**

启动后的 Word 2007 的最终效果如右图所示，在其中打开了新建的空白 Word 文档。

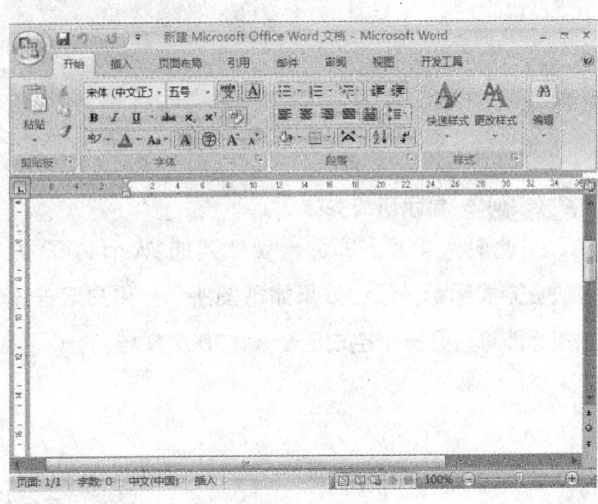

*** 方法三** 通过桌面快捷方式启动

步骤 01 **启动桌面快捷方式**

双击桌面上 Word 2007 的快捷方式图标，如下图所示。

步骤 02 **显示最终效果**

经过以上操作，即可启动 Word 2007，并打开一个空白的 Word 文档，效果如下图所示。

提示：建立桌面快捷方式的方法

如果用户的桌面上没有快捷方式图标，可以建立一个，具体操作步骤如下：

五笔打字

电脑办公

步骤 01 建立桌面快捷方式

单击“开始”菜单按钮，由于用户已经启动过 Word 2007，所以在弹出的菜单中就会出现 Word 2007 选项，将鼠标指针指向 Word 2007 并右击，在弹出的快捷菜单中将指针指向“发送到”选项，再在展开的菜单中选择“桌面快捷方式”选项，如下图所示。

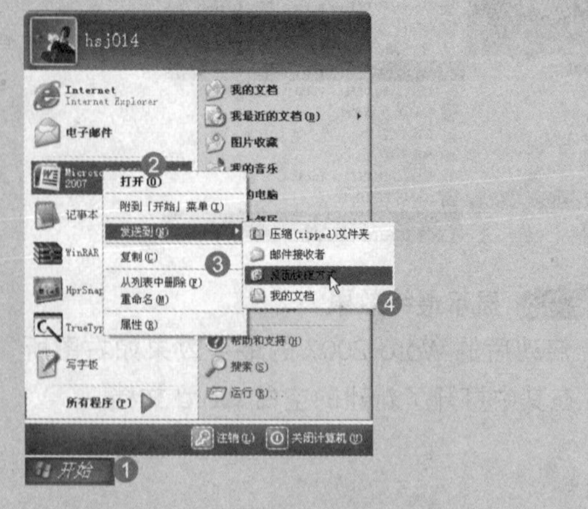

步骤 02 显示最终效果

此时，桌面上即会出现新建的 Word 2007 的快捷方式图标，最终效果如下图所示。用户双击该图标即可打开一个空白的 Word 2007 文档。

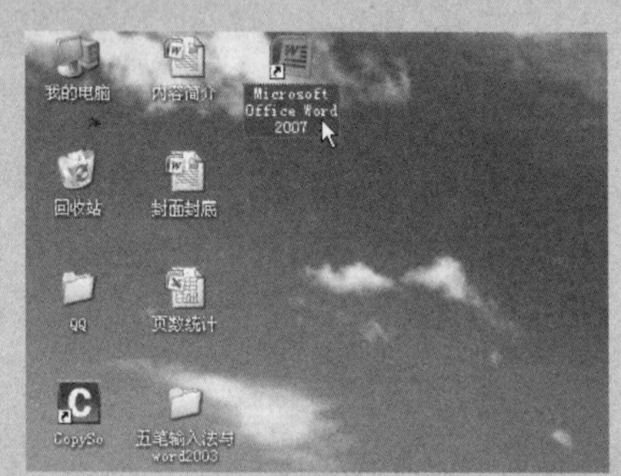

7.2 认识 Word 2007 界面

在打开了 Word 2007 后，用户可对其界面做一个全面的了解，以便日后的操作。Word 2007 界面中包括 Office 按钮、快速访问工具栏、标题栏、标签、窗口控制按钮、功能区、编辑区、状态栏、视图按钮、滚动条、标尺、显示比例，如下图所示。其功能见“Word 2007 功能名称及功能介绍”表所示。

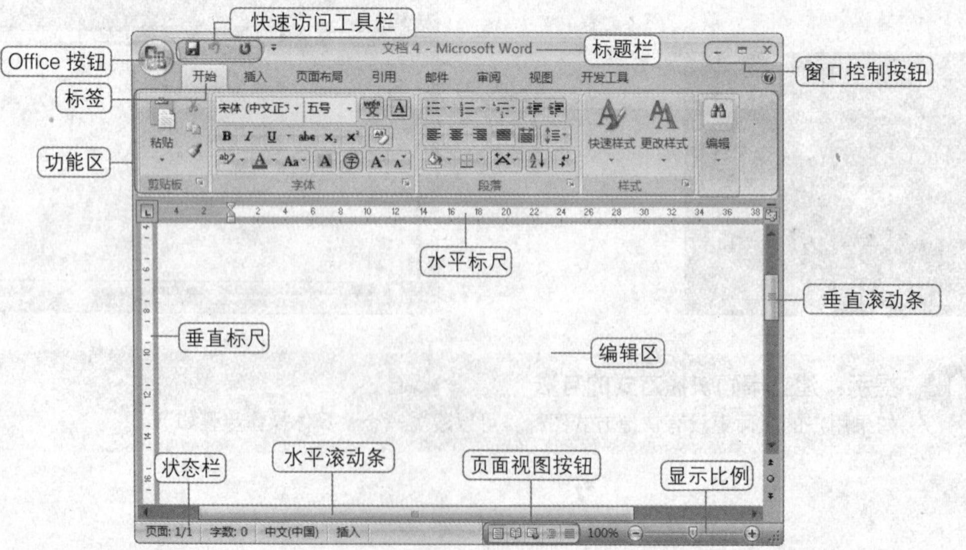

Word 2007 功能名称及功能介绍

功能名称	功能介绍
Office 按钮（"文件"按钮）	主要以文本文件为操作对象，可进行文件的"新建"、"打开、"保存"等操作
快速访问工具栏	在该工具栏中集成了多个常用的按钮，如"撤销"、"保存"等按钮，在默认状态下为"保存"、"撤销"、"恢复"三个按钮
标题栏	显示 Word 2007 文档标题
标签	在标签中集成了 Word 2007 的功能区
窗口控制按钮	包括控制 Word 2007 窗口最大化、最小化及关闭的按钮
功能区	在功能区中包括了很多选项组，并集成了 Word 2007 的多种功能按钮
编辑区	用于文本的编辑操作
状态栏	用于显示当前文档的信息状况，如 Word 2007 的页面、整篇文档的字数、当前输入文本的语言类型及输入状态等信息
页面视图按钮	每个按钮代表一种视图方式，单击其中某一按钮即可切换至相应的视图页面下
滚动条	包括垂直滚动条和水平滚动条，用户可以通过上下或左右拖动滚动条来浏览整个文档的内容
标尺	包括垂直标尺和水平标尺，用户在进行页面设置或插入图表时经常应用
显示比例	通过拖动中间的缩放滑块可以调整文档编辑区的显示比例

7.2.1 Office 按钮

Office 按钮主要以文本文件做为操作对象，单击该按钮，可通过弹出菜单中的命令对文本进行"新建"、"打开、"保存"等操作，还可以进行 Word 2007 的一些常用选项设置。

步骤 01 打开"Word 选项"对话框

单击 Word 2007 界面内的 Office 按钮，在弹出的菜单中单击"Word 选项"按钮，如下图所示。

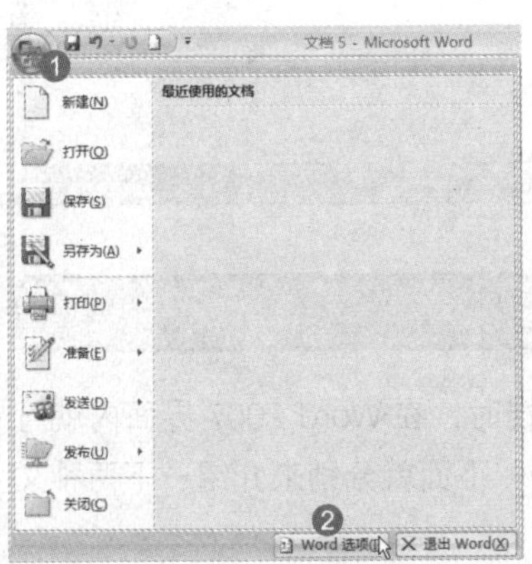

步骤 02 设置 Word 的"常用"选项

在弹出的"Word 选项"对话框中，选择"常用"选项，再在右侧"配色方案"下拉列表中选择"银波荡漾"选项，然后单击"确定"按钮，如下图所示。

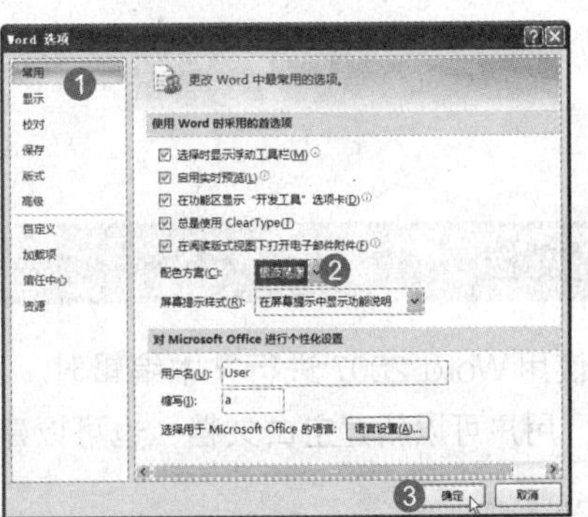

步骤 03 显示最终效果

返回到 Word 2007 窗口下，窗口颜色由之前的蓝色转换成灰色。

7.2.2 快速访问工具栏

快速访问工具栏将“撤销”、“保存”等这类比较常用的工具按钮汇集在此，在默认状态下工具栏中只显示“保存”、“撤销”、“恢复”三个常用按钮，用户可以根据自身的需要自定义设置此工具栏。

步骤 01 打开快速访问工具栏列表

单击快速访问工具栏右侧的下拉按钮，在弹出的列表中选择要在工具栏中显示的选项，如“新建”选项，如下图所示。

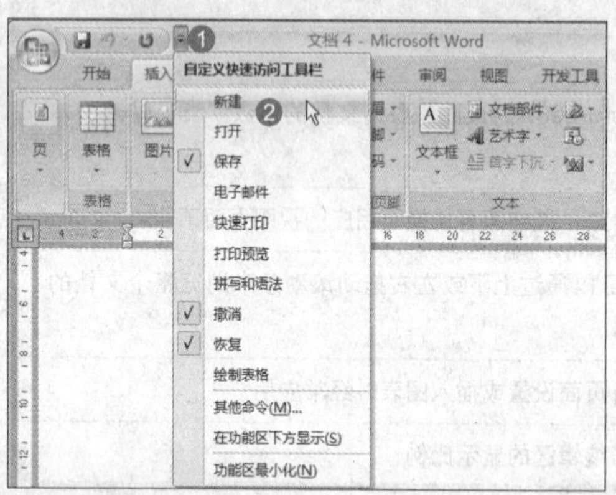

步骤 02 显示最终效果

此时，快速访问工具栏中会显示“新建”工具按钮，如下图所示。

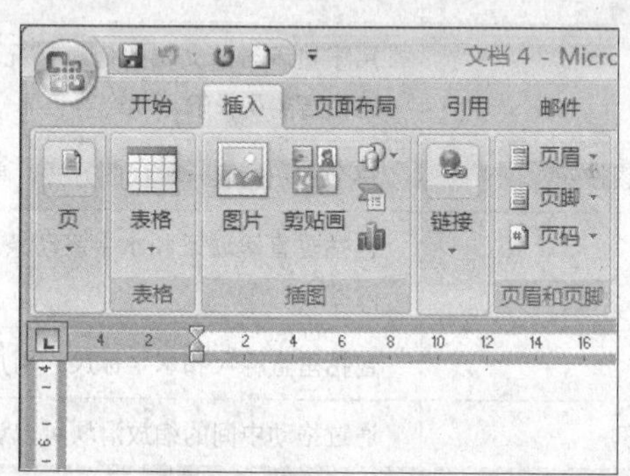

7.2.3 标签

在 Word 2007 中，将其功能分成了几个组，而每个组又有一个总名称，组的总名称即为标签名称，单击相应的标签就可以切换到相应的组来进行功能设置了，所以组与标签是相连的。

例如，单击“插入”标签就可以切换到“插入”组，如右图所示。

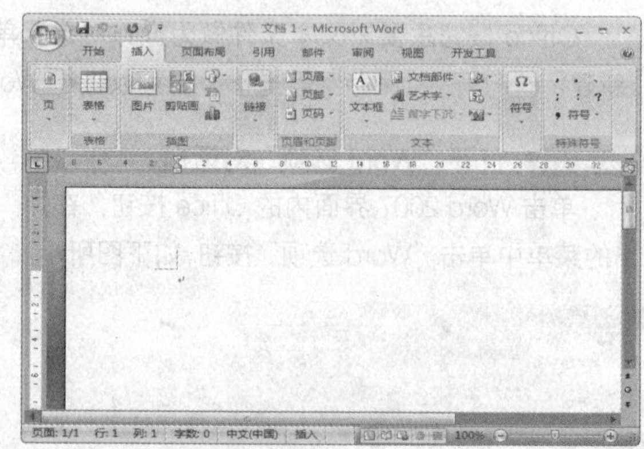

7.3 新建文档

用户在使用 Word 2007 进行文本编辑时，当需要新建一个文档时，在 Word 2007 界面内就可以完成操作，用户可以新建空白文档，也可以建立基于模板的文档，下面就分别来介绍一下两种文档的建立。

7.3.1 新建空白文档

新建空白文档的方法有多种，本书中只介绍两种比较常用的方法，用户可以通过以下两种方法新建空白文档。

* 方法一 通过 Office 按钮新建

步骤 01 打开“新建文档”对话框

单击 Word 2007 界面左上方的 Office 按钮，在弹出的菜单中选择“新建”命令，如下图所示。

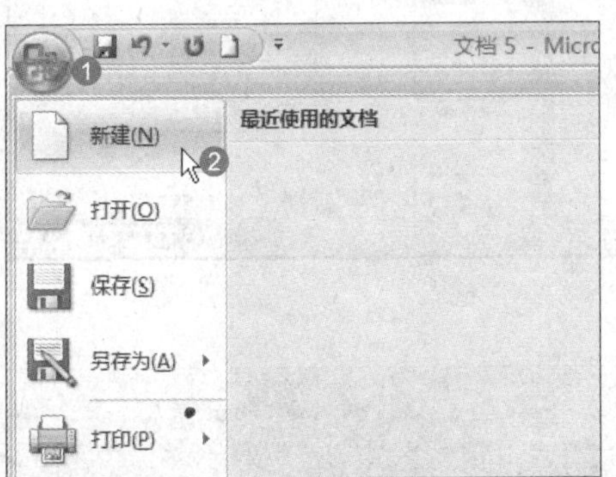

步骤 02 新建空白文档

在弹出的“新建文档”对话框中，选择“空白文档”，然后单击“创建”按钮，如下图所示。即可完成空白文档的建立。

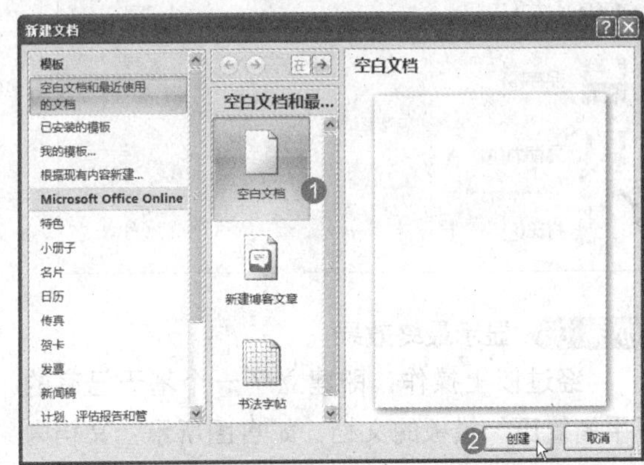

* 方法二 通过快捷键新建

用户可以按下键盘中的 Ctrl+N 快捷键来完成空白文档的建立，最终效果如右图所示。

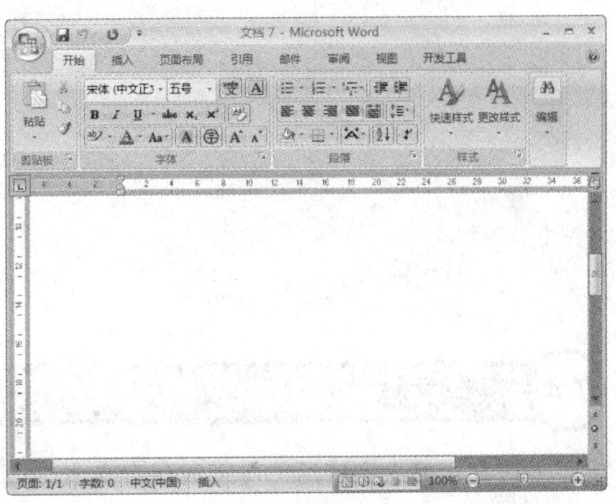

7.3.2 新建基于模板的文档

在 Word 2007 中包含一些已设置好格式内容的办公性文档，当用户想编辑此类文档时，可以建立一个基于模板的文档，再在已设置好的格式内输入相应内容即可。新建基于模板的文档操作步骤如下：

步骤 01 打开“新建文档”对话框

单击 Word 2007 界面左上方的 Office 按钮，在弹出的菜单中选择“新建”命令，如下图所示。

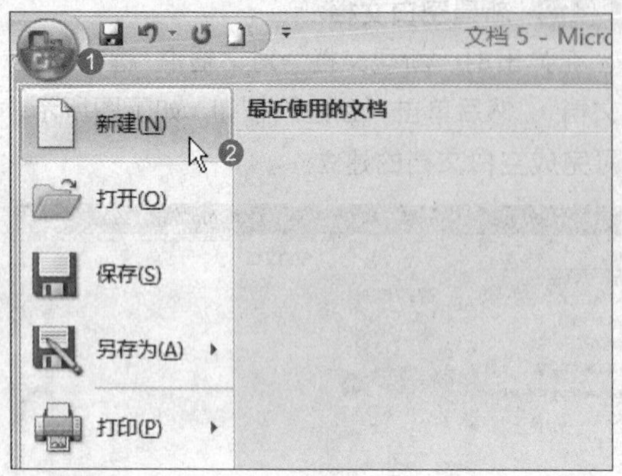

步骤 02 选择模板类型

在弹出的“新建文档”对话框中，选择“已安装的模板”选项，在弹出的“已安装的模板”库中选择需要的模板类型，如“平衡简历”选项，然后单击“创建”按钮，如下图所示。

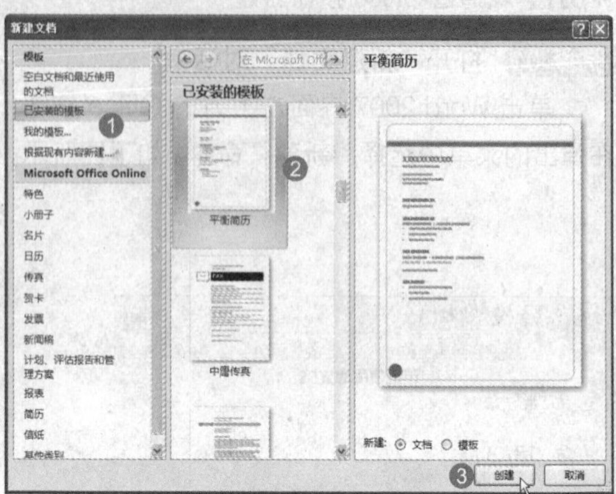

步骤 03 显示最终效果

经过以上操作，即建立了一个基于已有的“平衡简历”模板的文档，如右图所示，文档内已设置好格式，用户按照模板提示输入相关内容即可完成简历的编写。

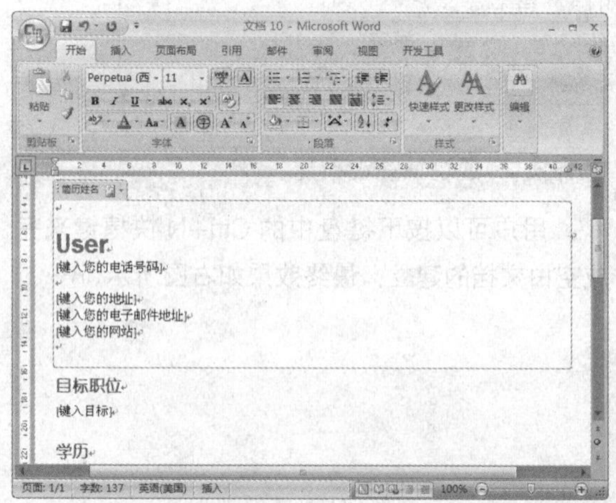

7.4 保存文档

一段文本输入完毕后，应及时保存文本，以防止出现突然断电或电脑死机等情况而导致文本丢失，给用户造成不必要的麻烦。在保存时用户可以手动保存文本，也可以将程序设置为自动保存，下面就来详细介绍一下如何保存文本。

7.4.1 手动保存文档

用户在保存文档时可以将其保存在原来建立的位置上，但在有些情况下用户需要将文档另存在其他的位置，这时就需要使用“另存为”命令。

1. 保存文档在原来的位置上

一段文本输入完毕后，用户在将其保存时，可以通过以下三种比较常用的方法进行保存。

＊方法一 通过 Office 按钮保存

步骤 01 打开“另存为”对话框

单击 Word 2007 界面左上方的 Office 按钮，在弹出的菜单中选择“保存”命令，如下图所示。

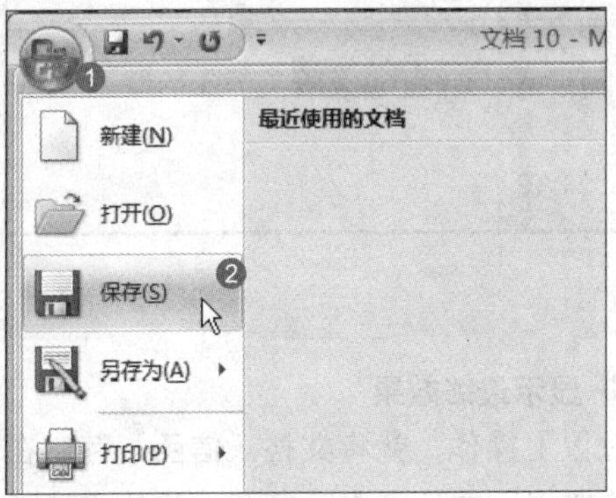

步骤 02 保存文本

在弹出的“另存为”对话框中，保持默认存储在“我的文档”中，在“文件名”文本框中输入文本名称“简历”，然后单击“保存”按钮，如下图所示。

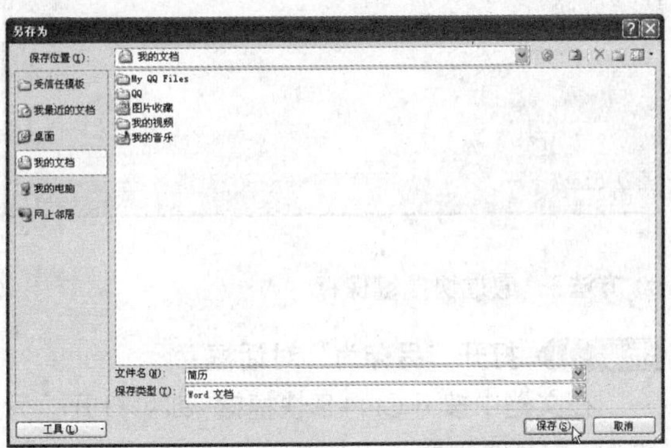

步骤 03 显示最终效果

经过以上操作，就将文档“简历”存储在了“我的文档”文件夹中，打开“我的文档”，可以看到“简历”已存在，如右图所示。

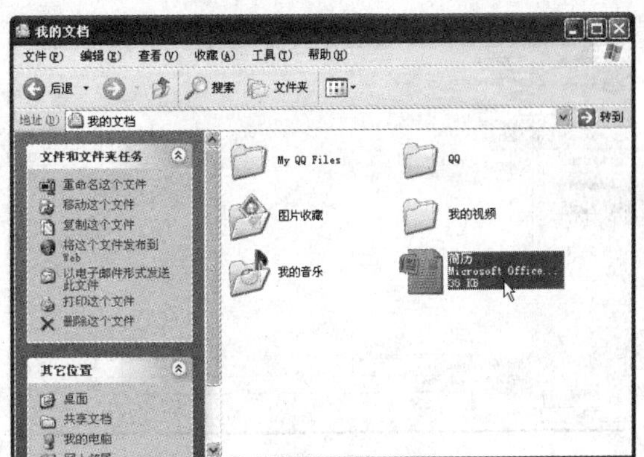

＊方法二 通过快速访问工具栏保存

步骤 01 打开“另存为”对话框

单击 Word 2007 界面左上方的快速访问工具栏中的“保存”按钮，如下图所示。

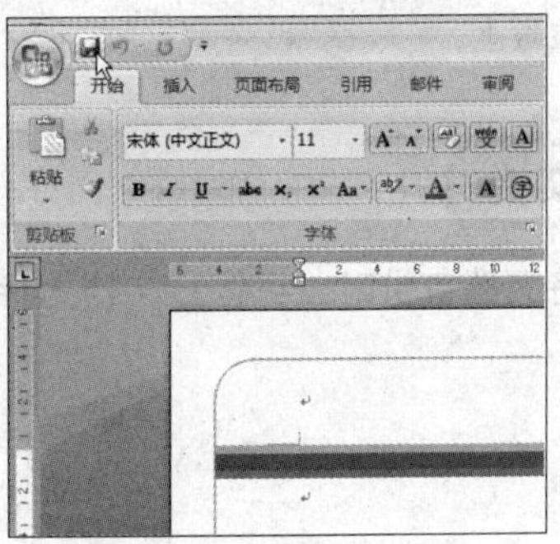

五笔打字

电脑办公

步骤 02 保存文本

在弹出的“另存为”对话框中，在“文件名”文本框中输入文本名称“传真”，然后单击“保存”按钮，如下图所示。

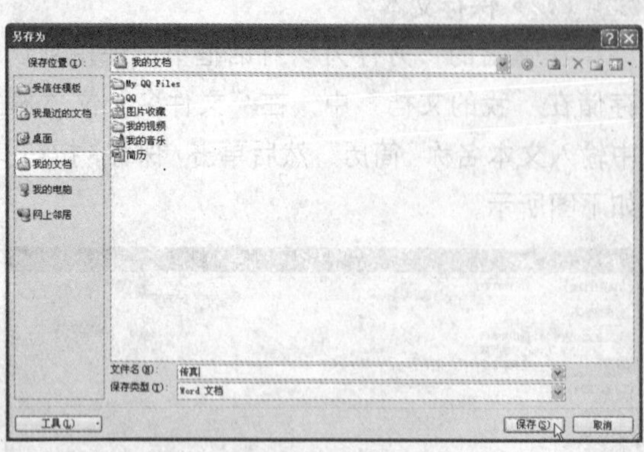

步骤 03 显示最终效果

经过以上操作，就将文档“传真”存储在了“我的文档”文件夹中，打开“我的文档”，可以看到“传真”已存在，如下图所示。

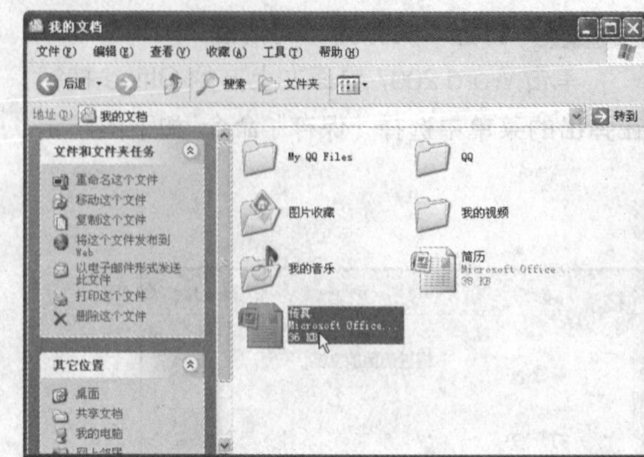

＊ 方法三 通过快捷键保存

步骤 01 打开“另存为”对话框

在文档中按下 Ctrl+S 快捷键，即可打开“另存为”对话框，在“文件名”文本框中输入文本名称“信函”，然后单击“保存”按钮，如下图所示。

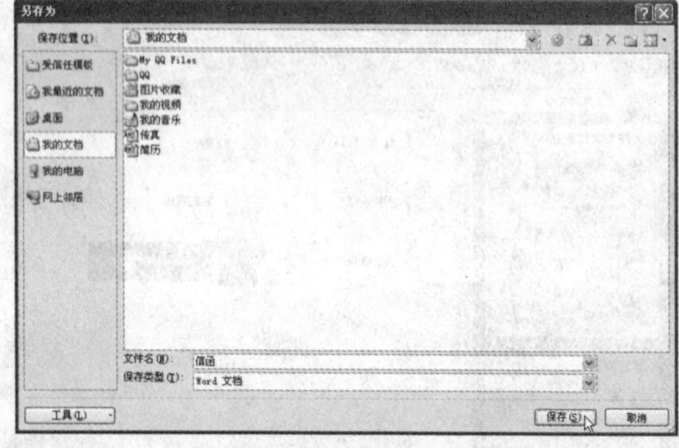

步骤 02 显示最终效果

经过以上操作，就将文档“信函”存储在了“我的文档”文件夹中，打开“我的文档”，可以看到“信函”已存在，如下图所示。

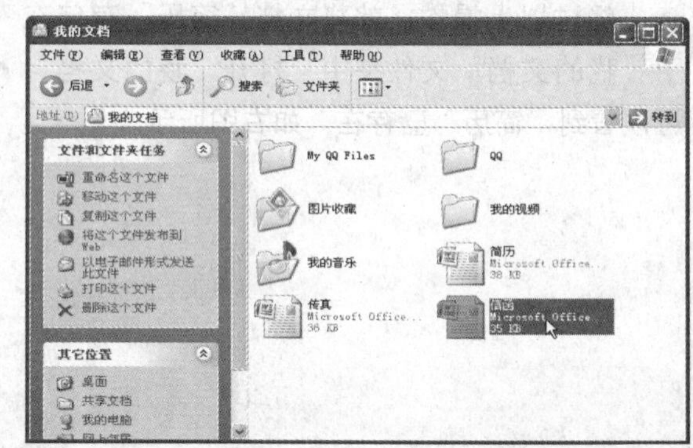

提示：将文档再次保存在原有位置

用户在使用以上三种方法第一次保存文档时，都会出现“另存为”对话框来确定保存的位置，当用户第二次将原文档保存在原有位置上时，就不会再出现“另存为”对话框，而是默认保存在原有位置上。

7.4.2 另存文档

当用户需要将文档备份时，可以将文档另存在其他位置，其具体操作步骤如下：

步骤 01 **打开“另存为”对话框**

在“传真 1”文档中单击界面左上方的 Office 按钮，在弹出的菜单中选择“另存为”命令，如下图所示。

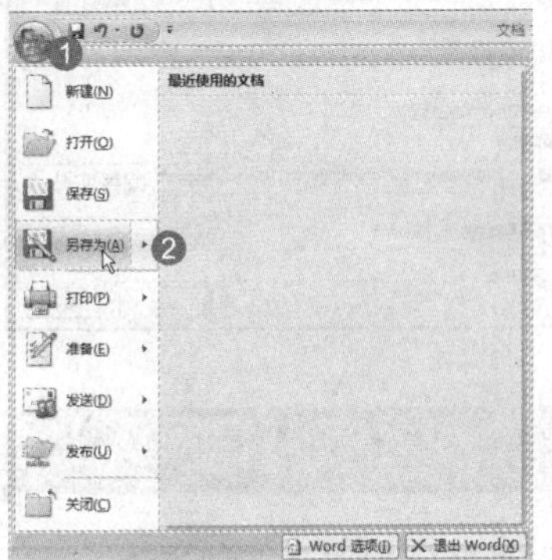

步骤 02 **设置保存位置**

在弹出的“另存为”对话框中，选择文档要保存的位置为“我的电脑”后，再选择“本地磁盘（E：）”选项，然后单击“打开”按钮，如下图所示。

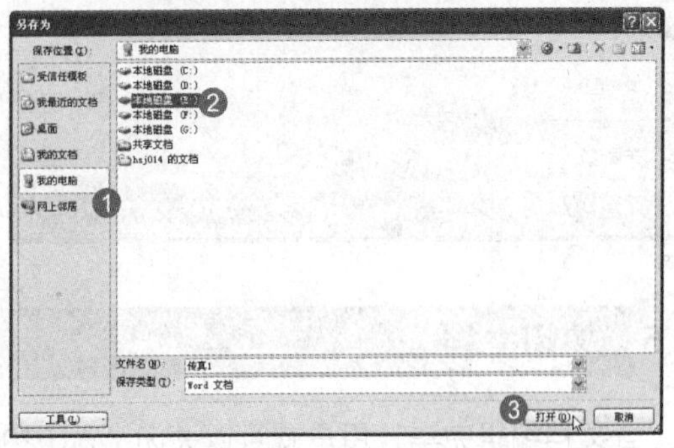

步骤 03 **保存文档**

设置“保存位置”为“本地磁盘（E：）”后，再更改“文件名”为“传真”，然后单击“保存”按钮，如下图所示。

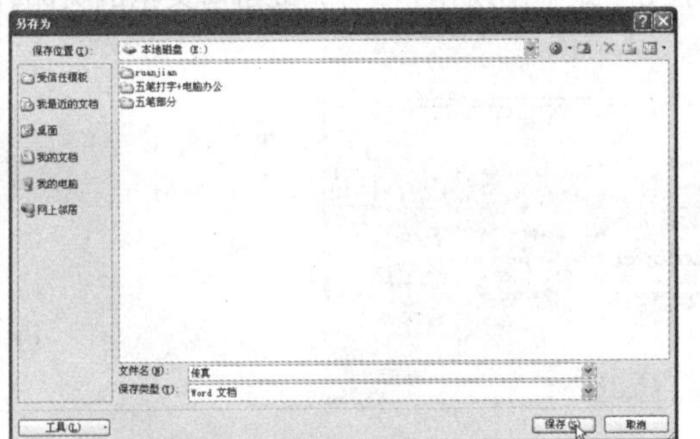

步骤 04 **显示最终效果**

经过以上操作，就将文档“传真”另存在了“本地磁盘（E：）”下，打开 E 盘，可以看到“传真”已存在，如下图所示。

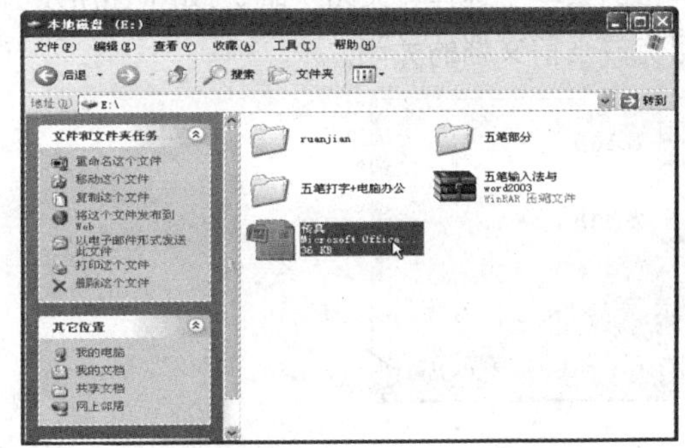

7.4.3 自动保存文档

用户也可以通过设置将程序定为每隔几分钟会自动保存文档，这样不但可以节省时间，还可以防止用户忘记保存文档时因突然断电或死机等而出现文档丢失的情况。下面就来介绍一下如何将程序设置为自动保存文档。

步骤 01 **打开“Word 选项”对话框**

单击 Word 2007 界面左上方的 Office 按钮，在弹出的菜单中单击“Word 选项”按钮，如下图所示。

步骤 02 **设置自动保存参数**

在弹出的“Word 选项”对话框中，在左侧列表中选择“保存”选项，在右侧的选项面板中将“保存自动恢复信息时间间隔”设置为“5 分钟”，然后单击“确定”按钮，如下图所示，即可完成操作，使系统每 5 分钟会自动将文档进行保存。

五笔打字　电脑办公

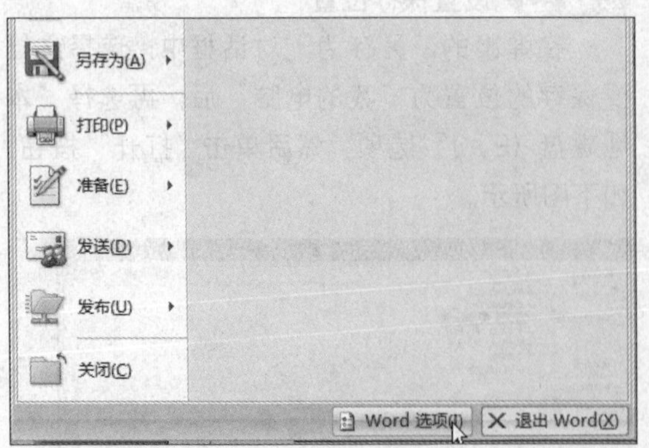

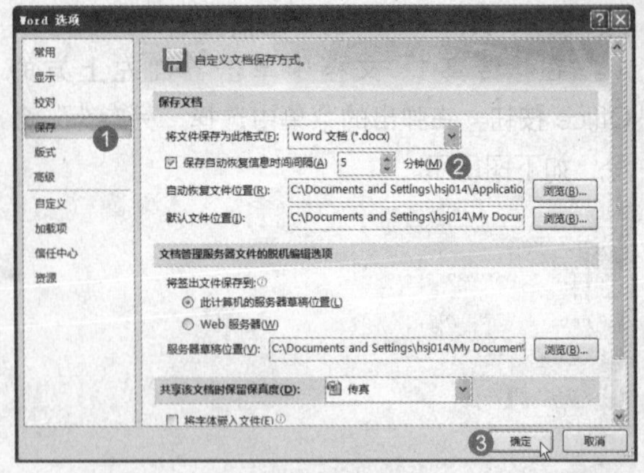

7.5 关闭文档

当文档编辑完毕，用户就可以关闭 Word 2007 了。在关闭文档时通常使用以下三种方法。

＊方法一 通过 Office 按钮关闭

单击 Word 2007 界面左上方的 Office 按钮，在弹出的菜单中选择“关闭”命令，如下图所示，即可完成当前文档的关闭。

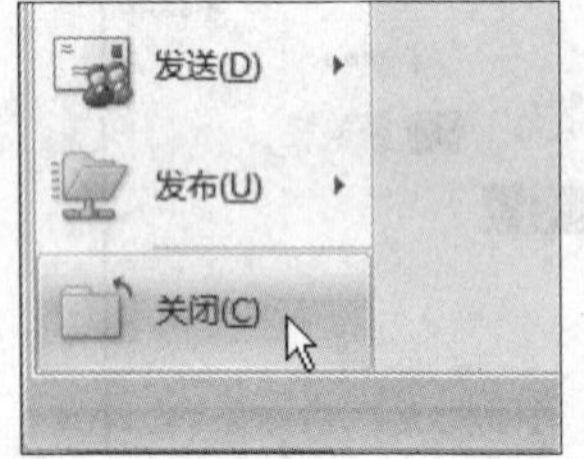

＊方法二 通过窗口控制按钮关闭

单击 Word 2007 界面右上方的“关闭”控制按钮，如下图所示，即可完成当前文档的关闭。

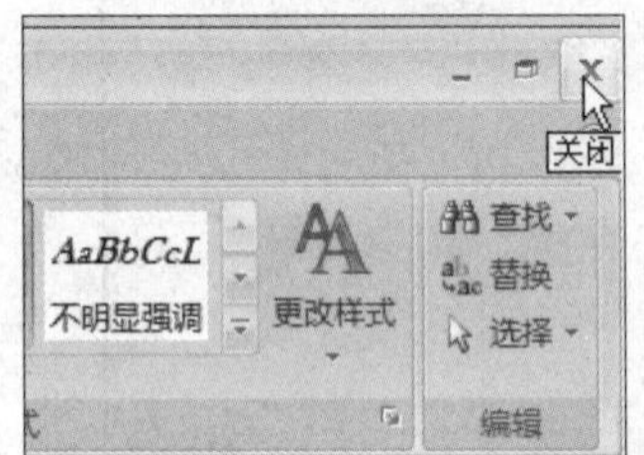

＊方法三 通过快捷键关闭

在 Word 2007 中，用户还可以通过按下 Ctrl+W 快捷键来完成当前文档的关闭操作。

7.6 打开文档

当用户需要打开 Word 文档时，可在 Windows 系统中打开文档，同时也可以通过 Word 程序中的命令来打开已有文档，下面就分别来介绍一下打开文档的方法。

7.6.1 在系统中打开文档

当用户需要打开已存档的文档，继续对其进行编辑或修改时，可以从系统中打开它，其打开方法如下：

步骤 01 打开"我的电脑"窗口

右击桌面上的"我的电脑"图标，在弹出的快捷菜单中选择"打开"命令，如下图所示，即可打开"我的电脑"窗口。用户也可以双击该图标来打开。

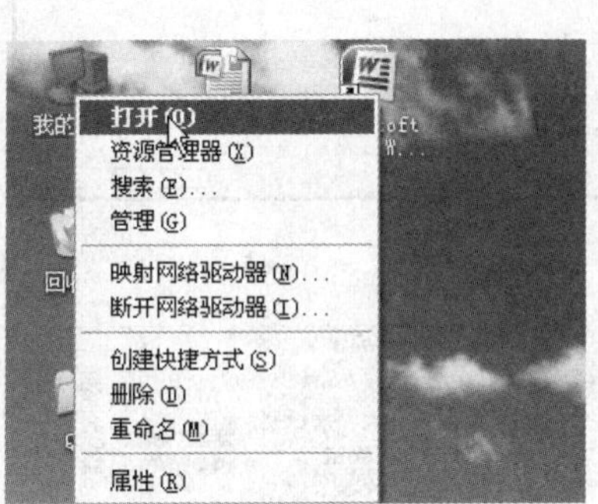

步骤 02 选择文档存储位置

在"我的电脑"窗口中，选择文档所在位置，如"我的文档"选项，如下图所示。

步骤 03 打开目标文档

在打开的"我的文档"窗口中，右击目标文档，如"简历"文档的图标，在弹出的快捷菜单中单击"打开"命令，如下图所示。

步骤 04 显示最终效果

经过以上操作，就可以打开"简历"文档，最终效果如下图所示。

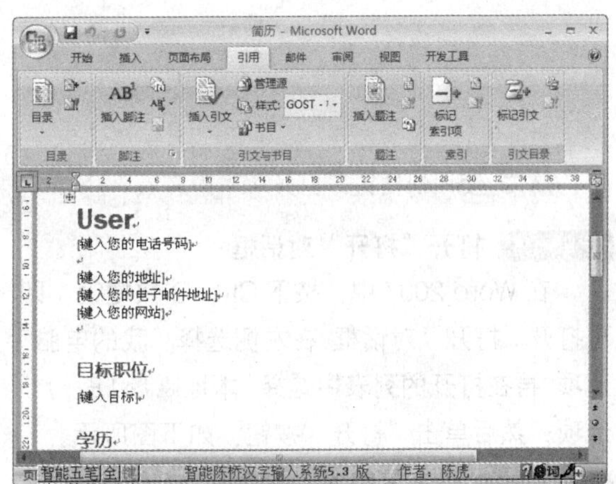

7.6.2 在 Word 程序中打开已有文档

当用户在编辑文档的过程中，需要打开其他文档时可以通过以下两种方法打开文档。

* 方法一 通过 Office 按钮打开

步骤 01 打开"打开"对话框

单击 Word 2007 界面左上方的 Office 按钮，在弹出的菜单中选择"打开"命令，如下图所示。

步骤 02 打开已有文档

在弹出的"打开"对话框中，选择要打开的文档"传真"后，单击"打开"按钮，如下图所示。

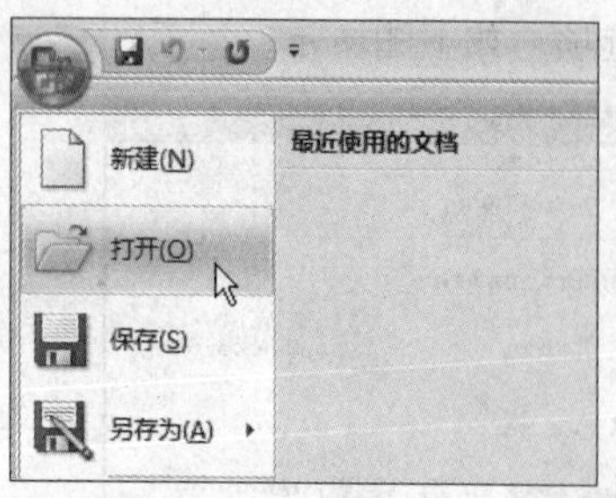

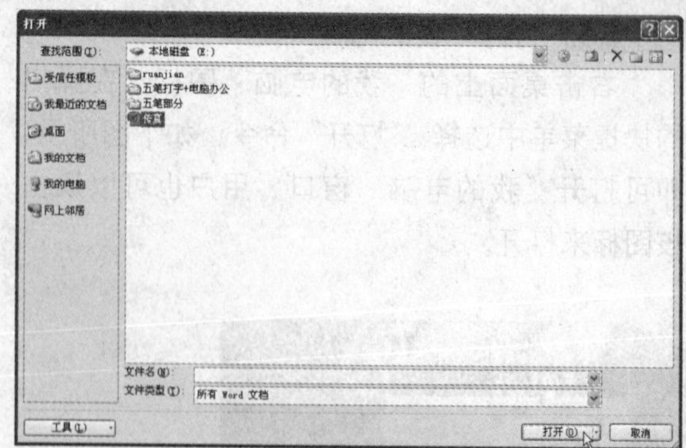

步骤 03 **显示最终效果**

经过以上操作，就可以打开“传真”文档，最终效果如右图所示。

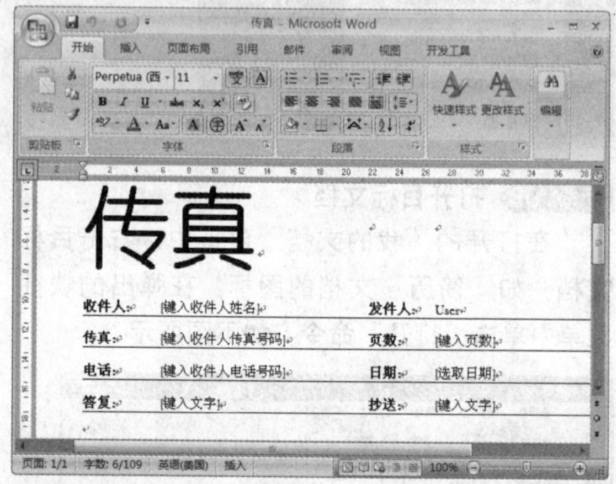

＊方法二 使用快捷键来打开

步骤 01 **打开“打开”对话框**

在 Word 2007 中，按下 Ctrl+O 快捷键，即可打开“打开”对话框，在左侧选择“我的电脑”选项，再在打开的列表中选择“本地磁盘（E：）”选项，然后单击“打开”按钮，如下图所示。

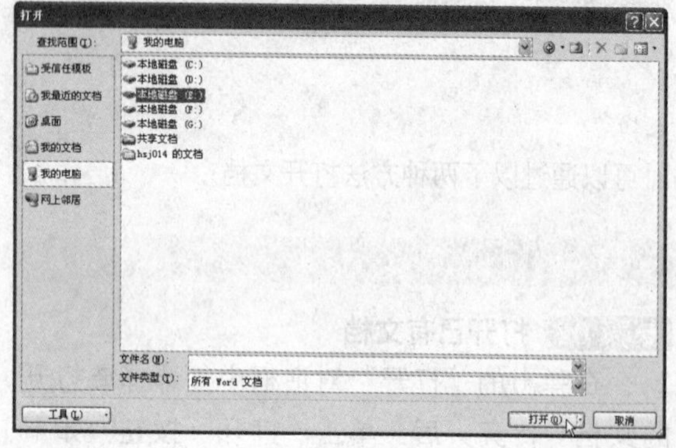

步骤 02 **选择目标文档**

在“本地磁盘（E：）”中选择要打开的文档“传真”，然后单击“打开”按钮，如下图所示。

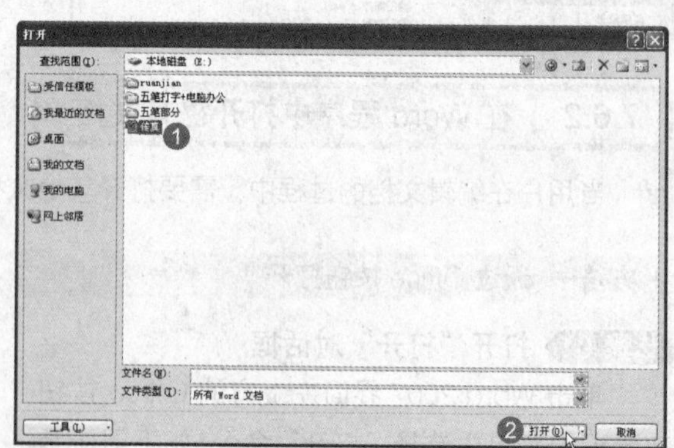

步骤 03 显示最终效果

经过以上操作，就可以打开“传真”文档，最终效果如右图所示。

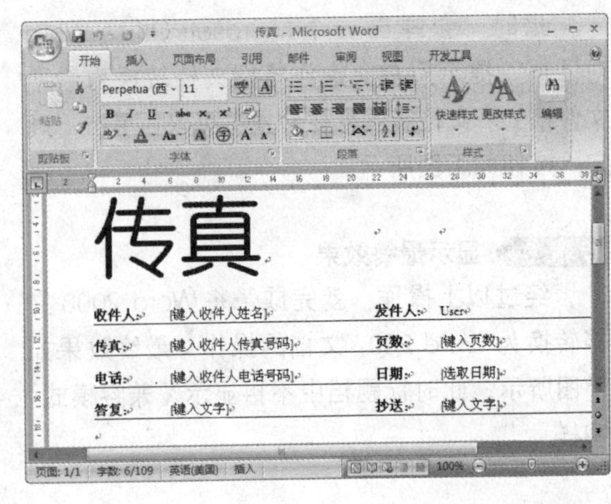

Column 技能提升

Word 2007 是 Microsoft Office 程序中最新的文本处理程序，如果用户在这之前使用的是 Word 2003，现在想将以前的 Word 2003 文档在 Word 2007 程序中进行编辑或修改，可以使用 Word 2007 的转换文档功能，将原文档转换为 Word 2007 文档程序。

原始文件：实例文件 \ 第 7 章 \ 原始文件 \ 天空的广阔 .docx
最终文件：实例文件 \ 第 7 章 \ 最终文件 \ 天空的广阔 .docx

步骤 01 打开目标文档

打开附书光盘中“实例文件 \ 第 7 章 \ 原始文件 \ 天空的广阔 .doc”文档，由于文档是在 Word 2007 程序中打开的，因此在标题栏中显示“兼容模式”字样，如下图所示。

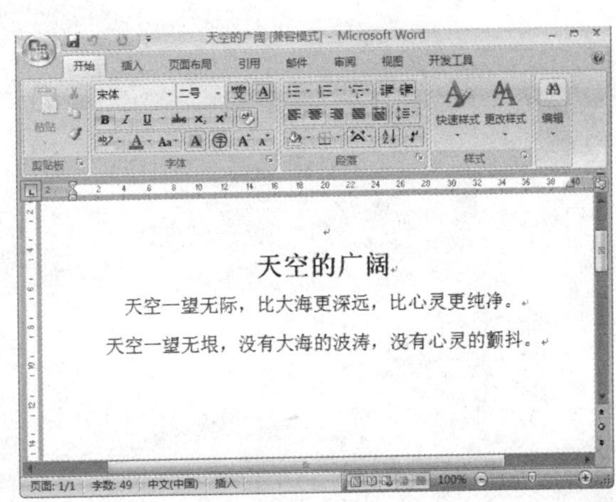

步骤 02 打开“另存为”对话框

单击 Office 按钮，在弹出的菜单中选择“转换”命令，如下图所示。

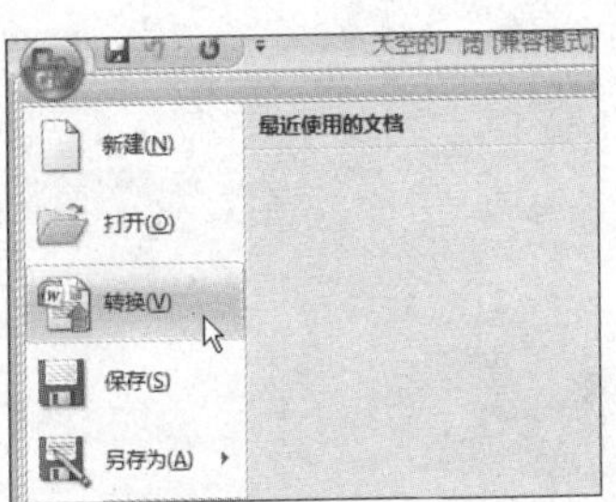

步骤 03 转换文本格式

此时，会弹出一个 Microsoft Office Word 对话框，提示用户此操作将把文档转换为最新文件格式，文档版式可能会发生更改，单击“确定”按钮如下图所示。

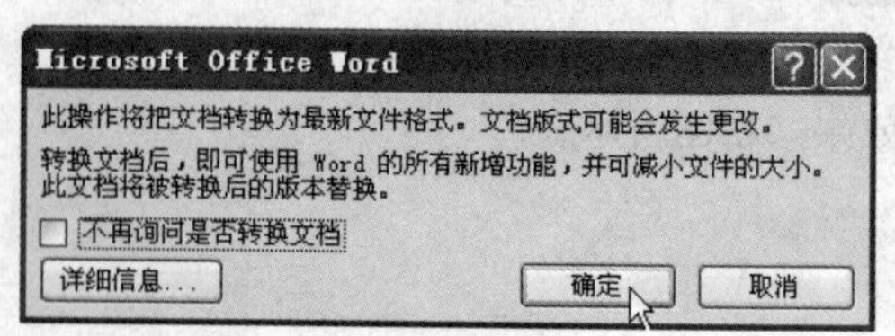

步骤 04 显示最终效果

经过以上操作，就完成了将 Word 2003 文档转换为 Word 2007 文档的操作，最终效果如下图所示。此时标题档中不再显示“兼容模式”字样。

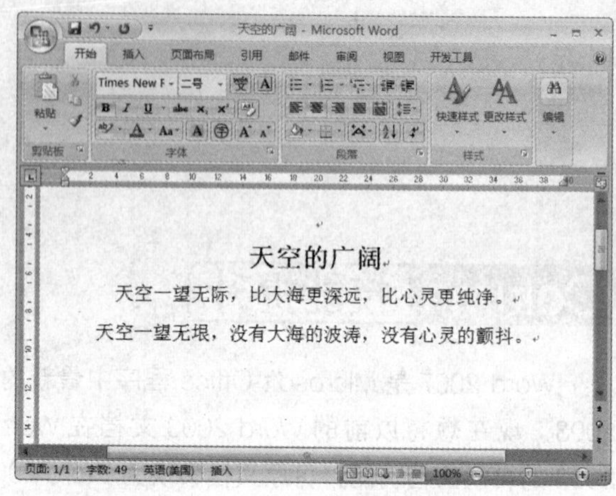

08

本章建议学习时间

本章建议学习时间为 60 分钟，其中 20 分钟用于学习教材知识，40 分钟用于上机操作。

输入与编辑文本

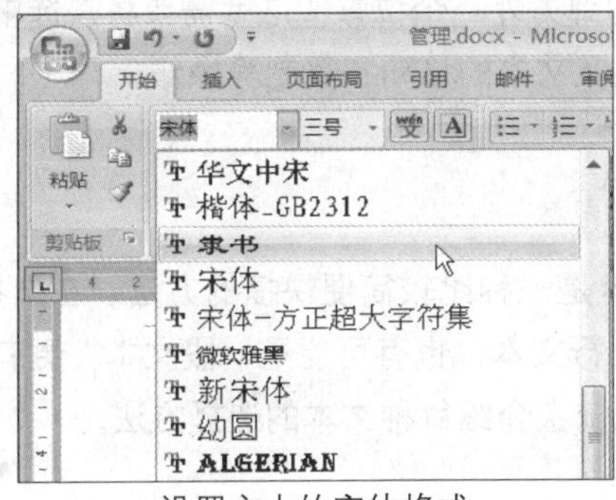

设置文本的字体格式

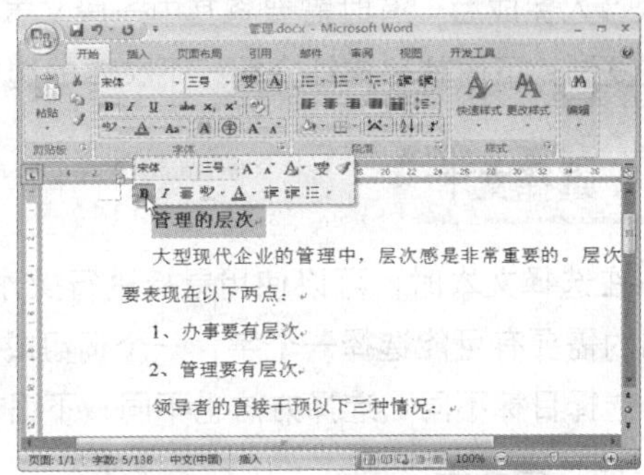

Word 2007 中浮动工具栏的使用

学习完本章后您可以

1. 了解 Word 2007 中文本的选择、移动及复制等操作
2. 了解文本中字体格式的设置
3. 了解文本中段落的设置
4. 掌握 Word 2007 中浮动工具栏的使用

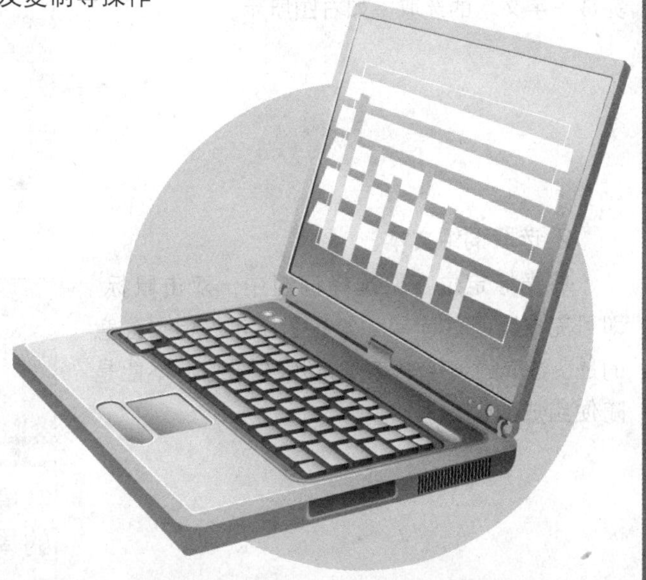

第08章 输入与编辑文本

在认识了Word 2007的操作界面与基本操作后，下一步就可以进行文本的输入与编辑了。本章就来介绍一下如何选择文本，如何进行文本的格式设置，段落设置，以及插入项目符号等一些文本的编辑操作。

8.1 文本的编辑

文本输入完成后，有时需要将其中一段文本移动到另外一个位置，这就需要将其选中然后再进行移动或复制，下面就来详细介绍一下文本的选中以及文本的移动和复制等操作。

8.1.1 选择文本

用户在选择文本时，可以使用鼠标进行操作，这是一种比较简便快捷的方法。在选择文本时，根据不同的需要有可能选择一个字、一个词组或是一行文本，也有可能是一段文本，更有可能是整篇文档。选择目标不同，选择方法也不同，下面就来依次介绍每种文本的选择方法。

1. 选取一字文本

将插入点定位在要选择文字的前面，按住鼠标左键不放，向后拖动鼠标，当拖动形成的阴影覆盖住要选中的文字后，释放鼠标，即可完成一字文本的选取，如右图所示。

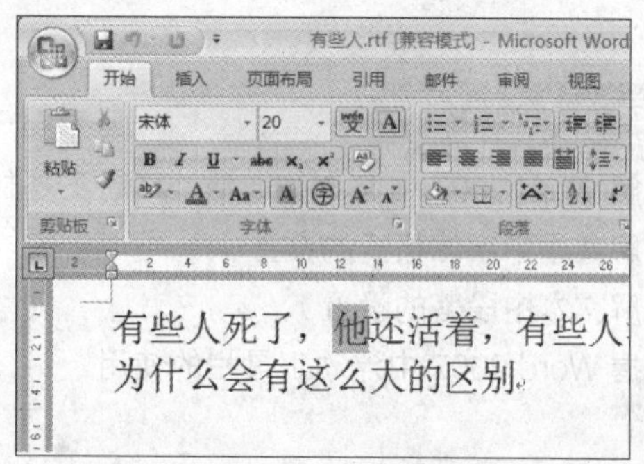

2. 选取词组文本

将光标定位在要选择词组中，双击鼠标，即可完成词组的选择，如右图所示。但要注意的是，选取的词组一定是常用的词组，不能是随便组成的词组。

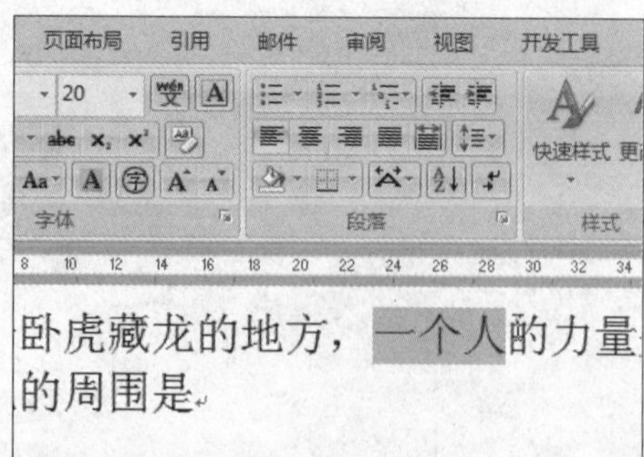

3. 选取一行文本

将光标移至当前行的行首，当光标变成指针形状时，单击鼠标，即可选中当前一行文本，如右图所示。

为什么会有这么大的区别

这是一个卧虎藏龙的地方，一个人的力量是有限的，但他的周围是

4. 选取一段文本

＊方法一 在段前选取

将光标移动到当前段中任意一行的行首，当光标变成指针形状时，双击鼠标，即可选中当前一段文本，如下图所示。

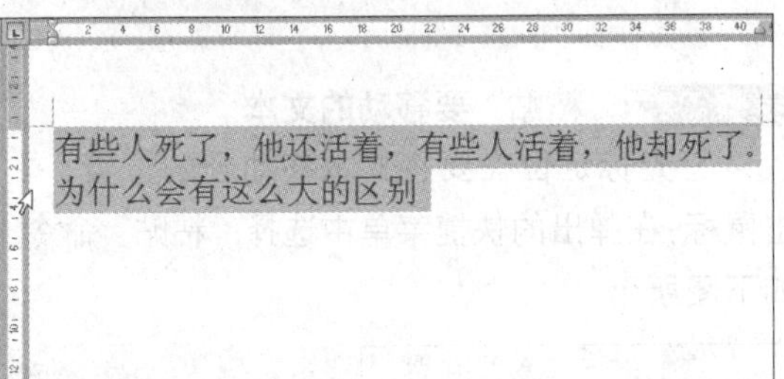

＊方法二 在段中选取

将光标定位在段中任意位置，快速连续三次单击鼠标，即可选中当前一段文本，如下图所示。

有些人死了，他还活着，有些人活着，他却死了。
为什么会有这么大的区别

5. 选取整篇文本

＊方法一 用鼠标选取

将光标移至当前文本中任意一行的行首，当光标变成指针形状时，快速连续三次单击鼠标，即可选中整篇文本，如下图所示。

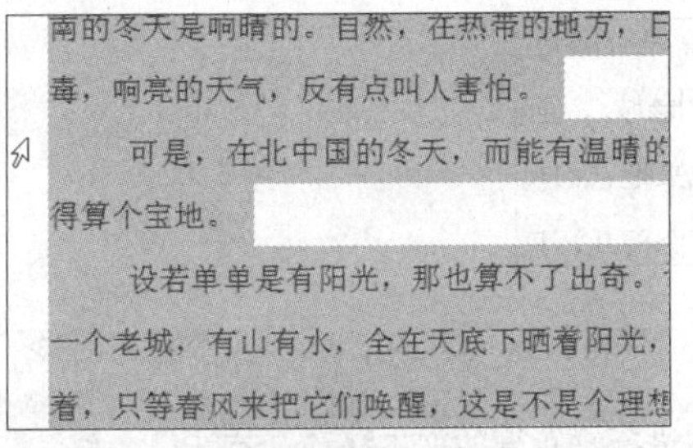

＊方法二 通过快捷键选取

将插入点定位在段中任意位置，按下快捷键Ctrl+A，即可完成整篇文本的选取，如下图所示。

南的冬天是响晴的。自然，在热带的地方，日
毒，响亮的天气，反有点叫人害怕。
可是，在北中国的冬天，而能有温晴的
得算个宝地。
设若单单是有阳光，那也算不了出奇。请
一个老城，有山有水，全在天底下晒着阳光，
着，只等春风来把它们唤醒，这是不是个理想

8.1.2 移动与复制文本

选中了文本以后，用户就可以对其进行移动或复制了，下面就分别来讲一下如何移动和复制文本。

1. 移动文本

移动文本可以在一个文档内进行，也可以是两个文档之间的内容互相移动。移动文本通常有两种方法。

＊ 方法一 通过鼠标移动

步骤 01 移动文本

将鼠标指针指向选中的文本，然后按住鼠标左键不放进行拖动，如下图所示。

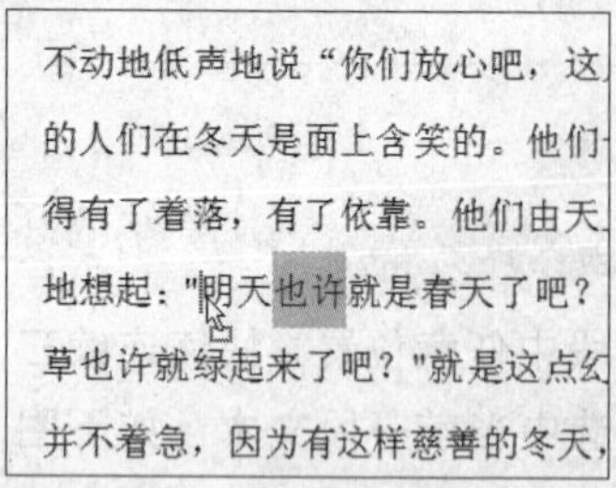

步骤 02 显示最终效果

拖动至要移动到的位置后，释放鼠标，就完成了文本的移动，最终效果如下图所示。

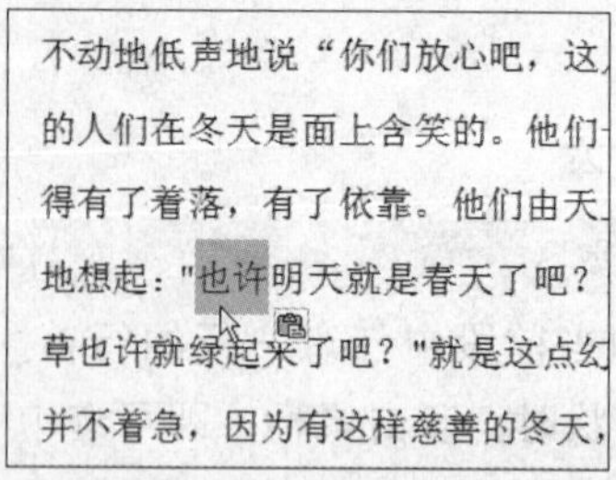

＊ 方法二 使用快捷菜单中的命令进行移动

步骤 01 执行“剪切”命令

将鼠标指向已经选中的目标文本，单击鼠标右键，在弹出的快捷菜单中选择“剪切”命令，如下图所示。

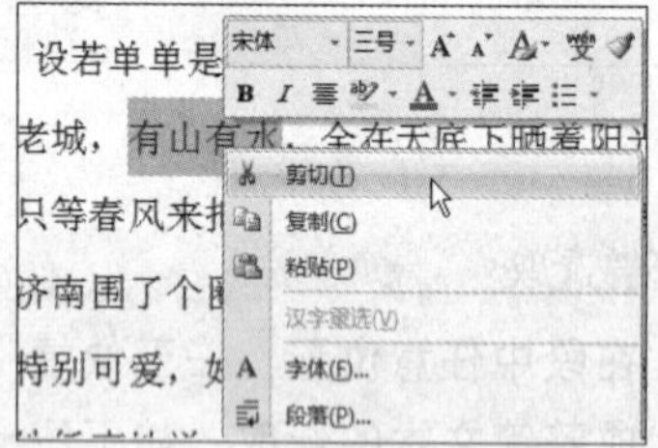

步骤 02 “粘贴”要移动的文本

将光标定位在要将文本移动到的位置，右击鼠标，在弹出的快捷菜单中选择“粘贴”命令，如下图所示。

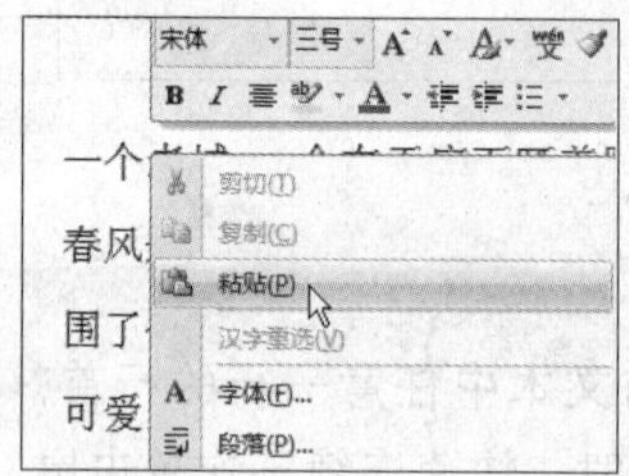

步骤 03 显示最终效果

经过以上操作，就将文本进行了移动，最终效果如右图所示。

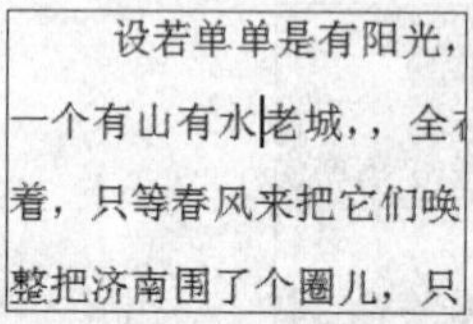

提示：上例中两种移动文本方法的使用

上例中的方法一：通过鼠标移动文本，适合在当前文档内进行短距离的文本移动；方法二：使用快捷菜单中的命令移动文本，适合在两个文档之间移动文本时使用。

8.1.3 操作的撤销与重复

当用户的一项操作出现失误，想撤销该动作，或者想恢复撤销动作之前的文档样式时，可以使用“快速访问工具栏”中的“撤销”和“恢复”工具按钮。

1. 撤销操作

“撤销”工具按钮用于撤销之前的编辑动作或设置操作。进行该操作有两种方法。

＊ 方法一 使用“撤销”工具按钮

用户在撤销上一步动作时，可以单击位于 Word 2007 窗口右上方的“撤销”按钮，如右图所示，撤销前一个动作，单击一次，撤销前两个动作，单击两次，依次类推。

＊ 方法二 使用快捷键撤销

用户在需要撤销上一步动作时，可以按下 Ctrl+Z 快捷键来完成动作的撤销，撤销前一个动作，按一次，撤销前两个动作，按两次，依次类推。

2. 恢复撤销操作

“恢复”操作是针对于“撤销”操作而言的，当用户使用了“撤销”操作后，“快速访问工具栏”中的“恢复”工具按钮就会从不可用状态转换为可用状态，使用它可以恢复撤销前的文本内容或格式，“恢复”操作有两种方法。

＊ 方法一 使用“恢复”工具按钮

用户在恢复上一步撤销的动作时，可以单击位于 Word 2007 窗口左上方的“恢复”按钮，如右图所示，恢复前一个动作，单击一次，恢复前两个动作，单击两次，依次类推。

＊ 方法二 使用快捷键撤销

用户在需要撤销上一步动作时，可以按下 Ctrl+Y 快捷键来完成动作的恢复，恢复前一个动作，按一次，恢复前两个动作，按两次，依次类推。

8.1.4 特殊符号的插入

在键盘中有一些按键的上面分布有两种符号，或一种是符号，一种是数字，用户在使用键盘输入符号时，有些可以直接按下相应的键进行输入，有些要在按住 Shift 键的同时按下相应的符号键来输入相应符号。但是当文本中需要编辑一些键盘上没有的特殊符号时，就需要使用程序中提供的特殊符号，然后插入到文本中使用。

原始文件：实例文件 \ 第 8 章 \ 原始文件 \ 公司财务制度 .docx
最终文件：实例文件 \ 第 8 章 \ 最终文件 \ 公司财务制度 .docx

步骤 01 打开目标文档

打开附书光盘“实例文件 \ 第 8 章 \ 原始文件 \ 公司财务制度 .docx”文档，将插入点定位在要插入符号的位置，如下图所示。

步骤 02 打开“插入特殊符号”对话框

单击“插入”标签，切换到“插入”选项卡下，单击“特殊符号”组中的“符号”按钮，在弹出的列表中选择“更多”选项，如下图所示。

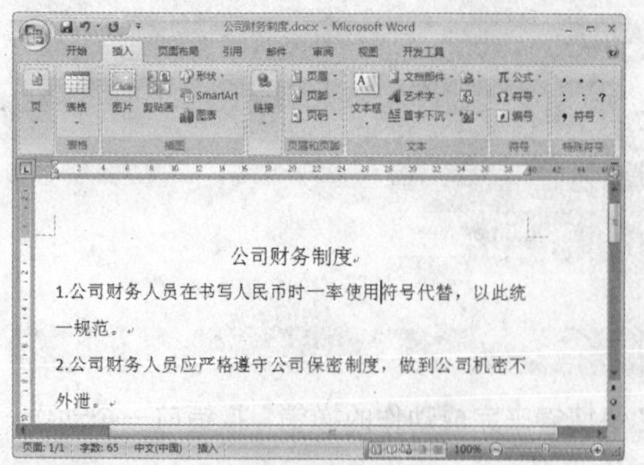

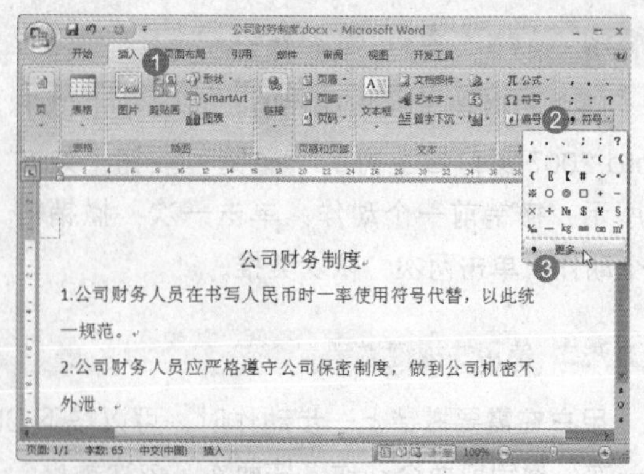

步骤 03 插入特殊符号

在弹出对话框中单击“单位符号”标签，切换到“单位符号”列表框中，选中要插入的符号“￥”，并单击“确定”按钮，如下图所示。

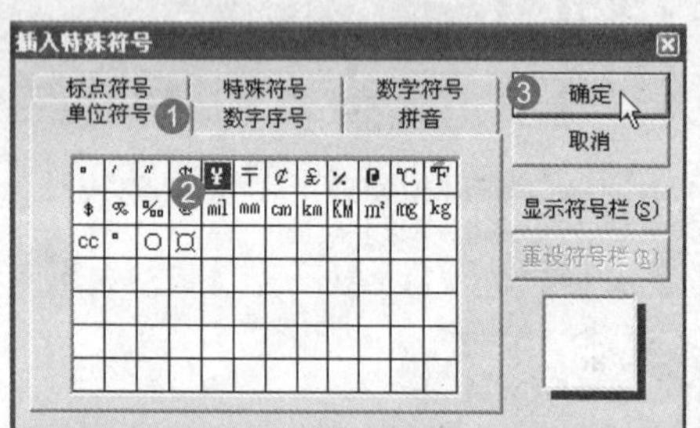

步骤 04 显示最终效果

返回到 Word 窗口中，就完成了特殊符号的插入，最终效果如下图所示。

公司财务制度
写人民币时一率使用￥符号代替，以此
格遵守公司保密制度，做到公司机密不

8.2 文本格式的设置

一篇文档录入完毕，为了使其界面更加规范、整洁，还需要对其进行文本格式的设置，文本格式的设置包括对字体、文字大小、字形等的设置，对于公式还可以设置其上标与下标等。下面就来详细介绍一下文本的格式设置。

8.2.1 文字字体、字形、字号的设置

文档中为了区分标题与正文，会使标题与正文的字体、字体大小、字形等都有所区别，下面就来介绍一下文字格式的设置方法。

原始文件：实例文件\第 8 章\原始文件\管理 .docx
最终文件：实例文件\第 8 章\最终文件\管理 .docx

1. 设置字体

使用比较普遍的中文字体有“宋体”、“楷体”、“隶书”三种，用户可根据自身的需要，对其进行设置。

步骤 01 选中目标文本

打开附书光盘“实例文件\第 8 章\原始文件\管理.docx”文档，选中要编辑的文字，如下图所示。

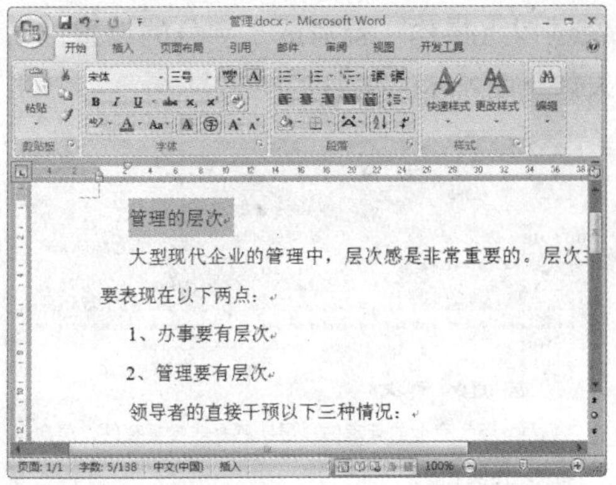

步骤 02 设置文本字体

单击“开始”标签，切换到“开始”选项卡下，单击“字体”组中的“字体”下拉按钮，在弹出的列表中选择“隶书”选项，如下图所示。

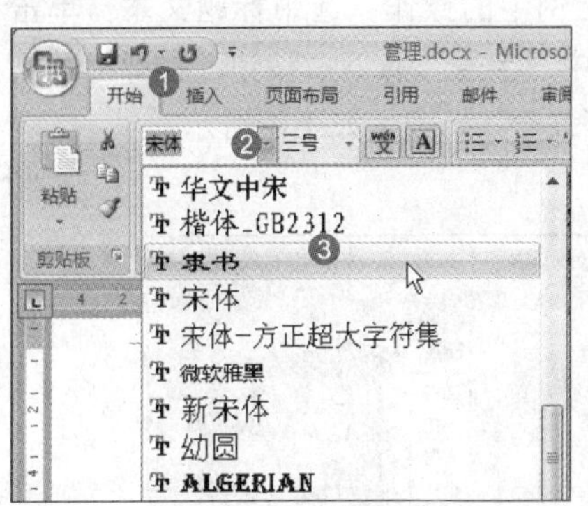

步骤 03 显示最终效果

经过以上操作，就完成了字体的设置，最终效果如右图所示。

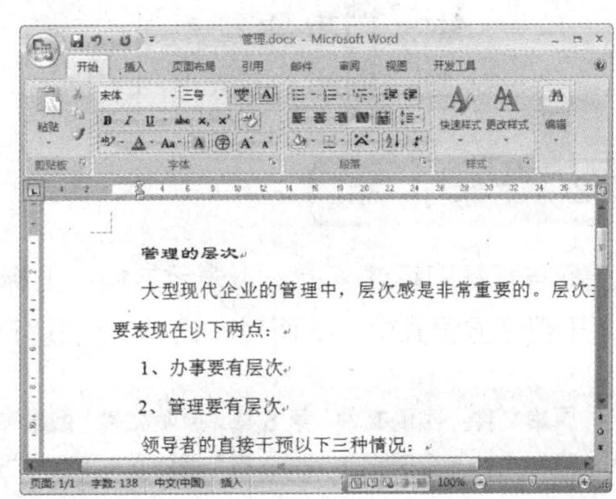

2. 设置字形

字形的设置主要是指对字体的形状、角度等做一些调整，其设置步骤如下：

步骤 01 设置文本的字形

继续上例中的操作，选中标题文本，单击“字体”组中“字体”列表框下方的“加粗”按钮，如下图所示。

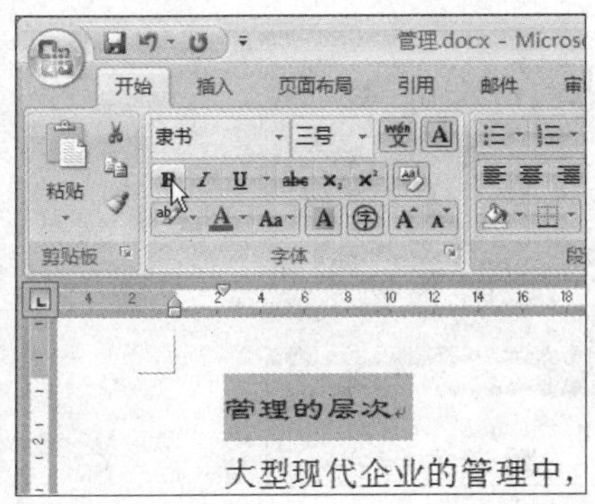

步骤 02 显示最终效果

经过以上操作，就完成了字形的设置，最终效果如下图所示。

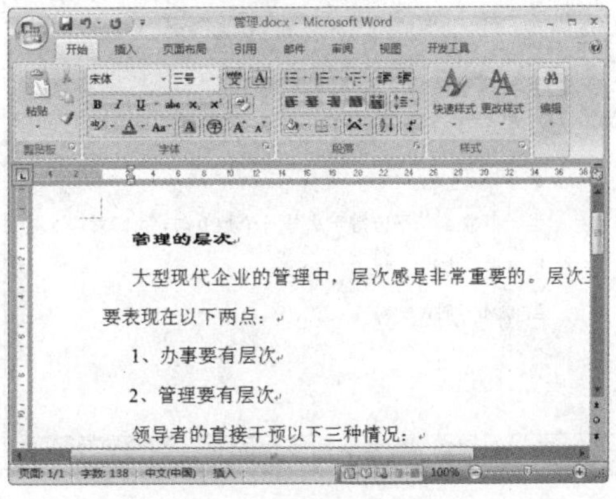

3. 设置字号

文档中标题与正文是有所区别的，一般标题的字号都要大于正文中内容的字号。下面就来学习一下字号的设置方法。

步骤 01 设置文本的字号

继续上例中的操作，选中标题文本，单击"字体"组中"字号"的下拉按钮，在弹出的列表中选择"二号"选项，如下图所示。

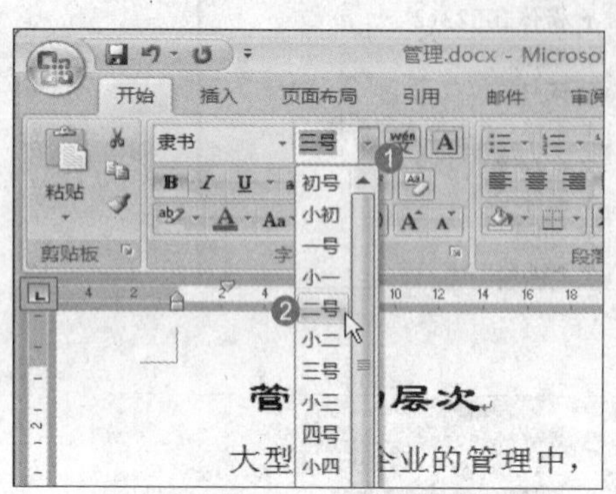

步骤 02 显示最终效果

经过以上操作，就完成了字号的设置，最终效果如下图所示。

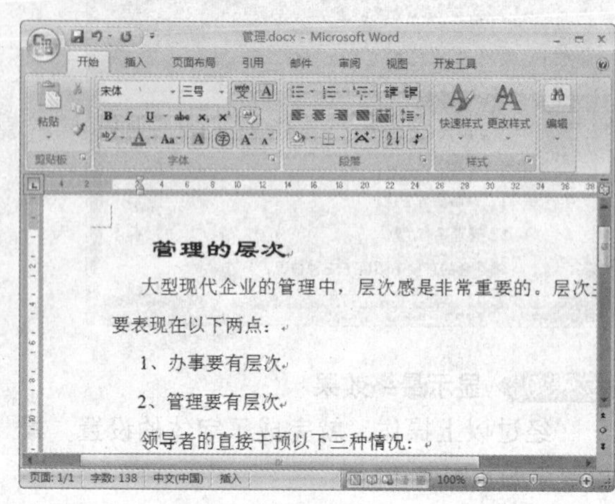

8.2.2 上标与下标

上标与下标即标注，上、下表示方向，上标标注在文本的右上方，下标标注在文本的右下方，一般用于数学方程式中，下面对其设置方法进行具体介绍。

原始文件：实例文件 \ 第 8 章 \ 原始文件 \ 数学方程式 .docx
最终文件：实例文件 \ 第 8 章 \ 最终文件 \ 数学方程式 .docx

步骤 01 选择目标文本

打开附书光盘"实例文件 \ 第 8 章 \ 原始文件 \ 数学方程式 .docx"文档，选中要编辑的文字，如下图所示。

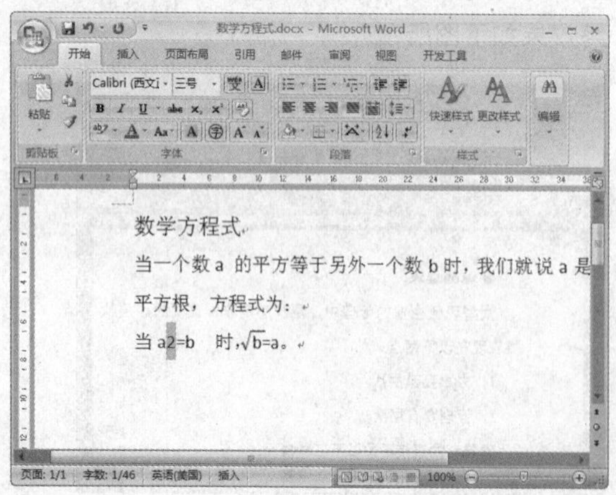

步骤 02 设置文字上标

单击"开始"标签，切换到"开始"选项卡下，单击"字体"组中"字体"列表框下方的"上标"设置按钮，如下图所示。

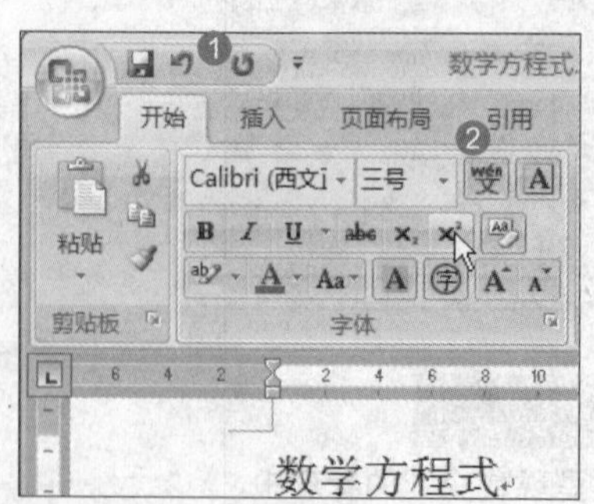

步骤 03　显示最终效果

经过以上操作，就完成了文字上标的设置，最终效果如右图所示。

数学方程式

当一个数 a 的平方等于另

平方根，方程式为：

当 $a^2=b$ 时，$\sqrt{b}=a$。

提示：设置下标

本例中讲的是如何设置上标，设置下标的方法与上标相似，用户只需依照上例单击相应的“下标”按钮即可。

8.2.3 带圈字符

带圈字符一般作为文档中注释的序号来使用，序号需要先进行上标设置，然后再进行带圈设置。

原始文件：实例文件 \ 第 8 章 \ 原始文件 \ 论语 .docx
最终文件：实例文件 \ 第 8 章 \ 最终文件 \ 论语 .docx

步骤 01　选择目标文本

打开附书光盘“实例文件 \ 第 8 章 \ 原始文件 \ 论语 .docx”文档，选中要编辑的文字上标，如下图所示。

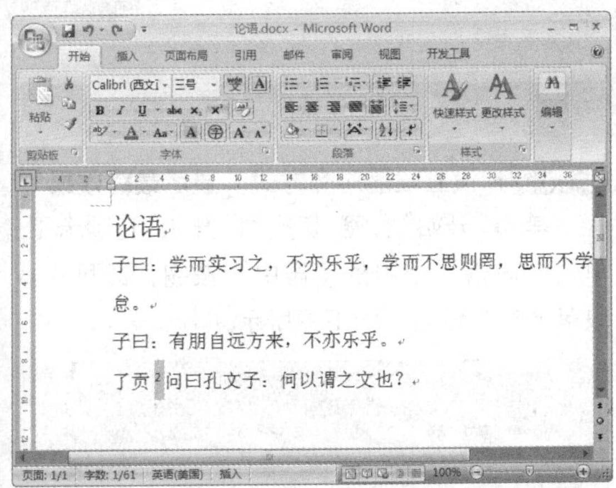

步骤 02　设置带圆字符

单击“开始”标签，切换到“开始”选项卡下，单击“字体”组右下方的“带圈字符”按钮，如下图所示。

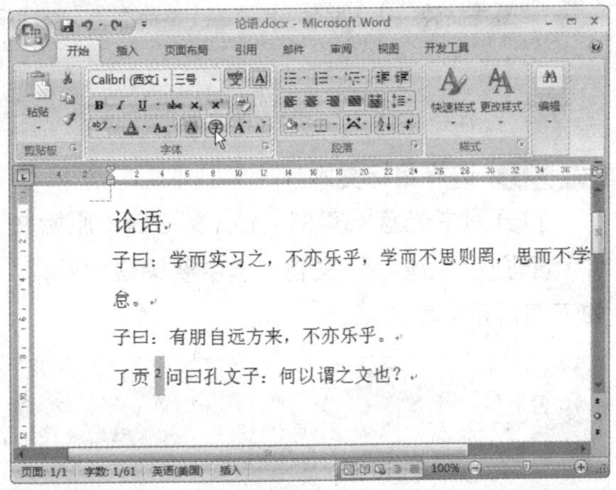

步骤 03　选择带圈字符样式

在弹出的“带圈字符”对话框中，选择“缩小文字”样式选项，然后单击“确定”按钮，如下图所示。

步骤 04　显示最终效果

经过以上操作，就完成了文字的带圈字符设置，最终效果如下图所示。

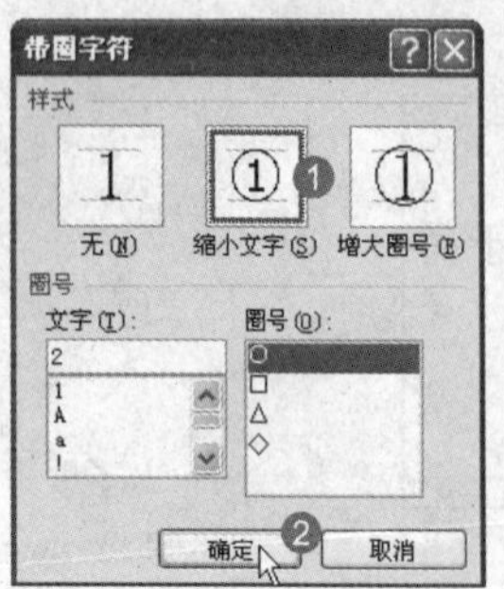

论语
子曰：学而实习之
息。
子曰：有朋自远方
了贡②问曰孔文子：

8.3 段落的设置

设置了字体格式之后，为使文档更加规范，还需要对文档的段落进行设置，段落的设置包括段落对齐方式、首字符缩进的设置及插入项目符号等的设置。

8.3.1 段落的对齐方式与缩进

段落的对齐与首行缩进是文档段落的基本格式，在对它们进行设置时，用户可根据文档的内容进行相应的设置，其设置方法如下：

1. 段落的对齐方式

段落的对齐方式有左对齐、右对齐、居中对齐、两端对齐和分散对齐，比较常用的对齐方式有左对齐、右对齐和居中对齐，常用的设置方法有两种，下面将对其一一进行介绍。

原始文件：实例文件\第 8 章\原始文件\管理规定 .docx
最终文件：实例文件\第 8 章\最终文件\管理规定 .docx

＊方法一 通过“段落”组中的按钮进行设置

步骤 01 选择目标文本

打开附书光盘“实例文件\第 8 章\原始文件\管理规定 .docx”文档，选中要编辑的段落，如下图所示。

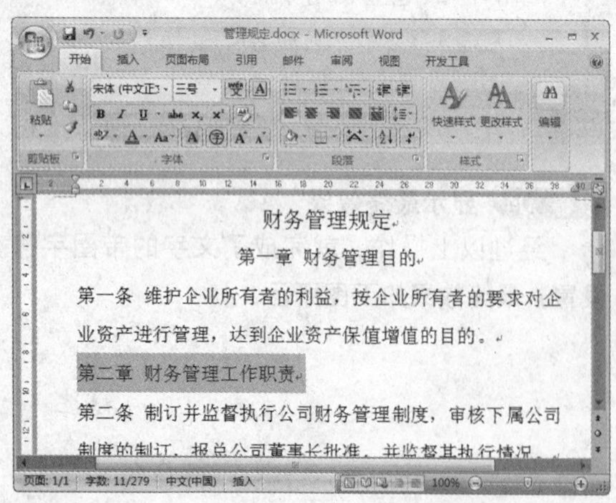

步骤 02 设置段落对齐方式，显示最终效果

单击“开始”标签，切换到“开始”选项卡下，单击“段落”组中的“居中”按钮，即可完成段落的对齐设置，如下图所示。

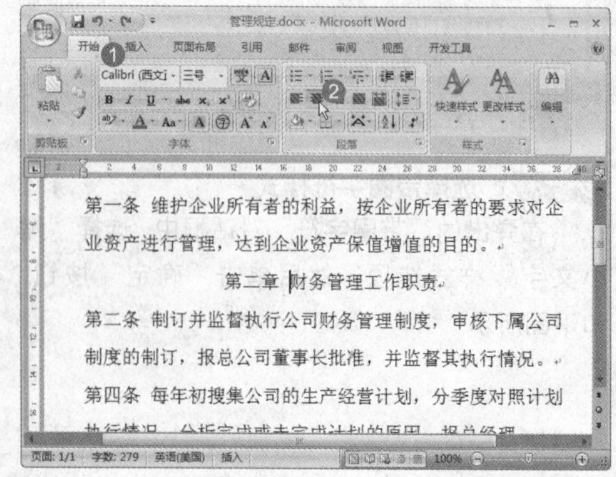

＊方法二 通过快捷键进行设置

步骤 01 **选择目标文本**

打开附书光盘“实例文件\第 8 章\原始文件\管理规定.docx”文档，选中要编辑的段落，如下图所示。

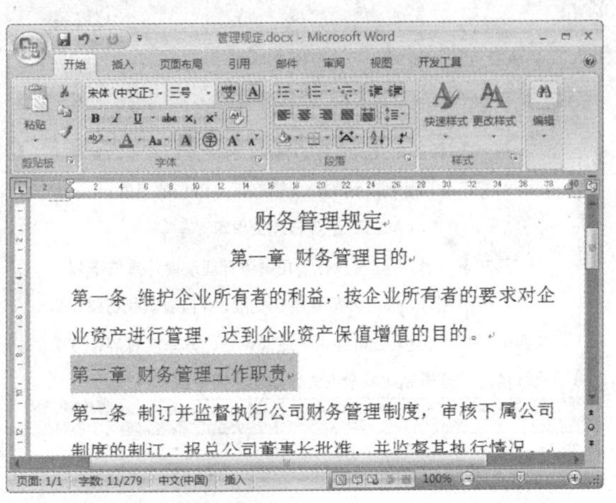

步骤 02 **设置段落对齐方式，显示最终效果**

左对齐的快捷键为 Ctrl+L，右对齐的快捷键为 Ctrl+R，居中对齐的快捷键为 Ctrl+E，这里按下 Ctrl+E 快捷键，完成段落的居中对齐设置，最终效果如下图所示。

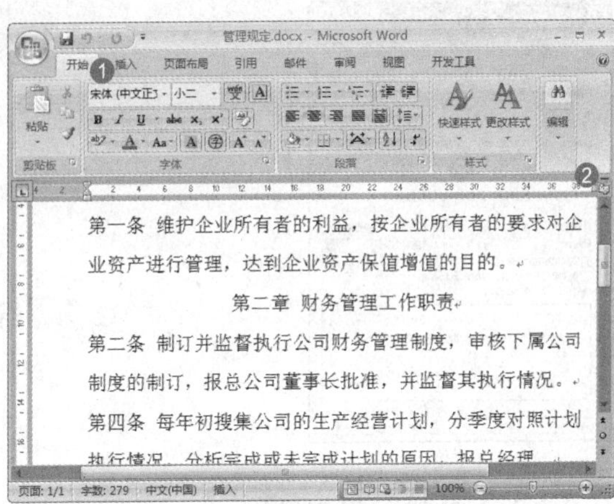

2. 段落的缩进

在中文版式中比较常用的缩进方式是首行缩进 2 个字符，下面就介绍一下如何进行首行缩进 2 个字符的设置。

原始文件：实例文件\第 8 章\原始文件\管理规定 1.docx
最终文件：实例文件\第 8 章\最终文件\管理规定 1.docx

步骤 01 **选择目标文本**

打开附书光盘“实例文件\第 8 章\原始文件\管理规定 1.docx”文档，将插入点定位在要编辑的段落内，如下图所示。

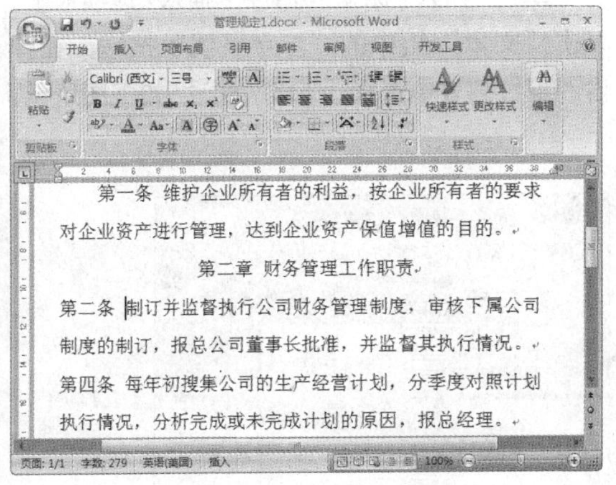

步骤 02 **打开“段落”对话框**

单击“开始”标签，切换到“开始”选项卡下，单击“段落”组中的对话框启动器，如下图所示。

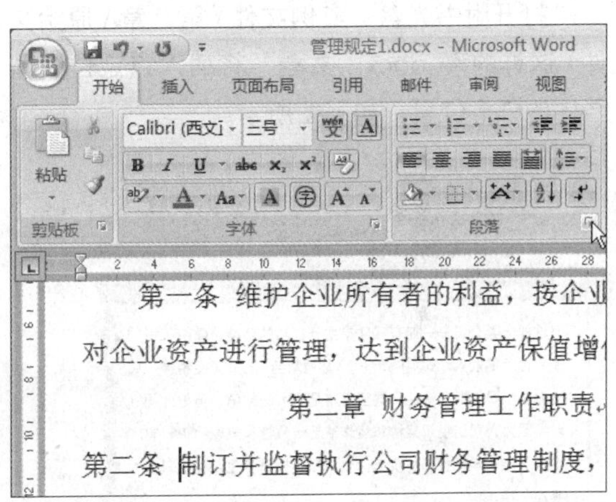

步骤 03 **在对话框中设置首行缩进**

在打开的“段落”对话框中，切换至“缩进和间距”选项卡下，在“特殊格式”下拉列表中选择“首行缩进”选项后，“磅值”数值框内会自动显示“2 字符”，再单击“确定”按钮，如下图所示。

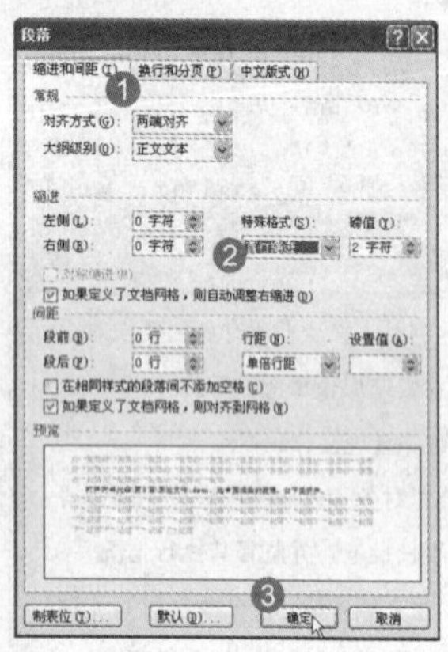

步骤 04 **显示最终效果**

返回到 Word 窗口，就完成了段落的缩进设置，效果如下图所示。

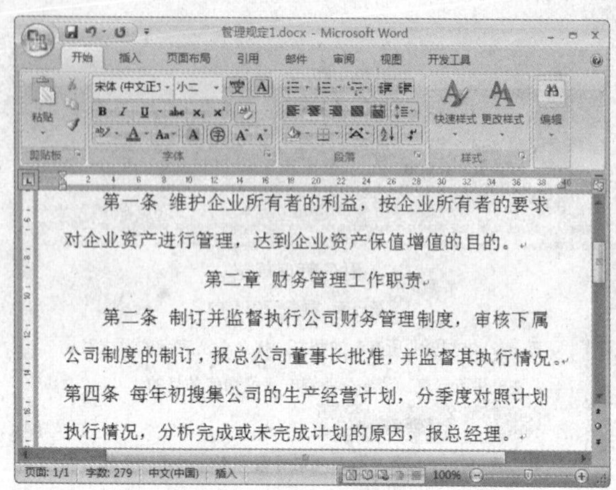

8.3.2 首字下沉与悬挂

首字下沉与首字悬挂，是比较特殊的段落格式，会起到一种提醒的作用，由于其醒目的报头效果，因此一般应用在简报的制作上。

1. 首字下沉

首字下沉是将整篇文档的第一个字，做下沉设置，所以不需要选中文本，程序将自动对文档的第一个字符进行设置。

原始文件：实例文件 \ 第 8 章 \ 原始文件 \ 这样的事 .docx
最终文件：实例文件 \ 第 8 章 \ 最终文件 \ 这样的事 .docx

步骤 01 **选择目标文本**

打开附书光盘“实例文件 \ 第 8 章 \ 原始文件 \ 这样的事 .docx”文档，将插入点定位在文档中的任意位置，如下图所示。

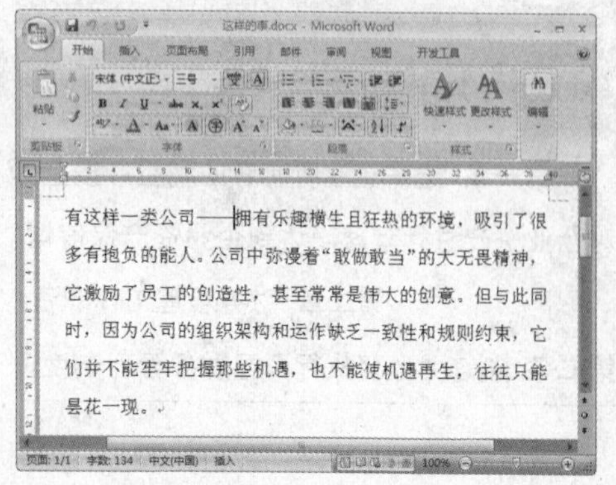

步骤 02 **进行首字下沉设置**

单击“插入”标签，切换到“插入”选项卡下，单击“文本”组中的“首字下沉”按钮，在弹出的下拉列表中选择“下沉”选项，如下图所示。

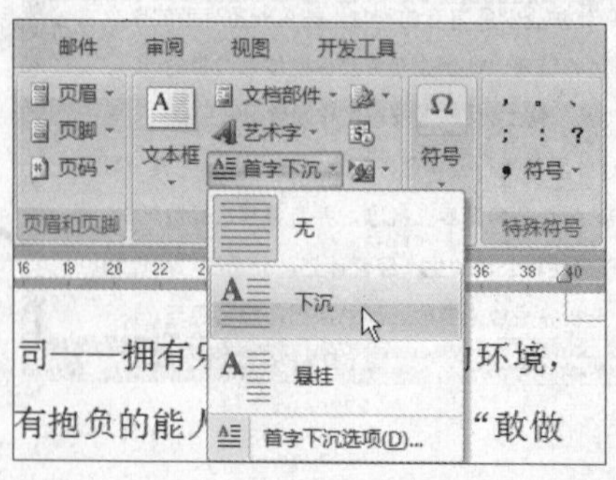

步骤 03 **显示最终效果**

经过以上操作，就完成了文档首字符下沉的设置，最终效果如右图所示。

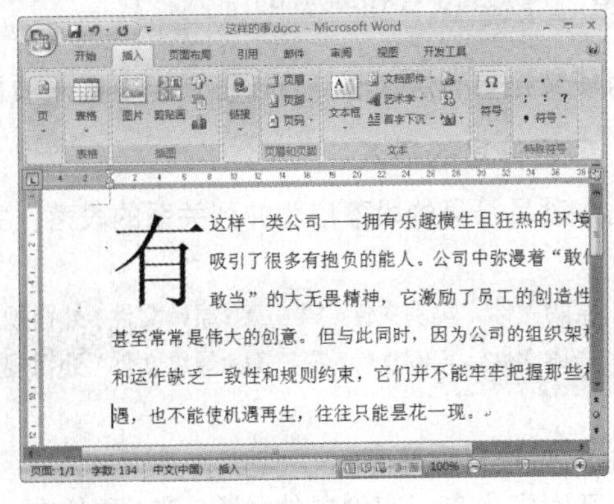

2. 首字悬挂

首字悬挂是将首字悬挂在页边距外，下面介绍其设置方法。

原始文件：实例文件 \ 第 8 章 \ 原始文件 \ 这样的事 1.docx
最终文件：实例文件 \ 第 8 章 \ 最终文件 \ 这样的事 1.docx

步骤 01 **定位插入点**

打开附书光盘“实例文件 \ 第 8 章 \ 原始文件 \ 这样的事 1.docx”文档，将插入点定位在文档中的任意位置，如下图所示。

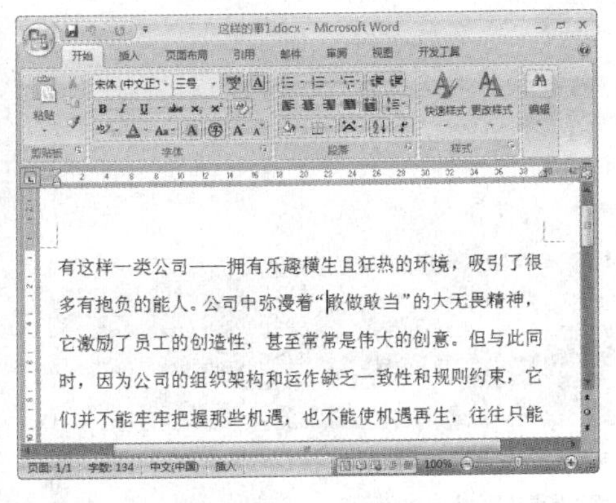

步骤 02 **进行首字悬挂设置**

单击“插入”标签，切换到“插入”选项卡下，单击“首字下沉”按钮，在弹出的下拉列表中选择“悬挂”选项，如下图所示。

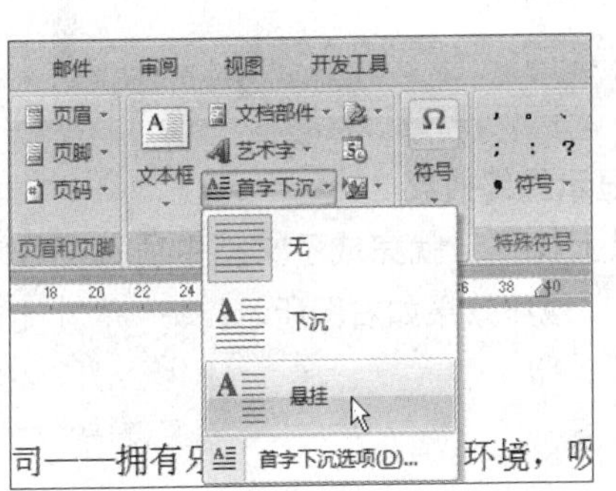

步骤 03 **显示最终效果**

经过以上操作，就完成了文档首字符悬挂的设置，最终效果如右图所示。

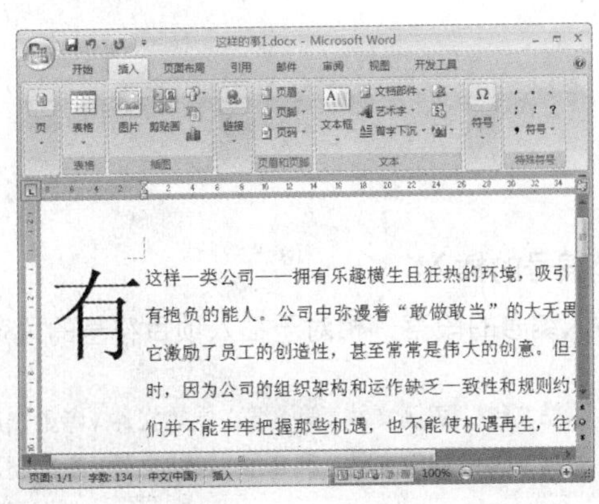

8.3.3 项目符号和编号的插入

为使文档更有层次感，可以在文档中插入项目符号或编号，从而使整个文档的层次更为清晰。

1. 项目符号的插入

插入项目符号的段落应为并列关系的段落，并且没有顺序要求，下面介绍其具体的插入方法。

原始文件：实例文件\第 8 章\原始文件\处罚规定 .docx
最终文件：实例文件\第 8 章\最终文件\处罚规定 .docx

步骤 01 选择目标文本

打开附书光盘“实例文件\第 8 章\原始文件\处罚规定 .docx”文档，选中将要设置的段落，如下图所示。

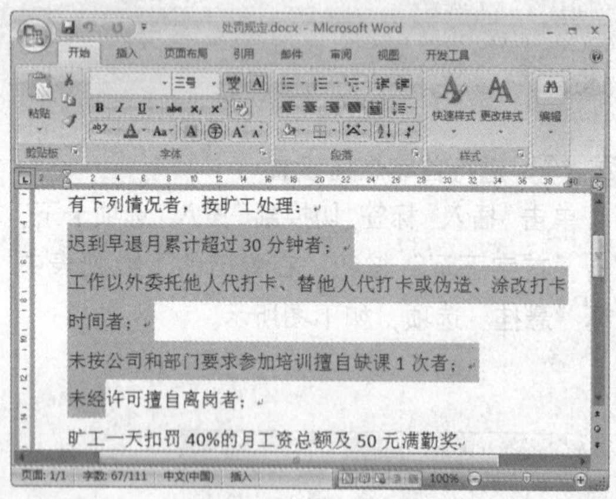

步骤 02 选择要插入的项目符号

单击“开始”标签，切换到“开始”选项卡下，单击“段落”组中的“项目符号”按钮右侧的下拉按钮，在弹出的列表中选择要插入的项目符号，如下图所示。

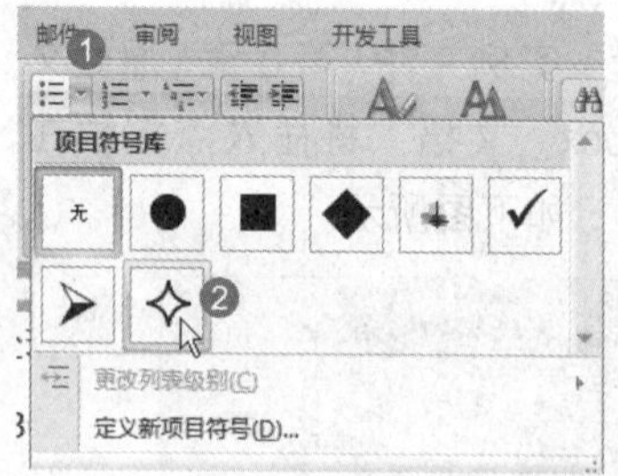

步骤 03 显示最终效果

经过以上操作，就完成了文档中项目符号的插入设置，最终效果如右图所示。

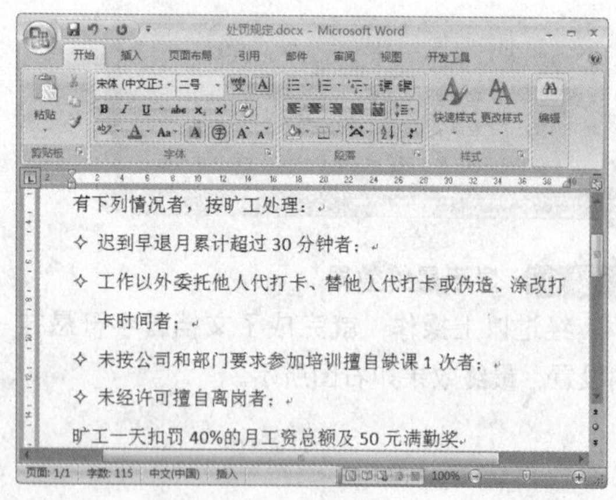

2. 编号的插入

插入编号的段落，相对于插入项目符号的段落，次序要更明确一些，下面对其进行具体介绍。

原始文件：实例文件\第 8 章\原始文件\考勤制度 .docx
最终文件：实例文件\第 8 章\最终文件\考勤制度 .docx

步骤 01 选择目标文本

打开附书光盘"实例文件\第 8 章\原始文件\考勤制度.docx"文档，选中将要设置的段落，如下图所示。

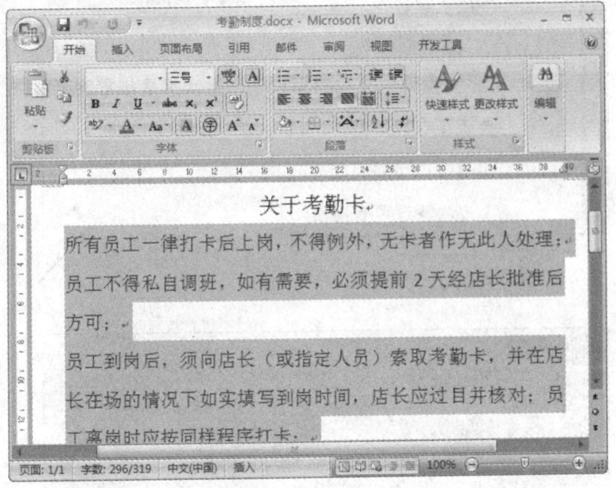

步骤 02 选择要插入的编号

单击"开始"标签，切换到"开始"选项卡下，单击"段落"组中的"编号"按钮右侧的下拉按钮，在弹出的列表中选择要插入的编号，如下图所示。

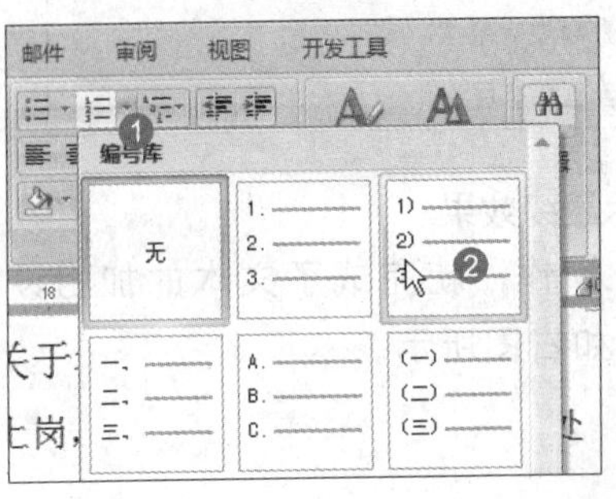

步骤 03 显示最终效果

经过以上操作，就完成了文档中编号的插入设置，最终效果如右图所示。

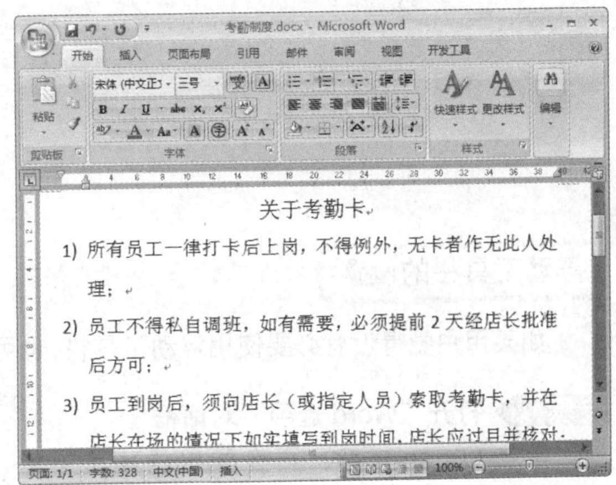

Column 技能提升

Word 2007 文本处理程序新增加了一个浮动工具栏，用户可以使用它方便地进行文档中字体、字形、字号等的设置，下面就来介绍一下浮动工具栏的使用和设置。

浮动工具栏的使用

浮动工具栏一般用于设置文档的字体、字形、字号、字体颜色等，其使用方法如下。

步骤 01 打开浮动工具栏

选中目标文本后，在文本的上方就会出现一个颜色较浅的浮动工具栏，如下图所示。

步骤 02 使用浮动工具栏

将鼠标指针指向浮动工具栏，它就完全显示出来了，再单击"加粗"按钮，如下图所示。

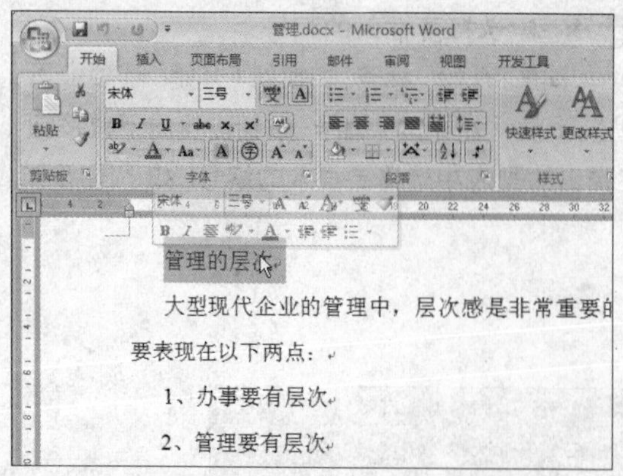

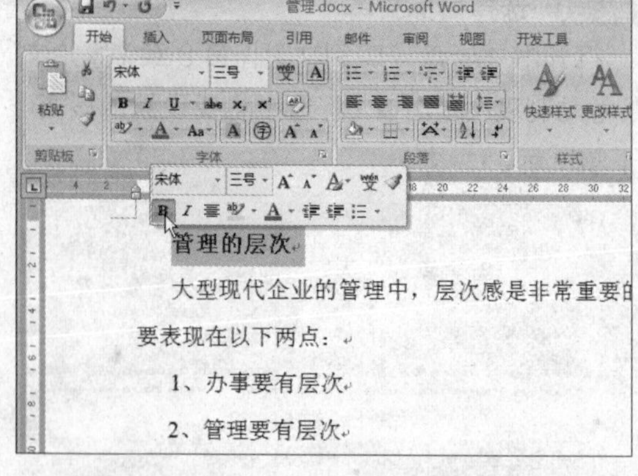

步骤 03 显示最终效果

经过以上操作，就完成了文本的加粗设置，最终效果如右图所示。

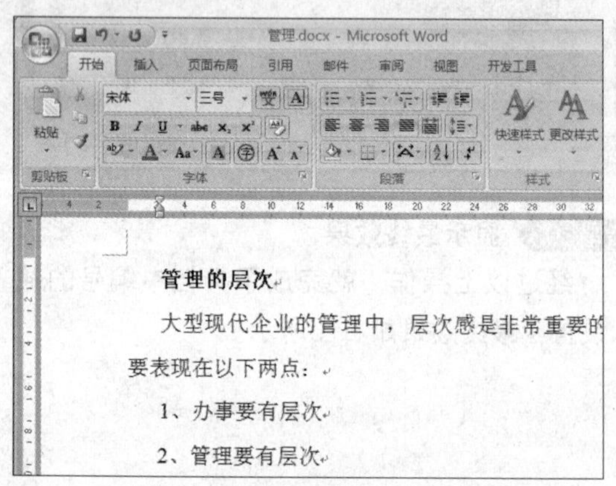

浮动工具栏的设置

如果用户觉得没有必要使用浮动工具栏，也可以通过设置不再显示此工具栏，其操作方法如下：

步骤 01 打开"Word 选项"对话框

单击 Office 按钮，再在弹出的菜单中单击"Word 选项"按钮，如下图所示。

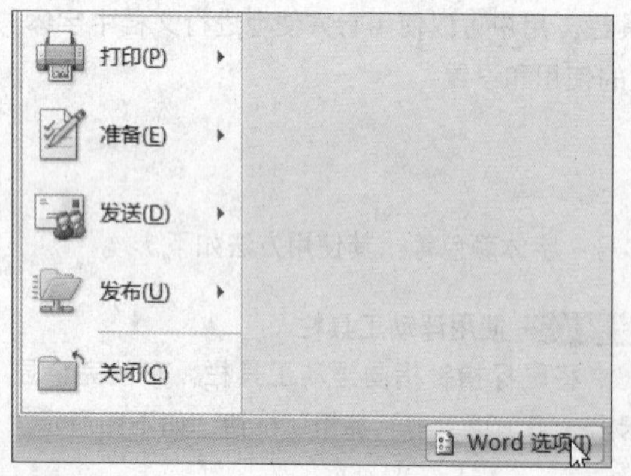

步骤 02 设置浮动工具栏

在打开的"Word 选项"对话框中，选择"常用"选项，在其选项面板中取消勾选"选择时显示浮动工具栏"复选框，然后单击"确定"按钮，如下图所示，即可完成操作。

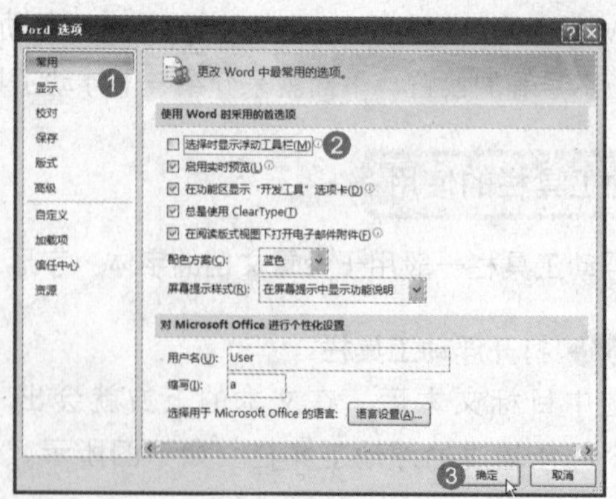

09 Word 文档中的表格制作

本章建议学习时间

本章建议学习时间为 60 分钟，其中 20 分钟用于学习教材知识，40 分钟用于上机操作。

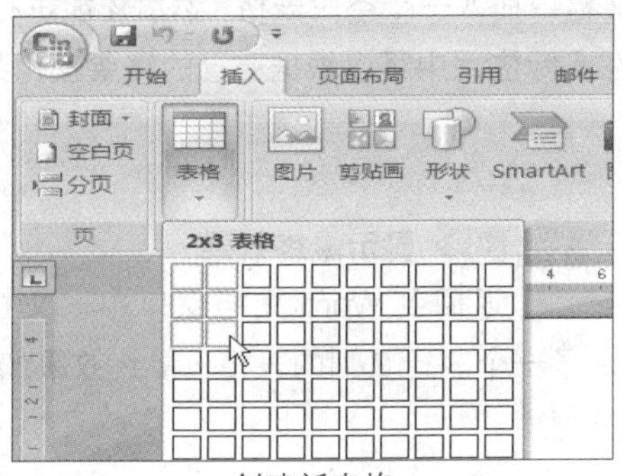

创建新表格

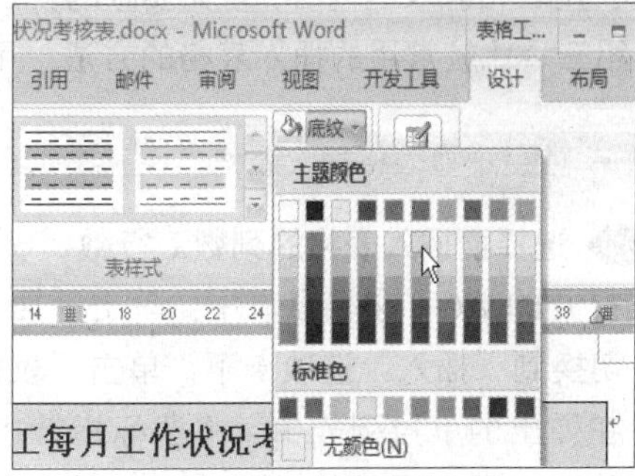

设置表格的底纹

学习完本章后您可以

1. 在 Word 2007 文档中插入表格
2. 调整表格大小
3. 设置表格格式
4. 在现有表格中插入行或列
5. 进行表格与文本的转换

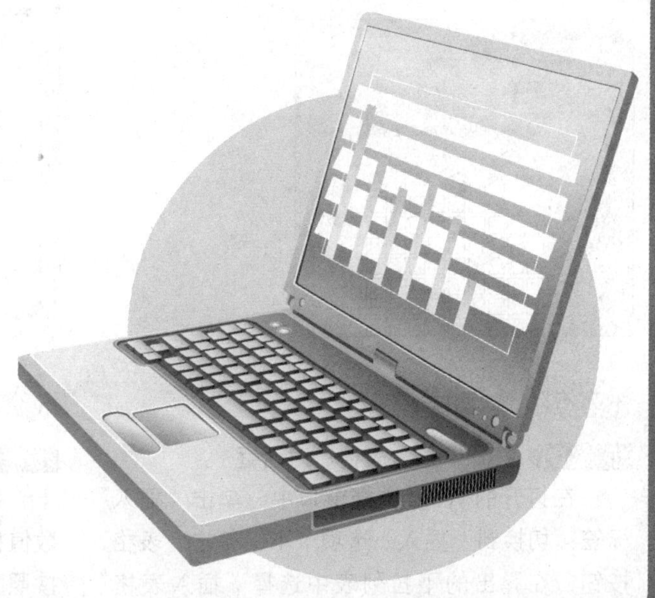

第 09 章 Word 文档中的表格制作

在 Word 文本程序中不但可以进行文字的录入和编辑，还可以插入图表，当用户要输入一些内容比较复杂的文本时，就可以通过表格来表达，如制作工资表等等，会使文本内容更加清晰明了地呈现在读者眼前。

9.1 创建新表格

要使用表格来表达内容，首先要做的就是在文档中插入一个空白表格，然后才能进行编辑操作。下面介绍三种比较常用的插入表格的方法，用户在实际应用中可以根据自己的需要使用某种方法。

* 方法一 使用虚拟表格插入表格

步骤 01 选择要插入表格的列数、行数

在打开的 Word 文档窗口中，单击“插入”标签，切换到“插入”选项卡下，单击“表格”按钮，在弹出的下拉列表中，将鼠标指针指向虚拟表格，当鼠标指针经过表格后，在虚拟表格上方就显示出要插入表格的列行数，这里将鼠标指针指向第 3 行、第 2 列的交叉表格，即表格为 2×3，如下图所示，然后单击鼠标。

步骤 02 显示最终效果

返回到 Word 文档窗口中，文档内已插入了一个 3 行 2 列的表格，最终效果如下图所示。

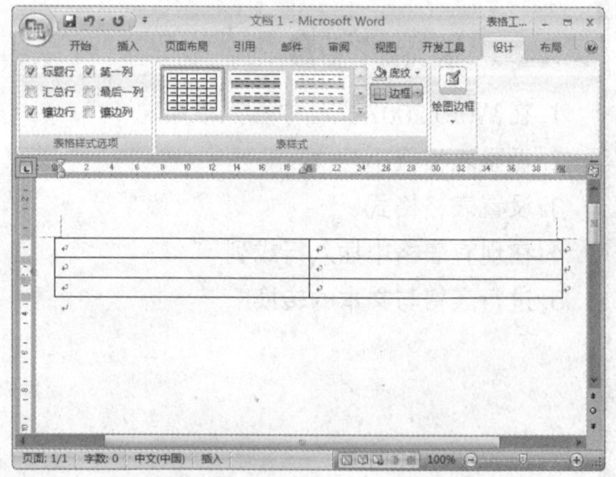

* 方法二 使用对话框插入

步骤 01 打开“插入表格”对话框

在打开的 Word 文档窗口中，单击“插入”标签，切换到“插入”选项卡下，单击“表格”按钮，在弹出的下拉列表中选择“插入表格”选项，如下图所示。

步骤 02 在“插入表格”对话框中进行设置

在弹出的“插入表格”对话框中，单击“列数”数值框右侧的数字调节按钮，将“列数”设置为 6，按照同样的方法将“行数”设置为 5，然后单击“确定”按钮，如下图所示。

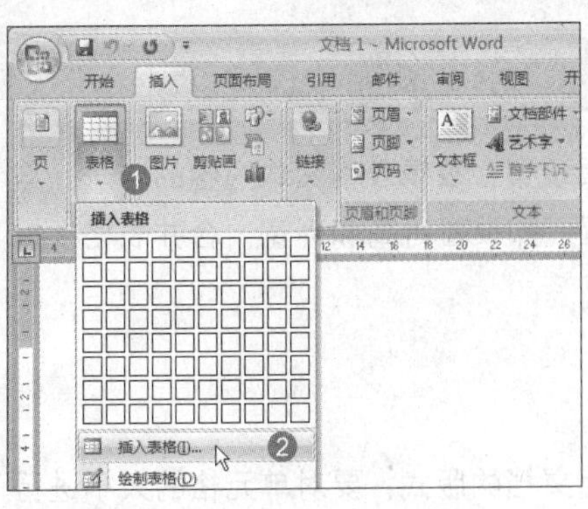

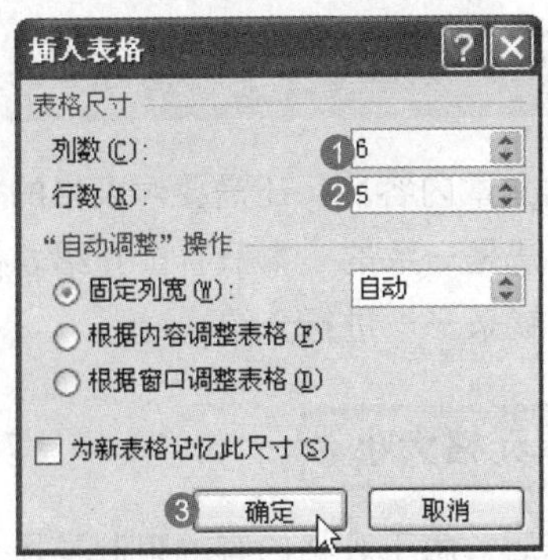

步骤 03 显示最终效果

经过以上操作，就在文档中插入了一个 6 列 5 行的空白表格，最终效果如右图所示。

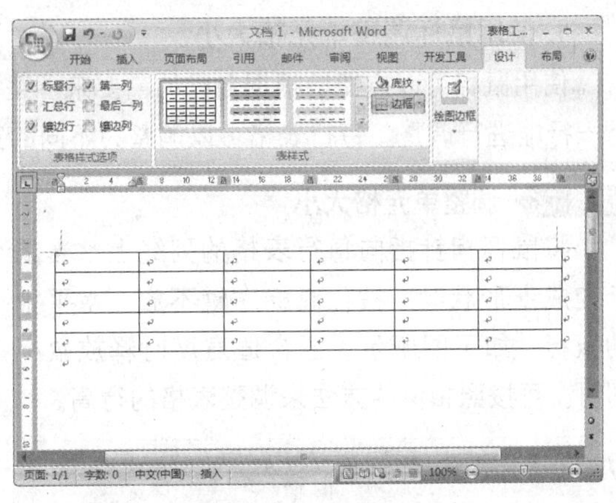

* 方法三 手动绘制表格

步骤 01 启动"绘制表格"工具

在打开的 Word 文档窗口中，单击"插入"标签，切换到"插入"选项卡下，单击"表格"按钮，在弹出的下拉列表中选择"绘制表格"选项，如下图所示。

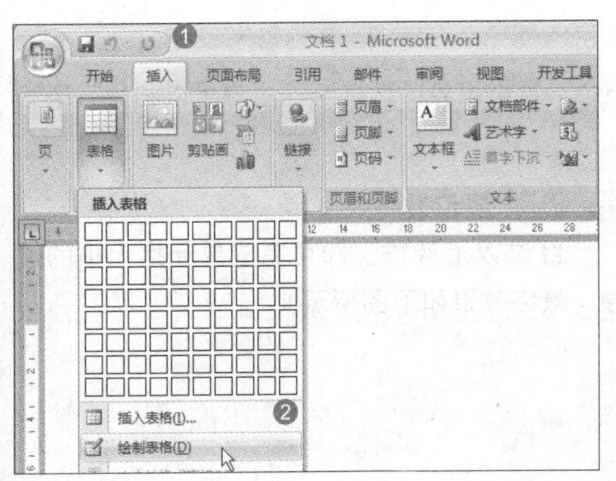

步骤 02 绘制表格后显示最终效

返回到 Word 文档中，鼠标指针会变成铅笔形状，按住鼠标左键不放，拖动鼠标指针至适合的位置后释放鼠标，即可绘制得到一个矩形，然后在矩形框内，横向拖动鼠标可绘制表格的行，纵向拖动鼠标可绘制表格的列，按照以上方法绘制一个 7 列 6 行的表格，效果如下图所示。

9.2 编辑表格

输入完表格的文本内容后，还需要对表格的整体进行编辑设置，编辑表格文本内容的方法，与编辑普遍文本的方法是一致的，本节着重介绍表格的编辑设置，如设置行高和列宽、合并表格、拆分表格等等，下面就来一一进行介绍。

9.2.1 调整单元格大小

表格录入完毕后，由于表格内容的限制或是为了适应整篇文档的版式，要对单元格的大小进行调整，用户可以使用鼠标进行行高列宽的调整，也可以通过表格工具对其进行调整。

1. 使用鼠标调整单元格大小

使用鼠标可以方便地根据自已的需要来调整单元格的行高和列宽，使用鼠标调整单元格时是一行一行地进行调整，每行表格可以调整为不同的宽度，其操作方法如下：

步骤 01 调整单元格大小

将鼠标指针指向每行表格的列线上，当鼠标变成+形状时，按住鼠标左键不放，水平拖动鼠标，如下图所示，至合适宽度时释放鼠标即可。可按照相似的方法来调整表格的行高。

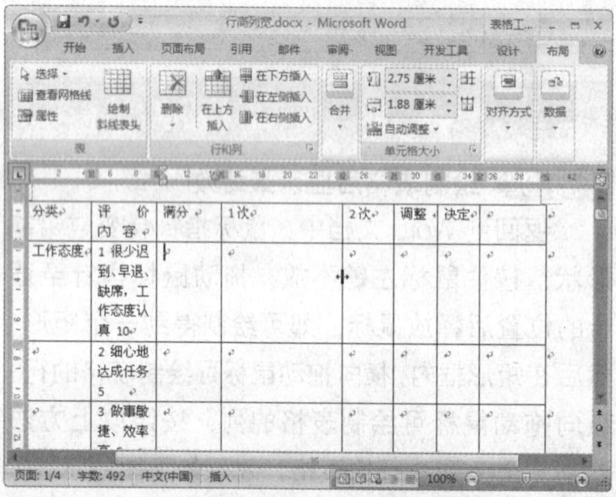

步骤 02 显示最终效果

经过以上操作，即可完成单元格大小的调整，最终效果如下图所示。

2. 通过表格工具调整单元格大小

当用户在编辑表格时，在标签的上方就会显示一个“表格工具”选项卡，用户可以利用它来完成单元格大小的调整。

步骤 01 调整单元格大小

将插入点定位在要调整的单元格中，单击“表格工具”选项卡下的“布局”标签，切换至“布局”选项卡下，设置“单元格大小”组中的“表格行高度”为“1.5 厘米”，设置“表格列宽度”为“1.3 厘米”，如下图所示。

步骤 02 显示最终效果

经过以上操作，即可完成单元格大小的调整，最终效果如下图所示。

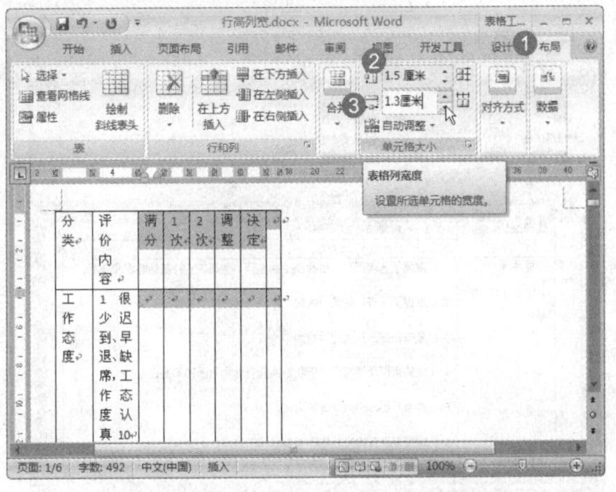

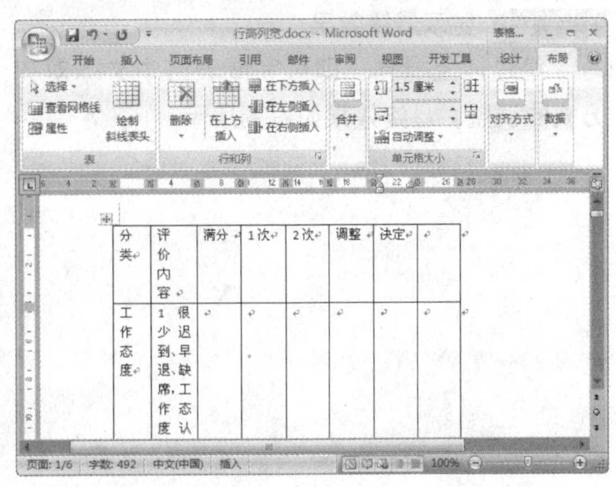

9.2.2 表格中文本的对齐方式

表格中文本的对齐方式有靠上两端对齐、中部两端对齐、靠下两端对齐、靠上居中对齐、水平居中、靠下居中对齐、靠上右对齐、中部右对齐、靠下右对齐九种对齐方式，用户可根据自身的需要进行选择。常用的设置方法有两种，下面对其进行一一介绍。

原始文件：实例文件 \ 第 9 章 \ 原始文件 \ 简历 .docx
最终文件：实例文件 \ 第 9 章 \ 最终文件 \ 简历 .docx

* 方法一 通过“表格工具”设置

步骤 01 选中目标文本

打开附书光盘“实例文件 \ 第 9 章 \ 原始文件 \ 简历 .docx”文档，选中要设置的文本，如下图所示。

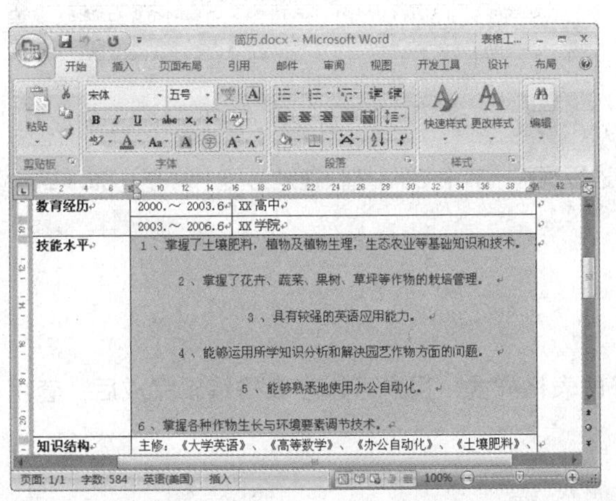

步骤 02 设置表格文本对齐方式

选中要调整的文本后，单击“表格工具”选项卡下的“布局”标签，切换至“布局”选项卡下，单击“对齐方式”组中的“中部两端对齐”按钮，如下图所示。

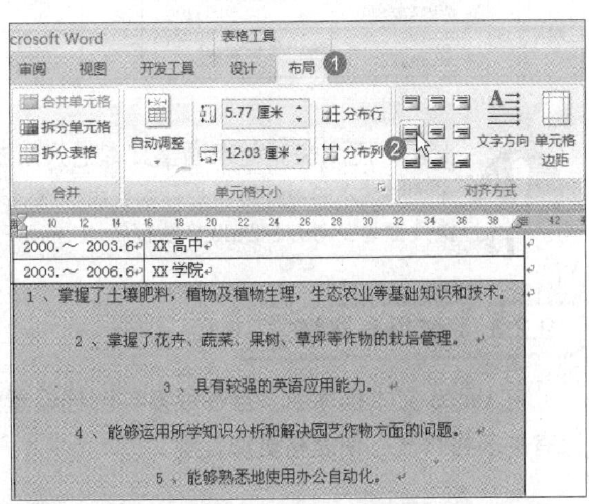

步骤 03 显示最终效果

经过以上操作，即可完成表格中文本对齐方式的调整，最终效果如右图所示。

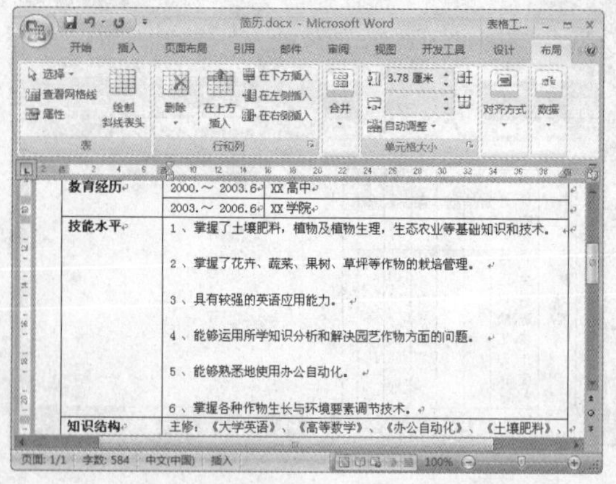

＊方法二 通过快捷菜单设置

步骤 01 在右键菜单中选择对齐方式

打开原始文件，在选中的要调整的文本上右击鼠标，在弹出的快捷菜单中将指针指向“单元格对齐方式”选项，再在展开的菜单中选择“水平居中”选项，如下图所示。

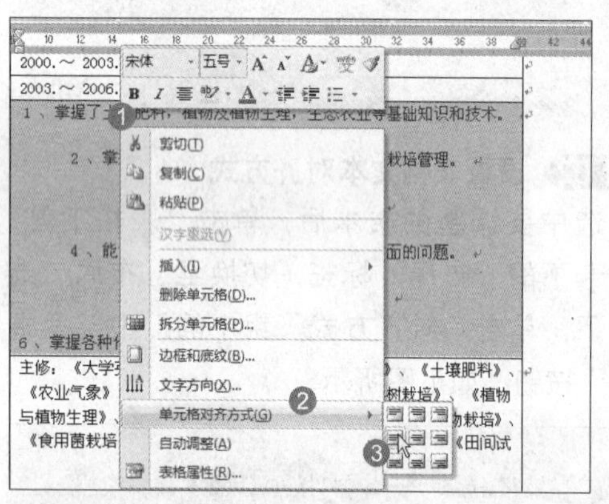

步骤 02 显示最终效果

经过以上操作，即可完成表格中文本对齐方式的调整，最终效果如下图所示。

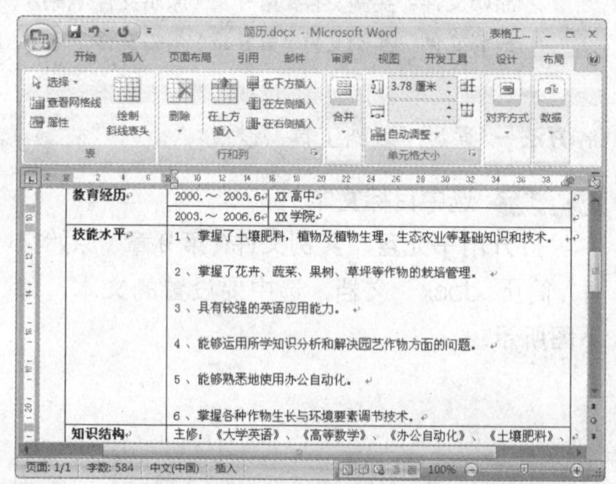

提示：使用快捷键来调整文本对齐方式

在调整文本的对齐时，也可以使用快捷键来进行调整，其中 Ctrl+E 快捷键为居中对齐，Ctrl+L 快捷键为左对齐，Ctrl+R 快捷键为右对齐。

9.2.3 套用表格样式

在 Word 文本程序中，存在很多种已经设置好的表格样式，用户可以在表格编辑完成后，套用已有的表格样式，使表格更加美观。

原始文件：实例文件 \ 第 9 章 \ 原始文件 \ 登记表 .docx
最终文件：实例文件 \ 第 9 章 \ 最终文件 \ 登记表 .docx

步骤 01 定位插入点

打开附书光盘“实例文件 \ 第 9 章 \ 原始文件 \ 登记表 .docx”文档，将插入点定位在表格中的任意位置，如下图所示。

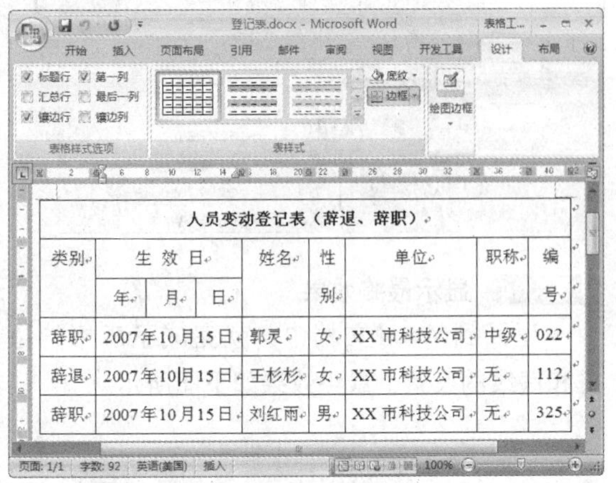

步骤 02 套用表格样式

单击“表格工具”选项卡下的“设计”标签，切换至“设计”选项卡下，单击“表样式”中“样式库”右侧的下拉按钮，在弹出的表样式库中选择“浅色列表－强调表格文字 2”样式，如下图所示。

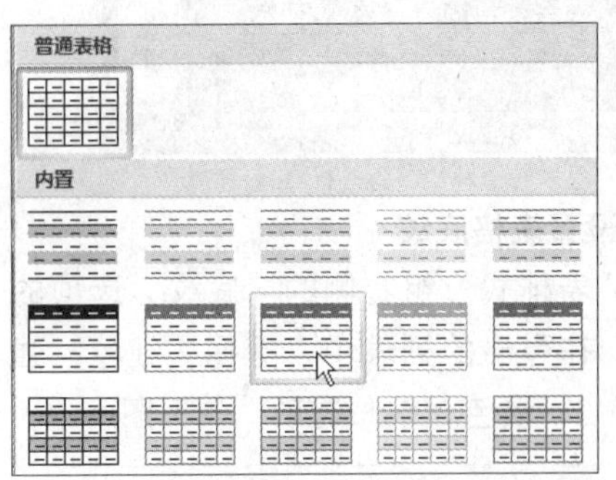

步骤 03 显示最终效果

返回到 Word 文档中，就完成了表格的格式套用，最终效果如右图所示。

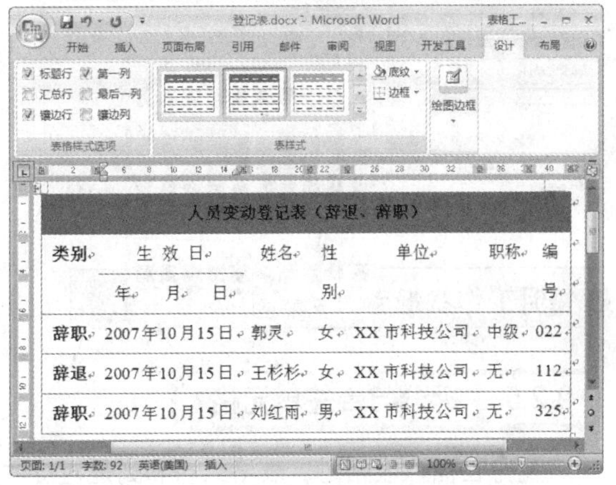

9.2.4 添加边框和底纹

在调整了单元格的大小，设置了表格内文本的对齐方式后，如果用户觉得程序中已有的表格样式不能达到要求，还可以手动为表格添加边框和底纹来美化表格。

原始文件：实例文件 \ 第 9 章 \ 原始文件 \ 状况考核表 .docx
最终文件：实例文件 \ 第 9 章 \ 最终文件 \ 状况考核表 .docx

步骤 01 选中目标表格

打开附书光盘“实例文件 \ 第 9 章 \ 原始文件 \ 状况考核表 .docx”文档，选中要套用格式的表格，如下图所示。

步骤 02 设置表格边框

单击“表格工具”选项卡下的“设计”标签，切换至“设计”选项卡下，单击“表样式”组中“边框”的下拉按钮，在弹出的列表中选择“内部竖框线”选项，如下图所示。

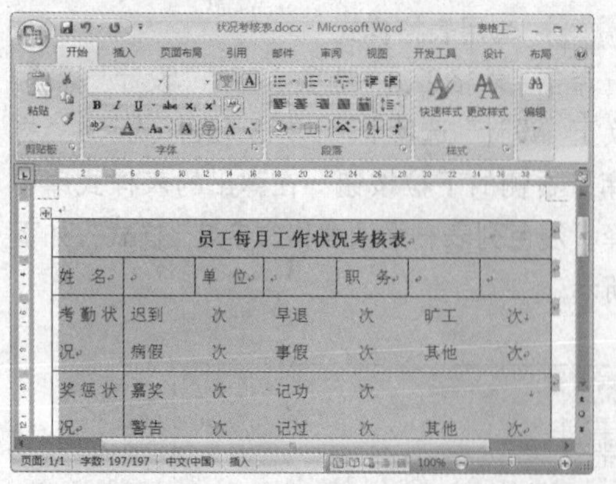

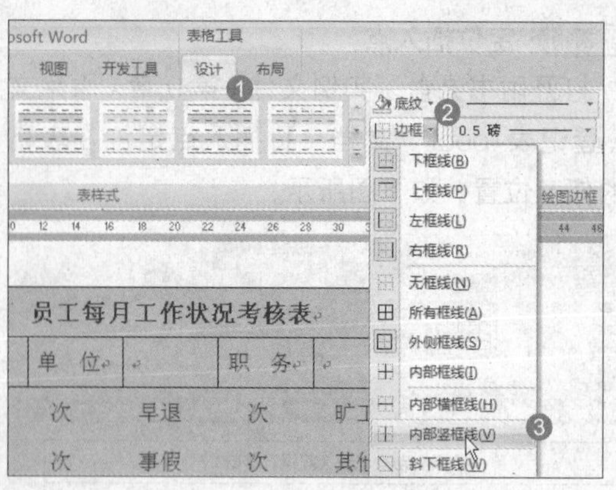

步骤 03 **设置表格底纹**

单击"表样式"组右侧的"底纹"选项的下拉按钮，在弹出的列表中，选择"红色，强调文字颜色 2，淡色 80%"选项，如下图所示。

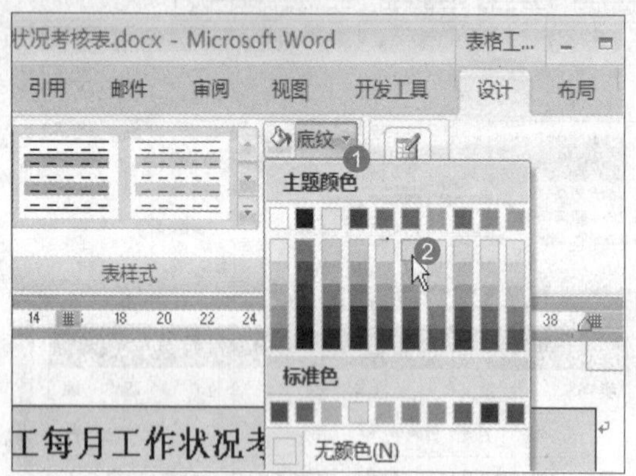

步骤 04 **显示最终效果**

返回到 Word 文档中，就完成了表格的边框和底纹的设置，最终效果如下图所示。

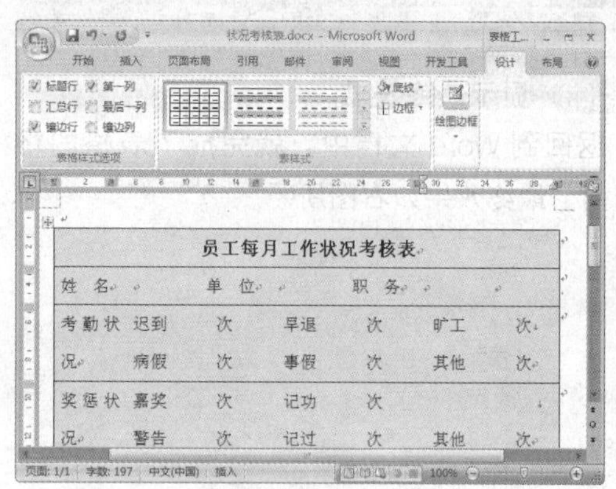

9.2.5 拆分与合并单元格

用户在插入表格时，表格的行和列是对应的，但是在实际操作中，用户可以根据自己的需要对单元格进行拆分或合并。

1. 拆分单元格

拆分单元格即将一个单元格拆分为数个小单元格，下面介绍其具体操作步骤。

原始文件：实例文件 \ 第 9 章 \ 原始文件 \ 调查表 .docx
最终文件：实例文件 \ 第 9 章 \ 最终文件 \ 调查表 .docx

步骤 01 **选中目标单元格**

打开附书光盘"实例文件 \ 第 9 章 \ 原始文件 \ 调查表 .docx"文档，选中要拆分的单元格，如下图所示。

步骤 02 **打开"拆分单元格"对话框**

单击"表格工具"选项卡下的"布局"标签，切换至"布局"选项卡下，单击"合并"组中的"拆分单元格"按钮，如下图所示。

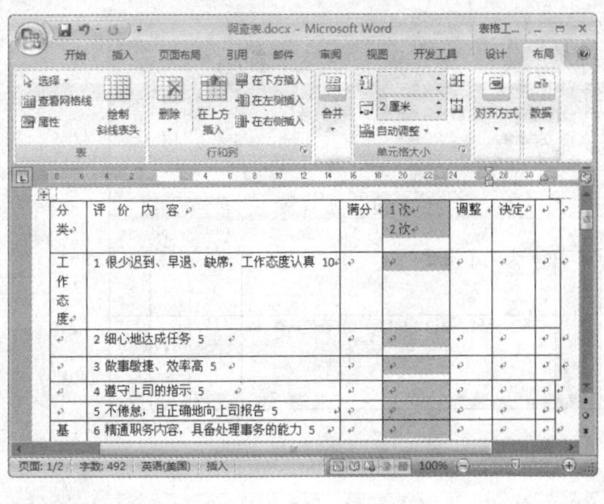

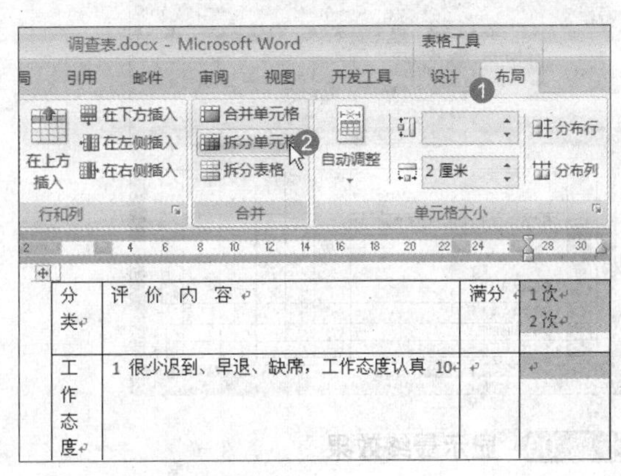

步骤 03 设置拆分单元格

在弹出的“拆分单元格”对话框中，系统会根据选中的单元格，自动调整行列数，用户也可以通过单击“列数”文本框右侧的数字调节按钮，将“列数”设置为 2，按照同样的方法将“行数”设置为 32，然后单击“确定”按钮，如右图所示。

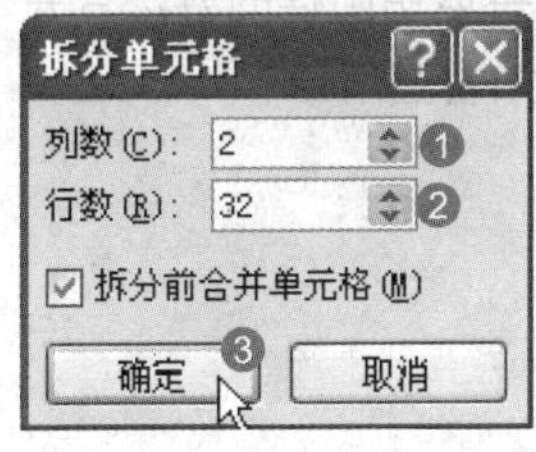

步骤 04 显示最终效果

经过以上操作，系统会根据段落的设置，来划分列数，最终效果如下图所示。

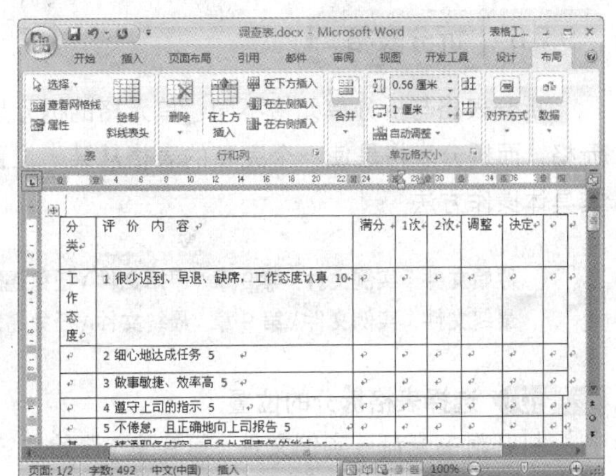

2. 合并单元格

单元格的合并即将若干个单元格合并为一个单元格，下面介绍其具体操作步骤。

原始文件：实例文件 \ 第 9 章 \ 原始文件 \ 调查表 1.docx
最终文件：实例文件 \ 第 9 章 \ 最终文件 \ 调查表 1.docx

步骤 01 选中目标单元格

打开附书光盘“实例文件 \ 第 9 章 \ 原始文件 \ 调查表 1.docx”文档，选中要合并的单元格，如下图所示。

步骤 02 合并单元格

单击“表格工具”选项卡下的“布局”标签，切换至“布局”选项卡下，单击“合并”组中的“合并单元格”按钮，如下图所示。

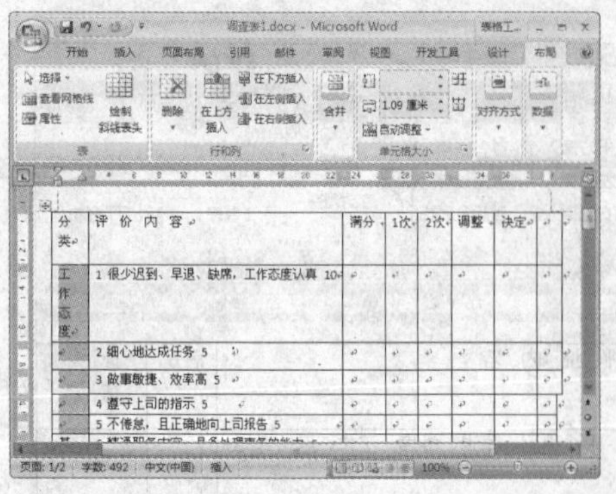

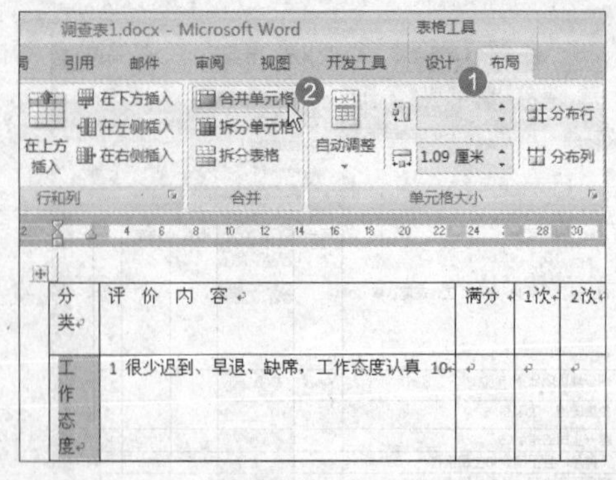

步骤 03 显示最终效果

经过以上操作，系统会将这几个单元的内容合并到一个单元格中，再运用同样的方法合并下面的单元格，最终效果如右图所示。

9.2.6 拆分表格

拆分表格与拆分单元格不同，单元格的拆分是将一个单元格拆分为若干个小单元格，增加了单元格，而拆分表格是使一个完整的表格从某一位置开始脱离原有表格，成为两个独立的表格，下面其具体操作方法。

原始文件：实例文件 \ 第 9 章 \ 原始文件 \ 任免通知书 .docx
最终文件：实例文件 \ 第 9 章 \ 最终文件 \ 任免通知书 .docx

步骤 01 选择表格拆分的位置

打开附书光盘“实例文件 \ 第 9 章 \ 原始文件 \ 任免通知书 .docx”文档，将插入点定位在准备拆分的表格位置上，如下图所示。

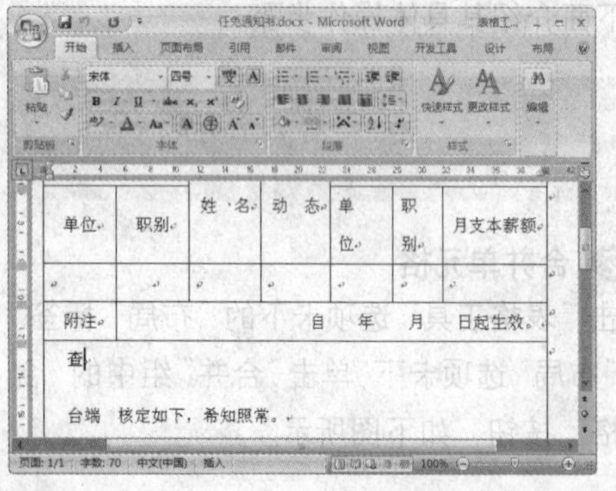

步骤 02 拆分表格

单击“表格工具”选项卡下的“布局”标签，切换至“布局”选项卡下，单击“合并”组中的“拆分表格”按钮，如下图所示。

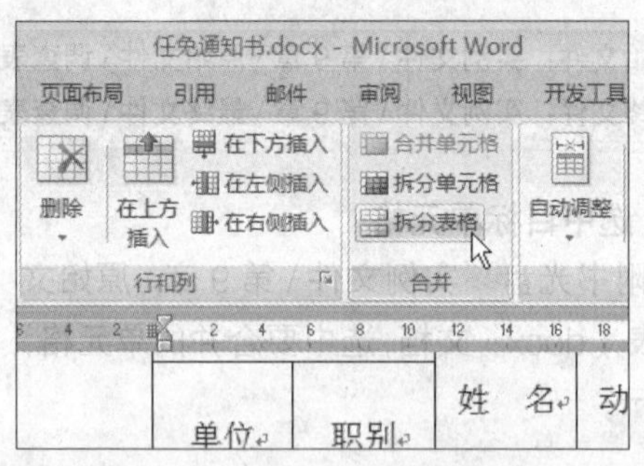

步骤 03 **显示最终效果**

经过以上操作，就完成了拆分表格的操作，最终效果如右图所示。

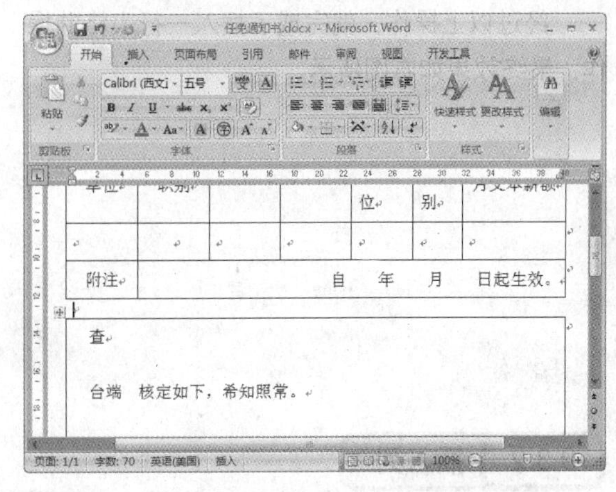

9.3 插入行和列

插入表格后，用户在实际编辑中如果发现表格的数量不够用，还可以通过设置来继续插入表格、行、列或单个单元格，下面就来介绍一下如何插入这些表格元素。

9.3.1 插入行

首先介绍插入一行表格的具体操作步骤。

原始文件：实例文件 \ 第 9 章 \ 原始文件 \ 能力分析表 1.docx
最终文件：实例文件 \ 第 9 章 \ 最终文件 \ 能力分析表 1.docx

步骤 01 **选择插入位置**

打开附书光盘“实例文件 \ 第 9 章 \ 原始文件 \ 能力分析表 1.docx”文档，将插入点定位在准备插入行表格位置的上方，如下图所示。

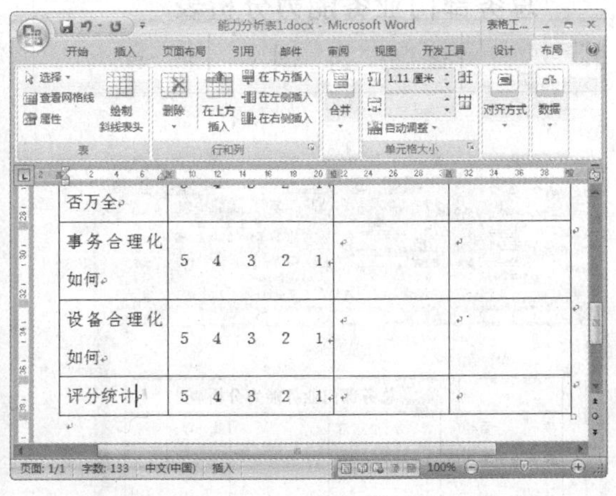

步骤 02 **插入行表格**

单击“表格工具”选项卡下的“布局”标签，切换至“布局”选项卡下，单击“行和列”组中的“在下方插入”按钮，如下图所示。

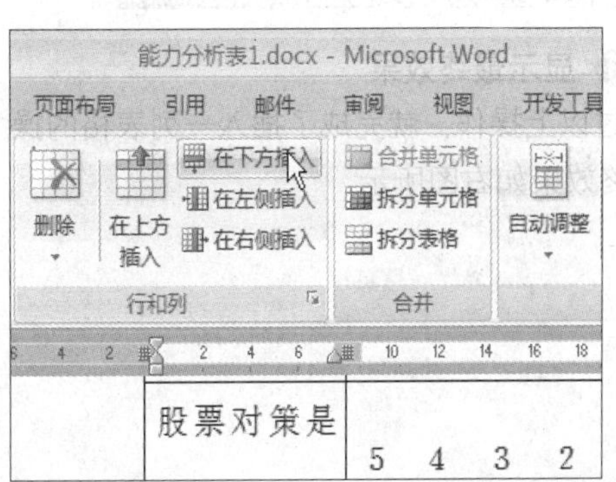

步骤 03 显示最终效果

经过以上操作，就完成了插入一行表格的操作，最终效果如右图所示。

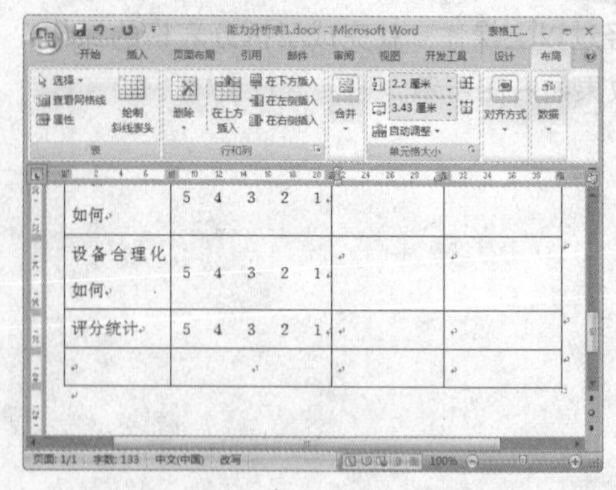

9.3.2 插入列

下面介绍插入一列表格的具体操作步骤。

原始文件：实例文件 \ 第 9 章 \ 原始文件 \ 能力分析表 .docx
最终文件：实例文件 \ 第 9 章 \ 最终文件 \ 能力分析表 .docx

步骤 01 选择插入位置

打开附书光盘“实例文件 \ 第 9 章 \ 原始文件 \ 能力分析表 .docx”文档，将插入点定位在准备插入列表格位置的左侧，如下图所示。

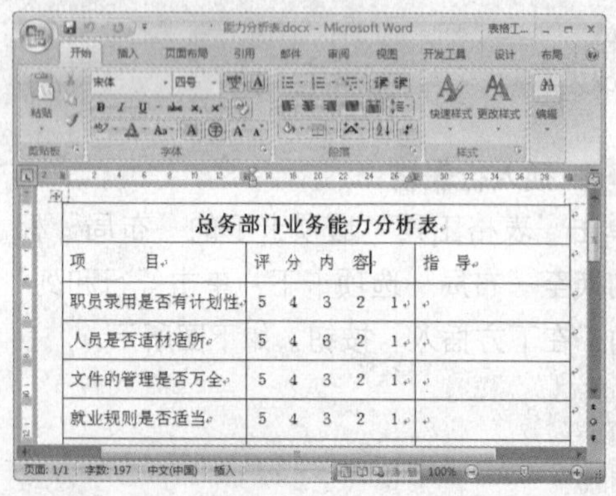

步骤 02 插入列表格

单击“表格工具”选项卡下的“布局”标签，切换至“布局”选项卡下，单击“行和列”组中的“在右侧插入”按钮，如下图所示。

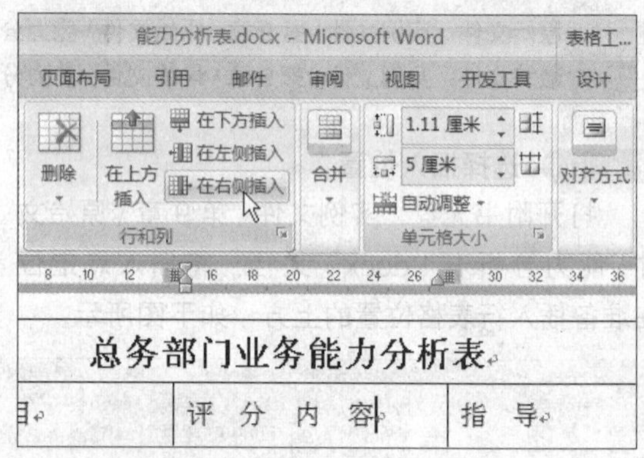

步骤 03 显示最终效果

经过以上操作，就完成了插入一列表格的操作，最终效果如右图所示。

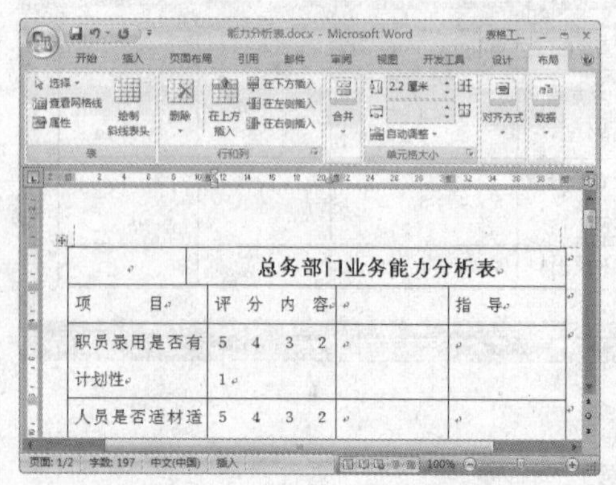

提示：使用“绘制表格”工具插入单元格

在表格中插入行或列时，也可以切换到“插入”选项卡下，单击“表格”组中的“表格”选项，在弹出的列表中选择“绘制表格”选项，返回到文档窗口中，光标会变为铅笔形状，在要插入单元格的表格内直接绘制行或列即可完成插入。

9.3.3 插入单元格

下面介绍插入单元格的具体操作步骤。

原始文件：实例文件 \ 第 9 章 \ 原始文件 \ 自我鉴定表 .docx
最终文件：实例文件 \ 第 9 章 \ 最终文件 \. 自我鉴定表 .docx

步骤 01 选择插入位置

打开附书光盘“实例文件 \ 第 9 章 \ 原始文件 \ 自我鉴定表 .docx”文档，将光标定位在准备插入单元格的位置上，如下图所示。

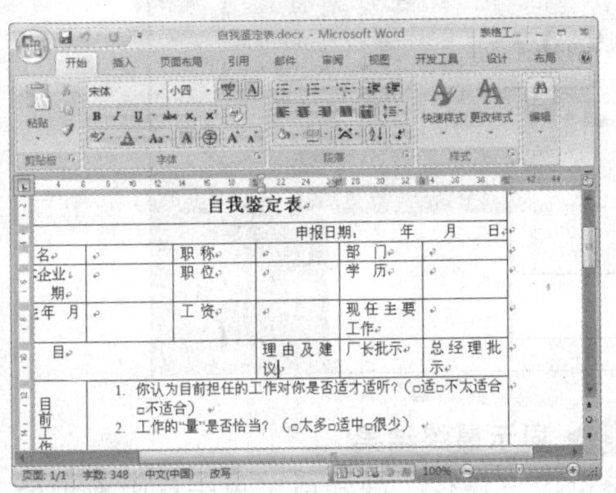

步骤 02 打开“插入单元格”对话框

单击“表格工具”选项卡下的“布局”标签，切换至“布局”选项卡下，单击“行和列”组中的对话框启动器，如下图所示。

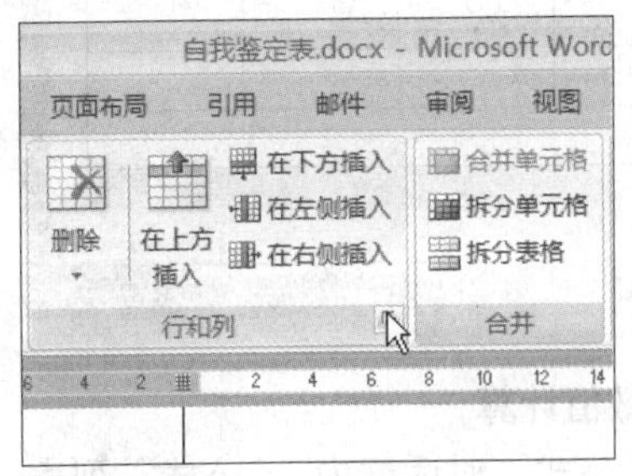

步骤 03 设置插入的单元格

在弹出的“插入单元格”对话框中，单击选中“活动单元格下移”单选按钮，然后单击“确定”按钮，如下图所示。

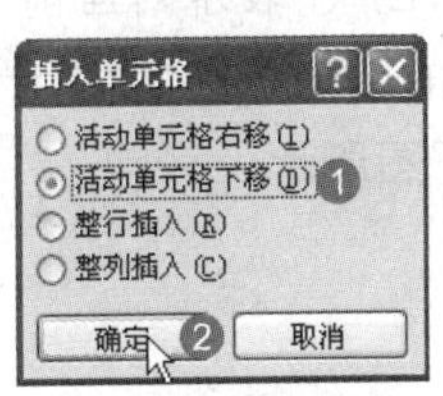

步骤 04 显示最终效果

经过以上操作，就完成了插入单元格的操作，最终效果如下图所示。

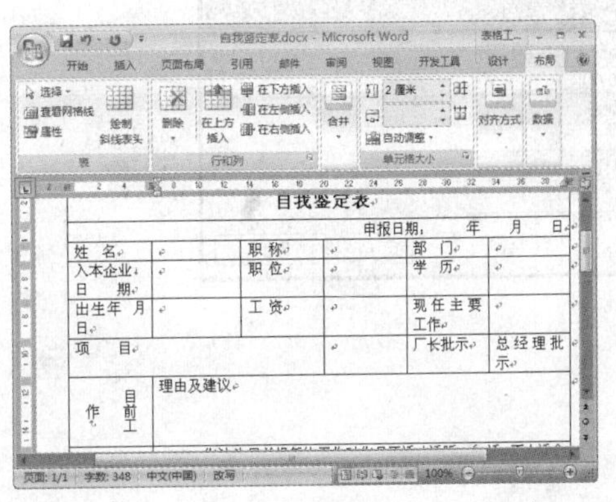

五笔打字　电脑办公

9.4 在表格中进行数据计算

如果用户所制作的表格涉及到财务内容，并应用到数据的计算，用户可以在 Word 程序中进行数据计算的操作，下面就来介绍一下如何在表格内进行计算操作。

原始文件：实例文件\第 9 章\原始文件\年终盘点表 .docx
最终文件：实例文件\第 9 章\最终文件\年终盘点表 .docx

步骤 01 选择目标单元格

打开附书光盘“实例文件\第 9 章\原始文件\年终盘点表 .docx”文档，将插入点定位在要显示计算结果的单元格内，如下图所示。

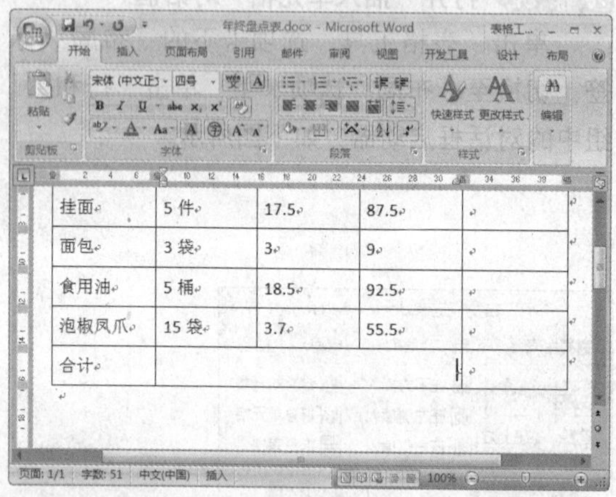

步骤 02 打开“公式”对话框

单击“表格工具”选项卡下的“布局”标签，切换至“布局”选项卡下，单击“数据”组中的“公式”按钮，如下图所示。

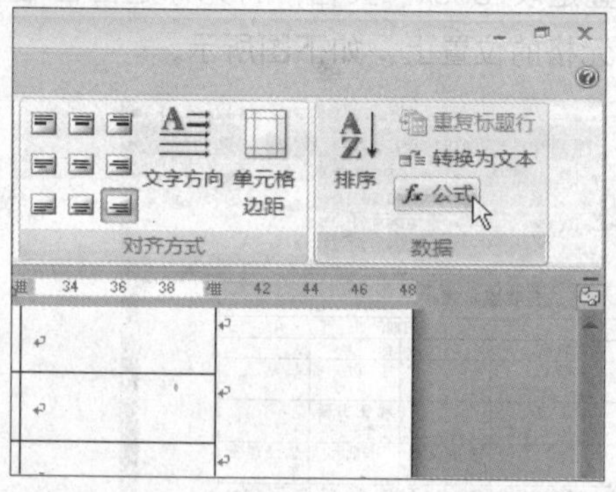

步骤 03 进行数值计算

在弹出的“公式”对话框内，“公式”列表框内默认显示“=SUM(ABOVE)”，表示对当前单元格以上的所有单元格内的数值进行累加计算，单击“确定”按钮，如下图所示。

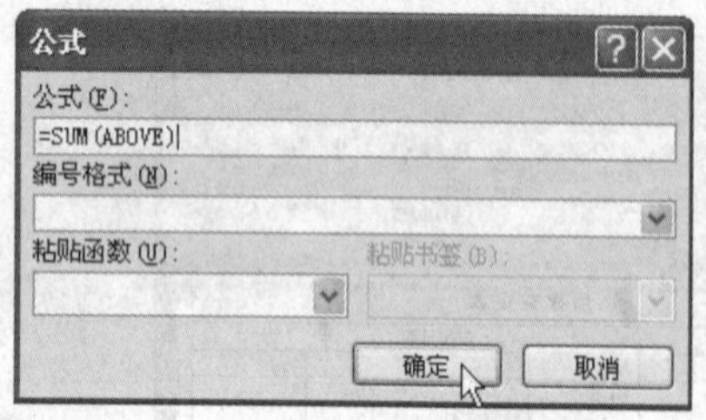

步骤 04 显示最终结果

经过以上操作，就完成了单元格内数据的计算，最终结果如下图所示。

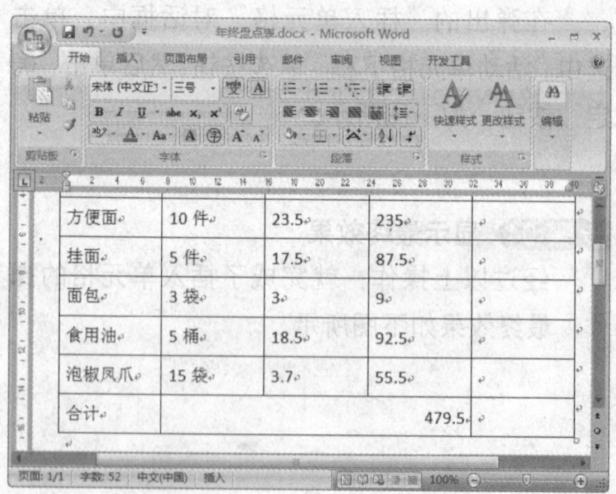

Column 技能提升

表格的操作还包括一些高级功能的运用，如在表格中绘制斜线表头、将表格与文本进行转换等操作，下面就来讲解一下如何使用以上功能进行操作。

绘制斜线表头

当表格中的内容比较复杂时，使用斜线表头进行标注说明，会让读者更容易地理解表格的内容，所以斜线表头也是非常重要的，下面就来介绍一下如何在表格中绘制斜线表头。

原始文件：实例文件 \ 第 9 章 \ 原始文件 \ 日程表 .docx
最终文件：实例文件 \ 第 9 章 \ 最终文件 \ 日程表 .docx

步骤 01 选择目标单元格

打开附书光盘“实例文件 \ 第 9 章 \ 原始文件 \ 日程表 .docx”文档，将插入点定位在要绘制斜线表头的单元格中，如下图所示。

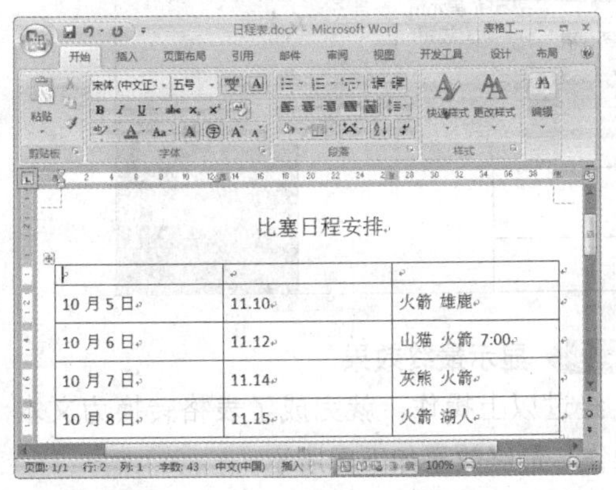

步骤 02 打开“绘制斜线表头”对话框

单击“表格工具”选项卡下的“布局”标签，切换至“布局”选项卡下，单击“表”组中的“绘制斜线表头”按钮，如下图所示。

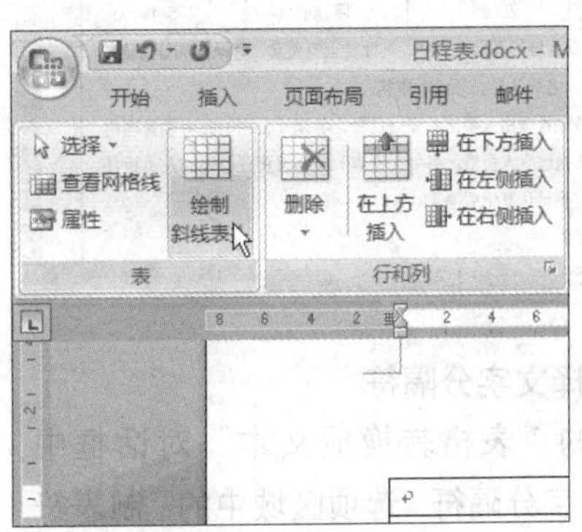

步骤 03 设置“表头样式”

在弹出的“插入斜线表头”对话框中，单击“表头样式”文本框右侧的下拉按钮，在弹出的列表中选择“样式二”选项，再单击“确定”按钮，如下图所示。

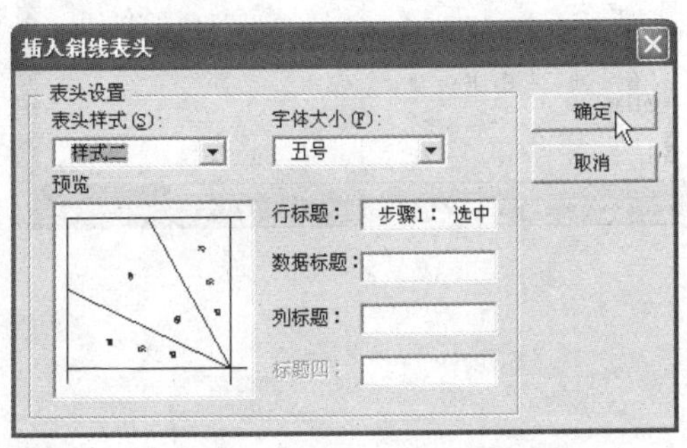

步骤 04 显示最终效果

经过以上操作，就完成了表格斜线表头的绘制，最终效果如下图所示。

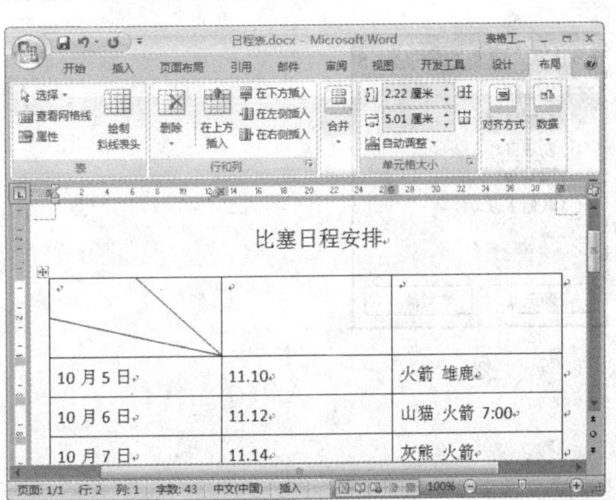

五笔打字

电脑办公

表格与文本的转换

当用户将表格制作完毕后，发现表格的内容需要以文本的形式来表达时，可以使用表格与文本转换的功能，将表格转换为文本，下面介绍其具体操作方法。

原始文件：实例文件\第 9 章\原始文件\动态通知单 .docx
最终文件：实例文件\第 9 章\最终文件\动态通知单 .docx

步骤 01 选择目标单元格

打开附书光盘"实例文件\第 9 章\原始文件\公司考勤制度 .docx"文档，将插入点定位在表格中的表标题单元格内，如下图所示。

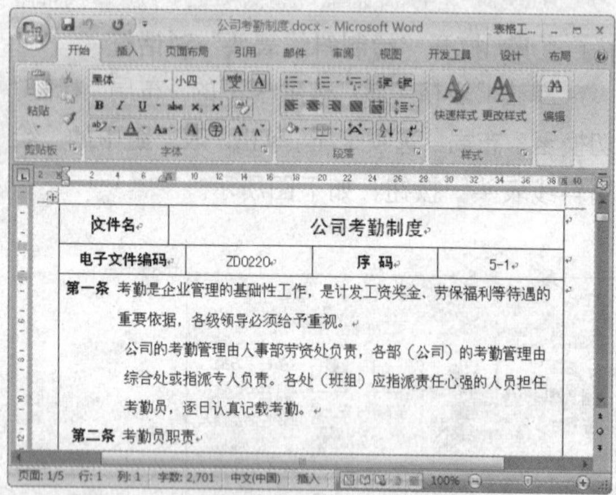

步骤 02 打开"表格转换成文本"对话框

单击"表格工具"选项卡下的"布局"标签，切换至"布局"选项卡下，单击"数据"组中的"重复标题行"按钮，如下图所示。

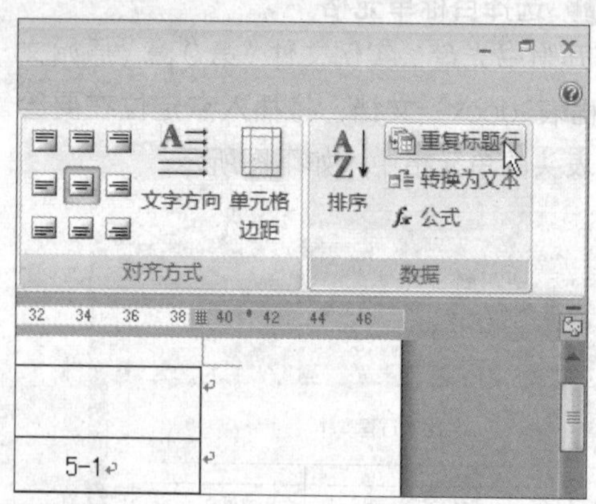

步骤 03 选择文字分隔符

在弹出的"表格转换成文本"对话框中，单击选中"文字分隔符"选项区域中的"制表符"单选按钮，然后单击"确定"按钮，如下图所示。

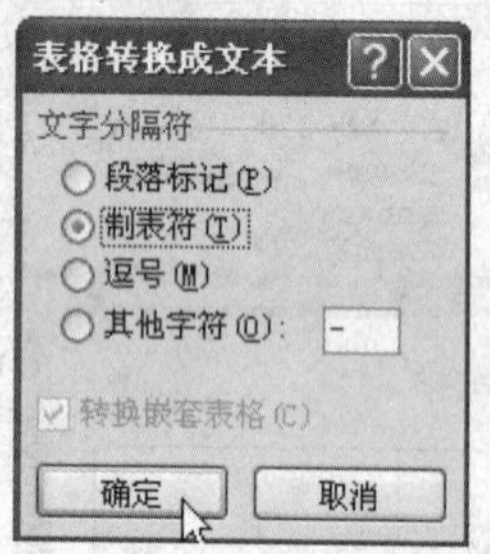

步骤 04 显示最终效果

经过以上操作，就完成了表格转换为文本的操作，最终效果如下图所示。

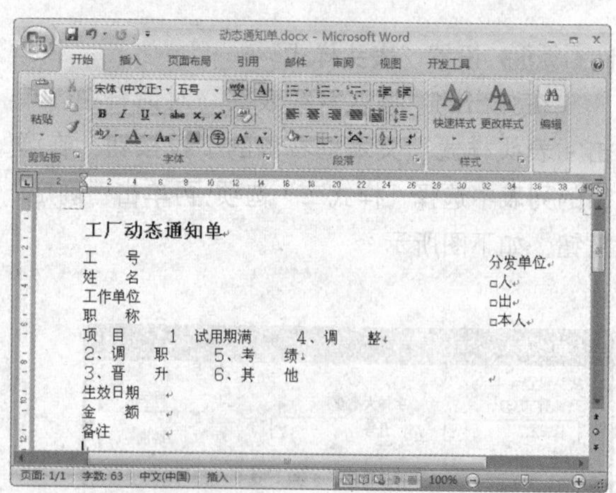

重复标题行

当用户制作的表格篇幅较长且已经分页时，可以使用重复标题行功能，使标题行重复显示在每页表格的页头位置，以便于读者查看，下面介绍其具体操作方法。

原始文件：实例文件 \ 第 9 章 \ 原始文件 \ 公司考勤制度 .docx

最终文件：实例文件 \ 第 9 章 \ 最终文件 \ 公司考勤制度 .docx

步骤 01 选择目标单元格

打开附书光盘“实例文件 \ 第 9 章 \ 原始文件 \ 公司考勤制度 .docx”文档，将插入点定位在表格中的表标题单元格内，如下图所示。

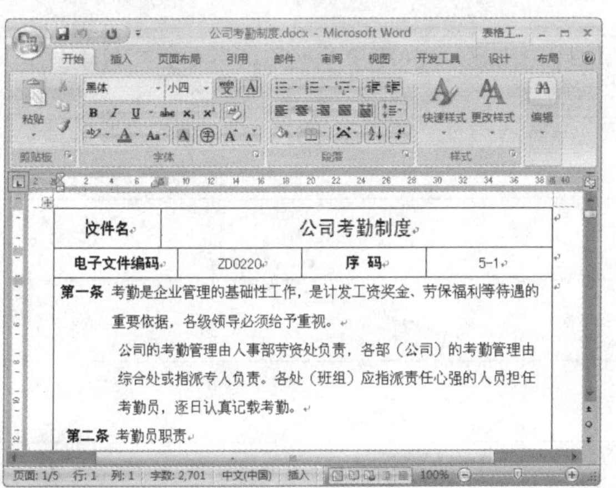

步骤 02 设置重复标题行

单击“表格工具”选项卡下的“布局”标签，切换至“布局”选项卡下，单击“数据”组中的“重复标题行”按钮，如下图所示。

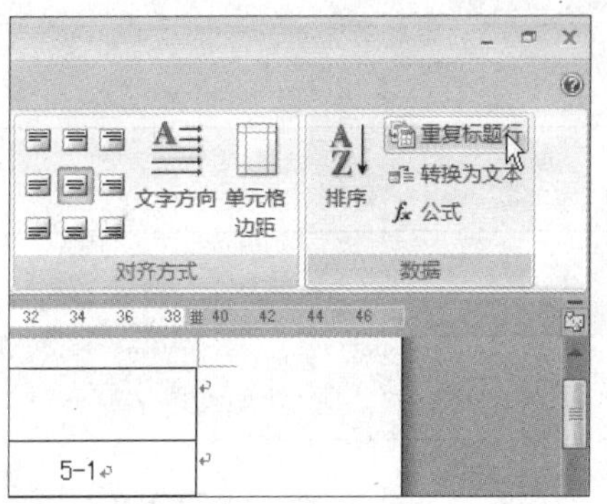

步骤 03 显示最终效果

经过以上操作，就完成了在每页表格的页首重复标题行的操作，最终效果如右图所示。

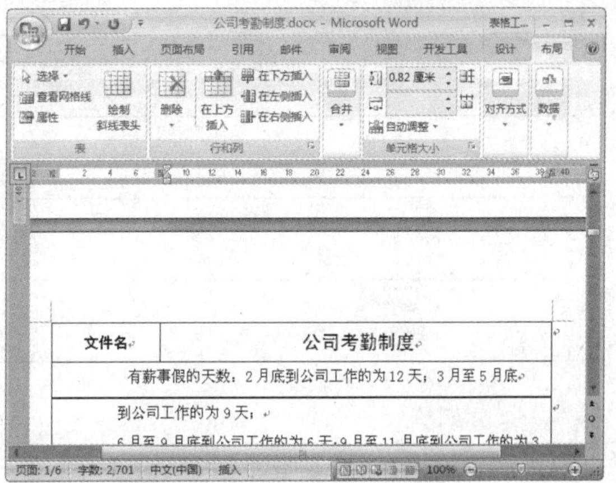

读书笔记

10 美化 Word 文档

本章建议学习时间

本章建议学习时间为 60 分钟，其中 20 分钟用于学习教材知识，40 分钟用于上机操作。

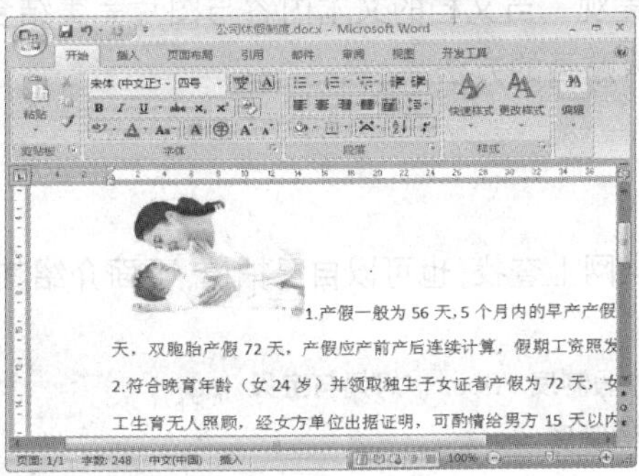

插入图片

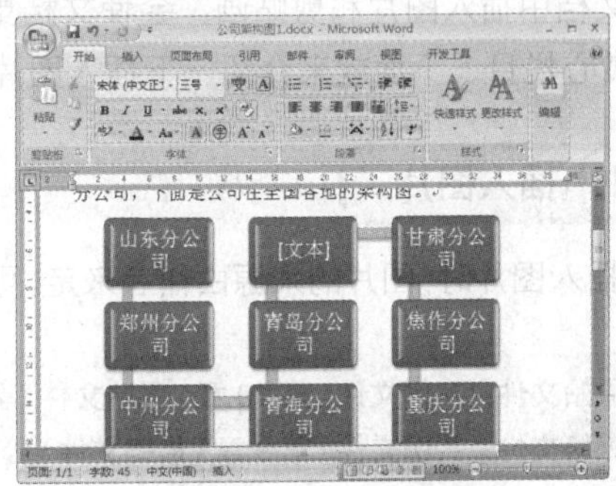

插入 SmartArt 图形

学习完本章后您可以

1. 在文档中插入图片和剪贴画
2. 设置图片格式
3. 插入自选图形
4. 插入艺术字
5. 插入 SmartArt 图形

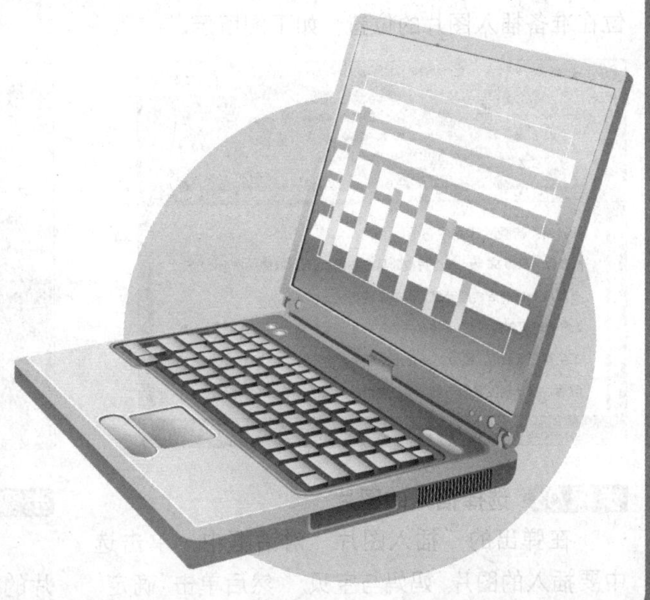

第 10 章 美化 Word 文档

在文档内容录入完成后，为了使其界面更为美观，用户可以在文档中插入一些图片、艺术字或形状图形来美化界面，适当添加图片会使文档更生动，达到图文并茂的效果。本章就来介绍一下如何在文档中插入这些图片。

10.1 在文档中插入图片和剪贴画

在文档中插入图片和剪贴画，会使文档更加美观，当文档的文本内容与图片完美结合时会令读者觉得赏心悦目。下面就来介绍一下插入图片和剪贴画的方法。

10.1.1 插入图片

在插入图片时，图片的来源由作者来定，可以从网上查找，也可以自己拍摄，下面介绍其插入方法。

原始文件：实例文件\第 10 章\原始文件\公司休假制度 . docx、妈妈与宝贝 .jpg
最终文件：实例文件\第 9 章\最终文件\公司休假制度 .docx

步骤 01 选择插入位置

打开附书光盘“实例文件\第 10 章\原始文件\公司休假制度 .docx”文档，将插入点定位在准备插入图片的位置，如下图所示。

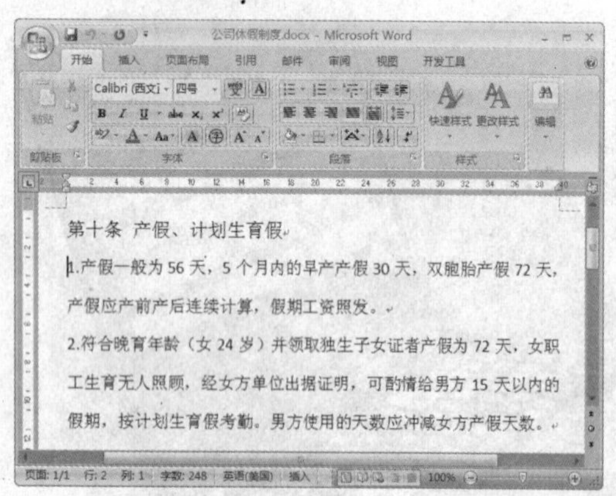

步骤 02 打开“插入图片”对话框

单击“插入”标签，切换至“插入”选项卡下，单击“插图”组中的“图片”按钮，如下图所示。

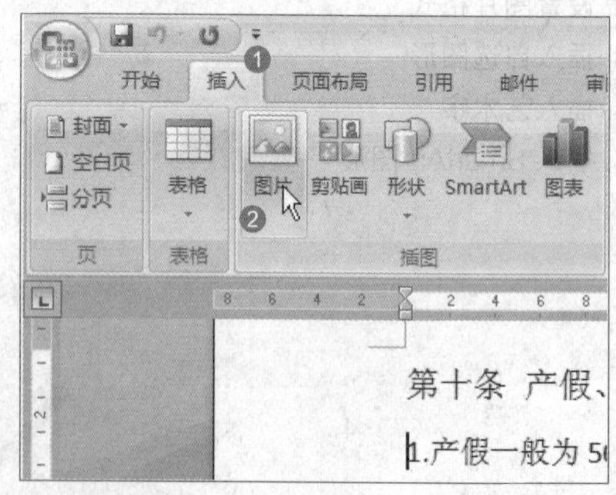

步骤 03 选择插入的图片

在弹出的“插入图片”对话框中，单击选中要插入的图片“妈妈与宝贝”，然后单击“确定”按钮，如下图所示。

步骤 04 显示最终效果

经过以上操作，就完成了在文档中插入图片的操作，最终效果如下图所示。

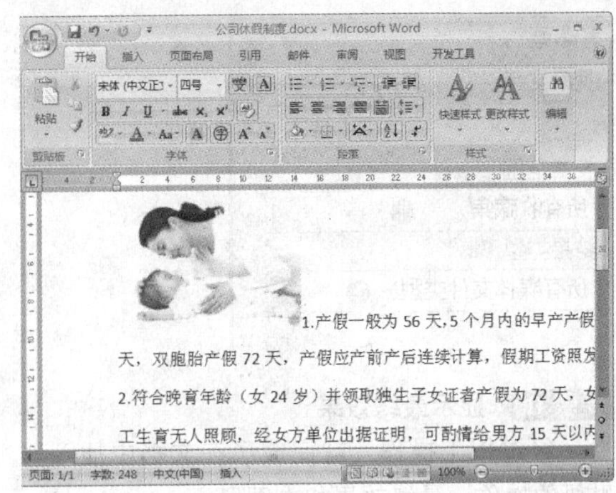

10.1.2 插入剪贴画

剪贴画是 Word 程序自带的存放在剪辑库中的一些矢量图片，涉及范围很广，下面介绍插入剪贴画的方法。

原始文件：实例文件 \ 第 10 章 \ 原始文件 \ 办公用品使用规定 .docx、剪贴画 .wmf
最终文件：实例文件 \ 第 10 章 \ 最终文件 \ 办公用品使用规定 .docx

步骤 01 选择插入位置

打开附书光盘“实例文件 \ 第 10 章 \ 原始文件 \ 办公用品使用规定 .docx”文档，将插入点定位在准备插入剪贴画的位置，如下图所示。

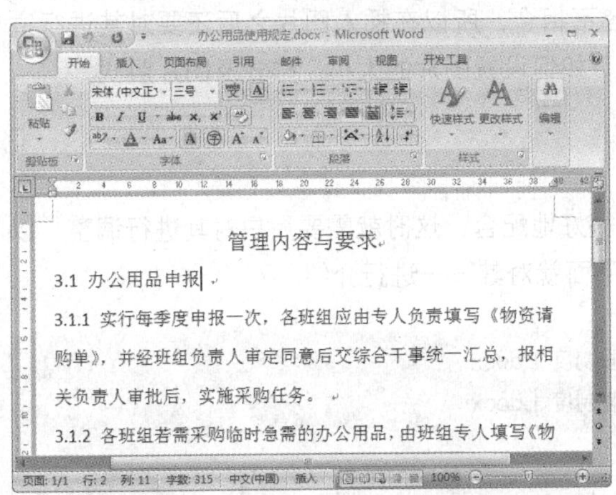

步骤 02 打开“剪贴画”任务窗格

单击“插入”标签，切换至“插入”选项卡下，单击“插图”组中的“剪贴画”按钮，如下图所示。

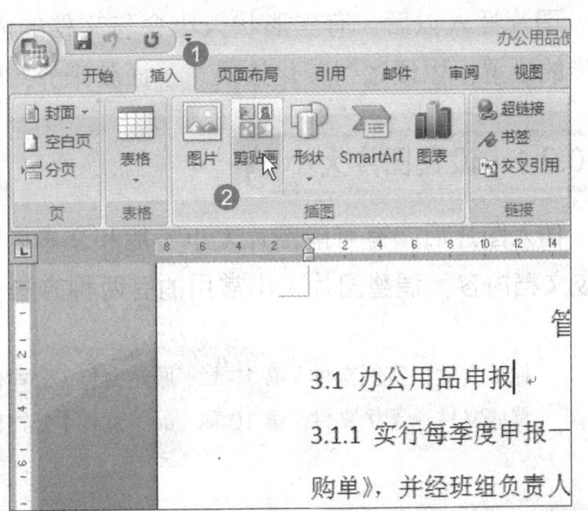

步骤 03 搜索“剪贴画”

在弹出的“剪贴画”任务窗格中，设置“搜索范围”为“所有收藏集”，“结果类型”为“所有媒体文件类型”，然后单击“搜索”按钮，如下图所示。

步骤 04 插入剪贴画

拖动任务窗格中列表框右侧的滚动条，查看列表中的剪贴画，单击选择要插入的剪贴画，如下图所示。

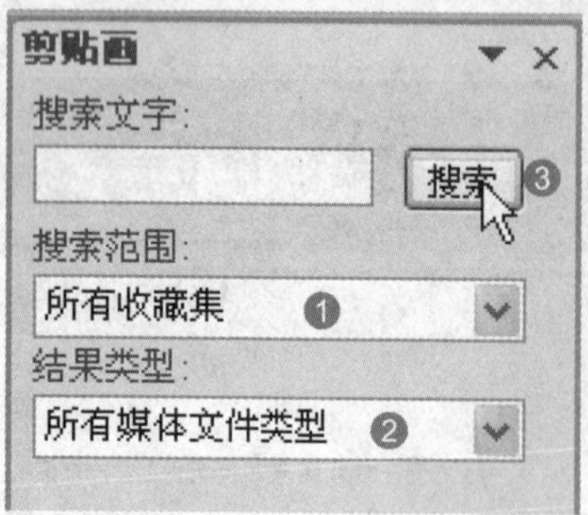

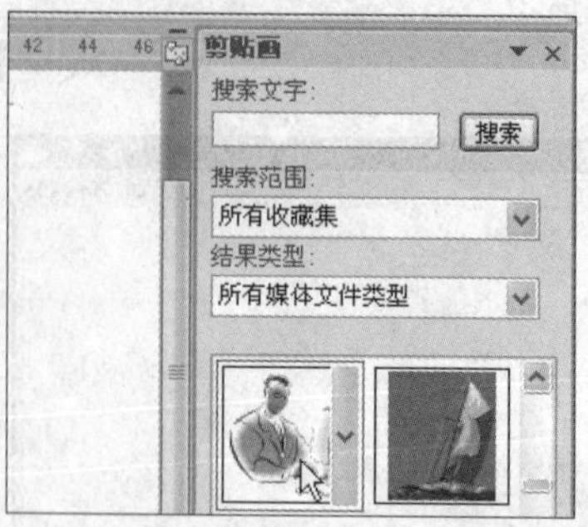

步骤 05 **显示最终效果**

经过以上操作，就完成了在文档中插入剪贴画的操作，最终效果如右图所示。

10.2 设置图片格式

图片插入以后，有些形状大小会与文档的内容不相合，所以在插入图片之后还要对其进行进一步的设置，以便达到美化效果。下面就来介绍一下如何设置图片的大小、样式及图片版式。

10.2.1 设置图片大小

插入图片后，有可能图片太小不能和文本内容很好地配合，这时就需要用户对其进行调整，以适应文档内容，调整图片大小常用的有两种方法，下面就对其一一进行介绍。

原始文件：实例文件\第 10 章\原始文件\公司休假制度 1.docx
最终文件：实例文件\第 10 章\最终文件\公司休假制度 1.docx

*** 方法一** 通过鼠标调整

步骤 01 **选择目标图片**

打开附书光盘“实例文件\第 10 章\原始文件\公司休假制度 1.docx”文档，单击选中要调整大小的图片，如下图所示。

步骤 02 **调整图片大小**

将鼠标指针指向图片四个角的控制点，当鼠标指针变成斜箭头时，按住鼠标左键不放，斜向拖动鼠标，如下图所示，就可以调整图片大小。

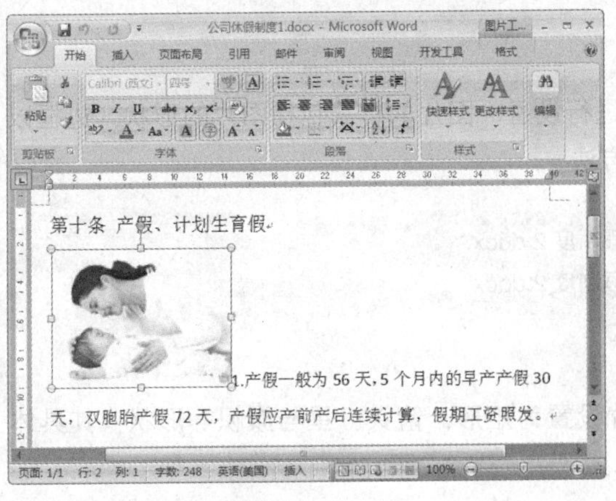

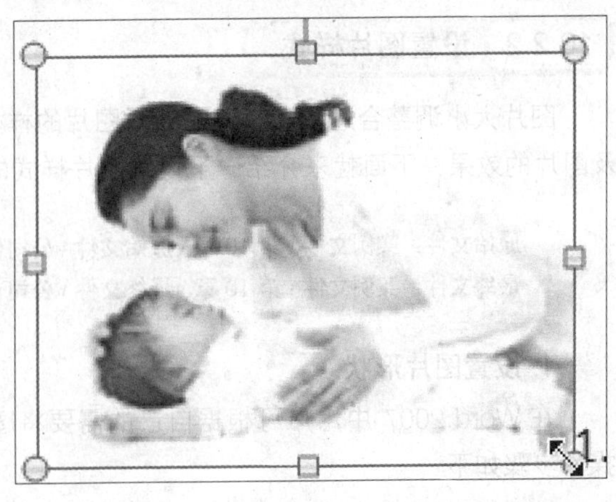

步骤 03 显示最终效果

经过以上操作，就完成了图片大小的调整，最终效果如右图所示。

＊方法二 通过功能组中的选项设置进行调整

步骤 01 调整图片大小

选中图片后，单击“图片工具”下的“格式”标签，切换至“格式”选项卡下，将“大小”组中的“形状高度”设置为“10.94 厘米”，“形状宽度”设置为“14.69 厘米”，如下图所示。

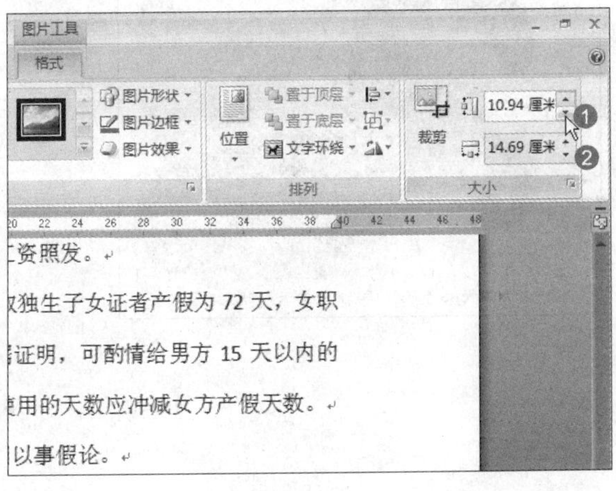

步骤 02 显示最终效果

经过以上操作，就完成了图片大小的调整，最终效果如下图所示。

10.2.2 设置图片样式

图片大小调整合适以后，还需要对图片的样式进行设置，图片的样式包括图片的形状、边框以及图片的效果，下面就来介绍一下设置图片样式的方法。

原始文件：实例文件\第 10 章\原始文件\公司休假制度 2.docx
最终文件：实例文件\第 10 章\最终文件\公司休假制度 2.docx

1. 设置图片形状

在 Word 2007 中用户可根据自己的需要将图片设置为矩形、箭头、星与旗帜等形状，其具体操作步骤如下：

步骤 01 选择需要设置的图片

打开附书光盘"实例文件\第 10 章\原始文件\公司休假制度 2.docx"文档，选中要设置形状的图片，如下图所示。

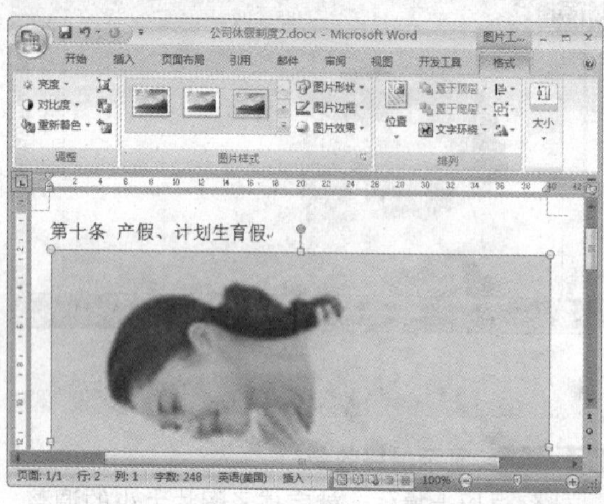

步骤 02 设置图片形状

单击"图片工具"下的"格式"标签，切换至"格式"选项卡下，单击"图片样式"组中的"图片形状"按钮，在弹出的库中单击选中"圆角矩形"选项，如下图所示。

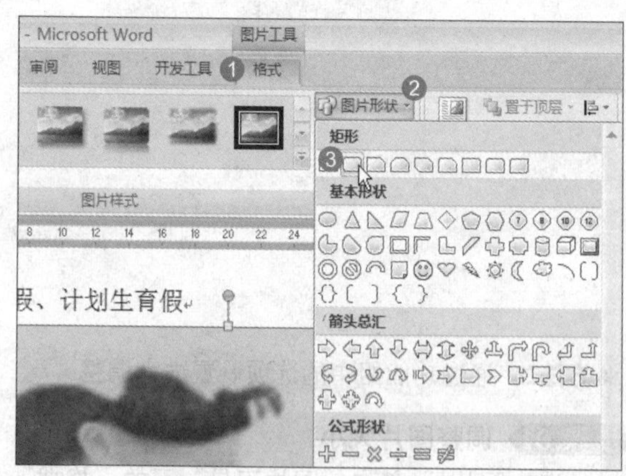

步骤 03 显示最终效果

经过以上操作，就完成了图片形状的设置，最终效果如右图所示。

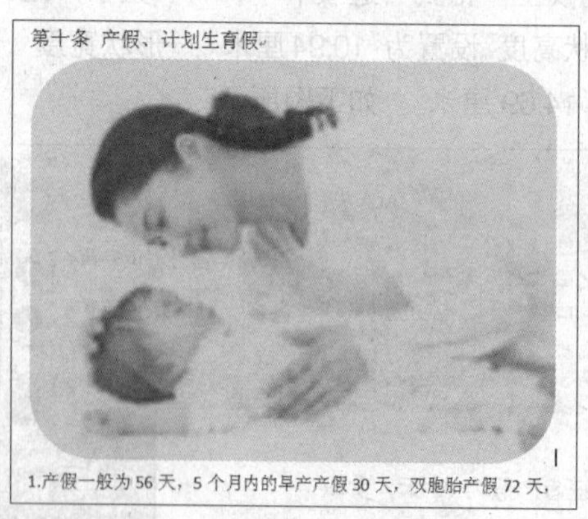

2. 设置图片边框

图片边框的设置方法如下：

步骤 01 **设置图片边框粗细**

继续上例中的操作，选中图片后，单击“图片样式”组中“图片边框”右侧的下拉按钮，在弹出的列表中将鼠标指针指向“粗细”选项，再在展开的列表中选择“4.5 磅”选项，如下图所示。

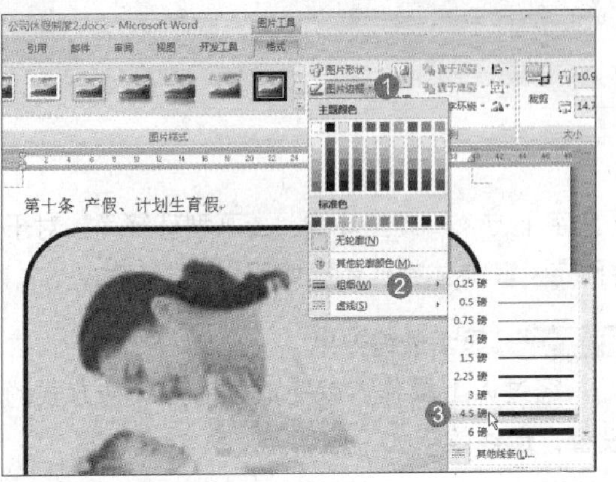

步骤 02 **设置图片边框颜色**

单击“图片样式”组中的“图片边框”右侧的下拉按钮，在弹出的列表中单击选中“红色，强调文字颜色 2，深度 25%”颜色选项，如下图所示。

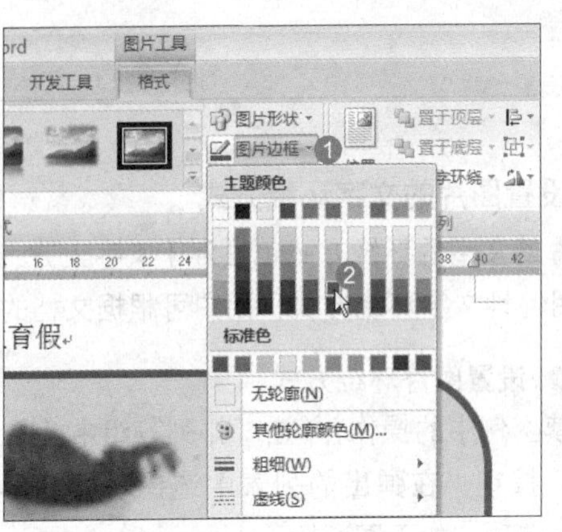

步骤 03 **显示最终效果**

经过以上操作，就完成了图片边框的设置，最终效果如右图所示。

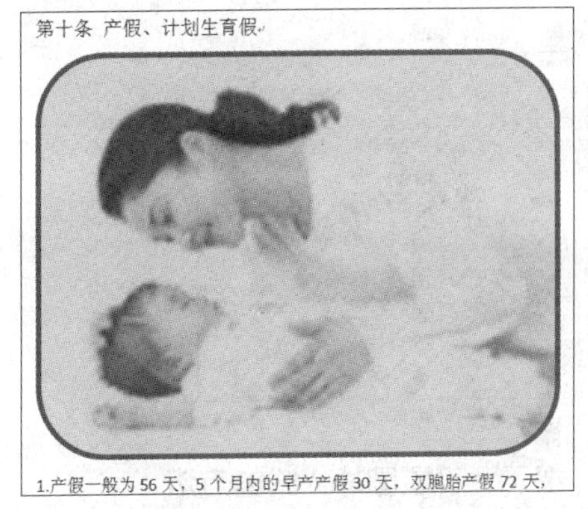

3. 设置图片效果

图片的效果包括图片的阴影、映像、三维旋转等，用户可根据文档内容的需要对图片进行设置。

步骤 01 **设置图片效果**

继续上例中的操作，选中图片后，单击“图片样式”组中的“图片效果”按钮，在弹出的库中将鼠标指针指向“映像”选项，再在展开的子库中选择“半映像，接触”样式，如右图所示。

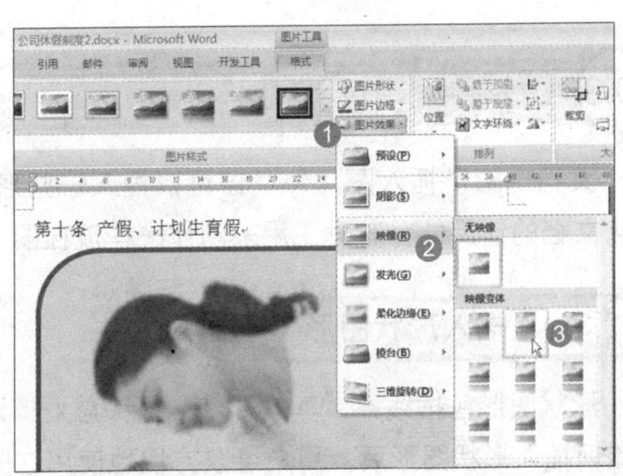

步骤 02 显示最终效果

经过以上操作，就完成了图片效果的设置，最终效果如右图所示。

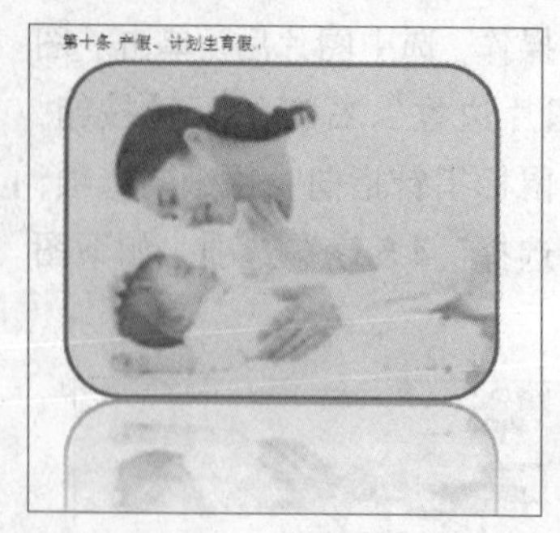

4. 设置图片的文字环绕方式

图片的文字的环绕方式包括浮于文字上方、衬于文字下方，四周型环绕、上下型环绕等，对于具体选用何种文字环绕方式，用户可根据文档的内容而定，其具体操作步骤如下：

步骤 01 设置图片环绕方式

继续上例中的操作，单击“排列”组中“文字环绕”按钮，在弹出的列表中选择“衬于文字下方”选项，如下图所示。

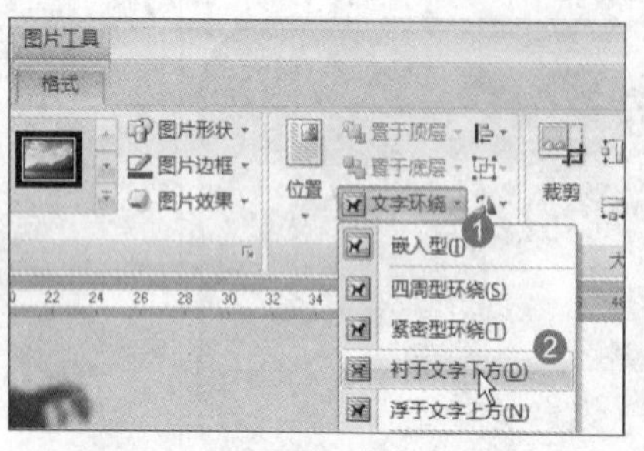

步骤 02 显示最终效果

经过以上操作，就完成了图片环绕方式的设置，最终效果如下图所示。

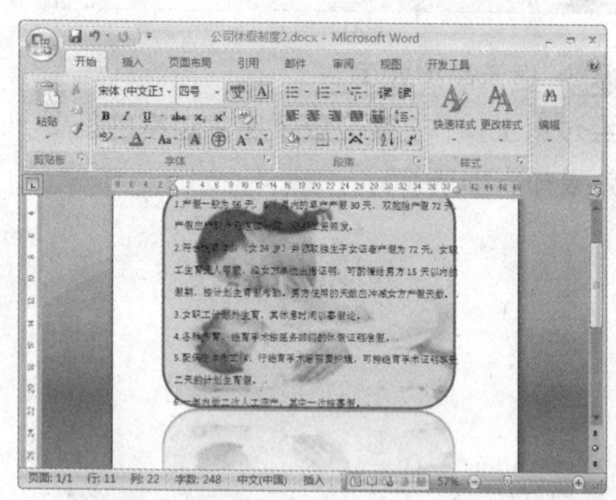

提示：设置图片格式的方法

在设置图片的样式、效果或文字环绕方式时，可以将鼠标指针指向图片后右击鼠标，在弹出的快捷菜单中选择“设置图片格式”选项，打开“设置图片格式”对话框，然后进行相应设置即可。在设置文字环绕方式时，可以在图片上右击鼠标，在弹出的快捷菜单中将指针指向“文字环绕”选项，再按照需要在展开的菜单中选择相应的命令。

10.3 插入并编辑形状图形

文档中除了插入图片外，还可以插入一些形状图形来进行文档的美化设置，而形状图形除了美化文档的作用外，有时还用来制作一些流程图，下面就来介绍一下形状图形的插入与编辑。

10.3.1 插入形状图形

形状图形包括线条、基本形状、箭头总汇、流程图、标注、星与旗帜六个类别的图形，在了解了如何插入形状图形后，用户可以方便地使用这些形状图形。

原始文件：实例文件 \ 第 10 章 \ 原始文件 \ 公司创办流程 .docx
最终文件：实例文件 \ 第 10 章 \ 最终文件 \ 公司创办流程 .docx

步骤 01 选择插入的位置

打开附书光盘“实例文件 \ 第 10 章 \ 原始文件 \ 公司创办流程 .docx”文档，将插入点定位在要插入形状图形的位置，如下图所示。

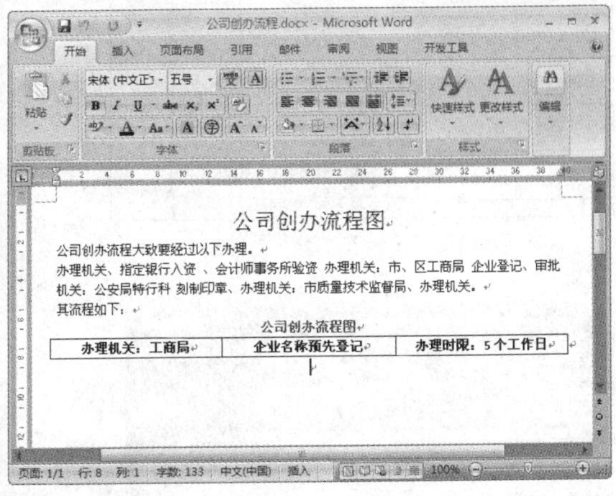

步骤 02 插入形状图形

单击“插入”标签，切换至“插入”选项卡下，单击“插图”组中“形状”按钮，在弹出的列表中选择“流程图”中的“决策”选项，如下图所示。

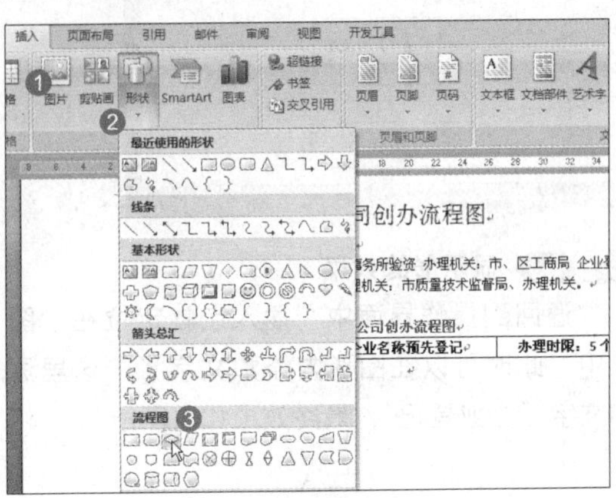

步骤 03 绘制图形形状，显示最终效果

返回到 Word 文档窗口中，鼠标指针变成十字形状，按住鼠标左键不放，水平拖动鼠标，至合适大小时释放鼠标，即可完成图形的绘制，最终效果如右图所示。

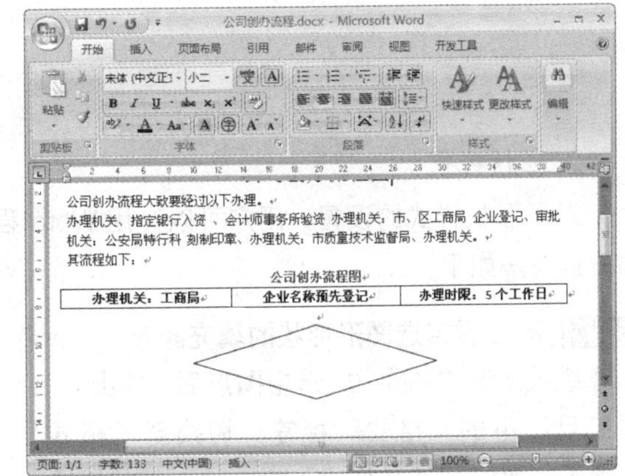

10.3.2 编辑形状图形

形状图形在插入之后，用户如果觉得图形效果不合适，还可以对其形状、效果及排列方式进行设置，以便使形状图形更加生动具体，下面就来介绍一下如何对形状图形进行编辑。

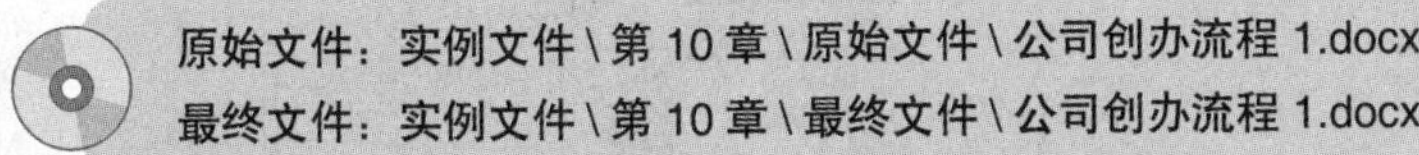

原始文件：实例文件 \ 第 10 章 \ 原始文件 \ 公司创办流程 1.docx
最终文件：实例文件 \ 第 10 章 \ 最终文件 \ 公司创办流程 1.docx

1. 在形状图形中添加文字

如果用户制作的是流程图，就需要在图形内添加文字，其具体操作步骤如下：

步骤 01 选择要设置的形状图形

打开附书光盘"实例文件\第 10 章\原始文件\公司创办流程 1.docx"文档，选中要设置的形状图形，如下图所示。

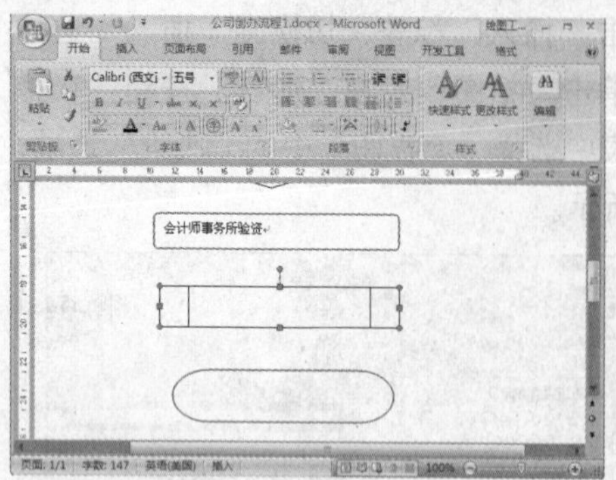

步骤 02 执行"添加文字"命令

在选中图形上右击鼠标，并在弹出的快捷菜单中选择"添加文字"命令，如下图所示。

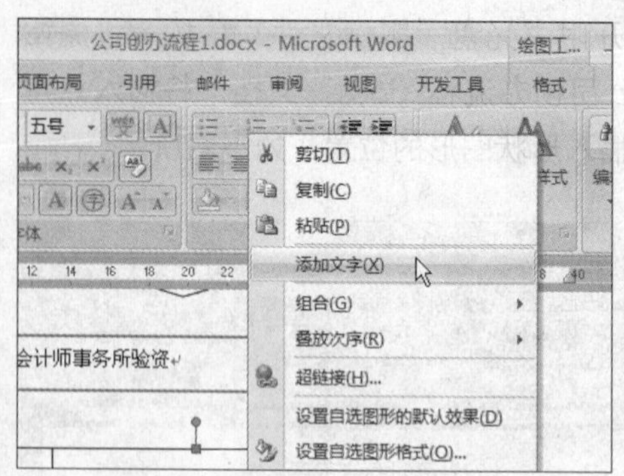

步骤 03 显示最终效果

返回到操作界面中，插入点就定位在了图形中，此时可以在图形内添加文字了。这里添加文字"企业登记"，最终效果如右图所示。

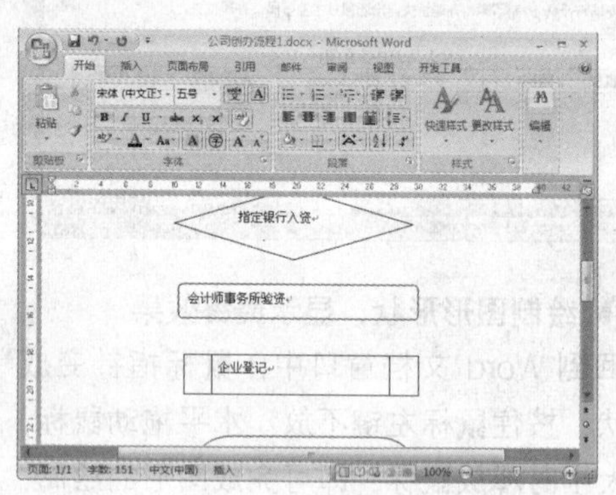

2. 形状样式

对于形状样式的设置，用户可以套用 Word 程序中已有的形状样式，也可以手动进行设置，手动设置方法如下：

步骤 01 设置自选图形形状的填充颜色

继续上例中的操作，选中图形后，单击"绘图工具"下的"格式"标签，切换至"格式"选项卡，单击"形状样式"组中的"形状填充"下拉按钮，在弹出的列表中选择"浅蓝"选项，如下图所示。

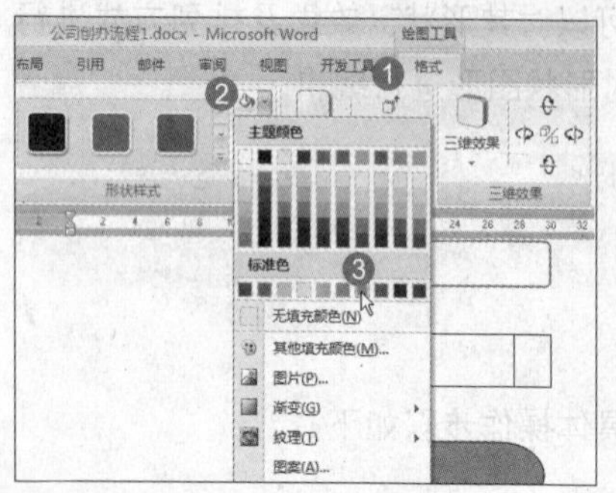

步骤 02 设置图形填充颜色的渐变效果

单击"形状填充"下拉按钮，在弹出的列表中将鼠标指针指向"渐变"选项，再在展开的列表中选择"中心辐射"选项，如下图所示。

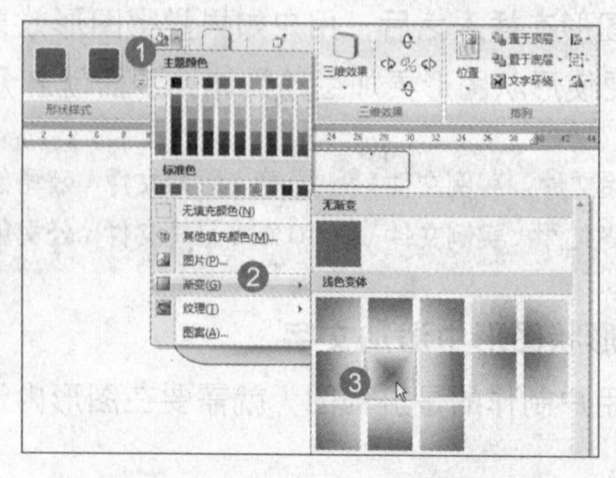

步骤 03 设置图形形状轮廓

单击“形状样式”组中的“形状轮廓”下拉按钮，在弹出的列表中选择“水绿色，强调文字颜色 5，深色 25%”选项，如下图所示。

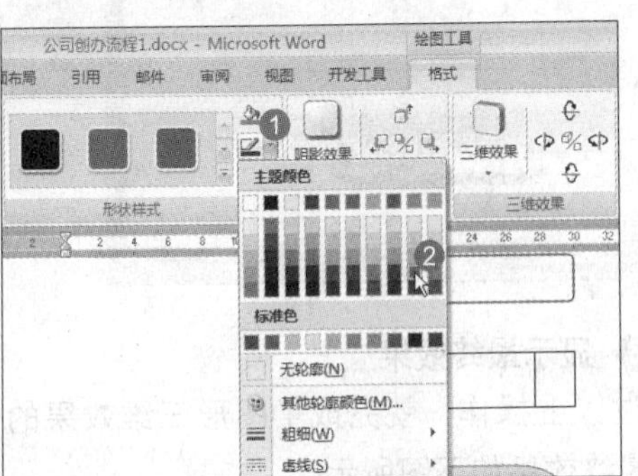

步骤 04 显示最终效果

经过以上操作，就完成了图片形状的设置，最终效果如下图所示。

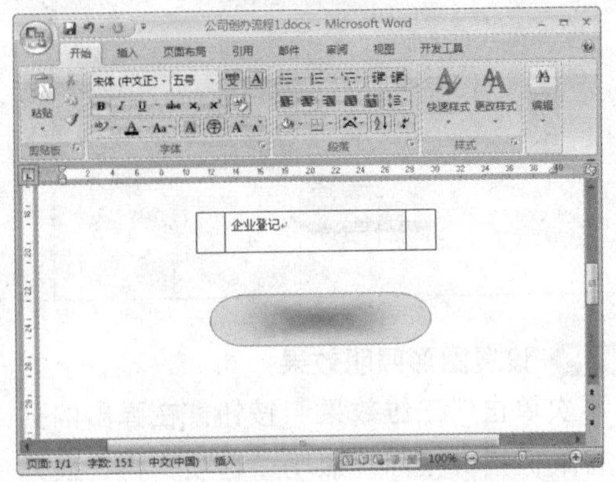

提示：套用已有的形状样式

用户在套用已有的形状样式时，可以按以下步骤操作：选中形状图形后，单击“绘图工具”下的“格式”标签，切换至“格式”选项卡下，单击“形状样式”组中列表框右侧的快翻按钮，在弹出的样式库中选择需要的样式选项即可。

3. 三维效果

图片的三维效果是指图片的立体效果，设置图形的三维效果包括图片的深度、透视及照明效果，其设置步骤如下：

步骤 01 设置形状图形的深度

继续上例中的操作，单击“三维效果”组中的“三维效果”按钮，在弹出的列表中将鼠标指针指向“深度”选项，再在展开的列表中选择“36 磅”选项，如下图所示。

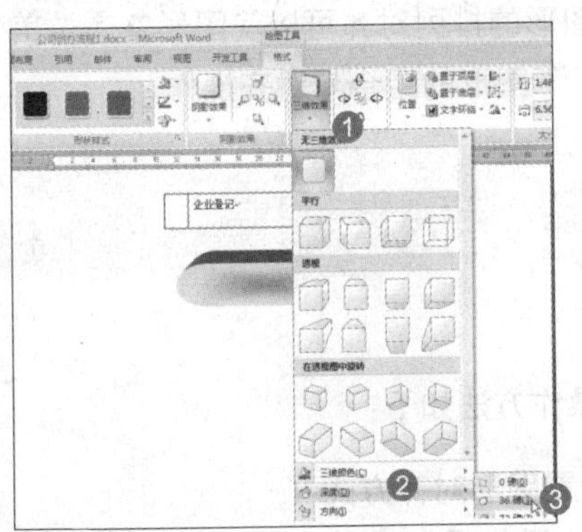

步骤 02 图形的深度显示效果

经过以上操作，就完成了图形深度的设置，其效果如下图所示。

步骤 03 设置图形透视效果

再次单击“三维效果”按钮，在弹出列表的“透视”选项区域中选择“三维样式 7”选项，如下图所示。

步骤 04 显示透视效果

经过以上操作，就完成了图形透视效果的设置，其效果如下图所示。

五笔打字

电脑办公

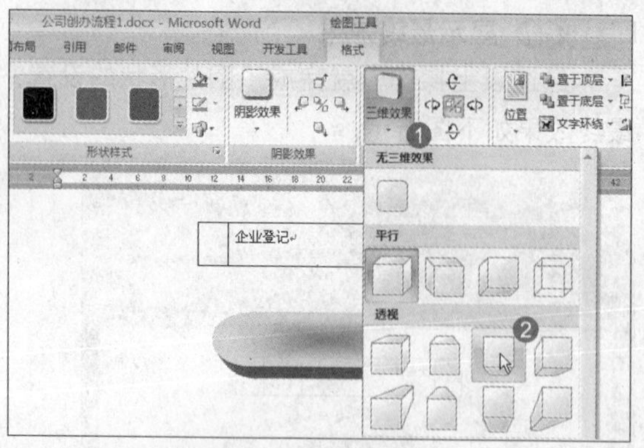

步骤 05 **设置图形照明效果**

再次单击“三维效果”按钮，在弹出的列表中将鼠标指针指向“照明”选项，再在展开的列表中选择“180 度”选项，如下图所示。

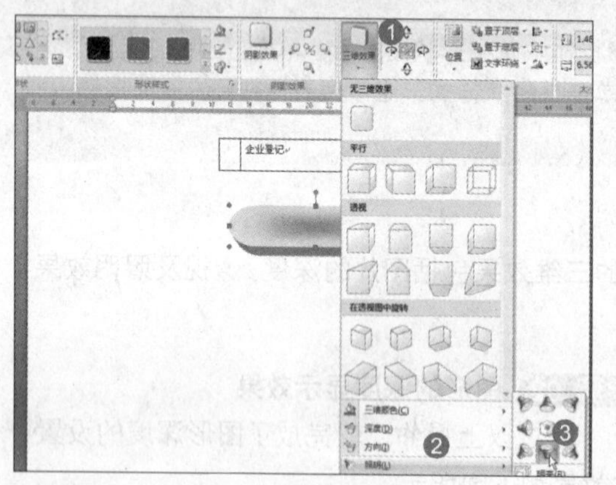

步骤 06 **显示最终效果**

经过以上操作，就完成了图形三维效果的设置，最终效果如下图所示。

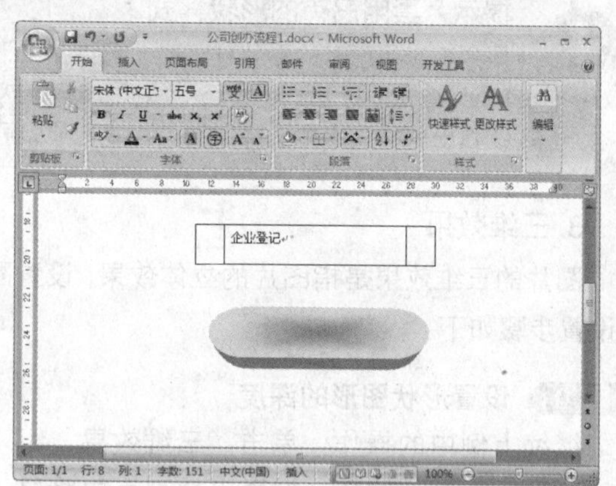

10.3.3 图形的对齐与组合

图形的对齐与组合是针对插入的多个图形而进行的操作，图形的排列对齐可以使图形整齐、美观，而组合图形则有利于多个图形的统一设置，下面就来介绍一下图形的组合与对齐操作。

原始文件：实例文件\第 10 章\原始文件\公司创办流程 2.docx
最终文件：实例文件\第 10 章\最终文件\公司创办流程 2.docx

1. 图形的对齐

图形的对齐即是将多个图形按照一定的规律进行排列，其操作方法如下：

步骤 01 **选中要设置的形状图形**

打开附书光盘“实例文件\第 10 章\原始文件\公司创办流程 2.docx”文档，选中要设置的形状图形，如下图所示。

步骤 02 **设置图形对齐方式**

单击“绘图工具”下的“格式”标签，切换至“格式”选项卡下，单击“排列”组中的“对齐”按钮，在弹出的列表中选择“左右居中”选项，如下图所示。

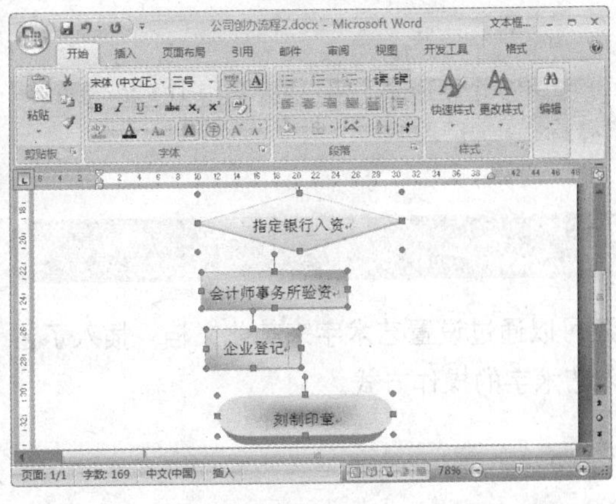

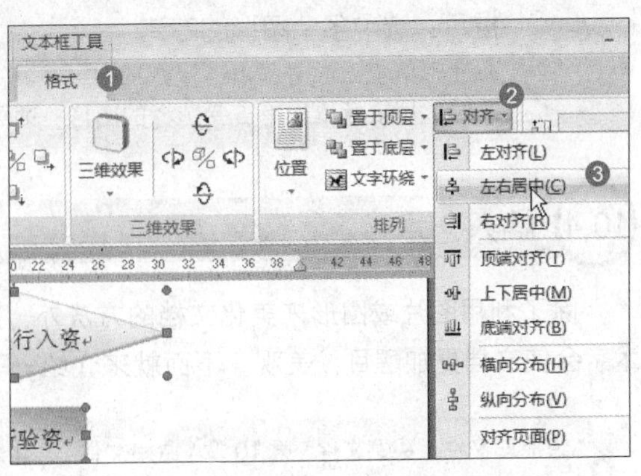

步骤 03 显示最终效果

经过以上操作，就完成了图形的排列设置，最终效果如右图所示。

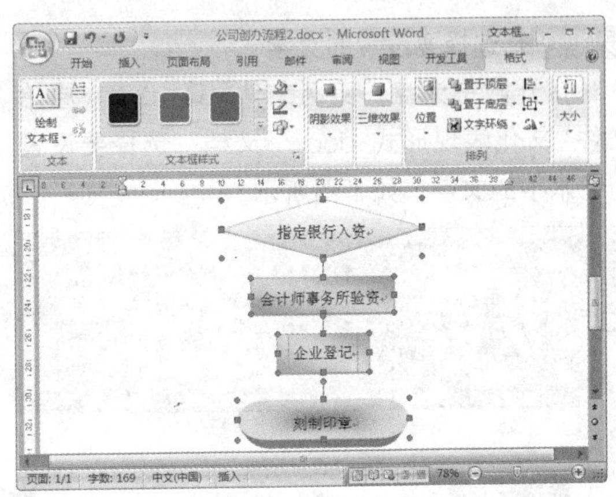

2. 图形的组合

当文档内插入了多个形状图形后，需要将其全部进行移动时，逐个移动会浪费很多时间，而且图形间的相对位置关系也很难保证不变，这时用户就可以将其组合在一起统一移动，其设置方法如下：

步骤 01 设置图形组合

继续上例中的操作，选中要组合的图形后，单击“排列”组中“组合”按钮，在弹出的列表中选择“组合”选项，如下图所示。

步骤 02 显示最终效果

经过以上操作，就完成了图形组合的设置，最终效果如下图所示。当用户想取消组合时，按照同样的方法操作选择“取消组合”选项即可。

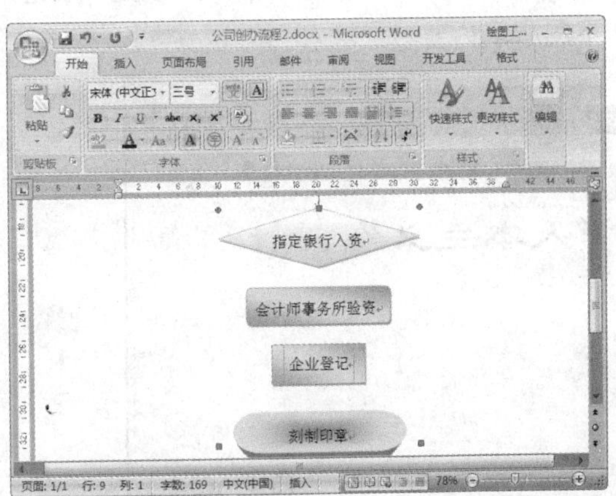

提示：选中多个图形的方法

在选中单个图形时，单击该图形即可将其选中，在选择多个图形时，用户可以在按住 Ctrl 键的同时，用鼠标依次单击要选择的图形，即可完成对多个图形的选取。

10.4 插入艺术字

除了利用图片或图形来美化文档的方法外，用户还可以通过设置艺术字来美化文档，插入了艺术字会使文档更加醒目、美观。下面就来介绍一下插入艺术字的操作方式。

原始文件：实例文件\第 10 章\原始文件\文化表现形式 .docx
最终文件：实例文件\第 10 章\最终文件\文化表现形式 .docx

步骤 01 选择要设置的文字

打开附书光盘“实例文件\第 10 章\原始文件\文化表现形式 .docx”文档，选择要设置为艺术字的文字，如下图所示。

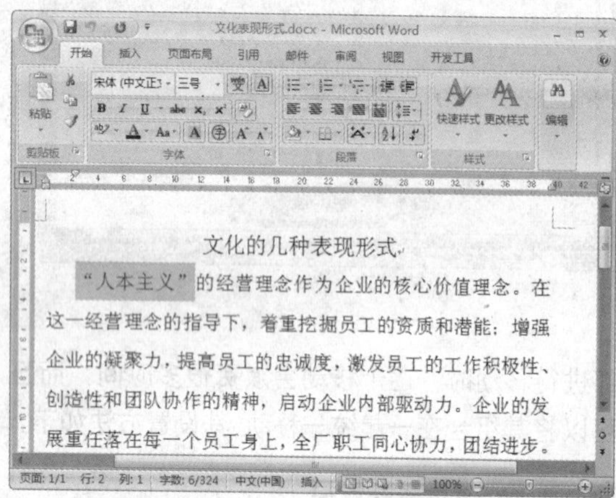

步骤 02 选择艺术字样式

单击“插入”标签，切换至“插入”选项卡下，单击“文本”组中的“艺术字”按钮，在弹出的库中选择要设置的样式，如下图所示。

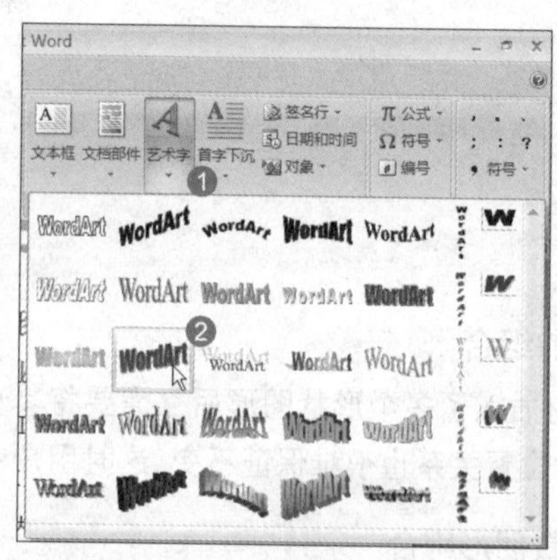

步骤 03 编辑艺术字文字

在弹出的“编辑艺术字文字”对话框中，设置“字体”为“隶书”，然后单击“确定”按钮，如下图所示。

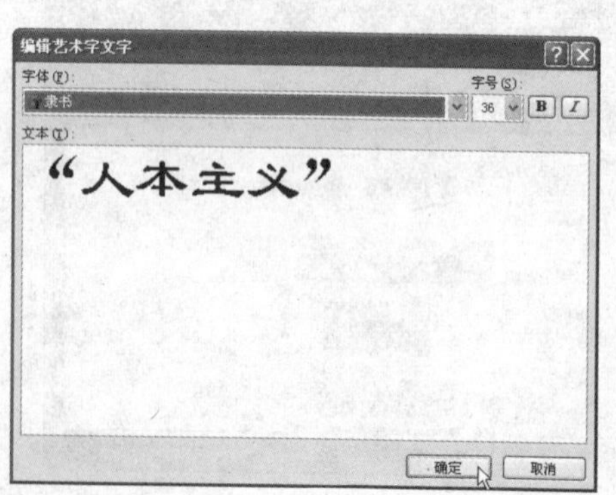

步骤 04 显示最终效果

经过以上操作，就完成了艺术字的插入，最终效果如下图所示。

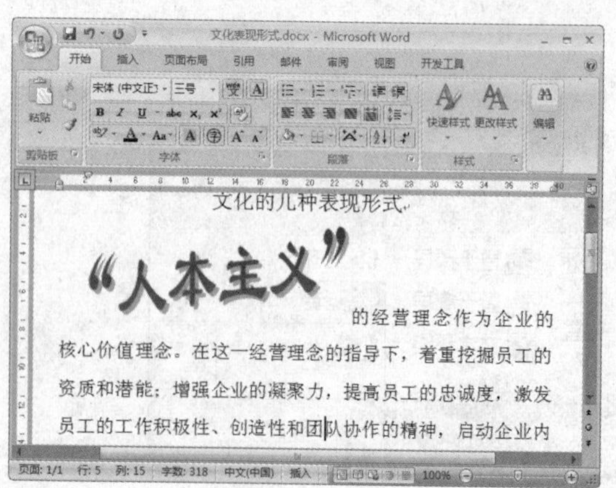

提示：艺术字的编辑

艺术字的编辑与图形形状的编辑步骤基本一致，因此本节中就不多做介绍了。用户如果需要对艺术字进行编辑设置，按照编辑图形形状的方法来编辑即可。

Column 技能提升

当用户想制作流程图或者其他图形组合时可以插入 SmartArt 图形，它是 Word 系统中已经设置好格式的图形列表，插入 SmartArt 图形可以更直观地帮助用户表达文档的内容，并且有助于读者的记忆。

插入 SmartArt 图形

SmartArt 图形包括列表图、流程图、循环图、层次结构图、关系图等，用户可以根据自身的需要来插入 SmartArt 图形。

原始文件：实例文件 \ 第 10 章 \ 原始文件 \ 公司架构图 .docx
最终文件：实例文件 \ 第 10 章 \ 最终文件 \ 公司架构图 .docx

步骤 01 打开目标文本

打开附书光盘“实例文件 \ 第 10 章 \ 原始文件 \ 公司架构图 .docx”文档，将插入点定位在要插入 SmartArt 图形的位置，如下图所示。

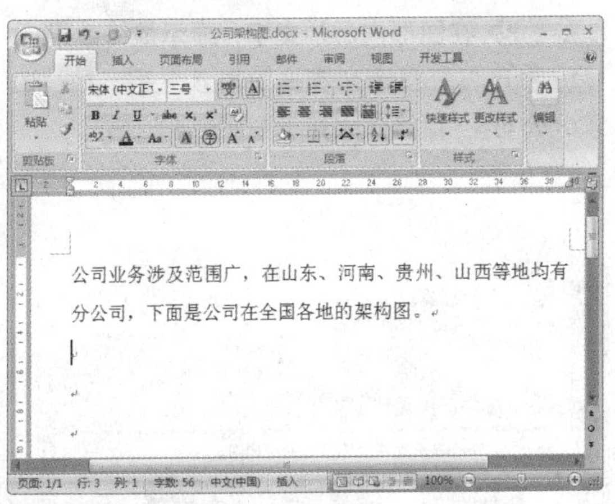

步骤 02 打开“选择 SmartArt 图形”对话框

单击“插入”标签，切换至“插入”选项卡下，再单击“插图”组中的“SmartArt”按钮，如下图所示。

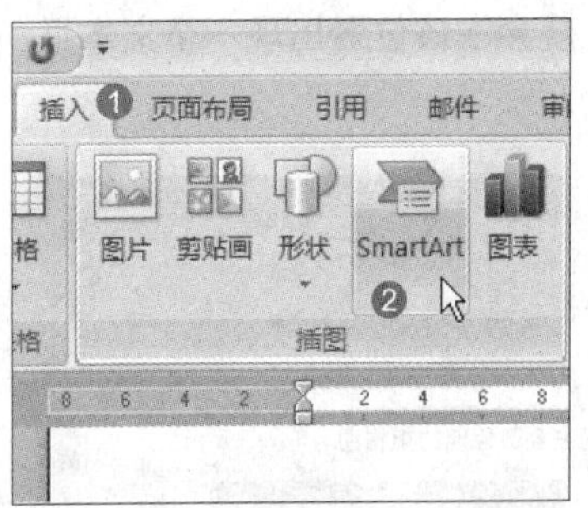

步骤 03 选择 SmartArt 图形

在弹出的“选择 SmartArt 图形”对话框中，选择“流程”选项，再在右侧的列表框中选择“垂直蛇形流程”，然后单击“确定”按钮，如下图所示。

步骤 04 显示最终效果

经过以上操作，就完成了 SmartArt 图形的插入，最终效果如下图所示。

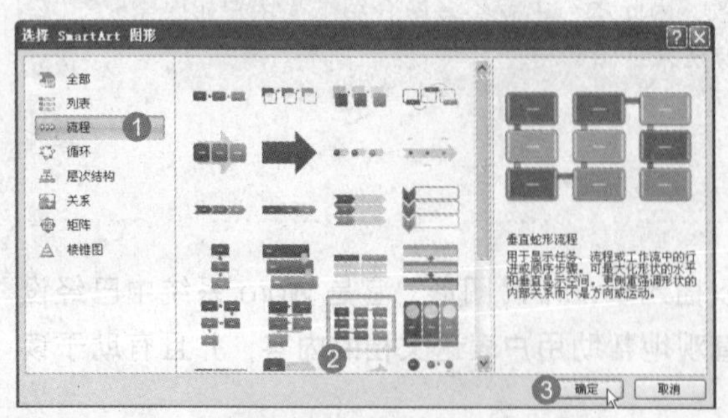

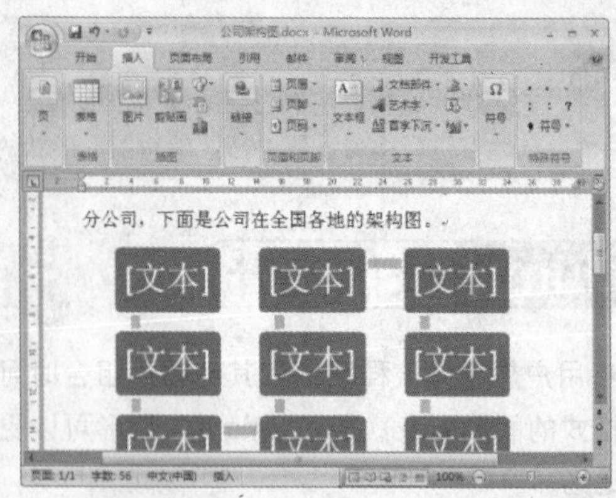

编辑 SmartArt 图形

在插入了SmartArt 图形后，用户还需要对其进行编辑设置，使其更为合理、美观。SmartArt 图形的编辑操作包括在 SmartArt 图形内添加文字、设置图形样式、设置图形形状样式及在图形内添加图片等操作，下面就来介绍一下如何对 SmartArt 图形进行编辑设置。

原始文件：实例文件 \ 第 10 章 \ 原始文件 \ 公司架构图 1.docx
最终文件：实例文件 \ 第 10 章 \ 最终文件 \ 公司架构图 1.docx

1. 在 SmartArt 图形内添加文字

在图形内添加文字会起到解释说明的作用，可使图形更为直观、简明。在 SmartArt 图形内添加文字的方法如下：

步骤 01 打开目标文本

打开附书光盘“实例文件 \ 第 10 章 \ 原始文件 \ 公司架构图 1.docx”文档，单击右上端的SmartArt 图形，就会在该位置出现一个文本框，如下图所示。

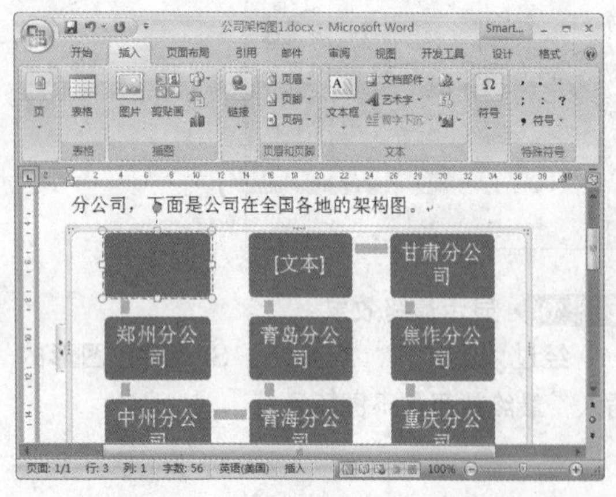

步骤 02 在图形内添加文字，显示最终效果

用户可直接在文本框内输入文字，如“山东分公司”，最终效果如下图所示。

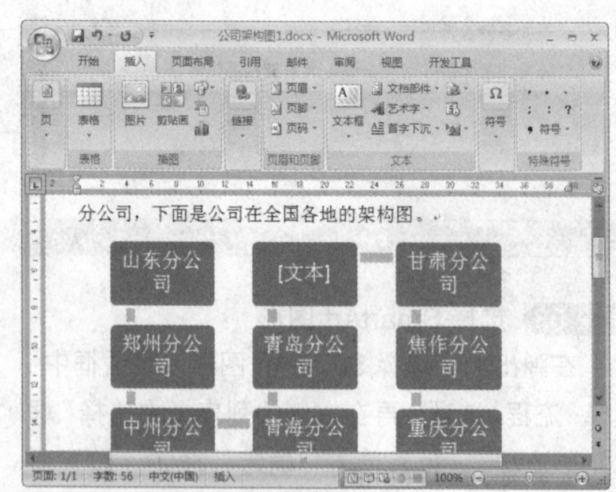

2. 套用 SmartArt 图形样式

在 Word 程序中，有已经设置好的样式的 SmartArt 图形，用户在改变图形样式时，可以进行直接套用，其具体操作步骤如下：

步骤 01 套用 SmartArt 图形样式

继续上例中的操作，单击“SmartArt 工具”下的“设计”标签，切换至“设计”选项卡下，单击“SmartArt 样式”组中列表框右侧的下拉按钮，在展开的样式库中选择“三维”库中的“嵌入”选项，如下图所示。

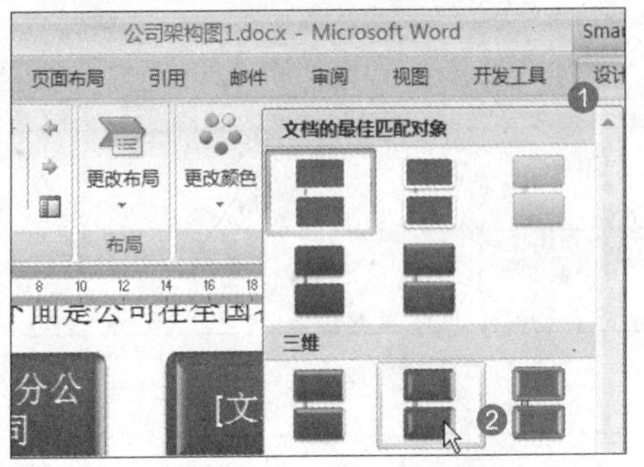

步骤 02 显示最终效果

经过以上操作，就完成了套用 SmartArt 图形样式的操作，最终效果如下图所示。

3. 设置 SmartArt 图形形状样式

在设置了 SmartArt 图形样式后，还可以对单个的图形形状进行设置，其设置步骤如下：

步骤 01 套用 SmartArt 图形样式

继续上例中的操作，单击选中要设置的图形形状，这里选择位于中间的 SmartArt 图形，然后单击“格式”标签，切换至“格式”选项卡下，单击“形状样式”组中列表框右侧的下拉按钮，在弹出的样式库中选择要设置的样式，如下图所示。

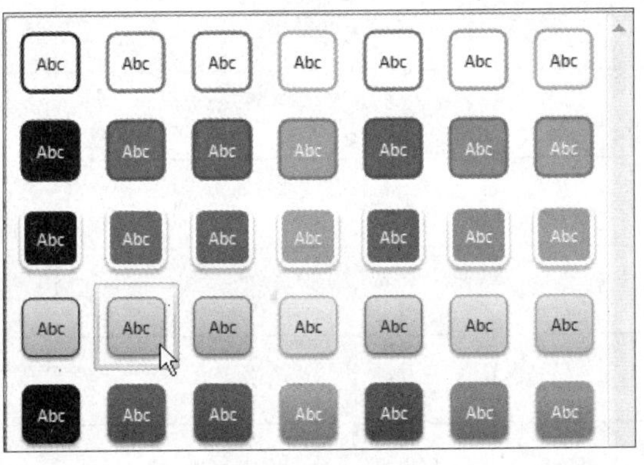

步骤 02 显示最终效果

经过以上操作，就完成了套用 SmartArt 图形形状样式的操作，最终效果如下图所示。

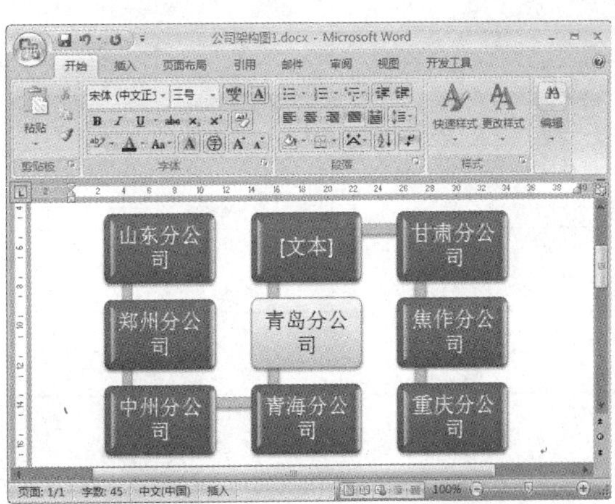

读书笔记

11 长文档的处理

本章建议学习时间

本章建议学习时间为 60 分钟，其中 20 分钟用于学习教材知识，40 分钟用于上机操作。

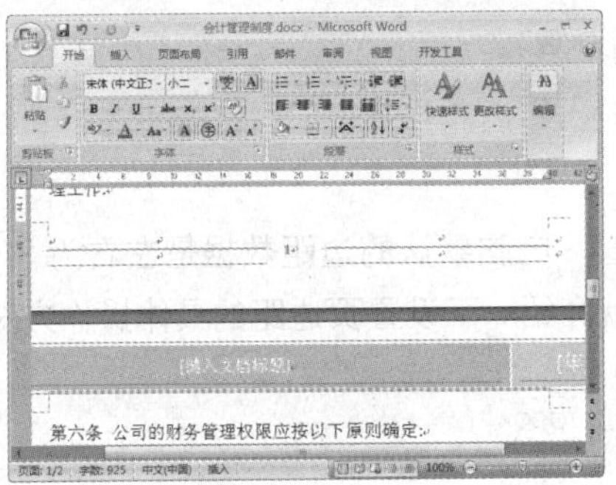
删除页眉和页脚

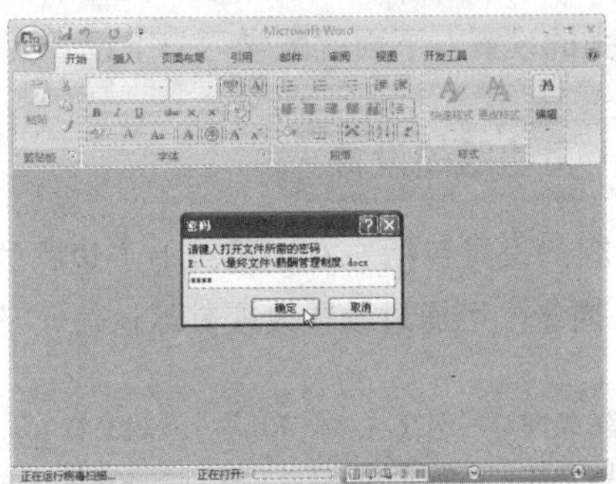
给文档添加密码

学习完本章后您可以

1. 进行文档的页边距设置
2. 添加页眉页脚
3. 进行文档中的样式设置
4. 插入和审阅批注
5. 给文档添加密码

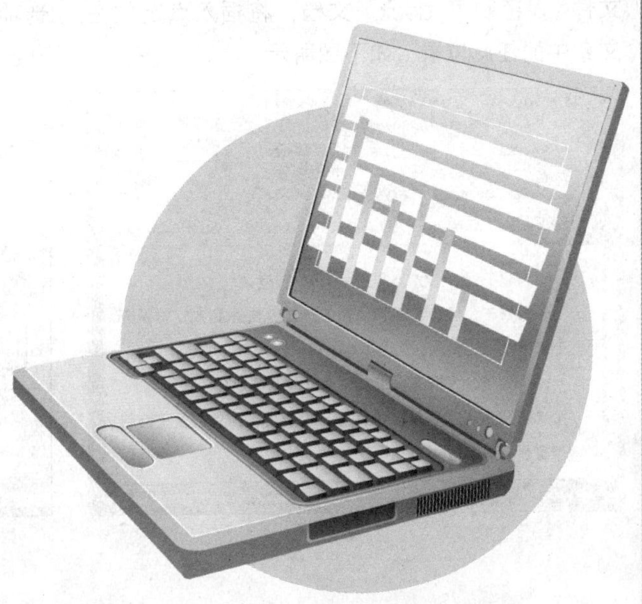

第 11 章 长文档的处理

长篇幅文档的处理与短篇幅的文档处理相比，除了应用前面章节中所讲到的内容外，还会涉及到页面的设置、页眉页角的添加、文档的格式化处理等内容。本章中就来介绍一下长篇幅文档的一些处理方法。

11.1 页面设置

页面设置一般是在文档内容录入完毕后，准备打印输出时进行的设置，页面设置通常是指页面边距、纸张的设置，下面就来学习一下设置页面的方法。

11.1.1 页边距的设置

页边距的设置包括左右边距、上下边距的设置，电脑默认的边距数据是左右为 3.17 厘米、上下为 2.54 厘米，可通过设置改变其默认值，下面就介绍一下设置页边距的具体操作方法。

原始文件：实例文件 \ 第 11 章 \ 原始文件 \ 保密制度 .docx
最终文件：实例文件 \ 第 11 章 \ 最终文件 \ 保密制度 .docx

步骤 01 打开目标文本

打开附书光盘“实例文件 \ 第 11 章 \ 原始文件 \ 保密制度 .docx”文档，将插入点定位在文章中的任意位置，如下图所示。

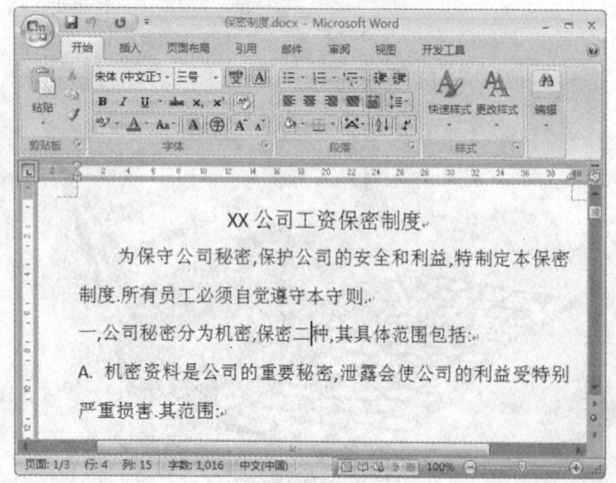

步骤 02 打开“页面设置”对话框

单击“页面布局”标签，切换至“页面布局”选项卡下，单击“页面设置”组中的对话框启动器，如下图所示。

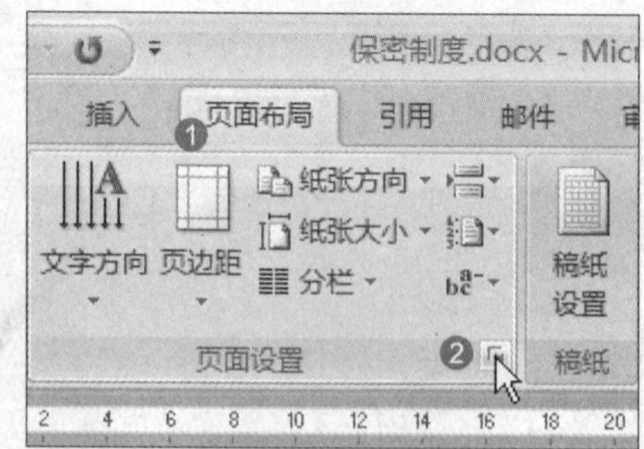

步骤 03 设置页面边距

进入"页面设置"对话框后，切换至"页边距"选项卡下，设置"页边距"选项区域内的"上"和"下"都设置为"1.5 厘米"，将"左"、"右"的数值都设置为"2.5 厘米"，然后单击"确定"按钮，如下图所示。

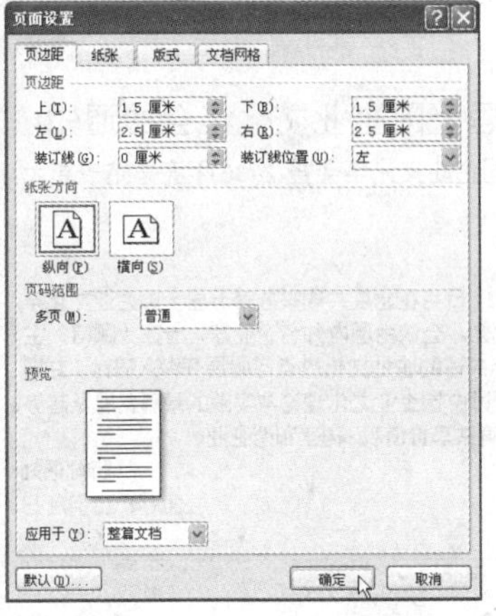

步骤 04 显示最终效果

经过以上操作，就完成了文档页面边距的设置，最终效果如下图所示。

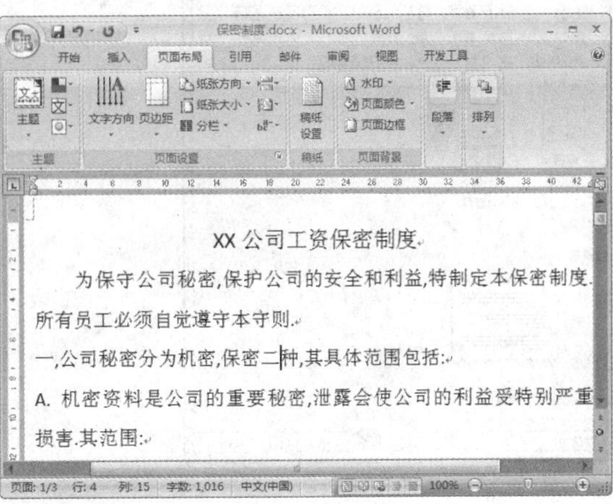

11.1.2 纸张的选择

纸张的设置是指纸张的方向和大小的设置，纸张的方向有横向和纵向两种，纸张的大小是按照打印纸张的大小来区分的，常用的纸张有 A3、A4、B5。下面具体介绍一下设置纸张的操作方法。

原始文件：实例文件 \ 第 11 章 \ 原始文件 \ 通知 .docx
最终文件：实例文件 \ 第 11 章 \ 最终文件 \ 通知 .docx

步骤 01 打开目标文本

打开附书光盘"实例文件 \ 第 11 章 \ 原始文件 \ 通知 .docx"文档，将插入点定位在文章中的任意位置，如下图所示。

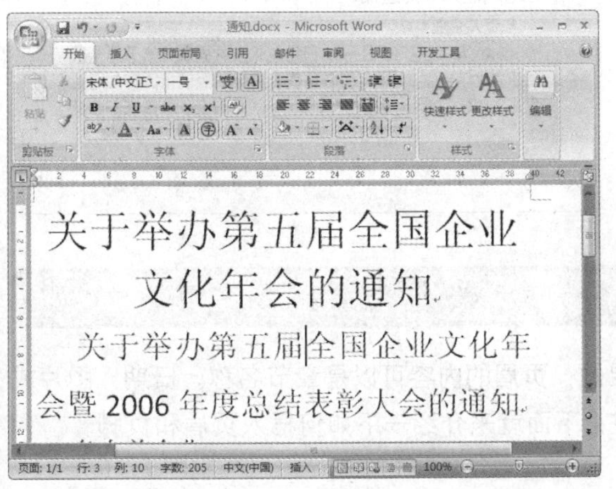

步骤 02 打开"页面设置"对话框

单击"页面布局"标签，切换至"页面布局"选项卡下，单击"页面设置"组中的对话框启动器，如下图所示。

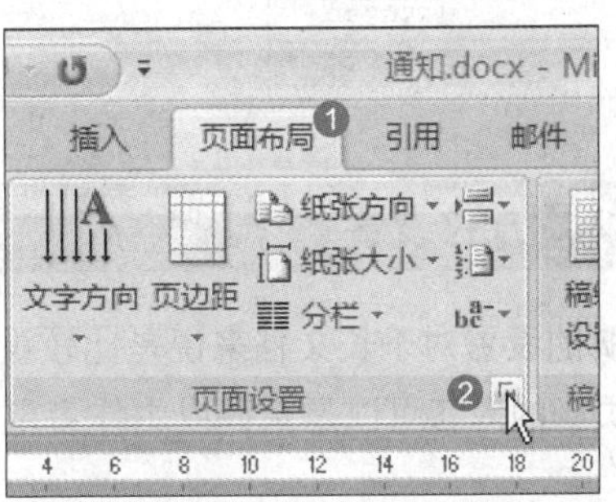

五笔打字
电脑办公

步骤 03 **设置纸张方向**

打开"页面设置"对话框后，切换至"页边距"选项卡下，选择"纸张方向"区域内的"横向"选项，然后单击"确定"按钮，如下图所示。

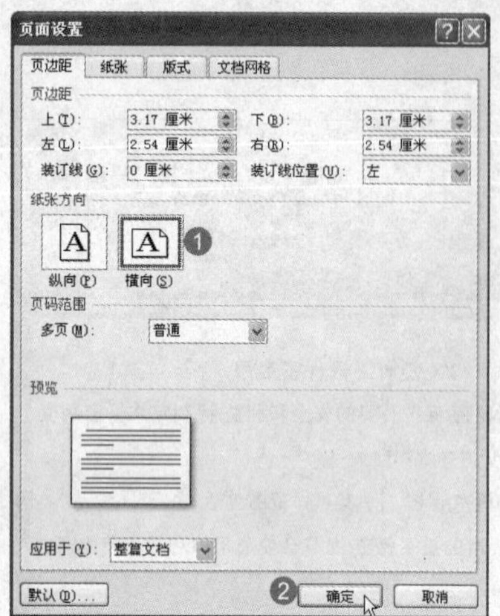

步骤 04 **显示最终效果**

返回到 Word 文档中，就完成了文档纸张方向的设置，最终效果如下图所示。

关于举办第五届全国企业文化年会的通知
关于举办第五届全国企业文化年会暨 2006 年度总结表彰大会的通知
各有关企业：
200X 年 11 月 19 日—21 日将在北京共同举办第五届全国企业文化年会暨 2006 年度总结表彰大会。会议由国内知名企业家、专家、顾问、主流媒体总编，就当前企业所关注的企业文化热点问题展开深入研讨，并同与会代表对话交流，共同探讨中国企业文化理论与实践的最新发展及趋势。
本届年会的主题为：培育共享价值观 构建和谐企业
特此通知
200X 年 10 月 1 日

步骤 05 **设置纸张大小**

再次打开"页面设置"对话框，切换至"纸张"选项卡下，单击"纸张大小"文本框右侧的下拉按钮，在弹出的列表中选择 B5（JIS）选项，然后单击"确定"按钮，如下图所示。

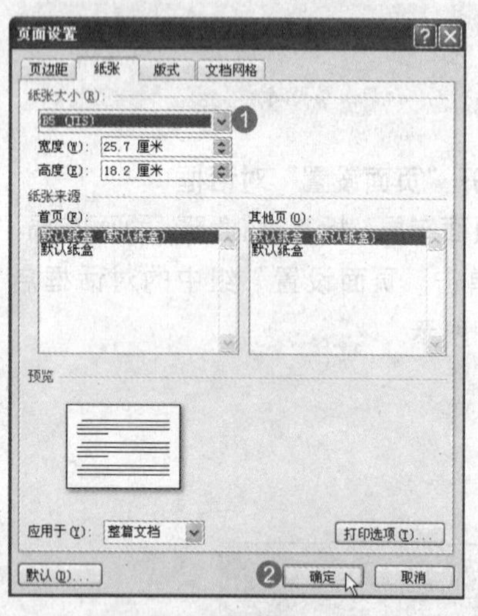

步骤 06 **显示最终效果**

返回到 Word 文档中，就完成了纸张大小的设置，最终效果如下图所示。

关于举办第五届全国企业文化年会的通知
关于举办第五届全国企业文化年会暨 2006 年度总结表彰大会的通知
各有关企业：
200X 年 11 月 19 日—21 日将在北京共同举办第五届全国企业文化年会暨 2006 年度总结表彰大会。会议由国内知名企业家、专家、顾问、主流媒体总编，就当前企业所关注的企业

11.2 页眉和页脚的设置

页眉和页脚的设置对于长文档来说是比较重要的，页眉的内容可以是章节名称、日期、图片或由作者自定，页脚的内容可以是页码或由作者自定，下面就来介绍一下如何插入页眉和页脚。

原始文件：实例文件 \ 第 11 章 \ 原始文件 \ 会计管理制度 .docx、商务会议 .jpg
最终文件：实例文件 \ 第 11 章 \ 最终文件 \ 会计管理制度 .docx

11.2.1 页眉和页脚的插入

在 Word 文本处理程序中，提供了很多种页眉和页脚的样式，用户可根据自身文档的内容来选择适合的页眉和页脚，并插入文档。其具体操作步骤如下：

步骤 01 打开目标文本

打开附书光盘“实例文件 \ 第 11 章 \ 原始文件 \ 会计管理制度 .docx”文档，将插入点定位在要设置文章的任意位置，如下图所示。

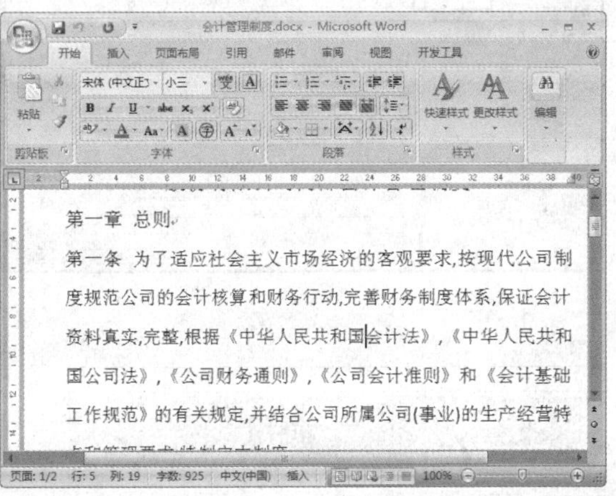

步骤 02 插入页眉

单击“插入”标签，切换至“插入”选项卡下，单击“页眉和页脚”组中的“页眉”按钮，在弹出的列表中选择“磁砖型”样式，如下图所示。

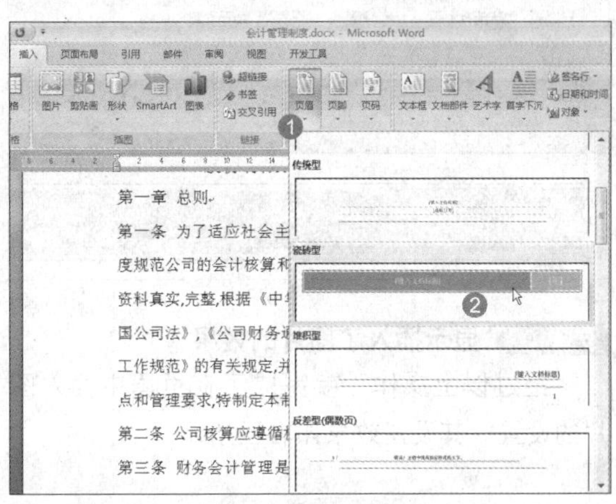

步骤 03 插入页脚

单击“页眉和页脚”组中的“页脚”按钮，在弹出的列表中选择“传统型”样式，如下图所示。

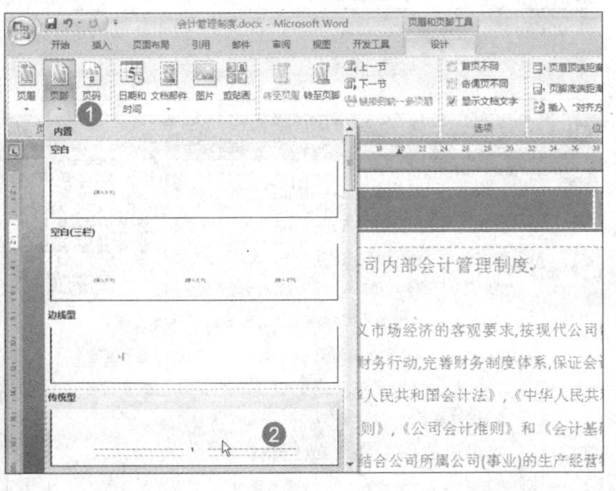

步骤 04 显示最终效果

经过以上操作后，双击页面中的任意位置，返回到 Word 文档中，就完成了页眉和页脚的设置，最终效果如下图所示。

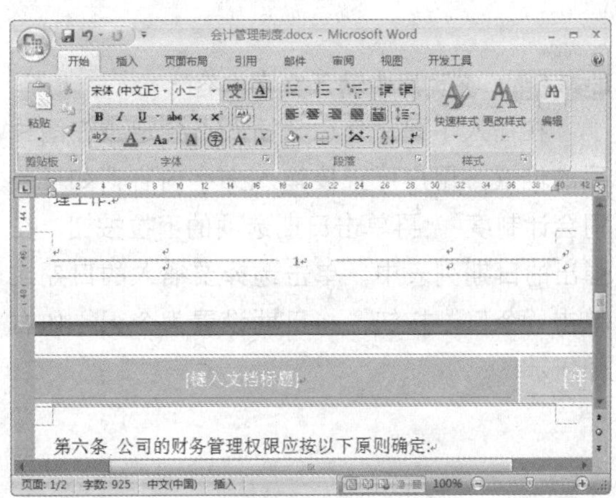

五笔打字

电脑办公

11.2.2 编辑页眉和页脚

在插入页眉和页脚后，用户还要根据文档的内容对其进行编辑操作，如在页眉中输入文字内容、插入图片等操作，下面就来介绍一下如何编辑页眉和页脚。

步骤 01 打开"插入图片"对话框

继续上例中的操作，将插入点定位在页眉中，删除标题行后，单击"页眉和页脚工具"下的"设置"选项卡中"插入"组中的"图片"按钮，如下图所示。

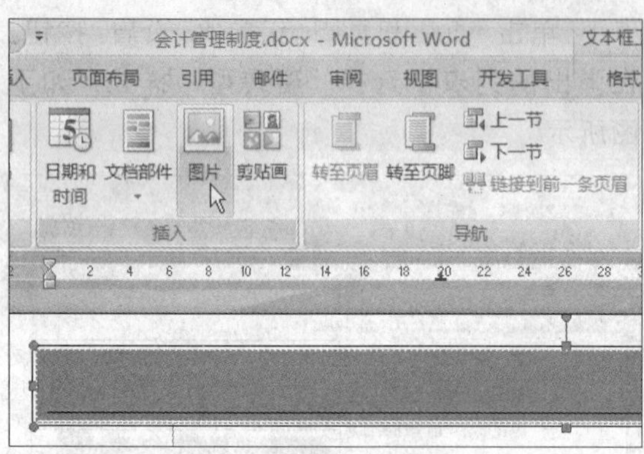

步骤 02 在页眉中插入图片

在弹出的"插入图片"对话框中，单击选中要插入的图片"商务会议.jpg"后，单击"确定"按钮，如下图所示。

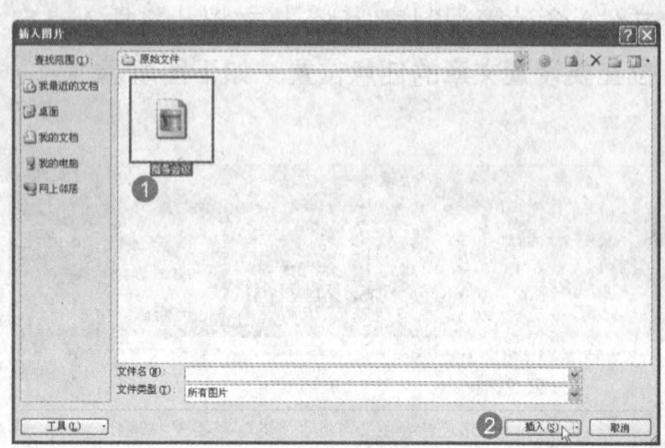

步骤 03 显示插入了图片的效果

经过以上操作，就完成了在页眉中插入图片的设置，其设置效果如右图所示。

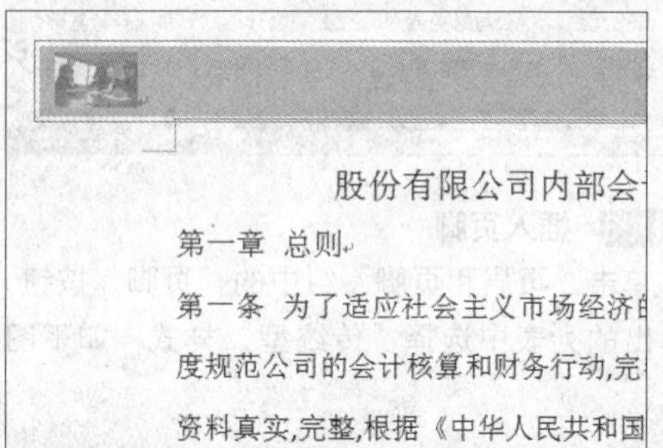

步骤 04 在页眉中输入文字内容

在插入了图片之后，插入点会定位在图片后的位置，用户可直接输入文字内容，如"公司会计制度"。再单击日期选项的下拉按钮，在弹出的日期列表中，单击选择要插入的日期或单击"今日"按钮，将日期设置为今天，如右图所示。

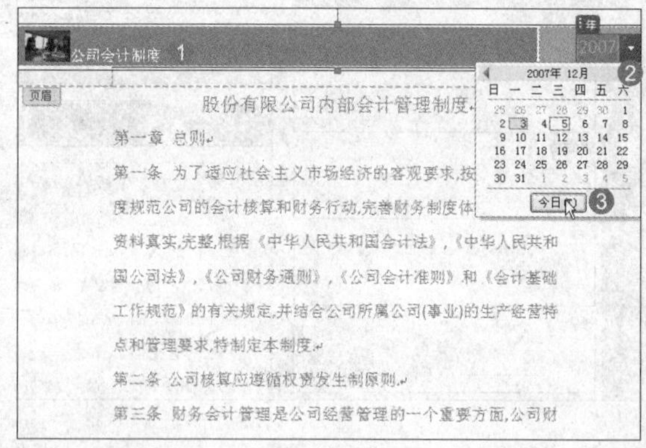

步骤 05 **编辑页脚**

设置完页眉的内容后，双击页脚，即可进入页脚编辑状态，删除原有的页脚内容后，切换到“页眉和页脚工具”下的“设置”选项卡，单击“页眉和页脚”组中的“页码”按钮，如下图所示。

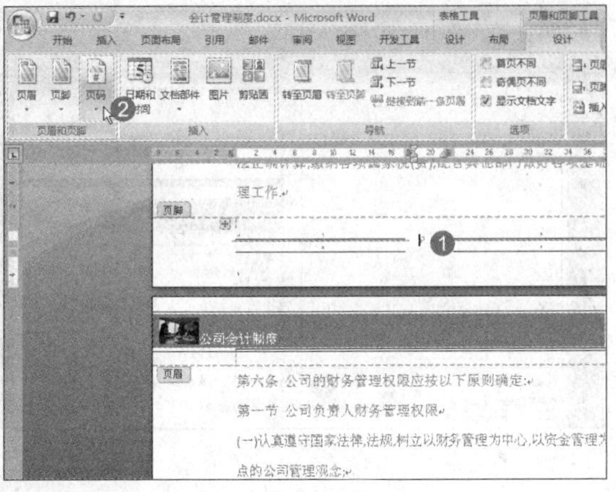

步骤 06 **编辑页码内容**

在弹出的“页码”列表中，将指针指向“当前位置”选项，在展开的列表中选择“加粗显示的数字”选项，如下图所示。

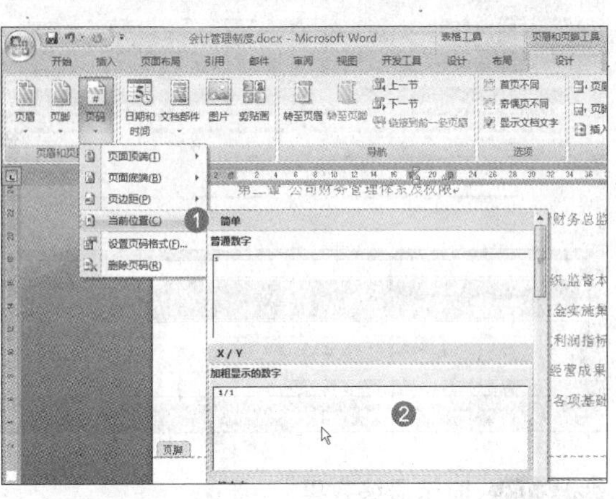

步骤 07 **显示最终效果**

经过以上操作，就可以完成页眉页脚的编辑，最终效果如右图所示。

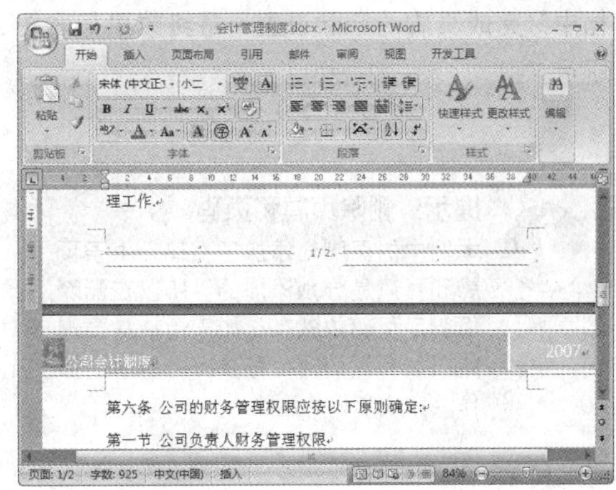

11.2.3 删除页眉和页脚

当用户需要删除页眉或页脚时，可按以下步骤进行操作。

原始文件：实例文件 \ 第 11 章 \ 原始文件 \ 会计管理制度 1.docx
最终文件：实例文件 \ 第 11 章 \ 最终文件 \ 会计管理制度 1.docx

步骤 01 打开目标文本

打开附书光盘“实例文件\第 11 章\原始文件\会计管理制度 1.docx”文档，双击页脚，进入页脚编辑状态，如下图所示。

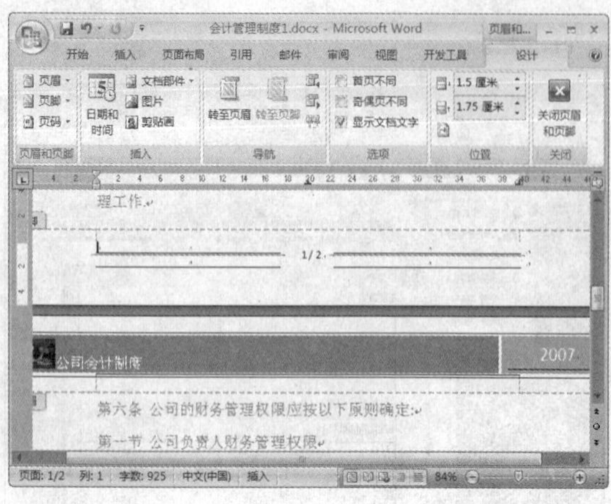

步骤 02 删除页脚

切换到“页眉和页脚工具”下的“设置”选项卡，单击“页眉和页脚”组中的“页脚”按钮，在弹出的列表中选择“删除页脚”选项，如下图所示。

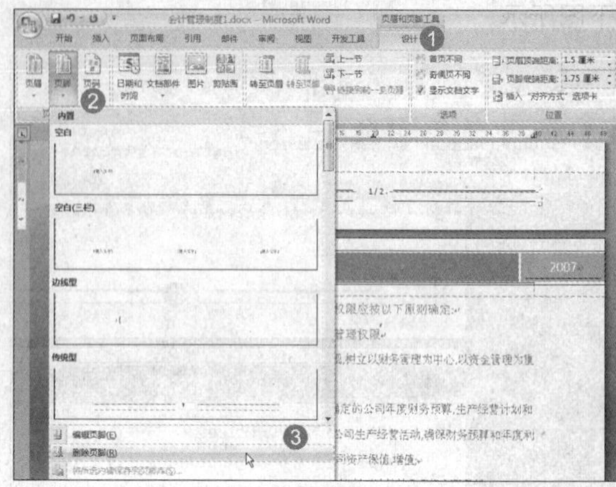

步骤 03 显示最终效果

双击页面中的任意位置，返回到 Word 文档中，完成页脚的删除设置，最终效果如右图所示。

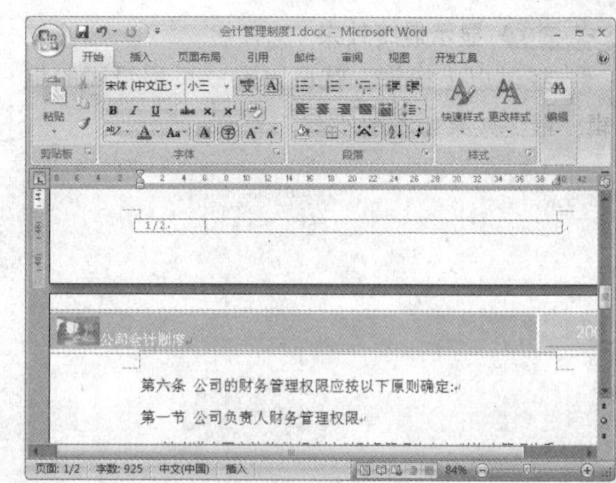

提示：删除页眉和页码

本例中的页脚处添加了页码，由于页脚和页码是分别添加的，所以在删除页脚后页码依然存。如果用户需要删除页眉和页码时，可参照上例中的操作，完成它们的删除。

11.3 文档的格式化处理

在长篇幅的文档中，文章的标题与子标题以及正文无论是字体上，还是格式上都会有所区别，用户可根据自身的需要设置每一级标题的格式样式。下面将具体介绍文档格式化的方法。

11.3.1 样式的新建和使用

在程序的样式库中包含已经设置好的一些基本的文档样式，用户可以直接使用这些样式，同时用户也可以新建一些样式来使用，下面介绍新建样式的方法。

原始文件：实例文件\第 11 章\原始文件\固定资产管理 .docx
最终文件：实例文件\第 11 章\最终文件\固定资产管理 .docx

步骤 01 **定位插入点**

打开附书光盘"实例文件\第 11 章\原始文件\固定资产管理.docx"文档，将插入点定位在要设置格式的段落中，如下图所示。

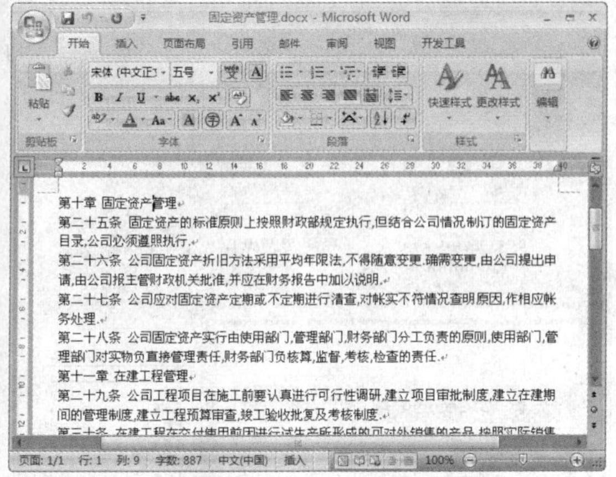

步骤 02 **打开"新建样式"对话框**

单击"开始"标签，切换至"开始"选项卡下，单击"样式"组中的对话框启动器，如下图所示。

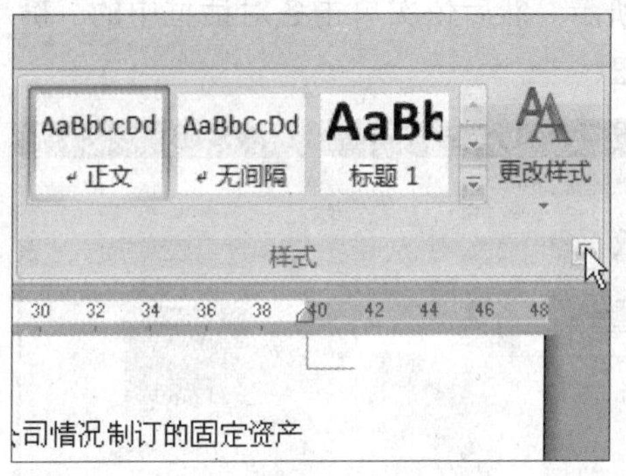

步骤 03 **打开新建样式的对话框**

在弹出的"样式"任务窗格中单击"新建样式"按钮，如右图所示。

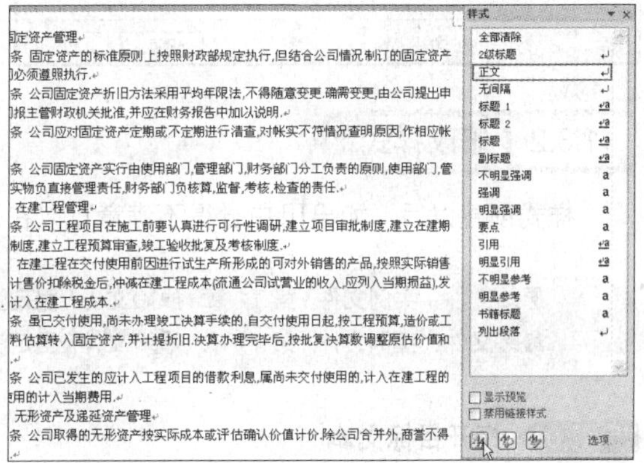

步骤 04 **设置新建样式**

在弹出的"根据格式设置创建样式"对话框中，在"名称"文本框中内输入"2 级标题"字样，单击"格式"区域内"字体"文本框右侧的下拉按钮，在弹出的列表中选择"隶书"选项，按照同样的方法将"字号"设置为"小二"，然后单击"格式"下拉按钮，在弹出的列表中单击选择"边框"选项，如右图所示。

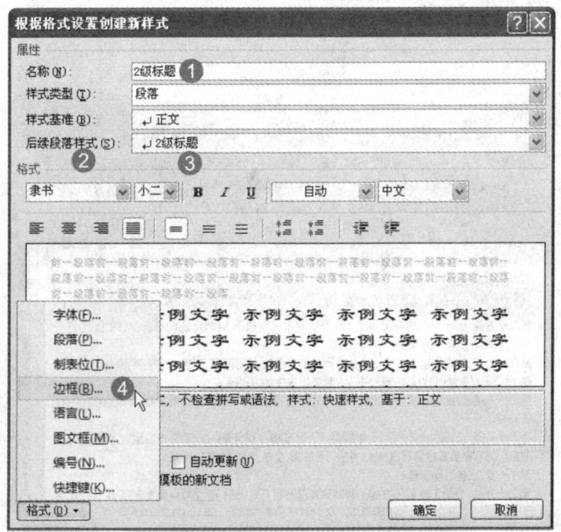

步骤 05 设置样式边框和底纹

在弹出的"边框和底纹"对话框中，单击"底纹"标签，切换至"底纹"选项卡下，单击"填充"文本框右侧的下拉按钮，在弹出的颜色列表中单击选中"深蓝，文字2，淡色80%"选项，按照同样的方法，将"样式"设置为5%，如下图所示，然后依次单击各对话框中的"确定"按钮。

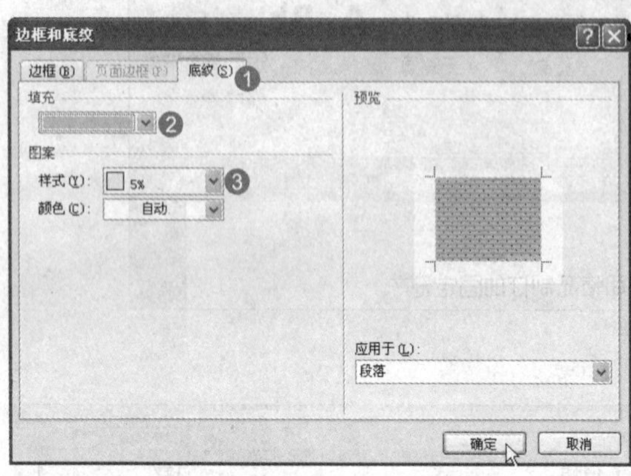

步骤 06 显示最终效果

经过以上操作，就完成了样式的新建，在任务窗格中单击选择新建样式"2级标题"选项即可完成样式的使用，最终效果如下图所示。

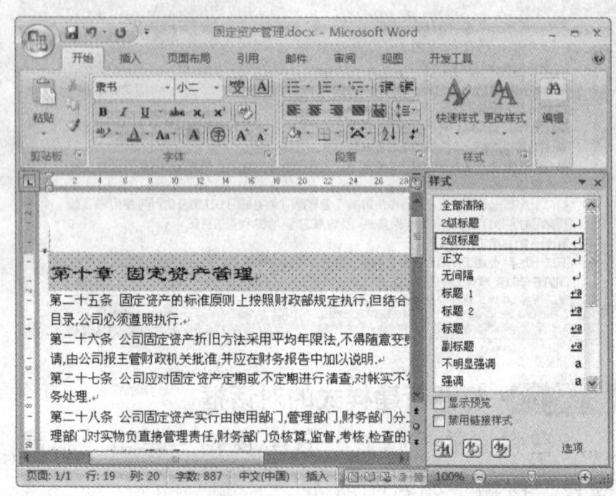

11.3.2 修改样式

样式创建以后，如果用户觉得不满意可以在原有的基础上进行修改，下面介绍其修改方法。

原始文件：实例文件\第11章\原始文件\固定资产管理1.docx
最终文件：实例文件\第11章\最终文件\固定资产管理1.docx

步骤 01 打开目标文本

打开附书光盘"实例文件\第11章\原始文件\固定资产管理1.docx"文档，如下图所示。

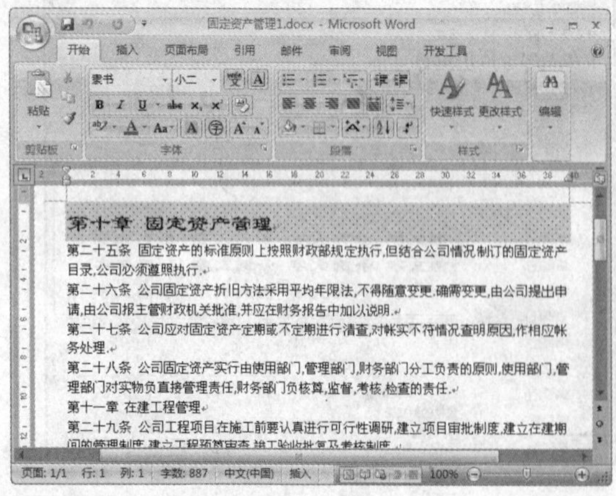

步骤 02 打开"修改样式"对话框

单击"开始"标签，切换至"开始"选项卡下，单击"样式"组中的对话框启动器，在弹出的"样式"任务窗格中将鼠标指针指向要修改的"2级标题"样式后，单击出现在样式右侧的下拉按钮，在弹出的菜单中选择"修改样式"选项，如下图所示。

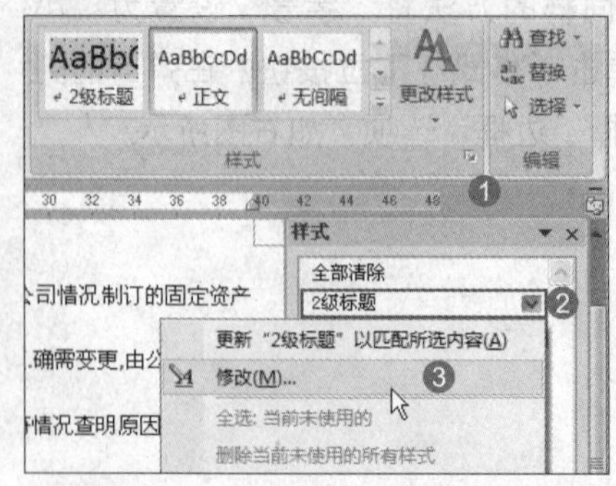

步骤 03　修改样式的格式

在弹出的“修改样式”对话框中，单击“格式”按钮，在弹出的下拉列表中选择“边框”选项，如下图所示。

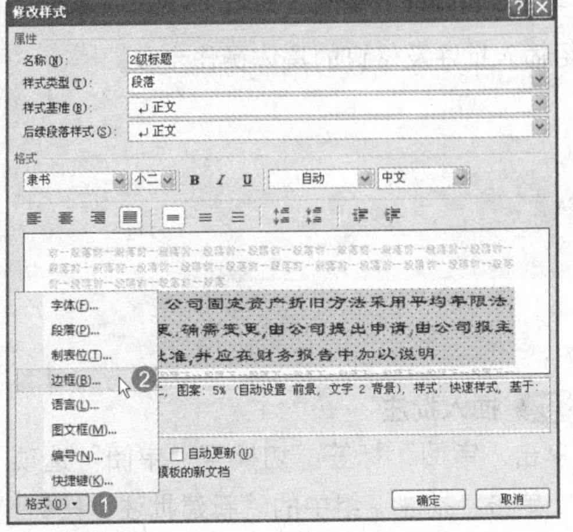

步骤 04　修改底纹样式

在弹出的“边框和底纹”对话框中单击“底纹”标签，切换至“底纹”选项卡下，单击“填充”文本框右侧的下拉按钮，在弹出的颜色列表中选择“白色，背景 1，深色 25%”选项，按照同样的方法，将“样式”设置为15%，如下图所示，然后依次单击各对话框中的“确定”按钮。

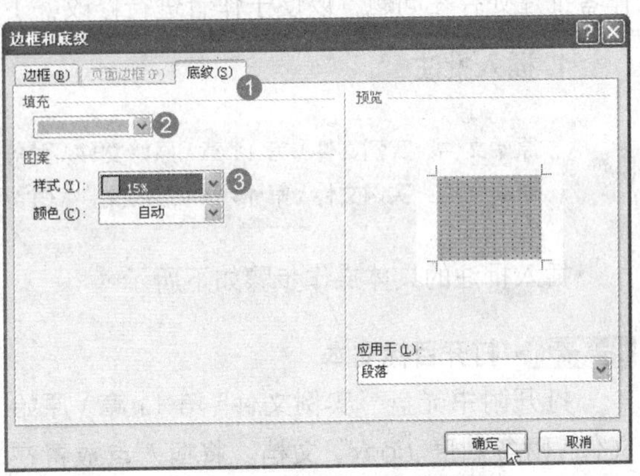

步骤 05　显示最终效果

经过以上操作，就完成了样式的修改，在任务窗格中单击选择“2 级标题”选项，使用修改后的样式，最终效果如右图所示。

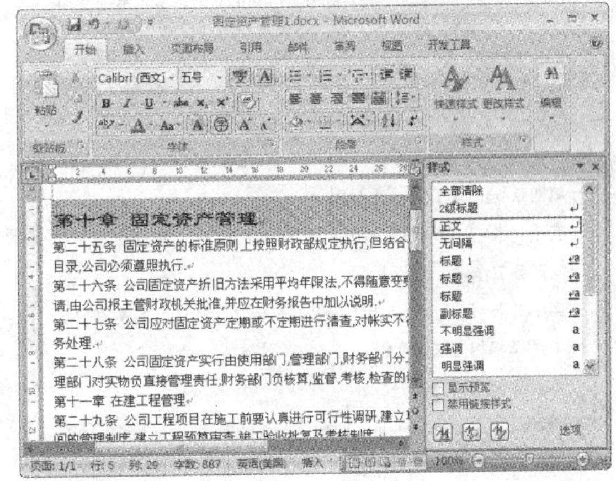

提示：删除样式的方法

如果用户不再使用该样式，可以删除它，其操作方法如下：单击“开始”标签，切换至“开始”选项卡下，单击“样式”组中的对话框启动器，在弹出的“样式”任务窗格中将鼠标指针指向要删除的样式，然后单击出现在该样式右侧的下拉按钮，在弹出的菜单中选择“删除”选项，即可完成样式的删除。

11.4 审阅

在审阅一篇文档时，用户可以通过“插入批注”、“插入修订”来完成文档的审阅，最后还可以通过“审阅批注”来整理批注的内容，下面介绍其具体使用方法。

11.4.1 插入批注

如果用户是在审阅这篇文档，在发现问题后，可以在出现问题的位置插入批注和修订，来提示作者批注处存在问题，以便于作者进行修改，下面就介绍插入批注及修订的具体操作步骤。

1. 插入批注

原始文件：实例文件\第 11 章\原始文件\财务制度.docx
最终文件：实例文件\第 11 章\最终文件\财务制度.docx

插入批注的具体操作步骤如下所示：

步骤 01 打开目标文本

打开附书光盘“实例文件\第 11 章\原始文件\财务制度.docx”文档，将插入点放置在要插入批注的位置，如下图所示。

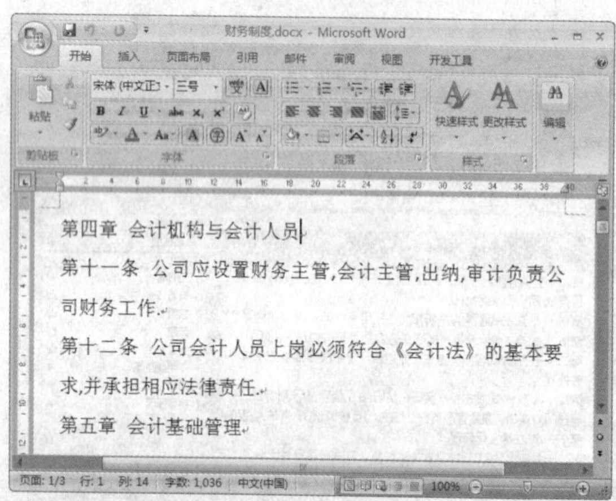

步骤 02 插入批注

单击“审阅”标签，切换至“审阅”选项卡下，单击“批注”组中的“新建批注”按钮，如下图所示。

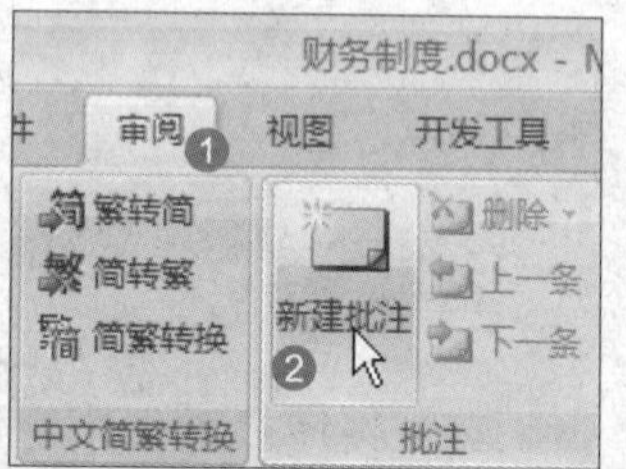

步骤 03 插入修订内容并显示最终效果

插入批注后，审阅者可直接在批注框内输入批注内容。经过以上操作，就完成了在文档中插入批注的操作，最终效果如右图所示。

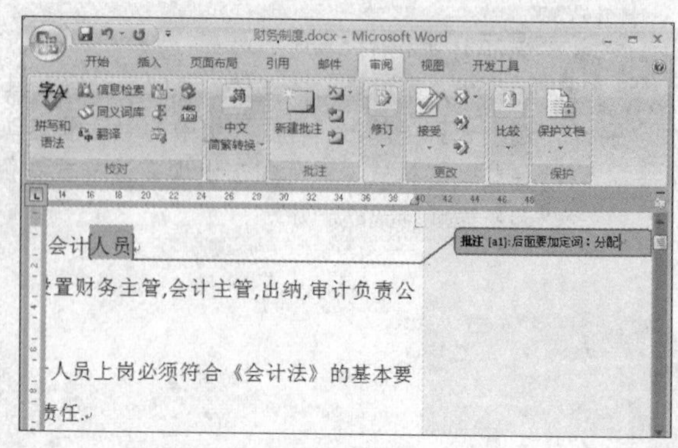

2. 删除批注

删除批注的方法有两种，具体方法如下：

＊ 方法一 利用组删除批注

要删除批注时，选中批注后，单击“审阅”标签，切换至“审阅”选项卡下，再单击“批注”组中的“删除”按钮，如下图所示。

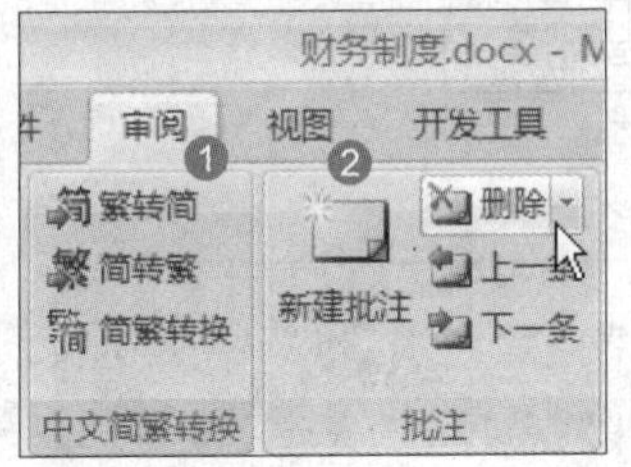

经过以上操作，就完成了删除文档中批注的操作，最终效果如右图所示。

＊ 方法二 利用快捷方式删除批注

单击选中要删除的批注后，将鼠标指针指向该批注并右击鼠标，在弹出的快捷菜单中执行“删除批注”命令，如下图所示。

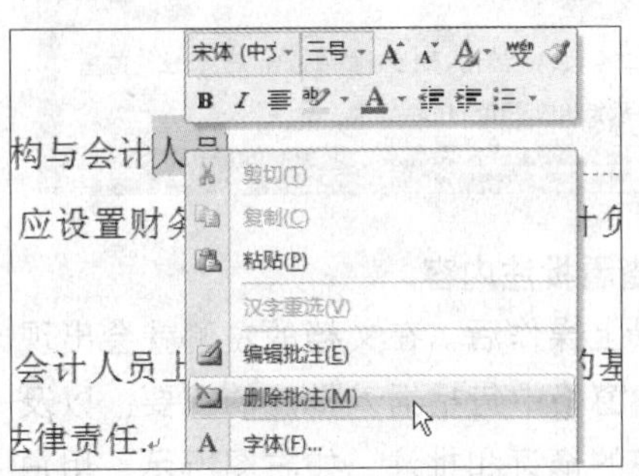

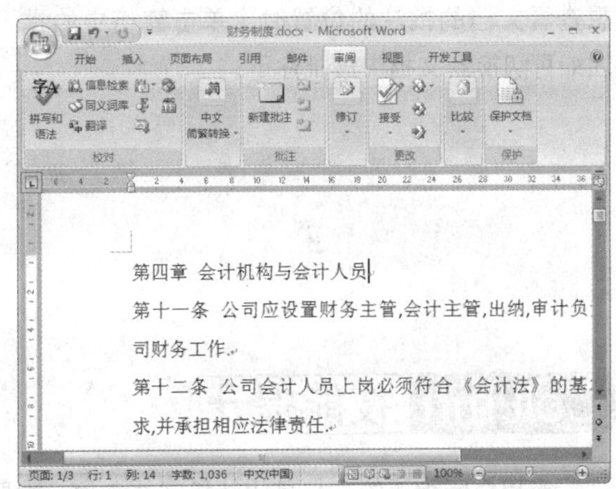

11.4.2 审阅批注

在所有批注插入完毕后，当审阅者或作者查看所有审阅意见时可以使用“审阅批注”功能来进行所有批注的统一查看，下面介绍具体的操作步骤。

原始文件：实例文件 \ 第 11 章 \ 原始文件 \ 财务制度 1.docx
最终文件：无

步骤 01 打开目标文本

打开附书光盘“实例文件 \ 第 11 章 \ 原始文件 \ 财务制度 1.docx”文档，将插入点定位在文档中的任意位置，如下图所示。

步骤 02 打开审阅窗格

单击“审阅”标签，切换至“审阅”选项卡下，单击“修订”组中的“审阅窗格”下拉按钮，在弹出的列表中选择“垂直审阅窗格”选项，如下图所示。

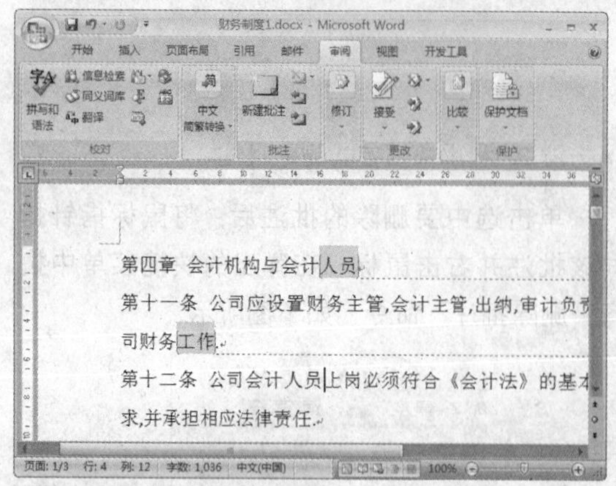

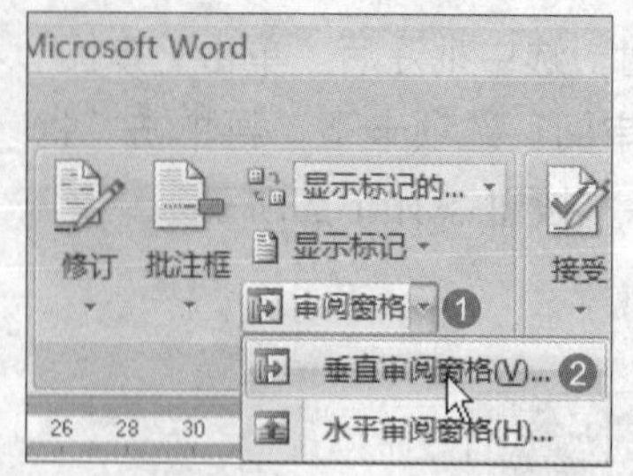

步骤 03 查看批注内容

经过以上操作后，在文档的左侧就会出现审阅窗格，窗格中包括插入批注的摘要，以及文档中存在的修订和批注，如右图所示，用户想查看文档的批注的位置时，单击窗格中的批注即可切换到文档中该批注下。

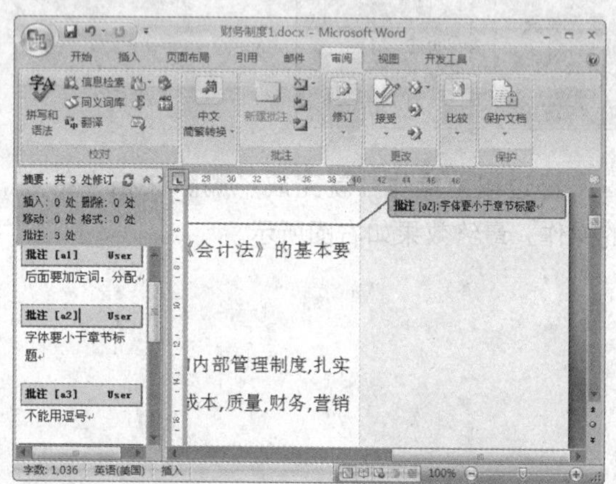

Column 技能提升

当用户所编辑的文档是比较机密的文件，需要防止泄密时，可以将该文档进行加密设置，以确保文档不会被人随便查看，下面介绍其设置方法。

原始文件：实例文件\第 11 章\原始文件\薪酬管理制度 .docx
最终文件：实例文件\第 11 章\最终文件\薪酬管理制度 .docx

步骤 01 打开目标文本

打开附书光盘“实例文件\第 11 章\原始文件\薪酬管理制度 .docx”文档，将插入点定位在文档中的任意位置，如右图所示。

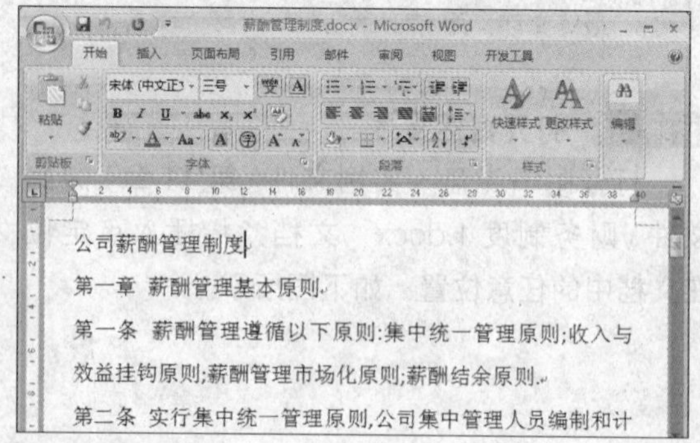

步骤 02 打开“加密文档”对话框

单击 Office 按钮，在弹出的菜单中将鼠标指针指向“准备”命令，再在展开的菜单中选择“加密文档”选项，如下图所示。

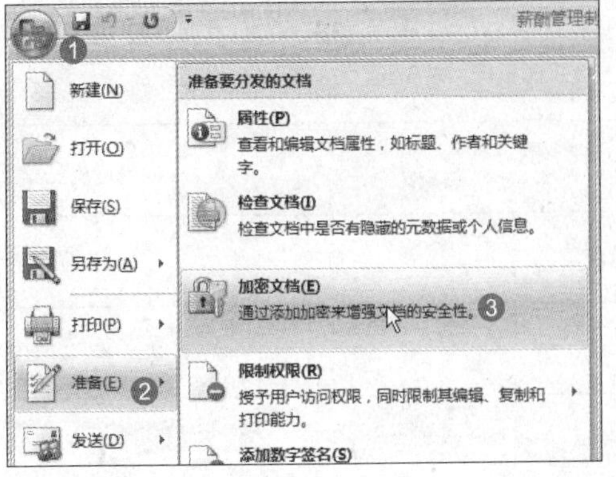

步骤 03 设置密码

弹出“加密文档”对话框后，在“密码”文本框内输入要设置的密码，这里设置密码为 0011，然后单击“确定”按钮，如下图所示。

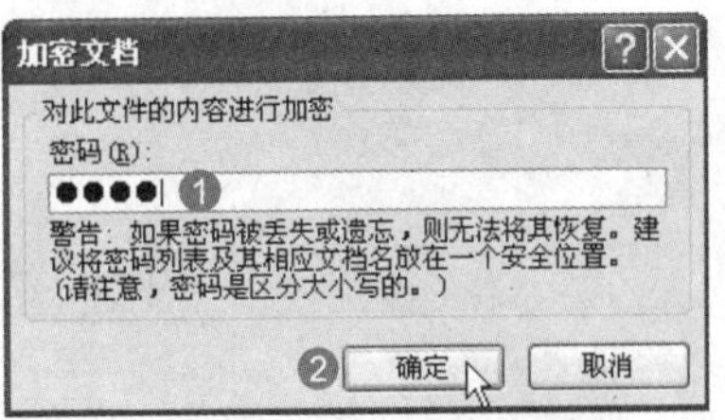

步骤 04 确认密码

确定设置的密码后，将弹出“确认密码”对话框，需要用户再次输入设置的密码，然后单击“确定”按钮，如右图所示。

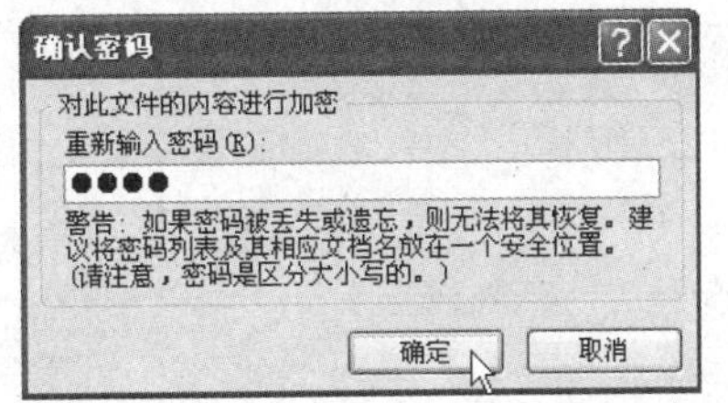

步骤 05 显示最终效果

经过以上操作，就完成了文档保护密码的设置，在下次访问该文档时就需要在弹出对话框中输入密码并单击“确定”按钮，才能进入，如右图所示。

提示：取消文档的加密设置

当用户不再需要对文档设置密码时，可以单击 Office 按钮，在弹出的菜单中执行“准备>加密文档”命令，再在弹出的“加密文档”对话框中，删除已经设置的密码，并按下“确定”按钮，即可取消文档的加密设置。

读书笔记

12

本章建议学习时间

本章建议学习时间为 60 分钟，其中 20 分钟用于学习教材知识，40 分钟用于上机操作。

文档的视图与高级功能

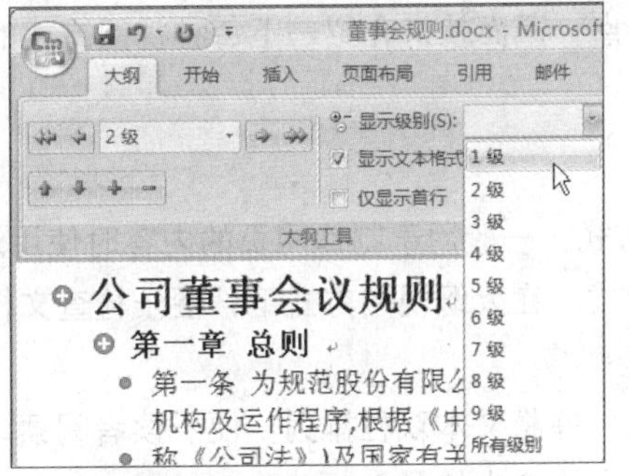
查看不同级别的标题内容

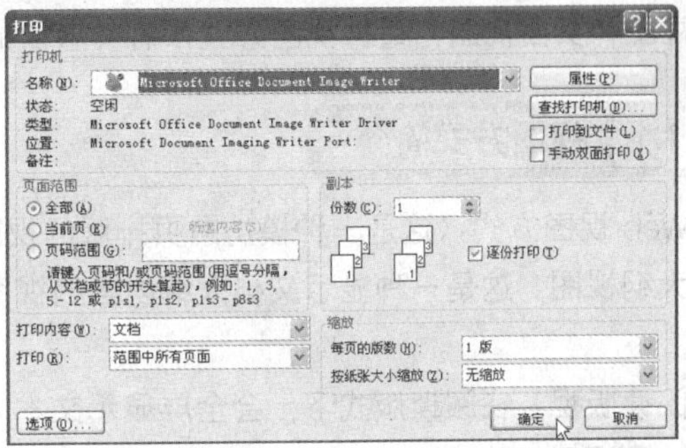
打印文档的设置

学习完本章后您可以

1. 认识 Word 2007 的几种视图方式
2. 进行打印文档的设置
3. 对文档中的内容进行查找和替换操作
4. 对文档中的内容进行中文简繁转换

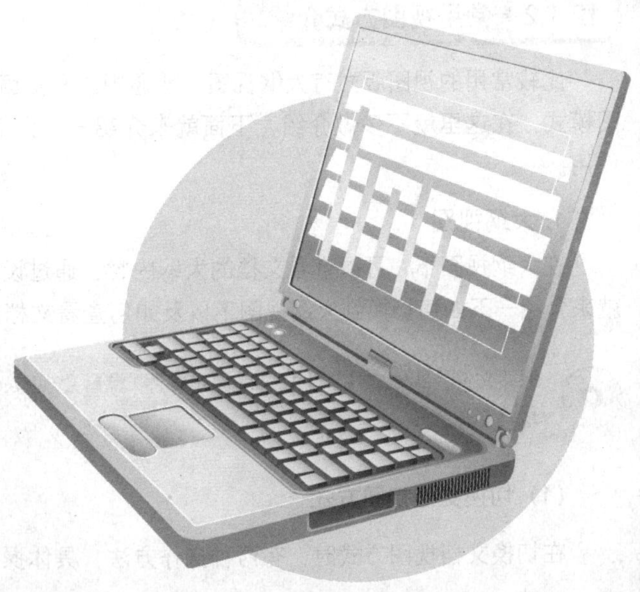

第 12 章 文档的视图与高级功能

在 Word 文本处理程序中，提供了多种视图方式，和一些高级功能，用户可以根据自身的需要进行页面视图的转换，高级功能包括文本的查找与替换、校对、中文简繁转换等功能，本章中将一一介绍这些知识。

12.1 文档的视图

在 Word 文本处理程序中，提供了多种视图方式，有 Web 视图、大纲视图、阅读版式视图、普通视图和页面视图，每种视图方式都有其各自的特点，下面就来介绍一下每种视图方式的特点。

12.1.1 视图方式简介

Web 视图方式：这是一种模仿网页排版的视图方式，一般用于制作网页的内容时使用。

大纲视图：这是一种显示文档大纲内容的视图方式。在大纲视图方式下，便于检查文档的提纲内容。

阅读版视：在阅读版式下，会全屏显示文本内容，并将文本双栏排列，便于读者阅读。

普通视图：普通视图版式没有格式的限制，一般用于文本的录入。

页面视图：页面视图是 Word 程序默认的视图方式，此视图方式一般用于文本录入后的排版及页面设置操作。

12.1.2 常用视图方式介绍

比较常用的视图版式有大纲视图、普通视图和页面视图，由于页面视图是 Word 程序默认的视图模式，在这里就不多做介绍，下面就来介绍一下大纲视图和普通视图这两种视图方式的切换和使用。

1. 大纲视图

在大纲视图下，可以查看文档的大纲内容，通过设置可以显示文档不同级别标题的内容。下面就来介绍一下如何切换到大纲视图下以及如何查看文档内不同级别标题的内容。

原始文件：实例文件 \ 第 12 章 \ 原始文件 \ 董事会规则 .docx
最终文件：无

（1）切换文档视图方式

在切换文档视图方式时，有两种操作方法，具体操作步骤如下：

＊方法一 通过标签组中的按钮切换

步骤 01 打开目标文本

打开附书光盘“实例文件\第 12 章\原始文件\董事会规则 .docx”文档，将插入点定位在文档中的任意位置，如下图所示。

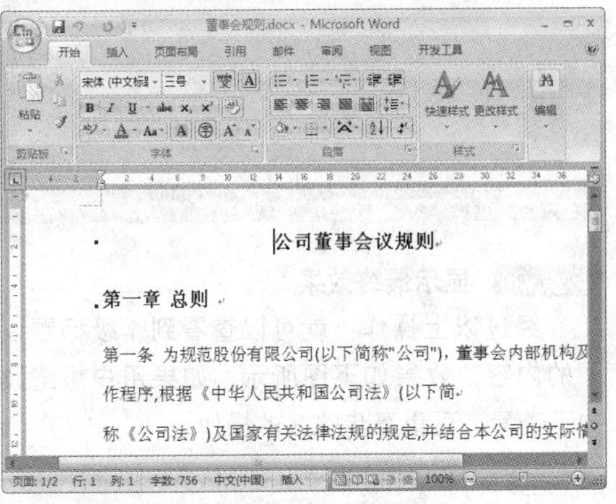

步骤 02 切换视图方式

单击“视图”标签，切换至“视图”选项卡下，单击“文档视图”组中的“大纲视图”按钮，如下图所示，即可完成视图的转换。

＊方法二 通过状态栏中的视图按钮转换

步骤 01 切换视图方式

打开目标文本后，单击 Word 文档操作界面状态栏中的“大纲视图”按钮，如下图所示。

步骤 02 显示最终效果

经过以上操作，就完成了文档视图方式的转换，最终效果如下图所示。

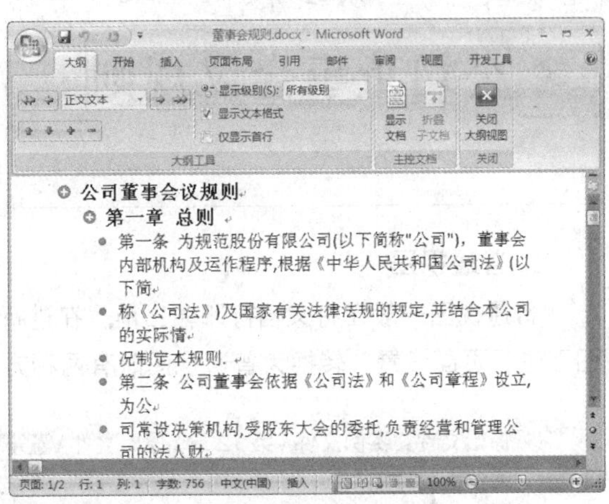

(2) 查看不同级别的标题内容

用户在需要查看不同级别的标题时，可以按照以下操作进行查看。

步骤 01 设置查看标题的级别

继续上例中的操作，切换到“大纲”选项卡下，选择“大纲工具”组中的“显示级别”下拉列表中的“1 级”选项，如下图所示。

步骤 02 显示效果

经过此操作，页面内就只能查看到 1 级标题的内容了，效果如下图所示。

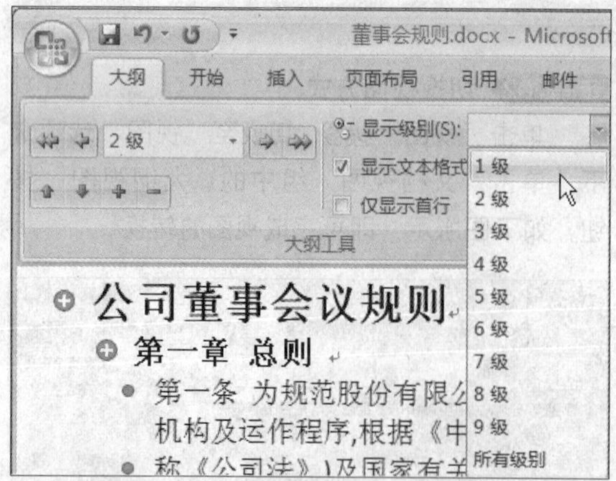

步骤 03 **查看1级标题以下的内容**

将插入点定位在标题行中，然后单击“展开”按钮，如下图所示。

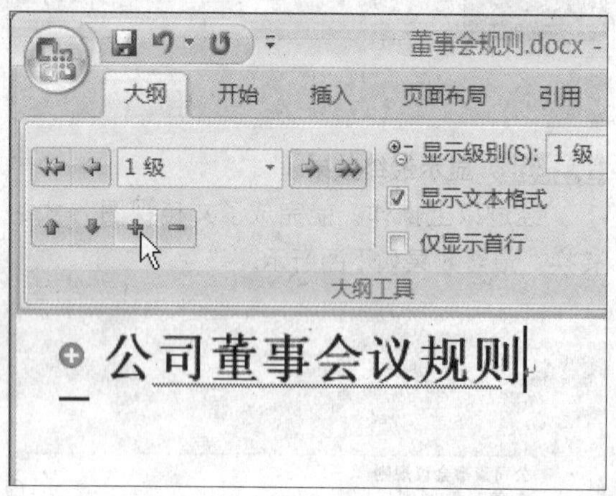

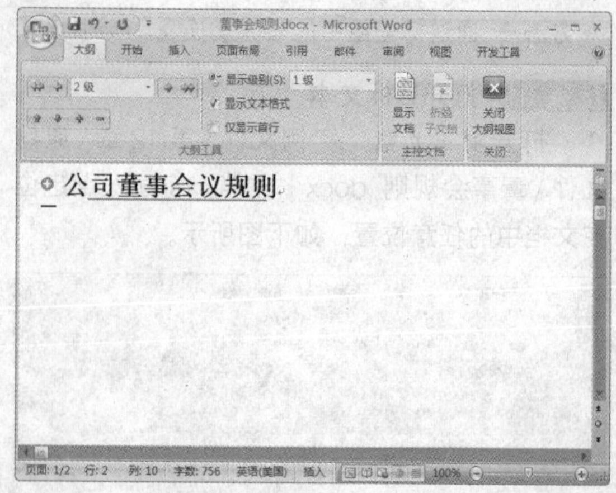

步骤 04 **显示最终效果**

经过以上操作，就可以查看到1级标题以下的内容，效果如下图所示。如果用户想继续向下查看，可重复步骤3的操作。

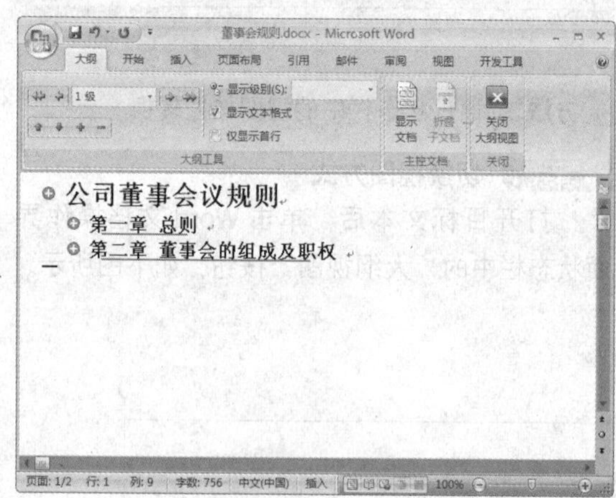

2. 普通视图

普通视图一般在将文档打印输出前，在进行文本录入时使用，在录入完毕后可以转换为页面视图下进行页面设置。转换为普通视图时有两种方法，下面介绍其具体的转换方法。

原始文件：实例文件\第12章\原始文件\董事会规则.docx
最终文件：无

＊方法一 通过标签组中的按钮切换

步骤 01 **打开目标文本**

打开附书光盘“实例文件\第12章\原始文件\董事会规则.docx”文档，将插入点定位在文档中的任意位置，如下图所示。

步骤 02 **切换视图方式**

单击“视图”标签，切换至“视图”选项卡下，单击“文档视图”组中的“普通视图”按钮，如下图所示，即可完成视图的转换。

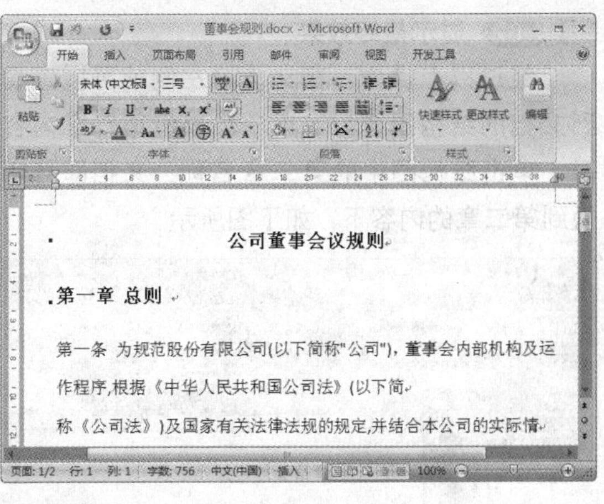

＊方法二 通过状态栏中的视图按钮转换

步骤 01 切换视图方式

打开目标文本后，单击 Word 文档操作界面状态栏中的“普通视图”按钮，如下图所示。

步骤 02 显示最终效果

经过以上操作，就完成了文档视图方式的转换，最终效果如下图所示。

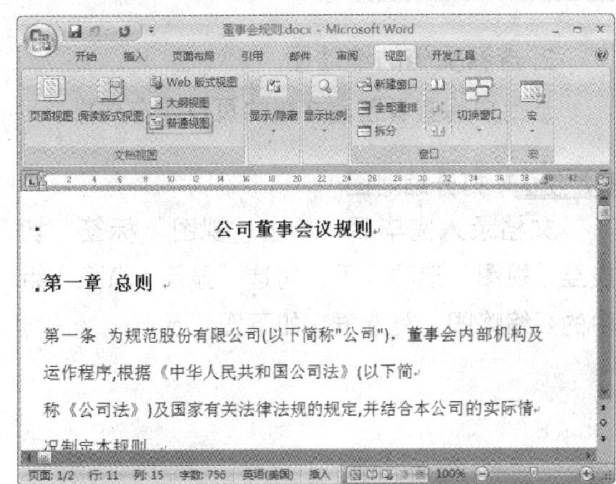

提示：其他视图方式的转换

如果用户需要使用其他视图方式，可以按照以上方法进行页面之间的转换，其操作步骤一致。

12.1.3 文档结构图与缩略图

当用户在需要查看文档结构时，可以通过设置来显示文档的结构图进行查看；而在查看整篇文档的页数或布局排版时，可以通过设置来显示文档的缩略图进行查看。下面就来介绍一下如何查看文档的结构图和缩略图。

1. 查看文档的结构图

在查看文档的整体结构时，可以使用文档结构图来查看，其操作步骤如下：

步骤 01 打开文档结构图

文档录入完毕后，单击“视图”标签，切换至“视图”选项卡下，勾选“显示 / 隐藏”组中的“文档结构图”复选框，如下图所示。

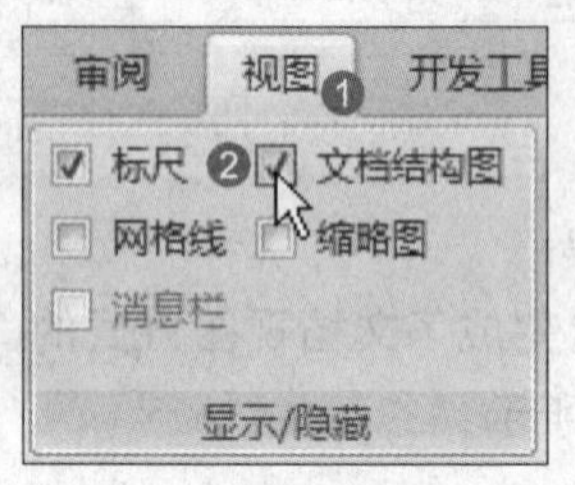

步骤 02 显示最终效果

经过以上操作，在文档的左侧就可以查看到文档的结构图了，当用户想查看第二章内容时，单击结构图中的第二章名称，文档即可切换到第二章的内容下，如下图所示。

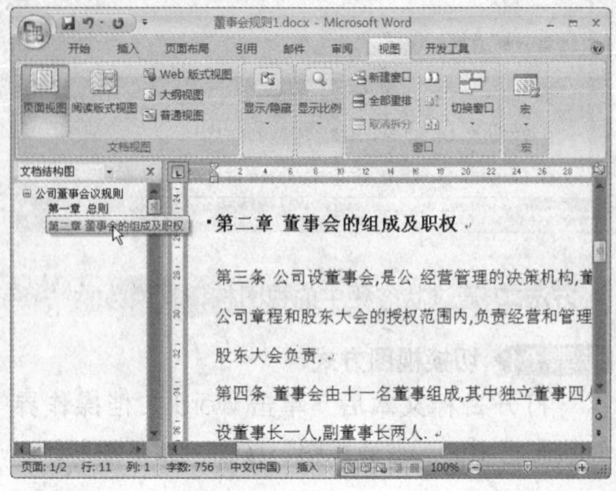

2. 查看文档的缩略图

当用户想查看整篇文档的页数或布局排版时，可以使用文档的缩略图来查看，操作步骤如下。

步骤 01 打开缩略图

文档录入完毕后，单击“视图”标签，切换至“视图”选项卡下，勾选“显示 / 隐藏”组中的“缩略图”复选框，如下图所示。

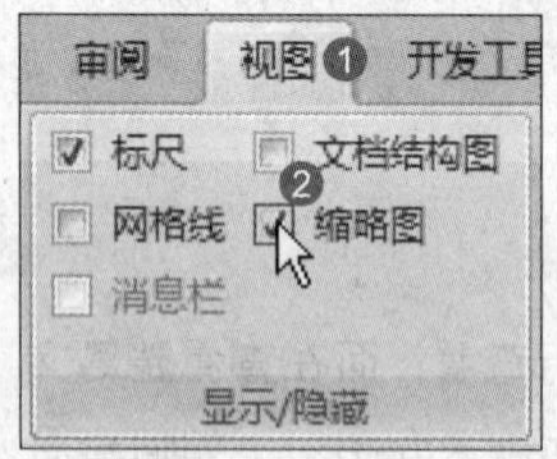

步骤 02 显示最终效果

经过以上操作后，在文档的左侧就可以查看到文档的缩略图了，当用户想查看第二页内容时，单击缩略图中的第二页，文档即可切换到第二页的内容下，如下图所示。

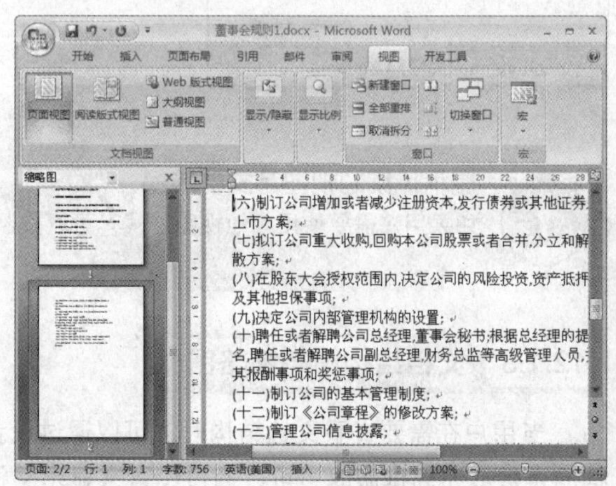

12.2 打印

在文档录入完成，页面设置完毕且检查过后，最后要做的工作就是打印输出，打印输出后，一个文档的操作才算是完成，下面就来介绍一下打印的设置及操作方法。

12.2.1 打印文档

在需要打印文档时，可按以下步骤来完成文档的打印设置。

步骤 01 打开“打印”对话框

在系统已安装了打印设备，并且文档录入完毕后，单击 Office 按钮，在弹出的菜单中选择“打印”命令，如下图所示。

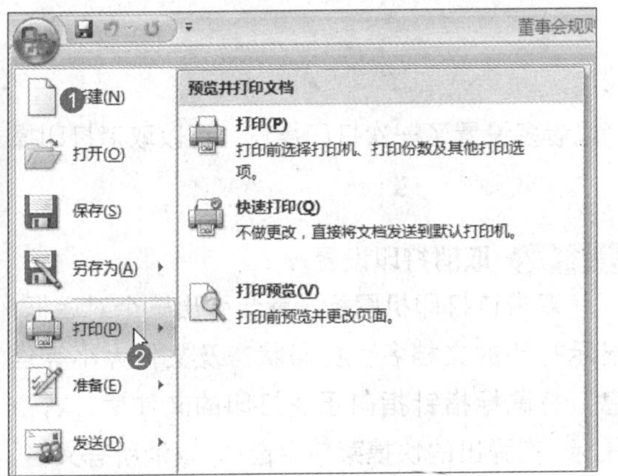

步骤 02 在“打印”对话框进行设置

在弹出的“打印”对话框中，单击“打印机”区域内的“名称”文本框右侧的下拉按钮，在弹出的列表中选择要使用的打印机，在“页码范围”选项区域内单击选中“全部”单选按钮，在“副本”选项区域内设置“份数”为 1，并勾选“逐页打印”复选框，单击“确定”按钮，如下图所示，即可返回到文档中，并执行打印操作。

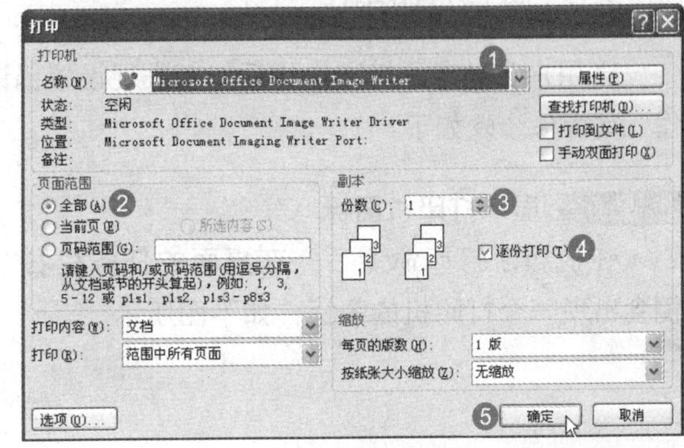

提示：通过快捷键来打开“打印”对话框

用户要执行打印任务时，可以通过按下 Ctrl+P 快捷键，打开“打印”对话框，然后按照上例中的操作进行打印设置即可。

12.2.2 设置逆页序打印

如果将多页文档按照正常顺序进行打印，则打印完毕后最后一页在最上面，用户还需要手动进行整理排序，这时如果用户将打印设置为逆序打印，就不必再进行手动整理了，设置逆序打印的方法如下：

步骤 01 打开“Word 选项”对话框

单击 Office 按钮，在弹出的菜单中单击“Word 选项”按钮，如下图所示。

步骤 02 设置逆序打印

在弹出的“Word 选项”对话框中，选择“高级”选项，在其选项面板中勾选“打印”区域中的“逆序打印”复选框，然后单击“确定”按钮，如下图所示，即可完成设置。

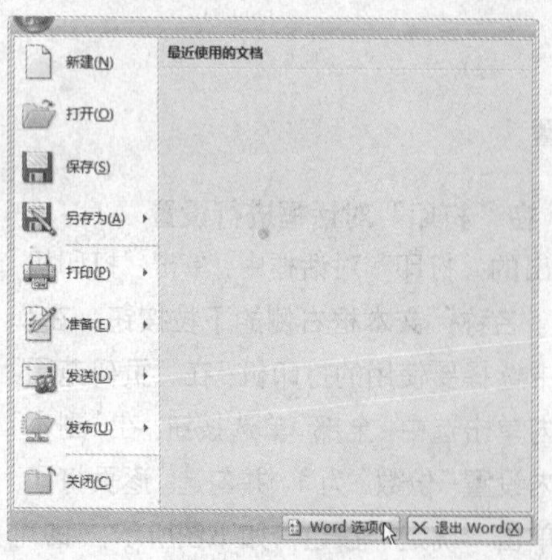

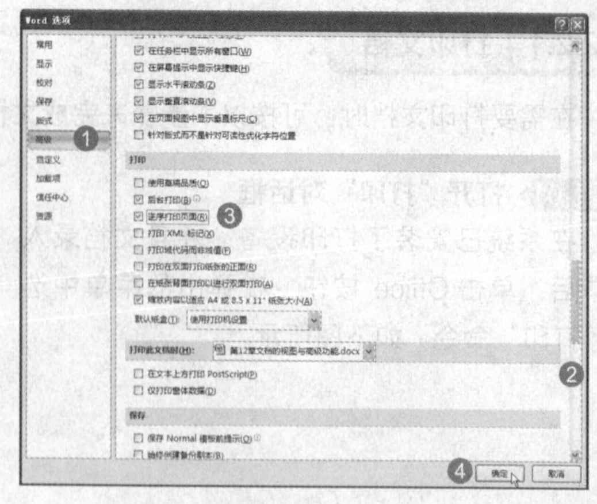

12.2.3 取消打印操作

当用户在确定了打印操作后，却发现设置错误，或者多设置了一次打印操作，可以取消打印操作，其操作步骤如下：

步骤 01 显示打印机图标

在执行了打印命令后，在桌面的任务栏右侧会出现一个打印机的图标，如下图所示。

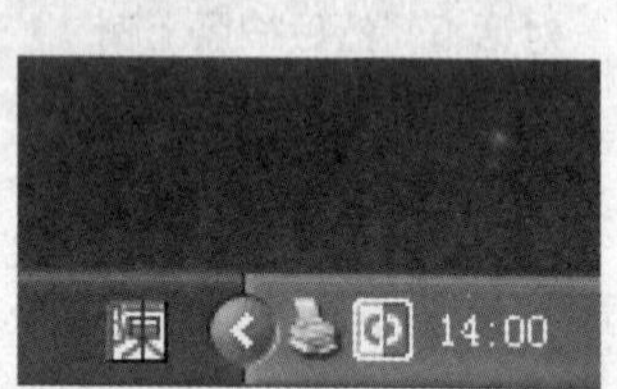

步骤 02 取消打印设置

双击该打印机图标，就会弹出一个对话框，显示打印的文档名、打印状态及文件大小等信息，将鼠标指针指向正在打印的文件后，右击鼠标，在弹出的快捷菜单中选择“取消所有文档”选项，如下图所示。

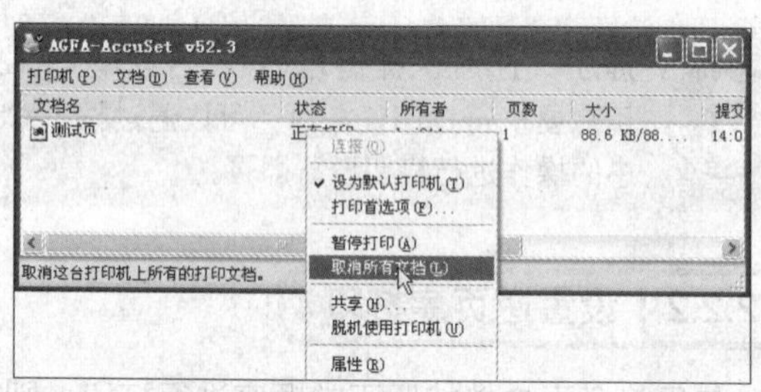

步骤 03 确定取消打印设置

执行取消打印文档后，会弹出一个“打印机”提示对话框，询问用户是否确实取消打印机正在打印的文档，单击“确定”按钮，如下图所示。

步骤 04 显示最终效果

经过以上操作，就可以完成取消打印的操作，在打印机对话框中，就会显示状态为“正在删除”，如下图所示，几秒钟后，系统便会将此次打印任务删除完毕，桌面任务栏中的打印机图标也会自动消失。

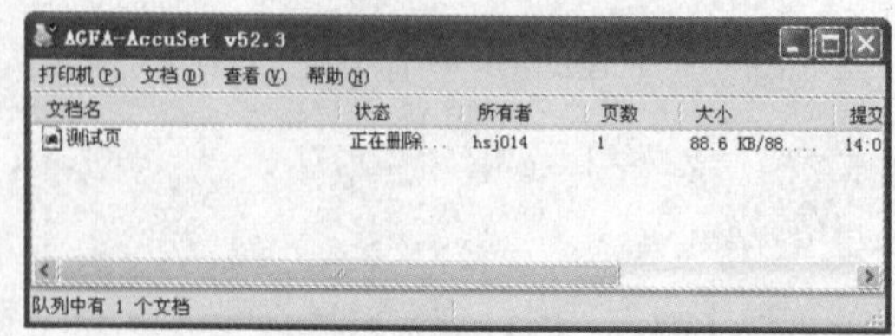

Column 技能提升

在 Word 文本程序操作中，还有些高级设置，如文本的查找与替换功能、校对功能、中文简繁转换功能，下面就来介绍一下这些功能的使用操作，供用户学习。

查找和替换功能

当用户需要将文档内的一个字或词替换为另一个字或词时，如果进行手动查找或替换则会很麻烦，并会浪费很多时间，这时用户可以使用“查找和替换”功能来完成替换操作。

原始文件：实例文件 \ 第 12 章 \ 原始文件 \ 制度 .docx
最终文件：实例文件 \ 第 12 章 \ 最终文件 \ 制度 .docx

1. 查找文本

用户在使用查找功能进行文本的查找时，可通过以下步骤完成操作。

步骤 01 打开目标文本

打开附书光盘“实例文件 \ 第 12 章 \ 原始文件 \ 制度 .docx”文档，将插入点定位在文档中的任意位置，如下图所示。

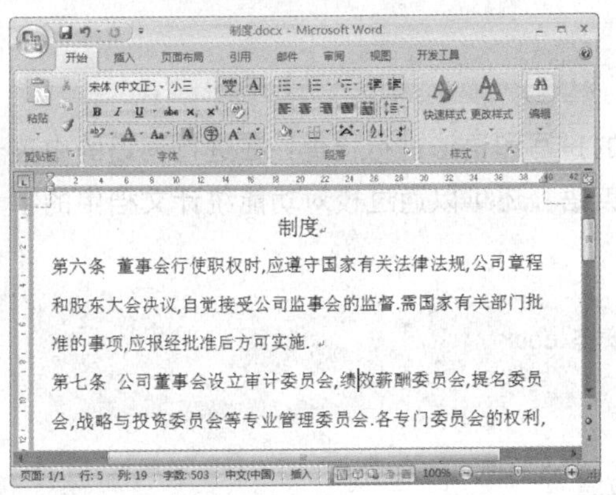

步骤 02 打开“查找和替换”对话框

单击“开始”标签，切换至“开始”选项卡下，单击“编辑”组中的“查找”按钮，如下图所示。

步骤 03 替换文本

打开“查找和替换”对话框后，切换到“替换”选项卡下，在“查找内容”文本框内输入要查找的内容“制度”，然后在“替换为”文本框内输入要替换的内容“章程”，再单击“全部替换”按钮，如下图所示。

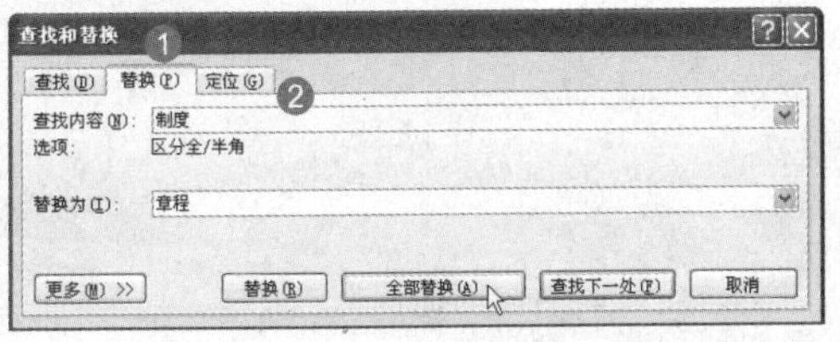

步骤 04 系统提示替换数量

查找完毕后，将弹出 Microsoft office Word 提示对话框，提示用户替换的数量，单击“确定”按钮，如下图所示。

步骤 05 **显示最终效果**

经过以上操作，即可完成文档内文本的替换操作，最终效果如右图所示。

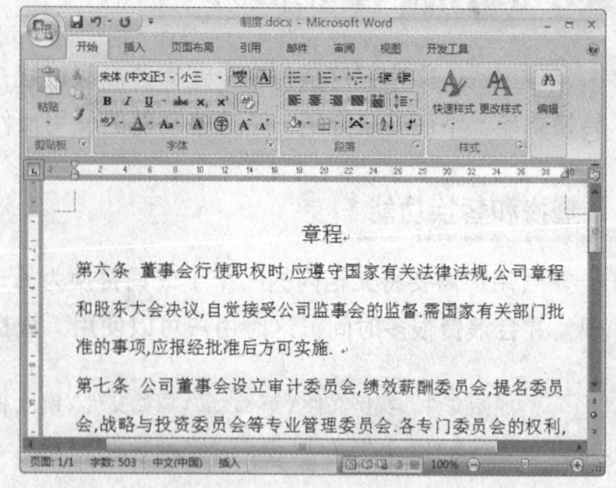

提示：利用快捷键来打开“替换”对话框

当用户需要进行文本内容的替换时，可以按下 Ctrl+H 快捷键，即可打开“查找和替换”对话框。

提示：替换部分文本内容

用户在替换文本时，如不需要全部替换，而是只替换掉其中的一处或几处时，可以在输入完查找和替换内容后单击“查找下一处”按钮，直至查找到需要替换的文本时再单击“替换”按钮，替换完成后，关闭“查找和替换”对话框即可。

校对功能

当用户在检查文档时，可以使用校对功能对文档的拼写和语法进行检查；在进行词语的中英文转换时，可以使用校对功能将文档中的中文翻译成英语；还可以通过校对功能统计文档中的字数。下面就来学习一下如何进行上述操作。

原始文件：实例文件 \ 第 12 章 \ 原始文件 \ 董事会会议安排 .docx
最终文件：无

1. 使用校对功能对文档内容的拼写和语法进行检查

当用户在录入一些对语法要求比较严格的文档时，经常会因为一时疏忽而导致语法的错误，这时用户可以使用“拼写和语法”功能对文档进行检查。

步骤 01 **打开目标文本**

打开附书光盘“实例文件 \ 第 12 章 \ 原始文件 \ 董事会会议安排 .docx”文档，将插入点定位在文档中的任意位置，如下图所示。

步骤 02 **执行文档的拼写和语法功能**

单击“审阅”标签，切换至“审阅”选项卡下，再单击“校对”组中的“拼写和语法”按钮，如下图所示。

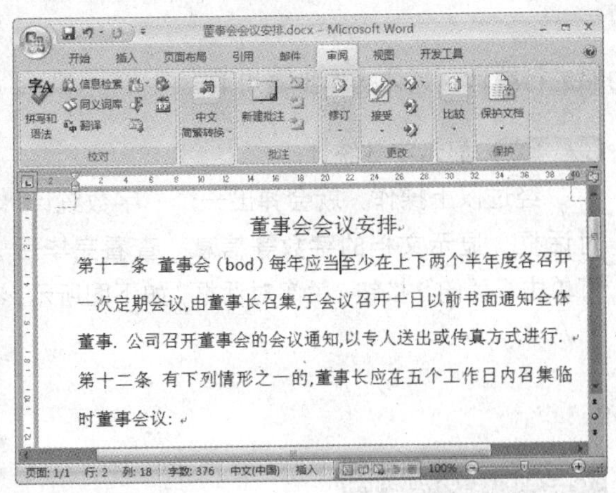

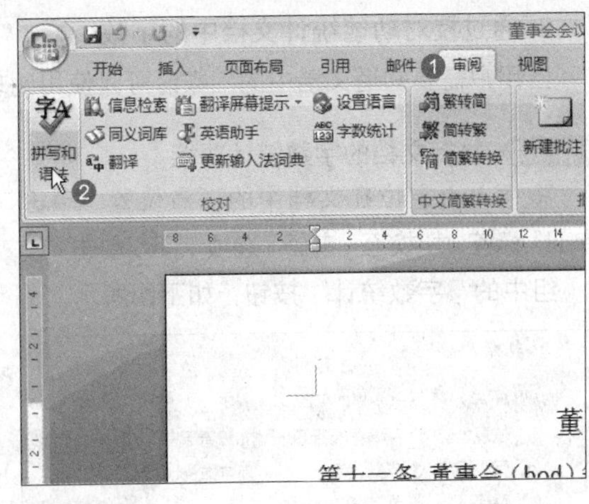

步骤 03 对文档内容的拼写和语法进行检查

经过以上操作，系统就会自动进行检查，当弹出一个"拼写和语法：英语（美国）"对话框，如右图所示，用户觉得不必更改时，可单击"忽略一次"按钮，当用户觉得需要更改时，可在对话框中提供的"建议"列表框中选择一个选项后，再单击"更改"按钮。

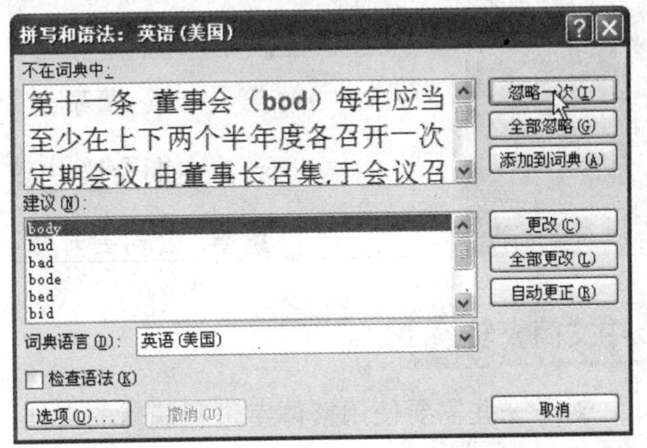

2. 使用校对功能将文档中的中文翻译成英语

当用户需要了解文档中词语的中文翻译或英文翻译时，可以使用此功能对文本进行翻译，具体操作步骤如下：

步骤 01 执行文档文本的翻译功能

选中要翻译的文本后，单击"审阅"标签，切换至"审阅"选项卡下，单击"校对"组中的"翻译"按钮，如下图所示。

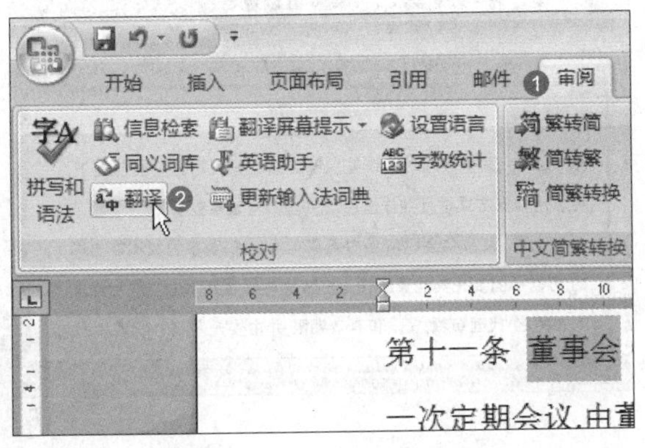

步骤 02 显示翻译内容

经过以上操作，就会在文档的右侧弹出"信息检索"任务窗格，显示所选文本的中文与英文，或者英文与中文之间的翻译内容，如下图所示。

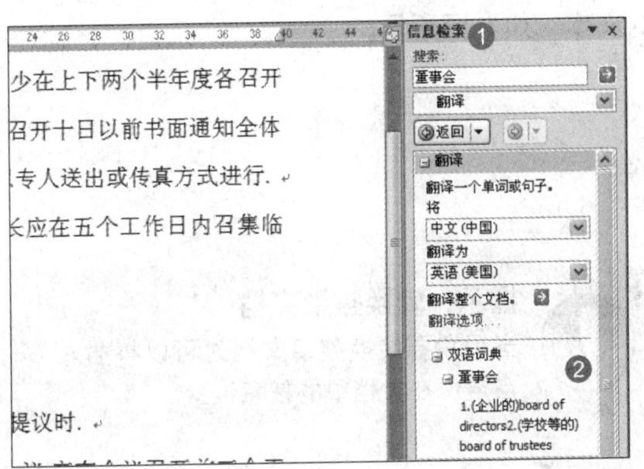

3. 通过校对功能统计文档中的字数

当用户需要知道文档中的字数时可以使用此功能进行统计，具体操作步骤如下：

步骤 01 执行文档的字数统计功能

将插入点定位在文档中的任意位置，单击"审阅"标签，切换至"审阅"选项卡下，单击"校对"组中的"字数统计"按钮，如下图所示。

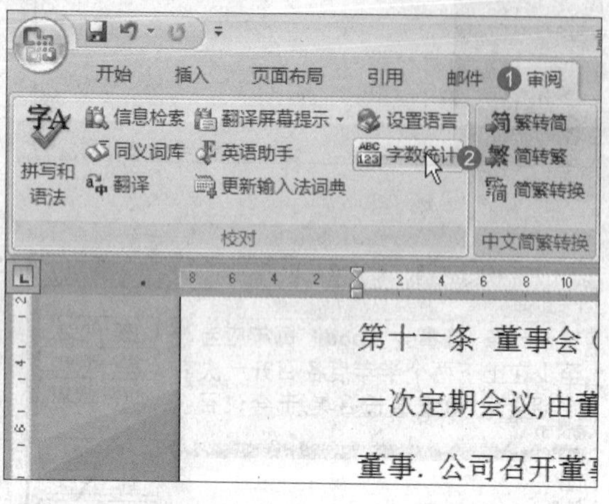

步骤 02 显示字数统计

经过以上操作，就会弹出一个"字数统计"对话框，显示文档的字数等信息，查看完毕后可单击"关闭"按钮，关闭对话框，如下图所示。

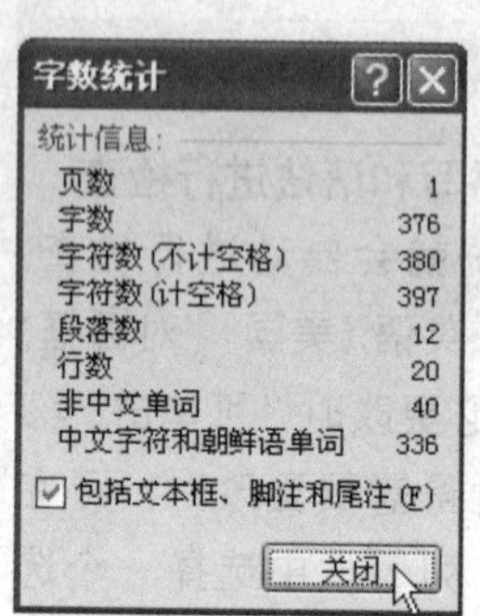

中文简繁转换

对于一些需要使用繁体字进行编辑的文档，如果用户从开始就使用繁体字进行输入，会由于对繁体文字的不熟悉而影响输入速度，这时用户可以采用输入简体中文后，再使用"中文简繁转换"功能的方法对文档进行设置。

原始文件：实例文件 \ 第 12 章 \ 原始文件 \ 会议安排 .docx
最终文件：实例文件 \ 第 12 章 \ 最终文件 \ 会议安排 .docx

步骤 01 打开目标文本

打开附书光盘"实例文件 \ 第 12 章 \ 原始文件 \ 会议安排 .docx"文档，选中要进行转换的文本，如右图所示。

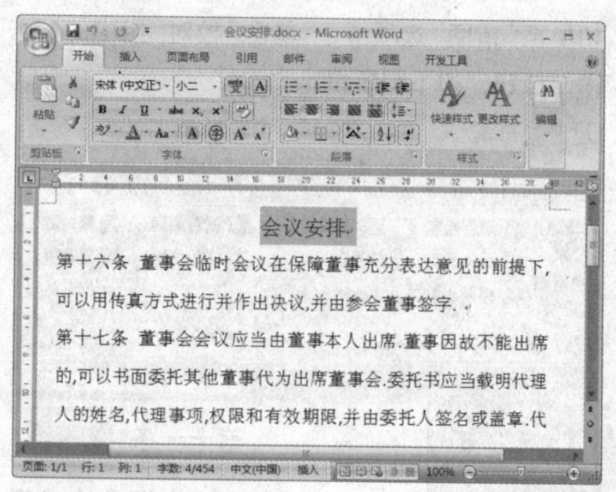

提示：转换整篇文档

当用户要转换整篇文档时可以将插入点定位在文档中的任意位置。

步骤 02 **执行简繁转换**

单击"审阅"标签，切换至"审阅"选项卡下，再单击"中文简繁转换"组中的"简转繁"按钮，如下图所示。

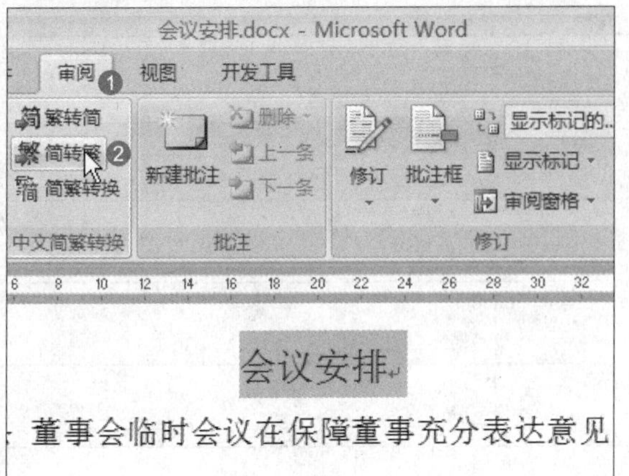

步骤 03 **显示最终效果**

经过以上操作，就完成了中文简体转换为繁体的设置，最终效果如下图所示。

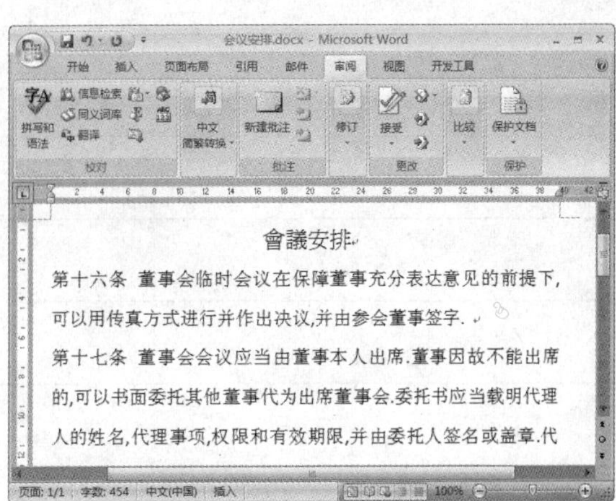

五笔打字

电脑办公

读书笔记

13

本章建议学习时间

本章建议学习时间为 40 分钟，其中 15 分钟用于学习教材知识，25 分钟用于上机操作。

制作公函回执书

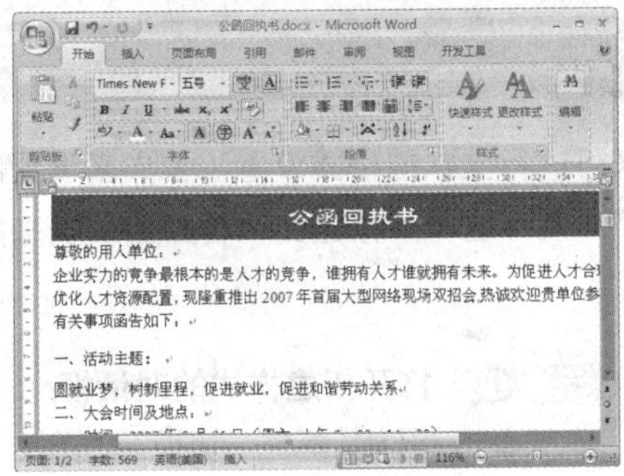

设置文档的标题样式

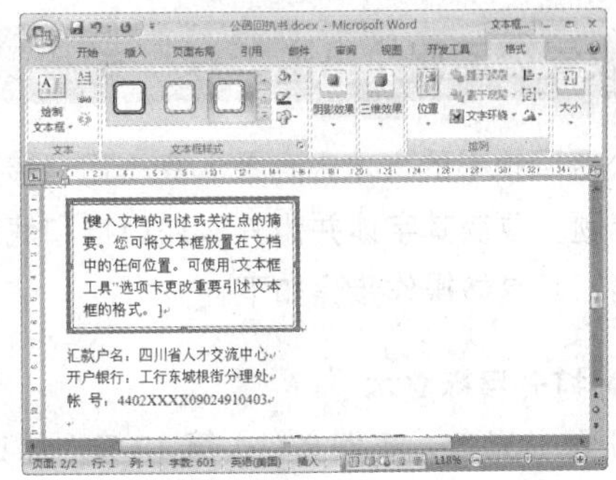

在文档中插入文本框

学习完本章后您可以

1. 了解文档标题的设置
2. 了解文档段落的设置
3. 在文档中插入并编辑表格
4. 在文档中插入文本框

第 13 章 制作公函回执书

经过前几章中对于 Word 文本处理程序的了解和学习后，就可以进行文本的操作处理了，本章中就利用前面章节中所学的知识制作一份完整的公函回执书，来对前面所学的知识进行巩固。

原始文件：实例文件 \ 第 13 章 \ 原始文件 \ 公函回执书 .docx
最终文件：实例文件 \ 第 13 章 \ 最终文件 \ 公函回执书 .docx

13.1 设置公函回执书的标题样式

在公函回执书的文本内容录入完毕后，接下来可进行文本的格式设置，首先来设置回执书的标题及子标题，改变其字体并为其添加边框和底纹等，使标题和子标题更适合公函回执书的格式，并美化文档，其具体操作步骤如下：

步骤 01 打开目标文本

打开附书光盘“实例文件 \ 第 13 章 \ 原始文件 \ 公函回执书 .docx”文档，将插入点定位在文档中的标题位置，如下图所示。

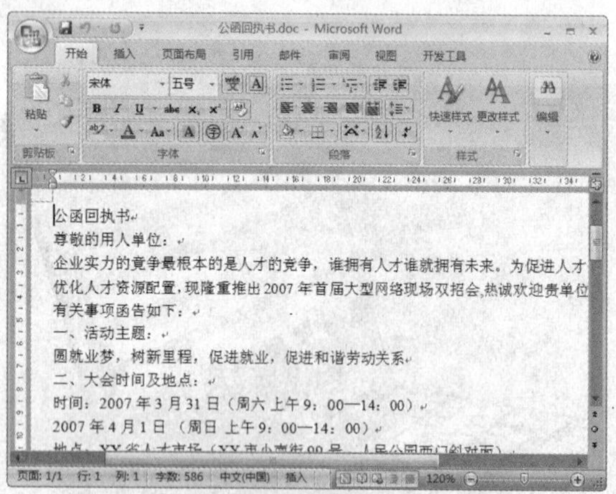

步骤 02 打开新建样式的对话框

单击“开始”标签，切换至“开始”选项卡下，单击“样式”组中的对话框启动器，在弹出的“样式”任务窗格中，单击“新建样式”按钮，如下图所示。

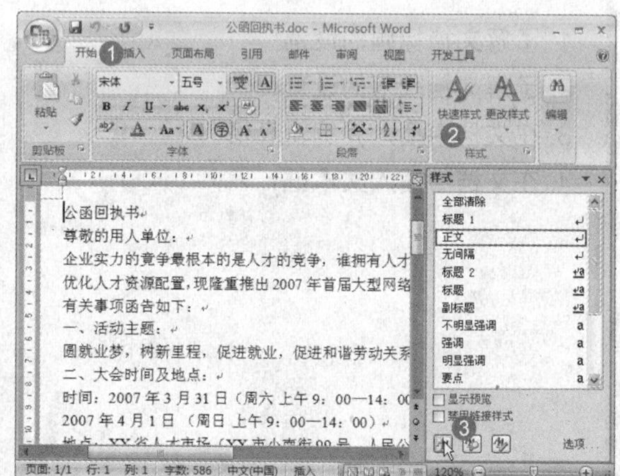

步骤 03 设置新建样式

打开“根据格式设置创建新样式”对话框后，在“名称”文本框内输入“1 级标题”字样，单击“格式”文本框右侧的下拉按钮，在弹出的下拉列表中选择“隶书”选项，按照同样的方法，将字号设置为“小二”，将字体颜色设置为“白色”，再单击段落对齐方式中的“居中对齐”按钮，然后单击“格式”按钮，在弹出的下拉列表中选择“边框”选项，如右图所示。

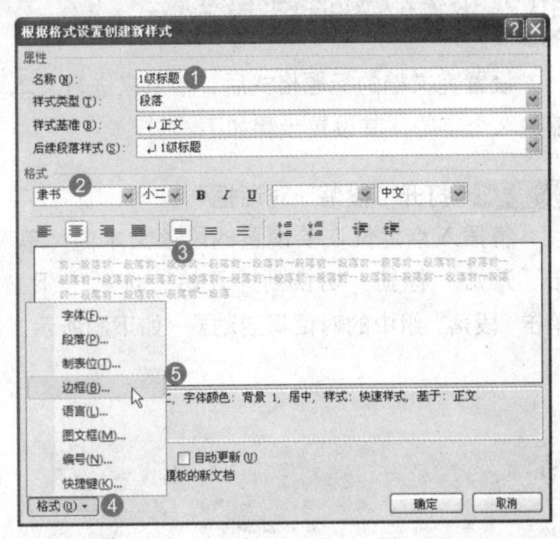

步骤 04 设置边框和底纹

在弹出“边框和底纹”对话框后，切换至“底纹”选项卡下，单击“填充”文本框右侧的下拉按钮，在弹出的颜色列表中选择“红色，强调文字颜色 2，深色 25%”选项，按照同样的方法将“样式”设置为 5%，然后单击“确定”按钮，如右图所示。

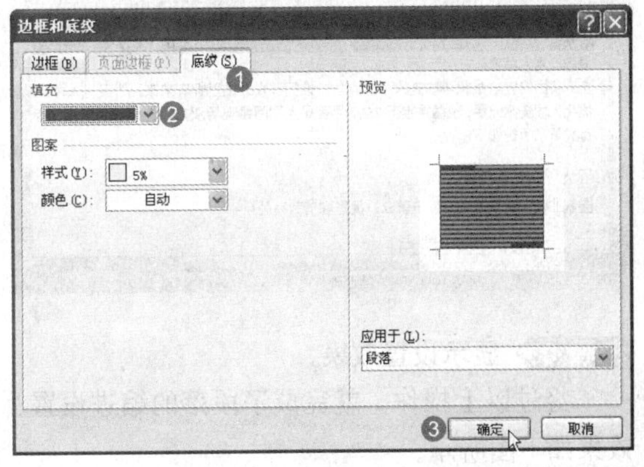

步骤 05 显示设置效果

依次单击各对话框中的“确定”按钮，返回到 Word 文档，标题行即应用了设置的样式，效果如下图所示。

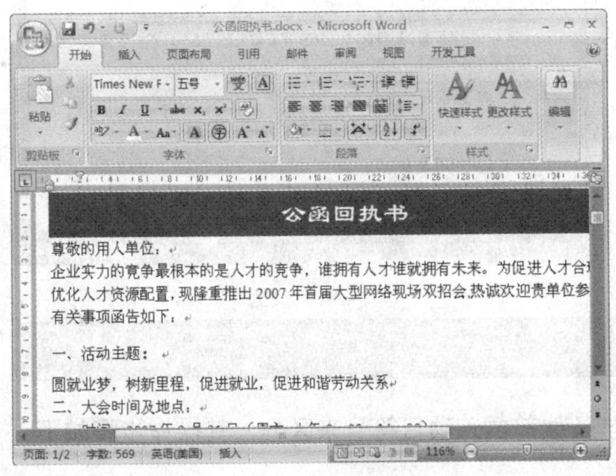

步骤 06 制作 2 级标题样式并应用

按照以上步骤对 2 级标题应用字体为“宋体”，字号为“小三”，对齐方式为两端对齐的新建样式，最终效果如下图所示。

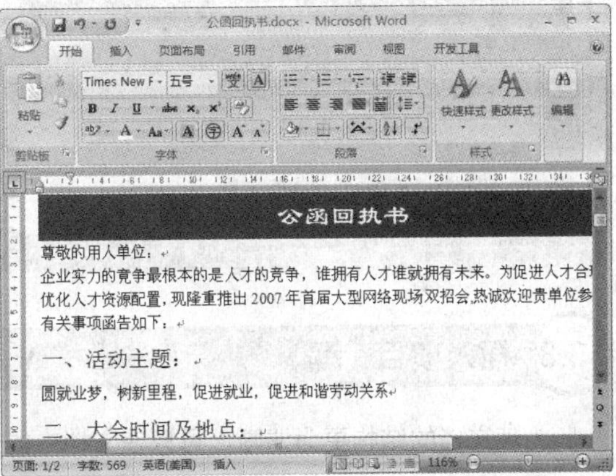

五笔打字

电脑办公

13.2 设置公函回执书段落格式

设置完文档的标题格式后，接下来进行文本段落的设置，在段落设置中，要将段落设置为首行缩进 2 个字符，其设置步骤如下：

步骤 01 打开“段落”对话框

将插入点定位在要设置的段落文本内，单击“开始”标签，切换到“开始”选项卡下，单击“段落”组中的对话框启动器，如下图所示。

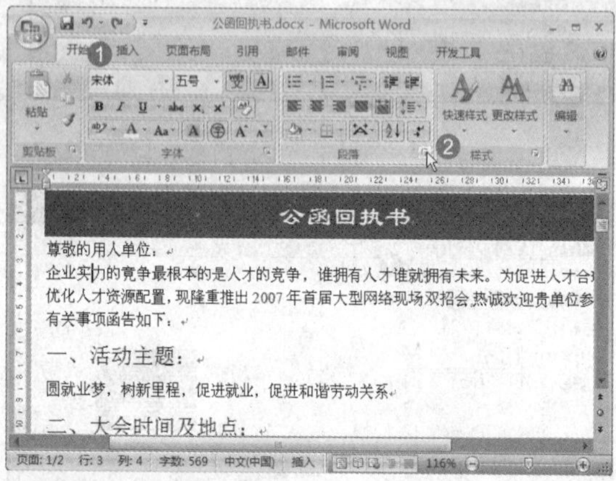

步骤 02 设置段落缩进

打开“段落”对话框后，切换到“缩进和间距”选项卡下，单击“特殊格式”文本框右侧的下拉按钮，在弹出的列表中选择“首行缩进”选项，“磅值”会默认转换为“2 字符”如下图所示，然后单击“确定”按钮。

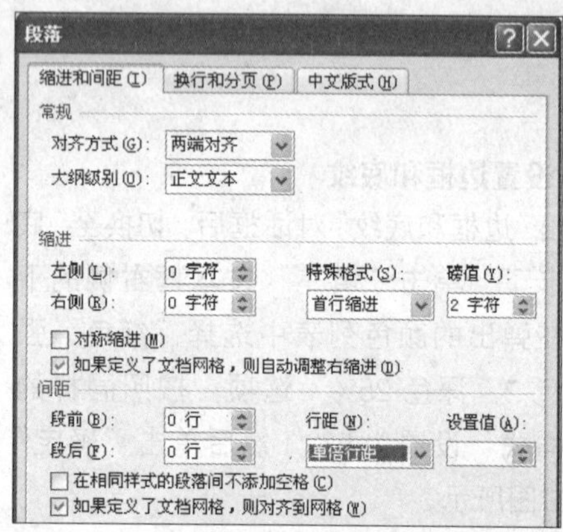

步骤 03 显示设置效果

经过以上操作，就完成了段落的缩进设置，效果如下图所示。

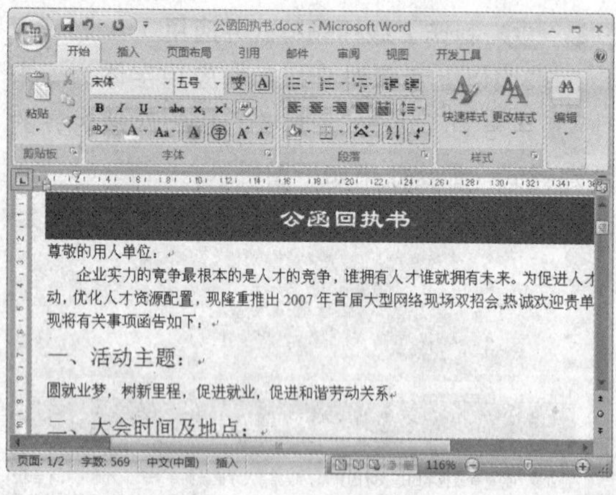

步骤 04 全文应用段落设置效果

按照以上步骤对全文的段落全部应用首行缩进，最终效果如下图所示。

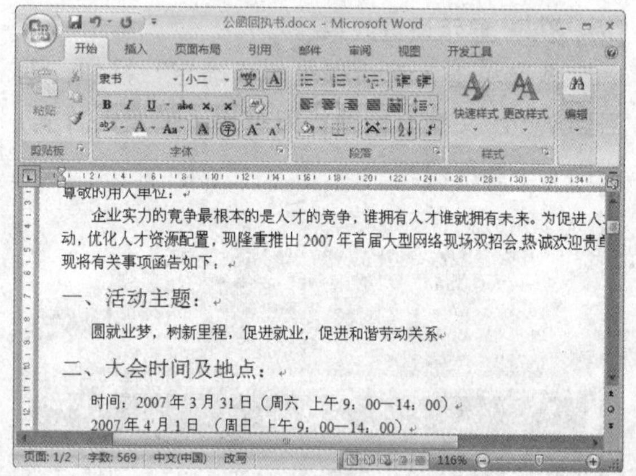

13.3 插入项目符号

为使文档的结构更为清晰，可以在文档中的一些条款前插入项目符号来区分，其操作步骤如下：

步骤 01 选择插入位置，打开“项目符号”列表

将插入点定位在要插入项目符号的段落前，然后切换到“开始”选项卡下，单击“段落”组中的“项目符号”下拉按钮，如下图所示。

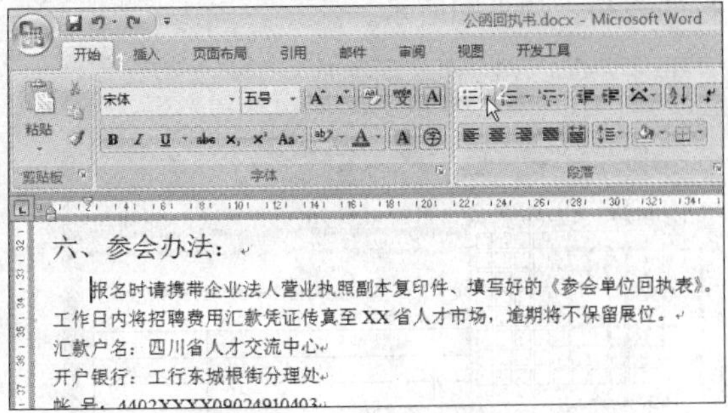

步骤 02 插入项目符号

在弹出的“项目符号”列表中选择“✧”选项，如下图所示。

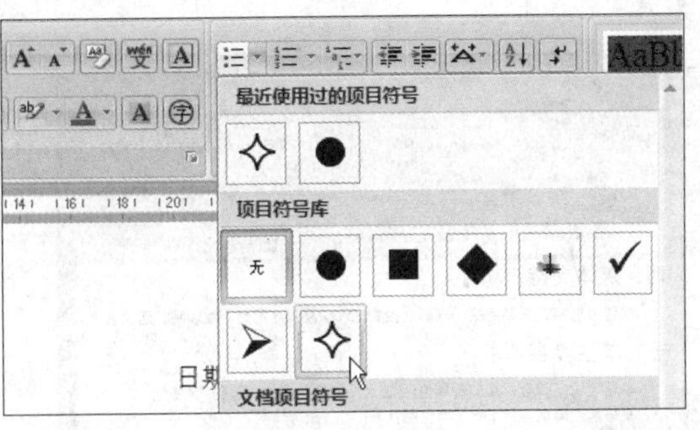

步骤 03 显示插入项目符号效果

经过以上操作，就可以完成在文本内插入项目符号的设置，其效果如下图所示。

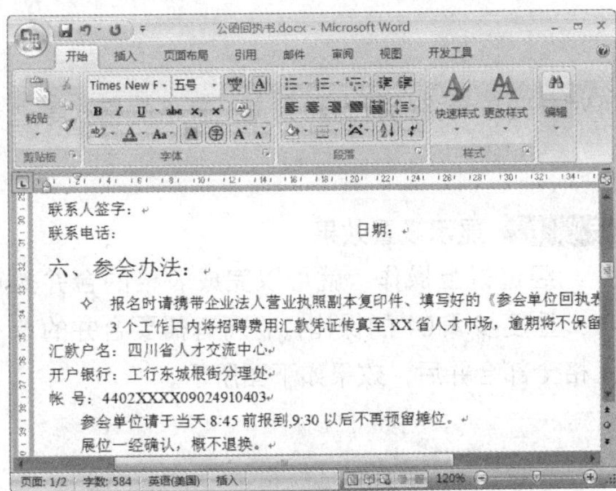

步骤 04 在其他段落前插入项目符号的效果

按照以上步骤在其他段落前也插入项目符号，最终效果如下图所示。

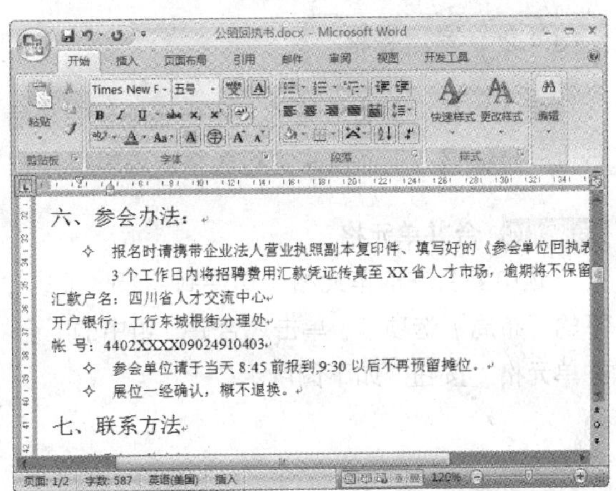

13.4 在公函回执书中插入并编辑表格

在此公函回执书中，有一些内容如用表格表达会更清晰、明了，下面就来进行在文档中插入并编辑表格的操作。

13.4.1 插入表格

在进行表格的插入时，先确定好表格的行列数，然后进行插入，并对表格的格式进行编辑，插入表格的具体操作步骤如下：

步骤 01 选择目标文本，打开“表格”列表

将插入点定位在要插入表格的位置上，切换到“插入”选项卡下，单击“表格”组中的“表格”下拉按钮，如下图所示。

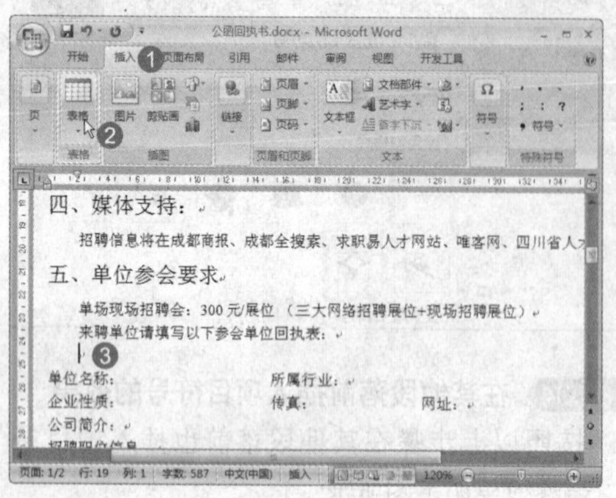

步骤 02 插入表格

在弹出的“表格”列表中，将鼠标指针指向虚拟表格中第6行，第7列相交的单元格，然后单击鼠标，即可在文档中插入一个6列7行的表格，如下图所示。

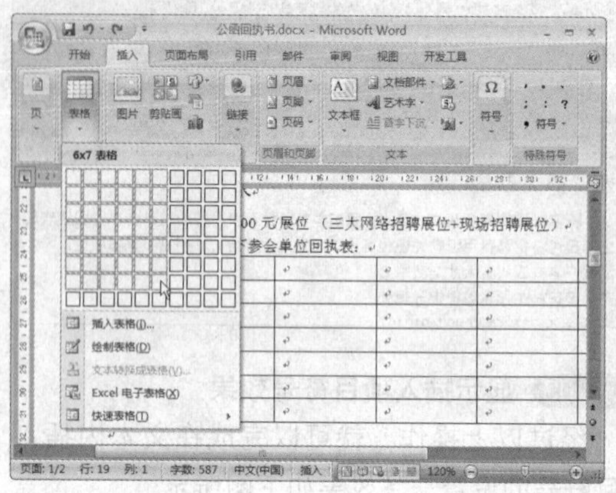

13.4.2 编辑表格

插入表格，并将表格的文本内容编辑完毕后，可对一些单元格的行高和列宽、表格的格式等进行进一步编辑，下面就来进行表格的编辑操作。

步骤 01 合并单元格

选中要合并的单元格，切换到“表格工具”下的“布局”选项卡，单击“合并”组中的“合并单元格”按钮，如下图所示。

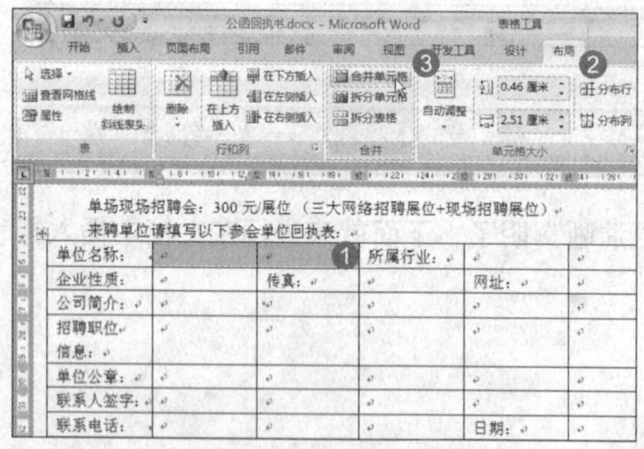

步骤 02 显示设置效果

经过以上操作，就可以完成表格的合并操作，重复步骤01的操作，将所有需要合并的单元格全部合并后，效果如下图所示。

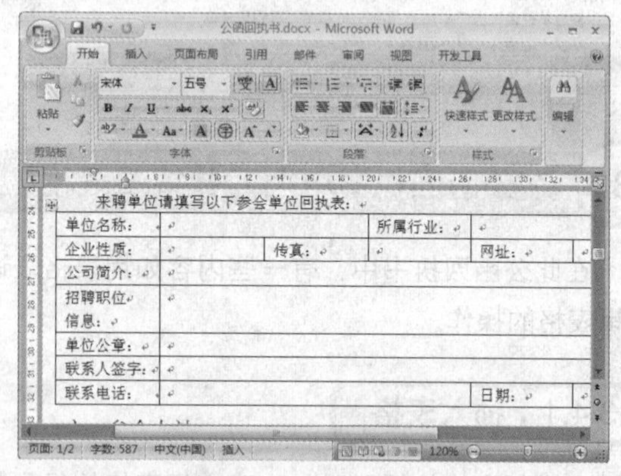

步骤 03 调整单元格列宽

选中要调整列宽的单元格，将鼠标指针指向表格的列线，当鼠标指针变为+||+形状时，按住鼠标左键不放，水平拖动鼠标至适当位置即可，如下图所示。

步骤 04 显示设置效果

在调整行高时先要选中要调整的单元格，将鼠标指针指向行线，当指针变为÷时，垂直拖动鼠标至适当位置，即可完成行高的调整。以此法调整整个表格，最终效果如下图所示。

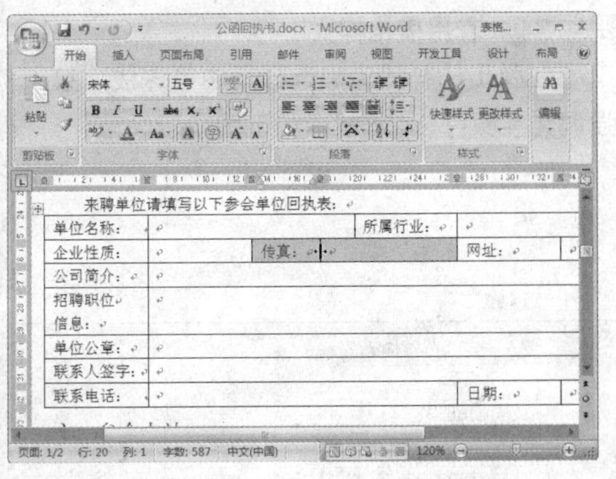

步骤 05 调整表格内文本的对齐方式

选中要调整的文本内容后，切换到“表格工具”“布局”选项卡下，单击“对齐方式”组中的“水平居中”按钮，如下图所示。

步骤 07 在表格中插入单元格

将插入点定位在要插入单元格的下方单元格内，切换到“表格工具”下的“布局”选项卡，单击“行和列”组中的“在上方插入”按钮，如下图所示。

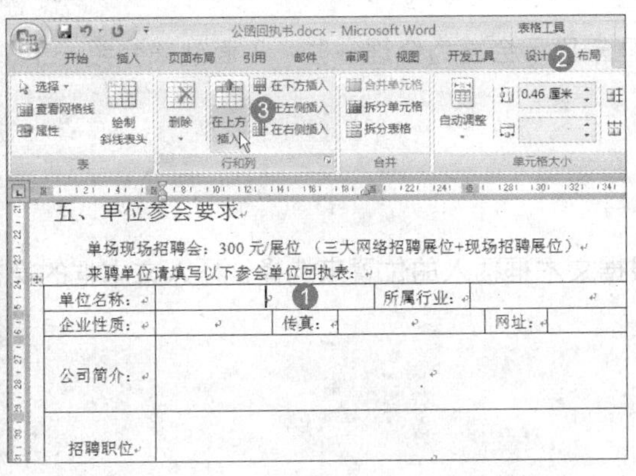

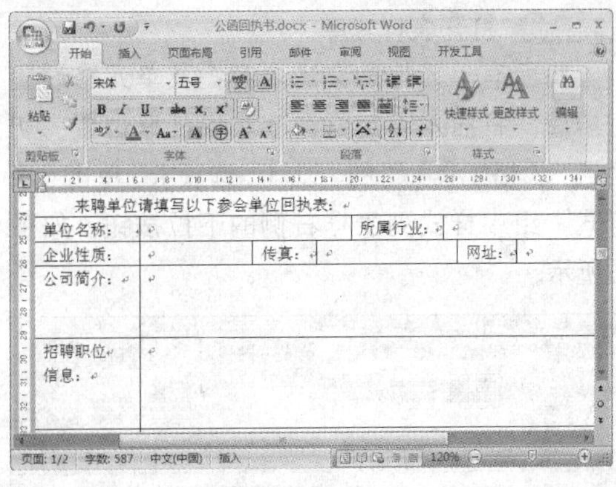

步骤 06 显示设置效果

经过以上操作，就对所选文本进行了对齐方式的设置，设置后效果如下图所示。

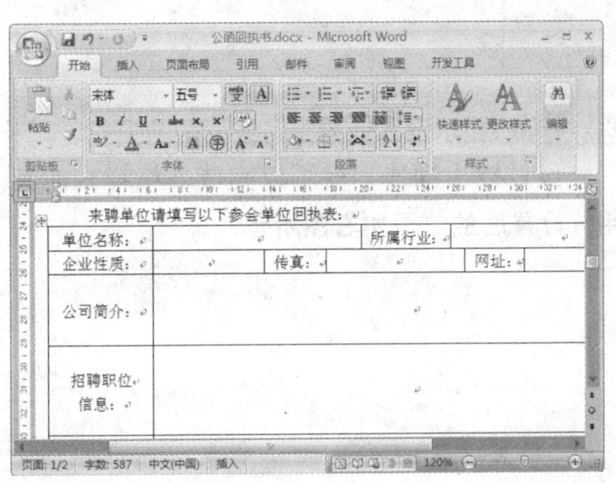

步骤 08 显示插入表格的效果

经过以上操作，就可以在插入点所在单元格的上方插入一行单元格，效果如下图所示。

步骤 09 打开表样式库

将所有单元格的文本内容、及单元格设置完毕后，将插入点定位在表格中任意位置，切换到"表格工具"下的"设计"选项卡，单击"表样式"组中样式列表框右侧的下拉按钮，如下图所示。

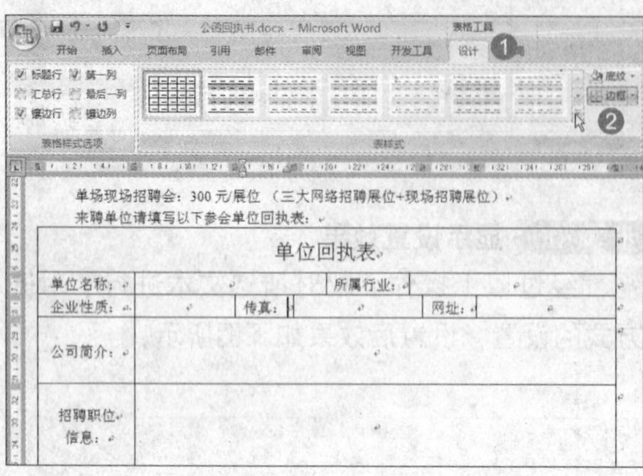

步骤 10 套用表格样式

在弹出的样式库中选择"中等深浅底纹 1-强调文字颜色 2"样式，如下图所示。

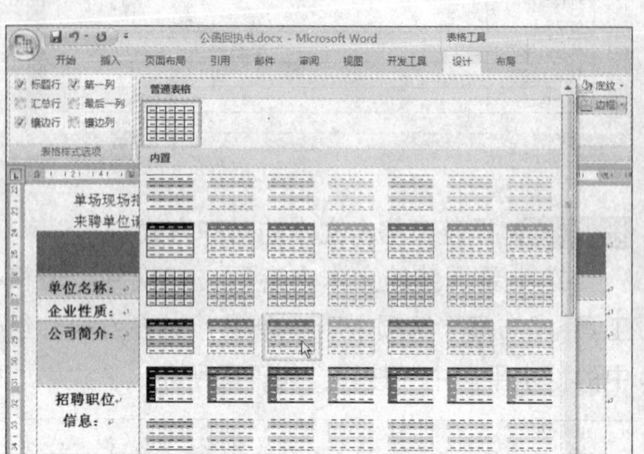

步骤 11 显示设置效果

经过以上操作，就可以完成表格样式的套用，设置后的效果如右图所示。

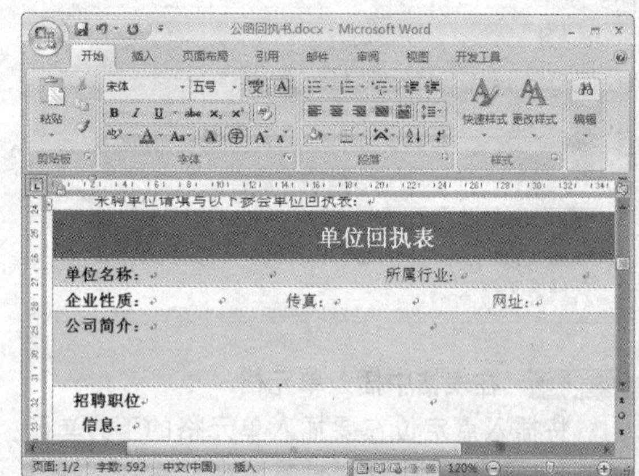

13.5 在文档中插入文本框

表格编辑完毕后，文档中有些内容如使用文本框来显示会更为合理一些，下面就来介绍一下文本框的插入与编辑。

13.5.1 插入文本框

Word 程序提供了很多种文本框样式，用户可根据文本框插入的位置来选择，插入文本框的操作步骤如下：

步骤 01 选择插入位置，打开“文本框”列表

将插入点定位在要插入文本框的位置，单击“插入”标签，切换到“插入”选项卡下，然后单击“文本”组中的“文本框”按钮，如下图所示。

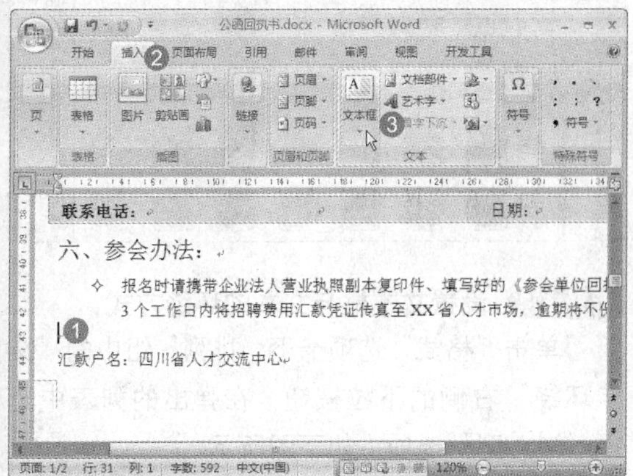

步骤 02 选择插入文本框的样式

在弹出的“文本框”列表中，选择“简单文本框”样式，如下图所示。

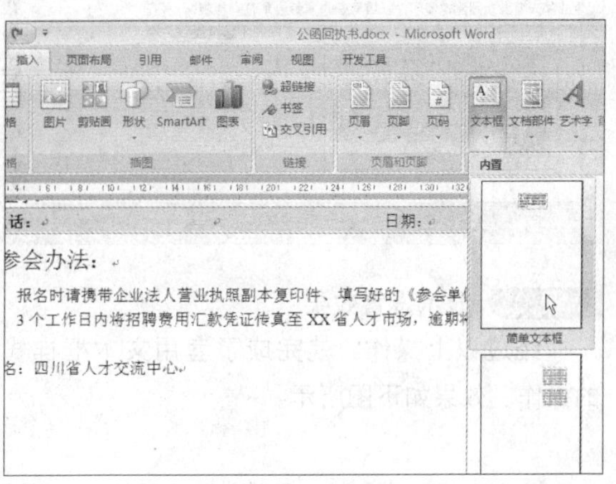

步骤 03 显示设置效果

经过以上操作，就完成了在文档内插入文本框的操作，效果如右图所示。

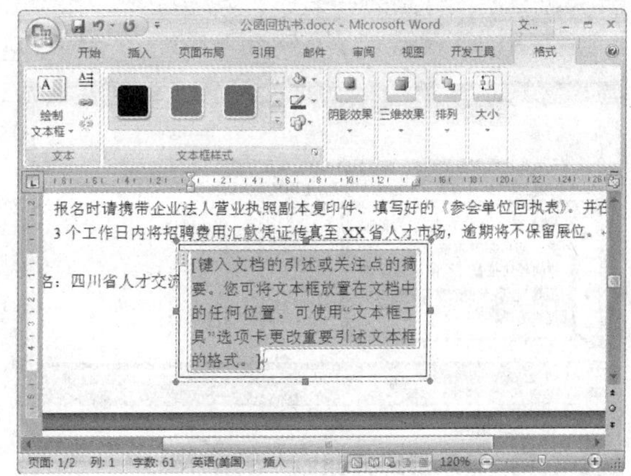

13.5.2 编辑文本框

插入文本框后，为了使文本框与文档内容配合得更好，还需要对文本框进行进一步的编辑，具体操作步骤如下：

步骤 01 打开文本框样式库

单击选中文本框后，单击“文本框工具”下的“格式”标签，切换到“格式”选项卡下，单击“文本框样式”组中的列表框右侧的下拉按钮，如下图所示。

步骤 02 套用文本框样式

在弹出的样式库中选择“复合型轮廓－强调文字颜色 2”样式，如下图所示。

五笔打字

电脑办公

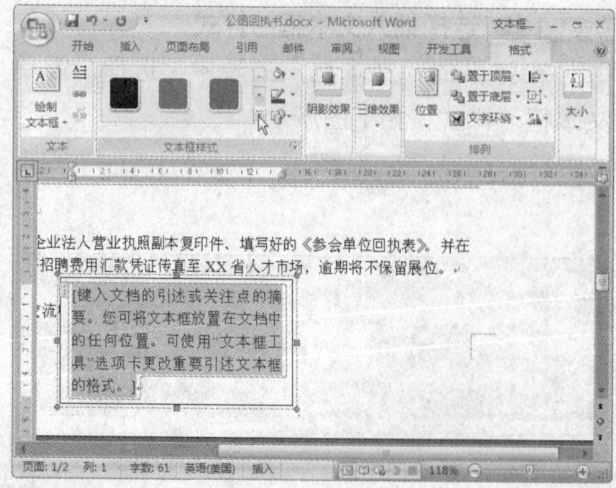

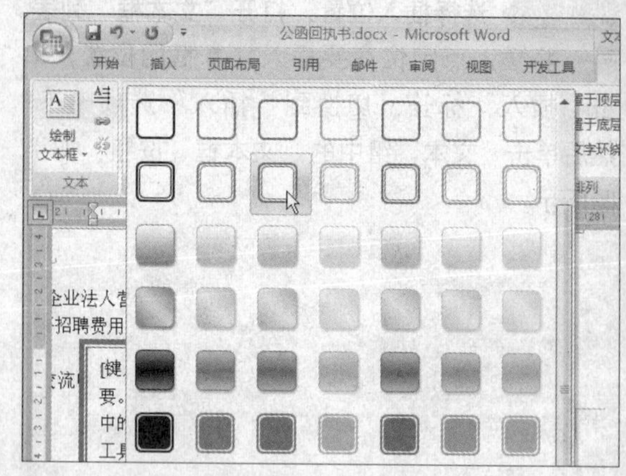

步骤 03 显示设置效果

经过以上操作，就完成了套用文本框样式的操作，效果如下图所示。

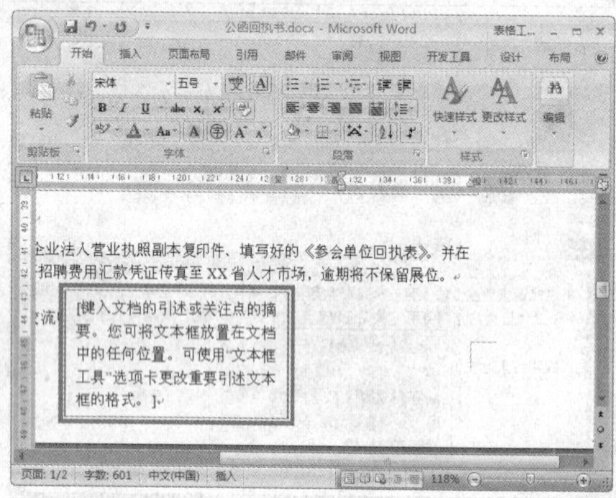

步骤 04 设置文本框与文本的环绕方式

单击“格式”选项卡下“排列”组中的“文字环绕”右侧的下拉按钮，在弹出的列表中选择“嵌入型”选项，如下图所示。

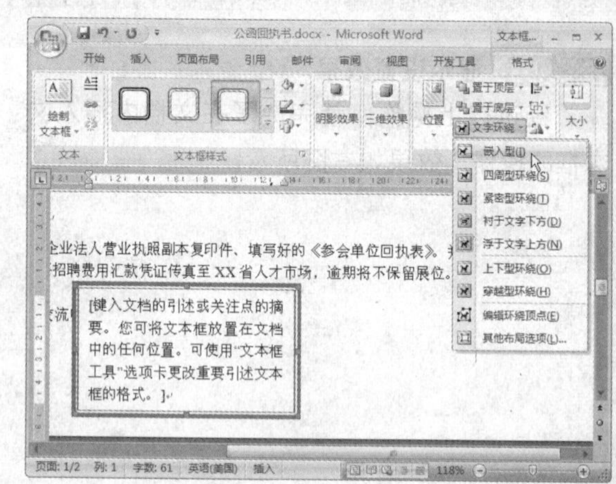

步骤 05 显示最终效果

经过以上操作，就完成了文本框在文档中的嵌入设置，最终效果如右图所示。接下来用户可以在文本框内直接输入文本内容。

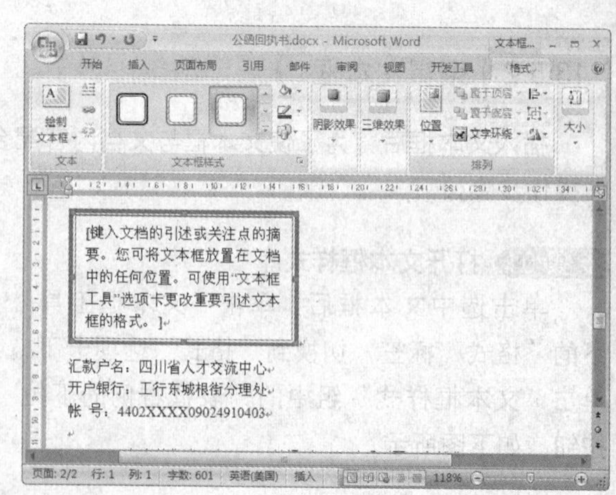

13.6 在文档中插入日期

在文档的结尾，需要输入日期时，为了使文档更为规范，可以使用插入日期功能，来插入比较正规的日期格式，其具体操作步骤如下：

步骤 01 打开“日期和时间”对话框

将插入点定位在要插入时间的位置，然后切换到“插入”选项卡下，单击“文本”组中的“日期和时间”按钮，如下图所示。

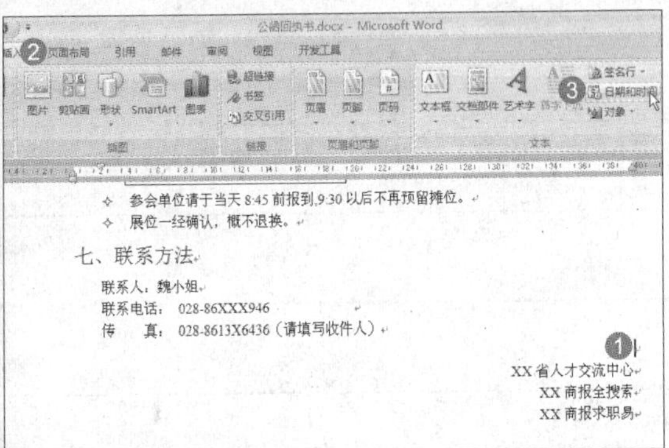

步骤 02 选择要插入日期的格式

在弹出的“日期和时间”对话框中，选择要插入的日期格式后，单击“确定”按钮，如下图所示。

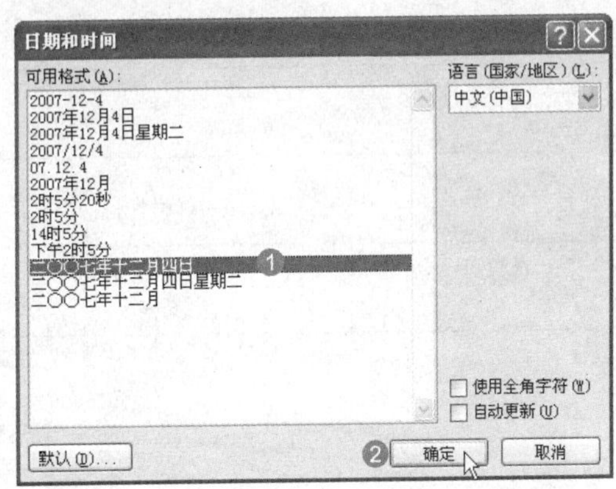

步骤 03 显示最终效果

经过以上操作，就可以在文本中插入日期，最终效果如右图所示。

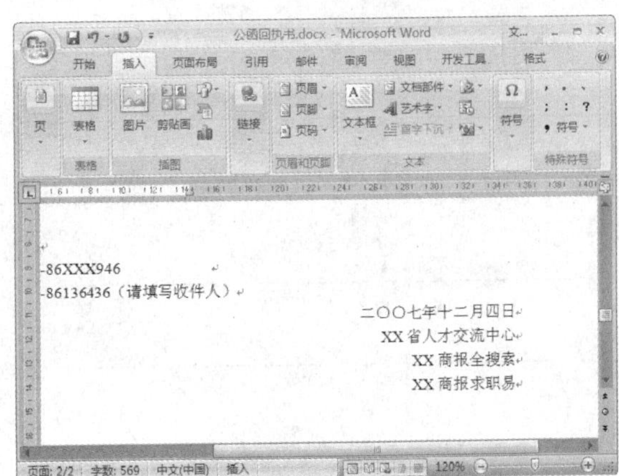

读书笔记

14

本章建议学习时间

本章建议学习时间为 60 分钟，其中 30 分钟用于学习教材知识，30 分钟用于上机操作。

认识 Excel 2007

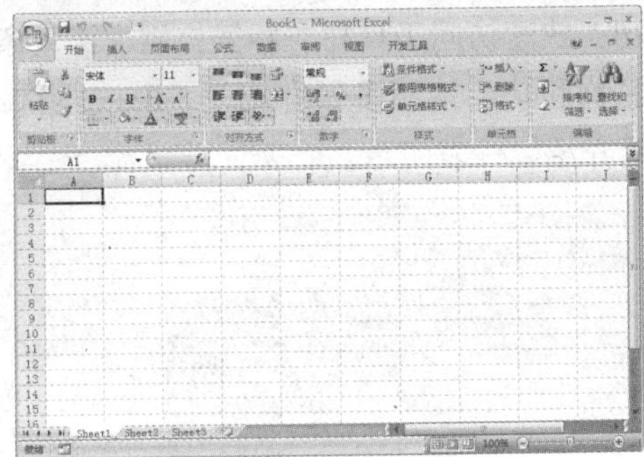

Excel 2007 的窗口

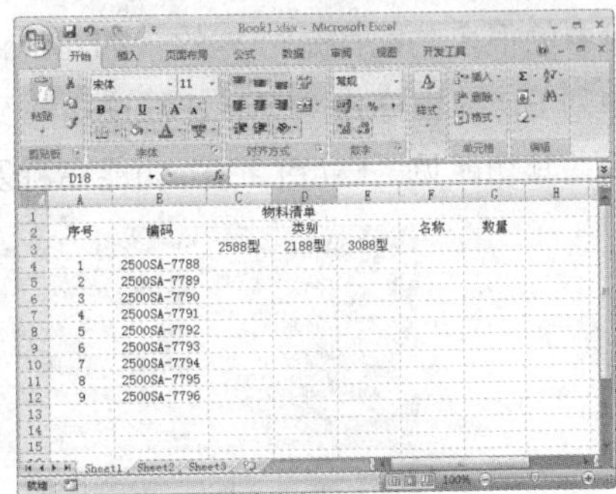

单元格内数据的输入

学习完本章后您可以

1. 认识 Excel 2007 的窗口
2. 进行单元格的一些操作
3. 进行工作表的相关操作
4. 在工作表中插入批注

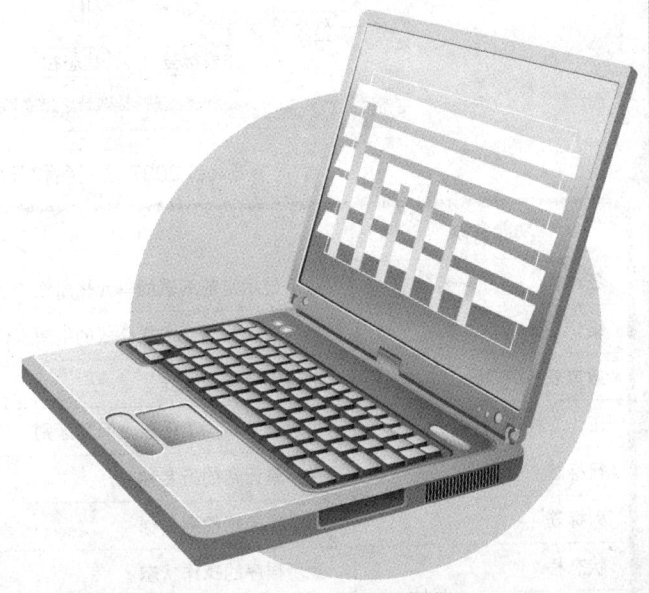

第 14 章 认识 Excel 2007

Excel 2007 是 Microsoft Office 软件中最新版本的表格处理程序，由于 Excel 程序集数据的统计、分析、图表制作于一身，所以其强大的数据处理功能深得用户的青睐，使用范围涉及到财务、办公、家庭等各个领域，下面首先来熟悉一下 Excel 程序的基本知识。

14.1 Excel 窗口的组成

由于 Excel 数据处理程序与 Word 文本程序同属于 Microsoft Office 办公应用系列软件，所以其操作界面中的很多功能都是一样的，如 Office 按钮、快速访问工具栏、标签、组、滚动条等等，所以本章中对 Excel 程序中与 Word 程序中一致的名称和功能就不多做介绍了。Excel 窗口的组成如下图所示，其功能见“Excel 2007 功能名称及功能介绍”一表所示。

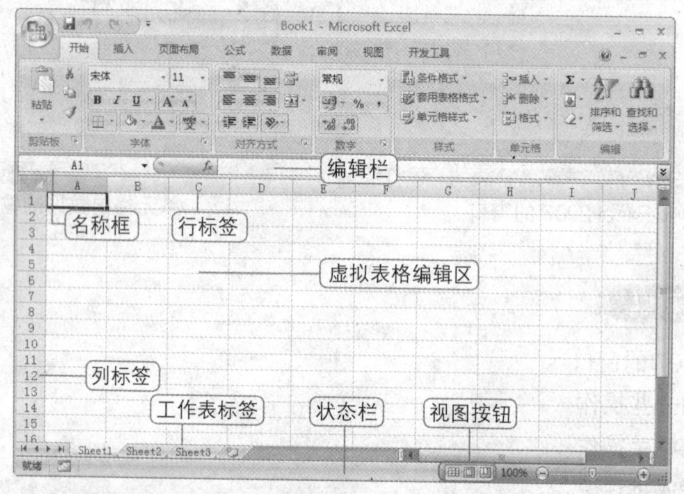

Excel 2007 功能名称及功能介绍

功能名称	功能介绍
名称框	用于显示当前编辑的单元格所在位置
编辑栏	用于单元格内文本或公式的编辑操作
虚拟表格编辑区	进行表格编辑操作
工作表标签	用于显示不同工作表之间的区别，并可在工作表之间进行切换
行标签	每个单元格的行名称
列标签	每个单元格的列名称
状态栏	显示程序的操作状态
视图按钮	用于进行不同视图方式之间的转换

14.2 单元格的操作

Excel 程序的编辑区由一个个虚拟单元格组成，当鼠标指针指向它的操作界面时，就会转换成空心的十字形状，将鼠标指针指向一个单元格后，单击鼠标，即可选中一个单元格。接下来的数据处理操作，都将在单元格中进行，下面就来介绍一下单元格的一些基本操作。

14.2.1 单元格内文本的输入

在单元格内进行输入文本的操作时有两种方法，用户可根据自己的习惯选择任意一种方法，下面就来介绍一下这两种方法。

＊方法一 直接在单元格内输入文本

启动 Excel 程序后，单击要输入文本的单元格，直接输入文本即可，如下图所示，在单元格内输入文本时，编辑栏内也会显示文本内容，但插入点是定位在单元格内的。

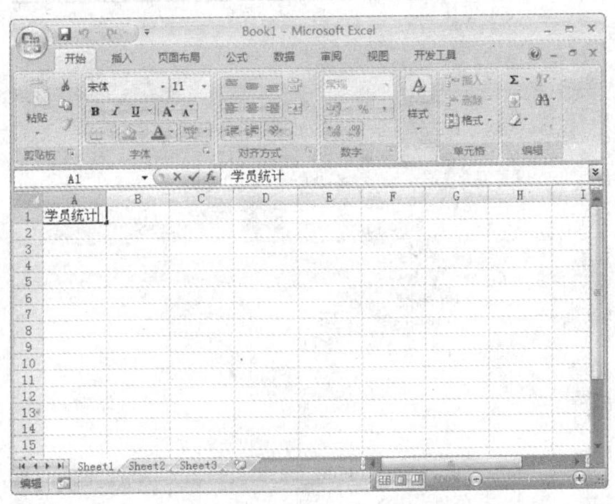

＊方法二 在编辑栏内输入文本

启动 Excel 程序后，单击要输入文本的单元格后，单击编辑栏，将插入点定位在编辑栏内，然后进行文本的输入操作即可，如下图所示。

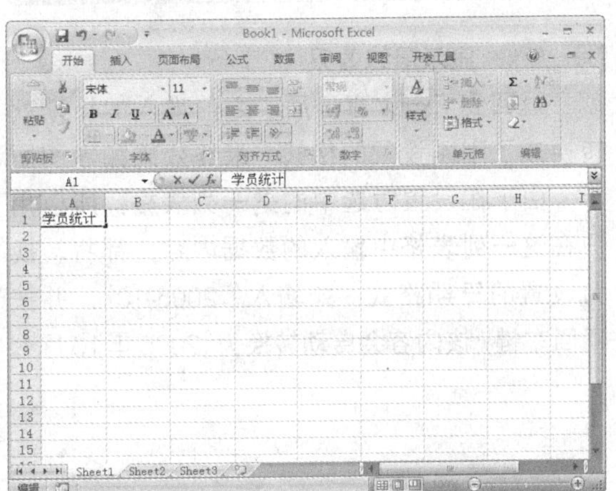

提示：表格内文本的编辑操作

在 Excel 程序中，对于文本的选取、复制、移动等操作与在 Word 程序中的操作基本相同，因此本文中就不多做介绍了。

14.2.2 单元格内数据的输入

在输入文本内容时，用户可以直接进行输入，由于 Excel 程序是专门的数据处理程序，所以在它的系统中存在多种数据形式，用户在进行输入数据时要进行一些设置操作。

1. 输入专用数据

用户在输入一些类似于货币、日期、时间一类的专用数据时，需要先进行单元格格式的设置，然后再输入数字，其设置步骤如下：

步骤 01 打开“设置单元格格式”对话框

选中要输入日期的一列单元格后，单击“开始”选项卡下的“数字”组中的对话框启动器，如下图所示。

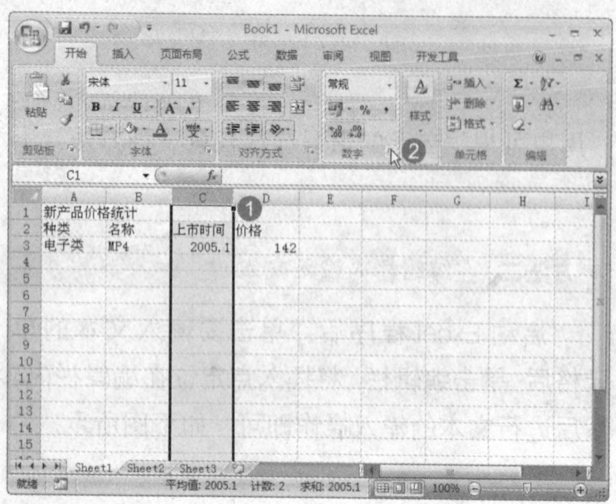

步骤 02 设置单元格格式

在弹出的“设置单元格格式”对话框中，单击“数字”标签，切换到“数字”选项卡下，选择“分类”列表框中的“日期”选项后，在“类型”列表中选择要设置的日期形式，然后单击“确定”按钮，如下图所示。

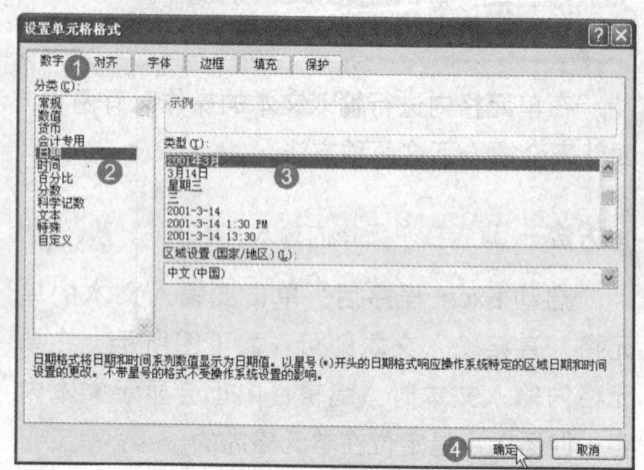

步骤 03 显示最终效果

返回到 Excel 窗口后，之前输入的日期就转换成了刚刚设置的格式，最终效果如右图所示，由于在设置时选中的是一列表格，所以用户在这一列表格中输入的数据内容，都将转换为设置的日期格式，如输入“2005-10”，并按下回车键，该内容会自动转换为“2005年10月”。

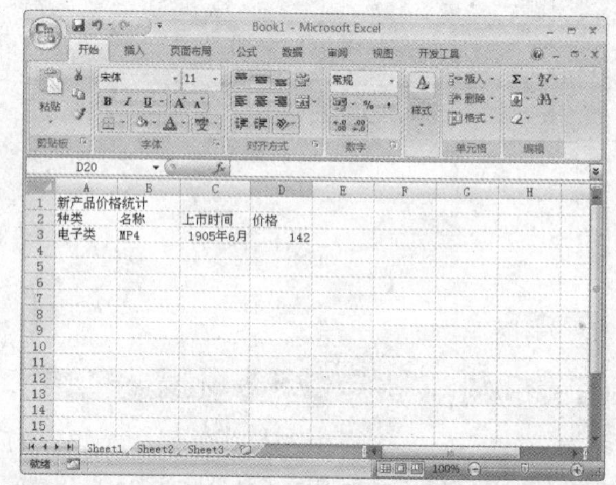

2. 在连续的单元格内输入同一个数字

当用户要在连续的单元格内输入同一个数字时，一个一个地输入会浪费很多时间，在这里用户可以在 Excel 程序中使用一定的技巧来进行输入。

步骤 01 在第一个单元格内输入数字

启动 Excel 程序后，在第一个单元格内输入数字 1，如下图所示。

步骤 02 完成其他单元格内数字的输入

将鼠标指针指向输入数字的单元格右下角的行列交界处，当鼠标指针变成黑色十字形状时，按住鼠标左键不放，向下拖动鼠标，如下图所示。

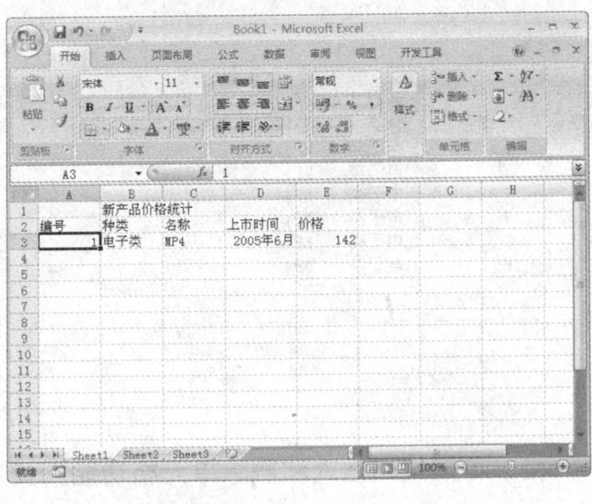

	A	B	C	D
1		新产品价格统计		
2	编号	种类	名称	上市时间
3	1	电子类	MP4	2005年6月
4				
5				
6				
7				
8				
9				
10				
11				
12				
13				

步骤 03　显示最终效果

将鼠标拖动到目标位置后，释放鼠标，即可完成在连续单元格内同一数字的输入，最终效果如右图所示。

	A	B	C	D
1		新产品价格统计		
2	编号	种类	名称	上市时间
3	1	电子类	MP4	2005年6月
4	1			
5	1			
6	1			
7	1			
8	1			
9				
10				
11				

提示：在连续单元格内输入同一文本

当用户需要在连续的单元格内输入同一文本时，也可以使用输入数字的方法来进行输入，其操作步骤一致。

3. 在连续的单元格内输入连续的数字

步骤 01　在第一个单元格内输入数字

启动 Excel 程序后，在第一个单元格内输入数字 1，如下图所示。

步骤 02　完成其他单元格内数字的输入

将鼠标指针指向输入数字的单元格右下角的行列交界处，当鼠标指针变成黑色十字形状时，在按住 Ctrl 键的同时按下鼠标左键不放，向下拖动鼠标，如下图所示。

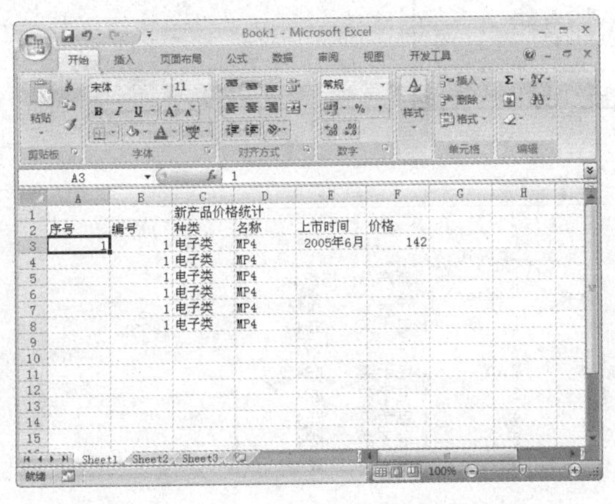

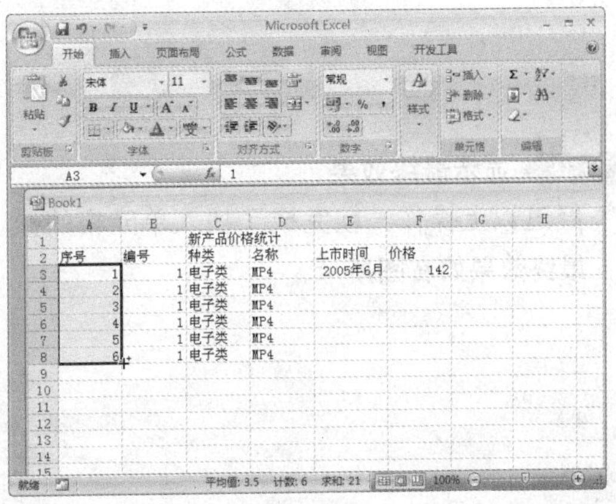

步骤 03 显示最终效果

将鼠标拖动到目标位置后，释放鼠标，即可完成在连续单元格内连续数字的输入，最终效果如右图所示。

	A	B	C	D
1			新产品价格统计	
2	序号	编号	种类	名称
3	1	1	电子类	MP4
4	2	1	电子类	MP4
5	3	1	电子类	MP4
6	4	1	电子类	MP4
7	5	1	电子类	MP4
8	6	1	电子类	MP4
9				
10				

14.2.3 插入和删除单元格

当用户在编辑 Excel 表格时，如需要增加或减少单元格，可以使用插入和删除单元格功能，其操作步骤如下：

1. 插入单元格

在插入单元格时，有插入一列或一行单元格，以及插入单个单元格的区别，用户可根据自己的需要进行插入设置。

步骤 01 打开“插入”对话框

打开 Excel 文件后，单击选中要插入单元格的下方的单元格内，然后切换到“开始”选项卡下，单击“单元格”组中“插入”右侧的下拉按钮，在弹出的列表中选择“插入单元格”选项，如右图所示。

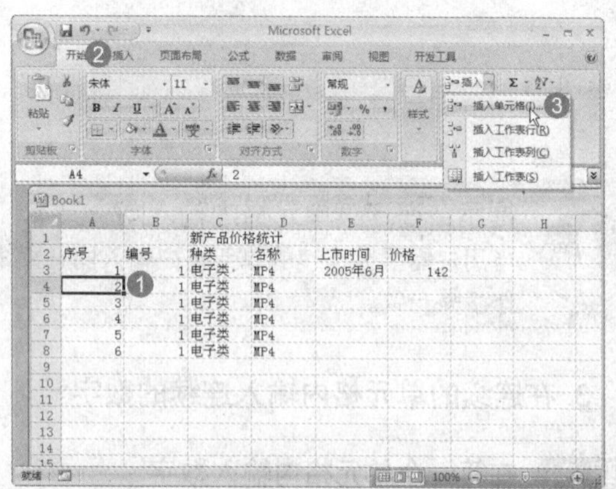

步骤 02 选择要插入的单元格

在弹出的“插入”对话框中，单击选中“整行”单选按钮，然后单击“确定”按钮，如右图所示。

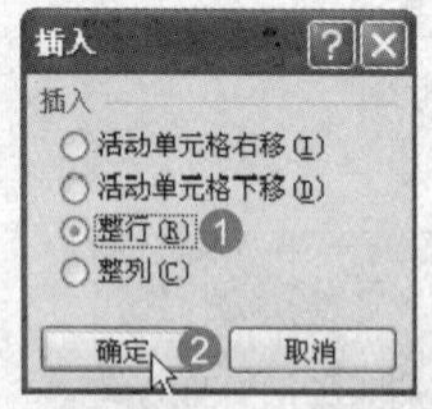

步骤 03 显示最终效果

经过以上操作，就完成了插入单元格的操作，最终效果如右图所示。

Book1

	A	B	C	D
1			新产品价格统计	
2	序号	编号	种类	名称
3	1	1	电子类	MP4
4				
5	2	1	电子类	MP4
6	3	1	电子类	MP4
7	4	1	电子类	MP4
8	5	1	电子类	MP4
9	6	1	电子类	MP4

2. 删除单元格

当用户对不需要的单元格进行删除时，可以按以下操作来完成。

步骤 01 打开“删除单元格”对话框

打开 Excel 文件后，单击选中要删除的单元格，然后切换到“开始”选项卡下，单击“单元格”组中“删除”右侧的下拉按钮，在弹出的列表中选择“删除单元格”选项，如下图所示。

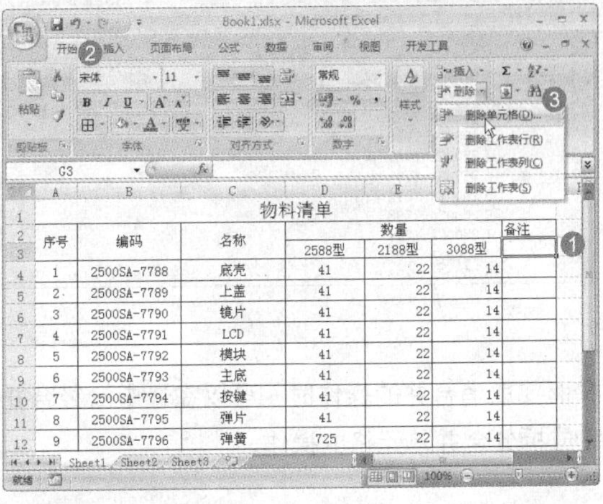

序号	编码	名称	2588型	2188型	3088型	备注
1	2500SA-7788	底壳	41	22	14	
2	2500SA-7789	上盖	41	22	14	
3	2500SA-7790	镜片	41	22	14	
4	2500SA-7791	LCD	41	22	14	
5	2500SA-7792	模块	41	22	14	
6	2500SA-7793	主底	41	22	14	
7	2500SA-7794	按键	41	22	14	
8	2500SA-7795	弹片	41	22	14	
9	2500SA-7796	弹簧	725	22	14	

步骤 02 选择要删除的单元格

在弹出的“删除”对话框中，单击选中“下方单元格上移”单选按钮，然后单击“确定”按钮，如下图所示。

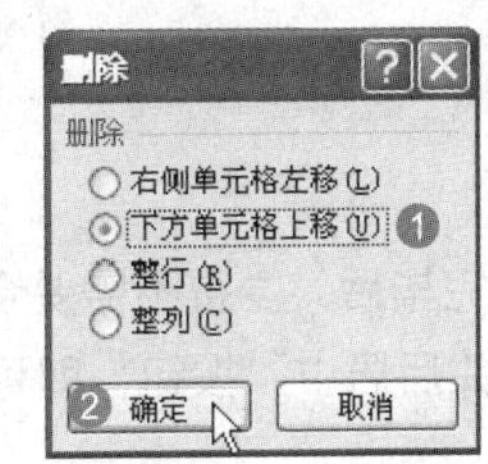

步骤 03 显示最终效果

经过以上操作，就完成了删除单元格的操作，最终效果如右图所示。

数量			备注
2588型	2188型	3088型	
41	22	14	
41	22	14	
41	22	14	
41	22	14	
41	22	14	
41	22	14	
41	22	14	
41	22	14	
725	22	14	

14.2.4 合并与拆分单元格

用户在使用 Excel 进行数据编辑时，当遇到要将若干个单元格合并为一个单元格，或者要将一个单元格拆分为若干个小单元格时，可以通过以下方法进行操作。

1. 合并单元格

当用户遇到相邻的若干个单元格中只有一个单元格内有文本内容时，如一个表格的标题行，可以将这几个单元格合并为一个单元格，其具体操作步骤如下：

步骤 01 合并单元格

打开 Excel 文件后，选中要合并的单元格，切换到“开始”标签下，单击“对齐方式”组中的“合并后居中”按钮，如下图所示。

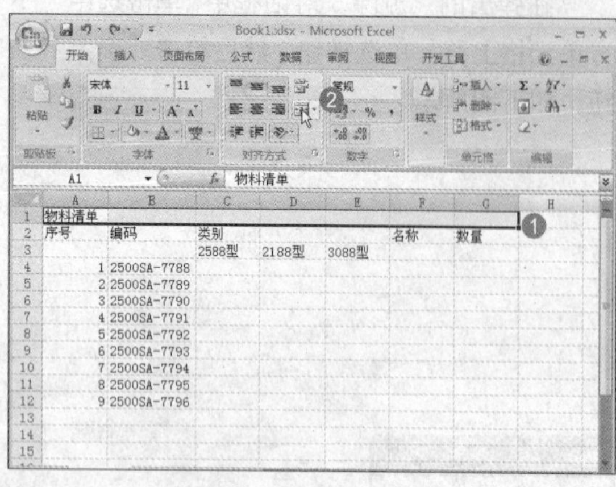

步骤 02 显示最终效果

经过以上操作，就可以完成表格的合并操作，最终效果如下图所示。

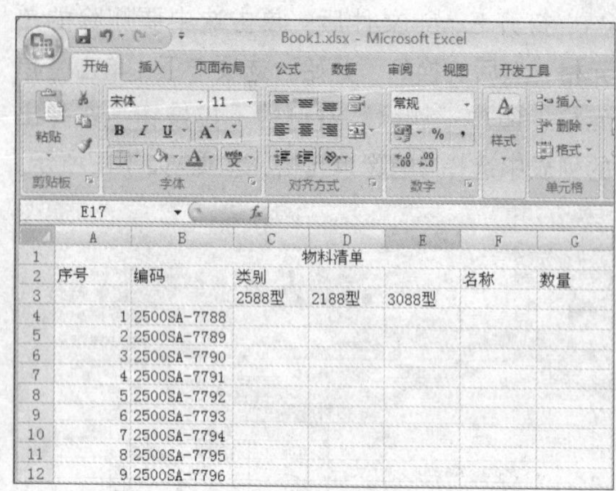

2. 拆分合并的单元格

当用户在整个表格编辑完毕后，觉得不需要合并而要取消合并的操作时，可以在选中已经合并的单元格后，再次按下“合并后居中”按钮，即可完成拆分合并单元格的操作。

14.2.5 单元格的对齐方式

单元格中文本的对齐方式关系到整个表格的内容是否整齐美观，单元格的对齐方式有顶端对齐、垂直居中、底端对齐等对齐方式，用户可根据自身的需要来调整单元格的对齐方式。调整单元格的对齐方式有两种方法，其具体操作步骤如下：

*** 方法一** 在标签组中进行调整

步骤 01 调整单元格的对齐方式

打开 Excel 文件后，选中要调整对齐方式的单元格，切换到“开始”标签下，单击“对齐方式”组中的“居中”按钮，如下图所示。

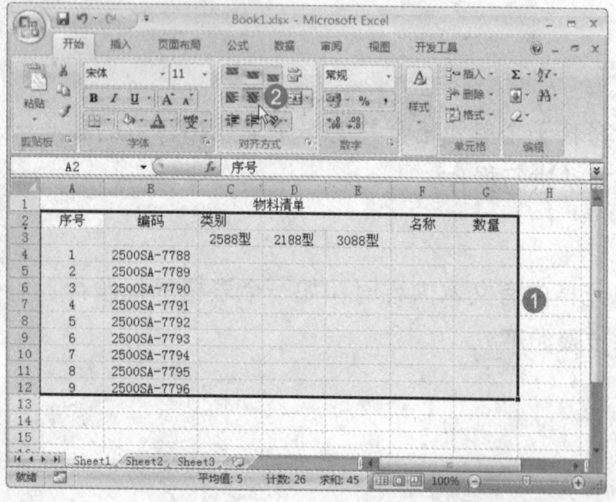

步骤 02 显示最终效果

经过以上操作，就可以完成单元格对齐方式的调整，最终效果如下图所示。

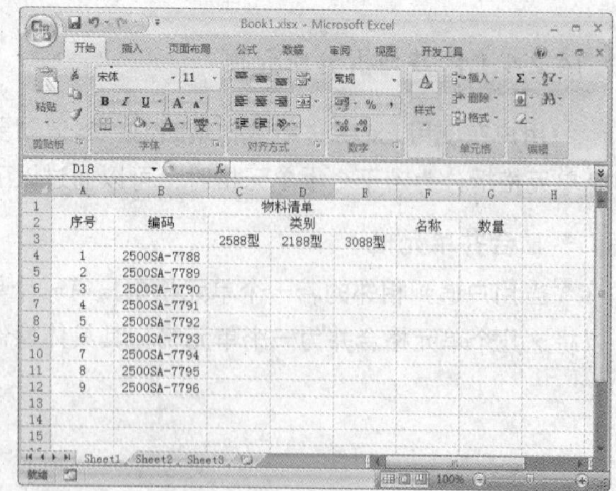

＊**方法二**　通过对话框调整

步骤 01　打开调整对齐方式的对话框

打开 Excel 文件后，选中要调整对齐方式的单元格，切换到“开始”标签下，单击“对齐方式”组中的对话框启动器，如右图所示。

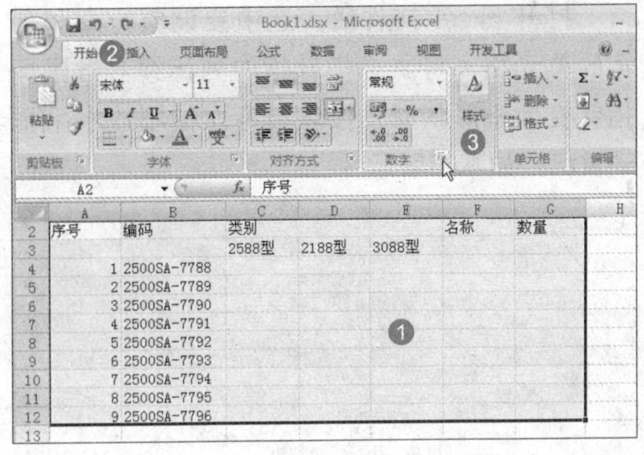

步骤 02　设置表格对齐方式

在弹出的“设置单元格格式”对话框中，切换到“对齐”选项卡下，单击“文本对齐方式”选项区域内“水平对齐”文本框右侧的下拉按钮，在弹出的列表中选择“居中”选项，按照同样的方法将“垂直对齐”也设置为“居中”，然后单击“确定”按钮，如右图所示。

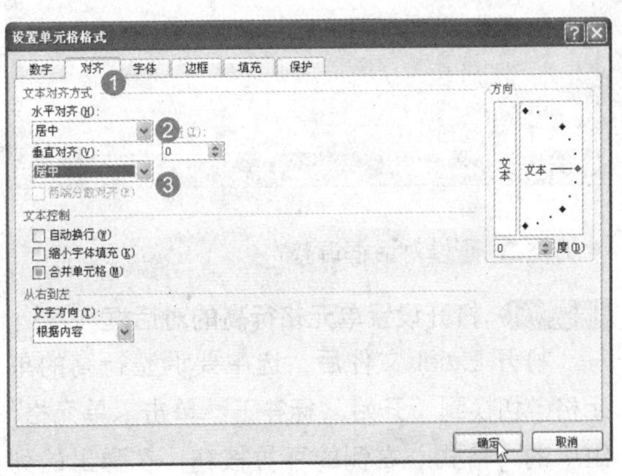

步骤 03　显示最终效果

经过以上操作，就可以完成单元格对齐方式的调整，最终效果如右图所示。

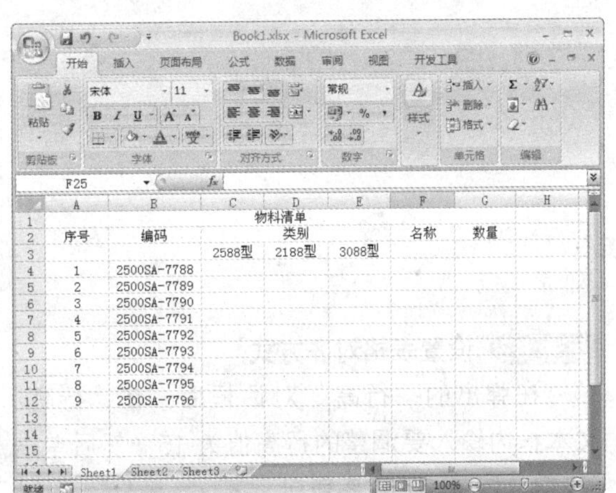

14.2.6　单元格行高和列宽的调整

在 Excel 单元格中输入内容后，用户可以根据内容的需要来调整表格的行高和列宽，可通过两种方法进行调整，其具体操作步骤如下：

五笔打字

电脑办公

＊方法一 通过鼠标调整

步骤 01 调整单元格的列宽

打开 Excel 文件后，选中要调整行高和列宽的单元格，将鼠标指针指向列标线，当鼠标指针变为✛形状时，按住鼠标左键不放水平拖动鼠标，如下图所示。

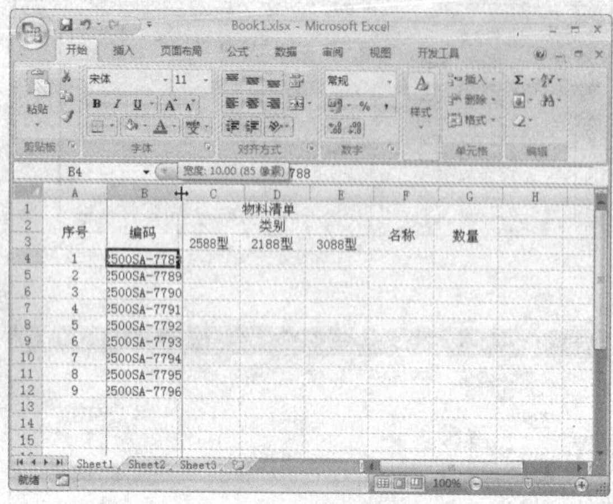

步骤 02 调整单元格的行高，显示最终效果

在调整行高时，将鼠标指针指向行标线，当鼠标转换为÷形状时，按下鼠标左键不放上下拖动鼠标，经过以上操作，就可以完成单元格行高和列宽的调整，最终效果如下图所示。

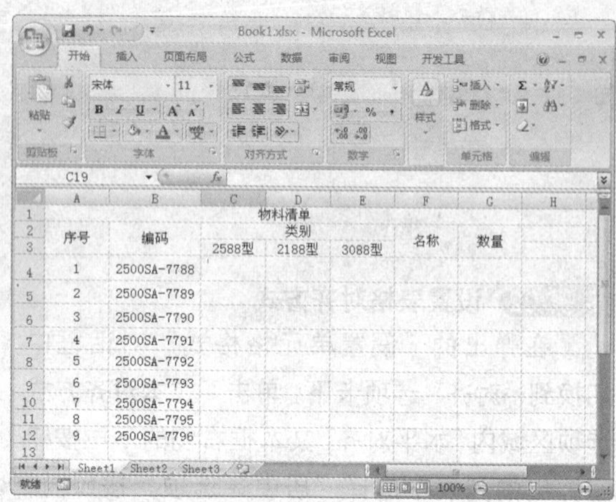

＊方法二 通过对话框调整

步骤 01 打开设置单元格行高的对话框

打开 Excel 文件后，选中要调整行高的单元格，切换到“开始”标签下，单击“单元格”组中的“格式”右侧的下拉按钮，在弹出的列表中选择“行高”选项，如右图所示。

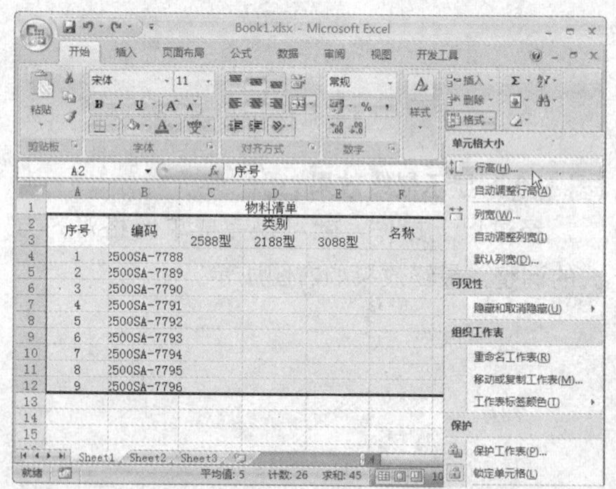

步骤 02 设置表格对齐方式

在弹出的“行高”对话框后，在“行高”文本框内输入要调整的行高值为 15，然后单击“确定”按钮，如右图所示。

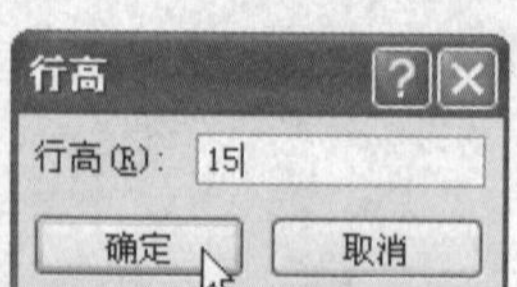

步骤 03 **调整列宽**

参照步骤 01 中的操作，打开“列宽”对话框后，将列宽值设置为 15，然后单击“确定”按钮，如右图所示。

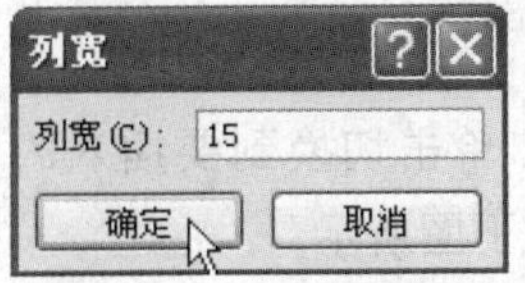

步骤 04 **显示最终效果**

经过以上操作，就可以完成单元格行高列宽的调整，最终效果如右图所示。

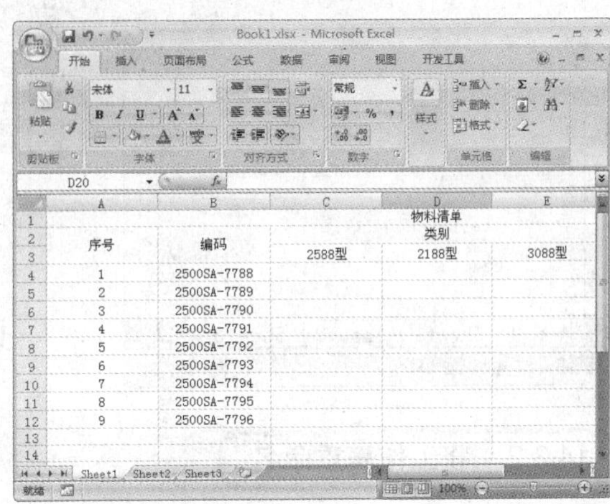

14.3 工作表的操作

在了解了单元格的一些基本操作后，下面来认识一下工作表的相关操作：在打开 Excel 程序后，一个操作界面中可以同时存放若干个工作表，用户需要对某个工作表进行编辑时，单击该工作表标签，即可切换到该工作表下。下面就来介绍一下工作表的一些基本操作。

14.3.1 插入工作表

每个 Excel 操作界面中会默认设置有三个工作表，当用户需要使用超过三个的工作表时，可以执行插入操作来插入新的工作表。比较常用的插入工作表的方法有两种，其具体操作步骤如下：

＊方法一 通过“插入工作表”按钮插入

步骤 01 **执行插入工作表的操作**

打开 Excel 文件后，单击工作表标签右侧的“插入工作表”按钮，如下图所示。

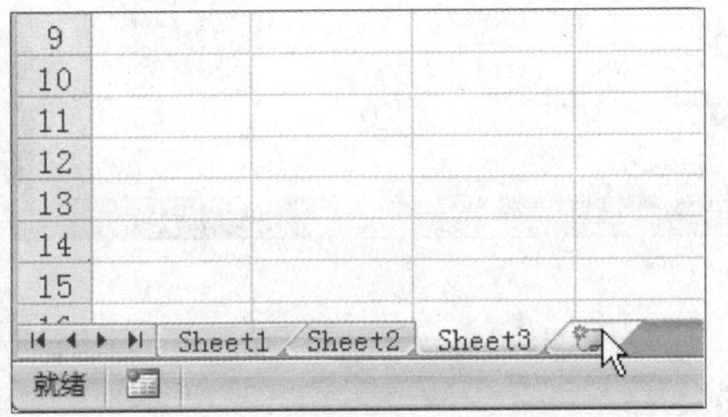

步骤 02 **显示最终效果**

经过以上操作，就可以完成插入工作表的操作，最终效果如下图所示。

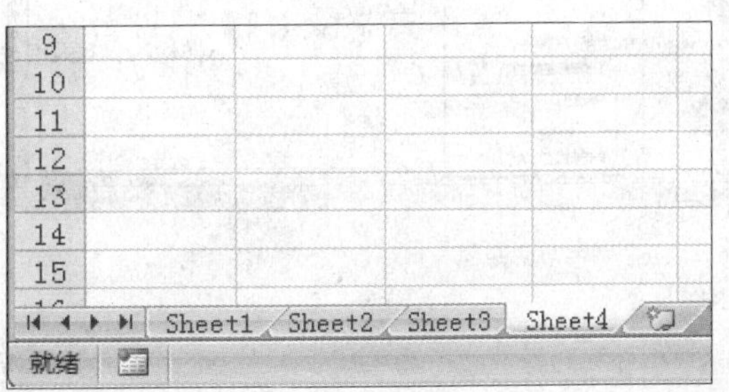

＊方法二 通过快捷键插入

步骤 01 选择插入位置

打开 Excel 文件后，单击切换到要插入的工作表后方的工作表，如下图所示。

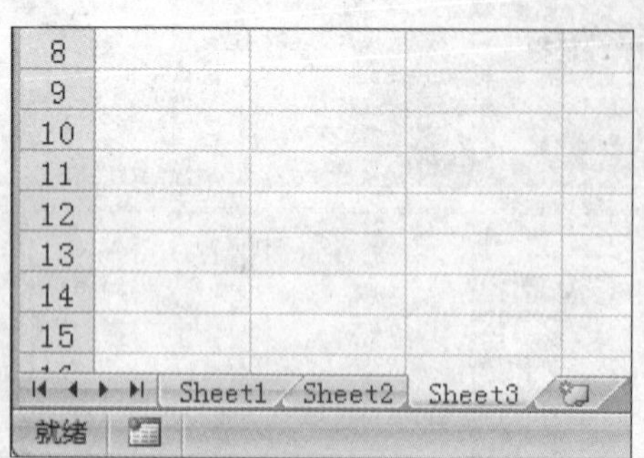

步骤 02 插入工作表，显示最终效果

按下 Shift+F11 快捷键，即可完成在当前工作表的前方插入一个新工作表的操作，最终效果如下图所示。

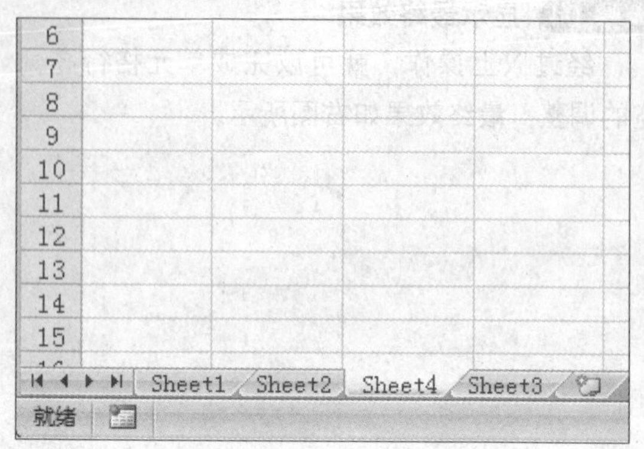

14.3.2 将工作表重命名

当用户所使用的工作表比较多时，为了便于区分和记忆，可以将其用不同的名称来区分，这就需要将工作表重命名，用户可通过两种方法完成此操作，其具体方法如下：

＊方法一 通过右键快捷菜单重命名

步骤 01 执行工作表的重命名操作

打开 Excel 文件后，将鼠标指针指向要进行重命名操作的工作表标签，右击鼠标，在弹出的快捷菜单中选择“重命名”选项，如下图所示。

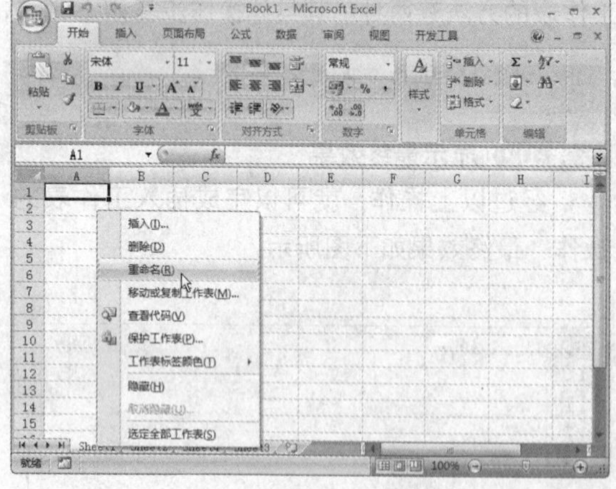

步骤 02 显示最终效果

此时，用户可直接输入工作表的名称，完成工作表的重命名操作，最终效果如下图所示。

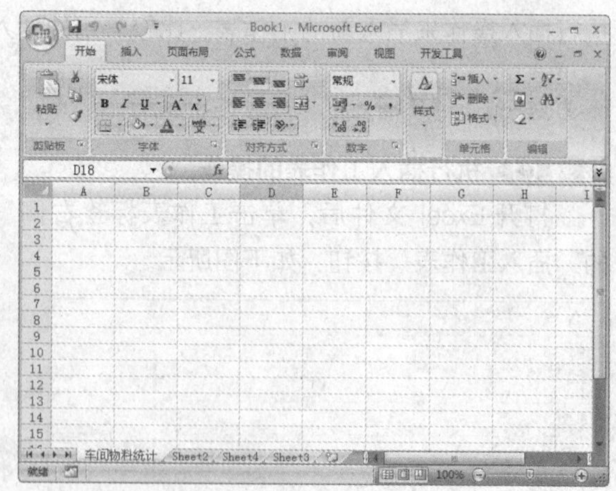

＊ 方法二 通过鼠标重命名

步骤 01 执行工作表的重命名操作

打开 Excel 文件后，双击要进行重命名操作的工作表标签后，此标签的名称就处于可编辑状态，如下图所示。

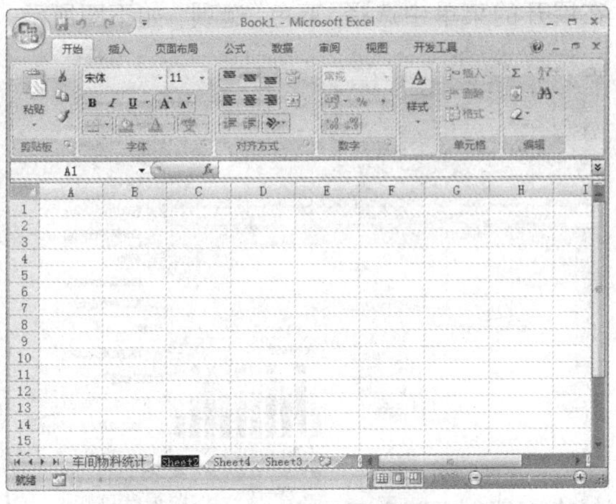

步骤 02 显示最终效果

用户在输入工作表的名称后，就可以完成工作表的重命名操作，最终效果如下图所示。

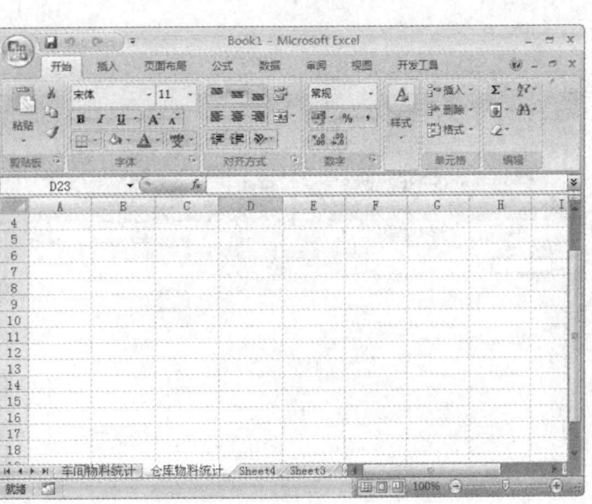

14.3.3 工作表标签颜色的设置

当用户所使用的工作表较多时，为了更容易地区分每个工作表，可以将每个工作表标签设置为不同的颜色，设置工作表标签颜色有两种方法，其具体操作步骤如下：

＊ 方法一 通过快捷菜单设置

步骤 01 执行工作表标签的颜色填充操作

打开 Excel 文件后，将鼠标指针指向要进行颜色设置的工作表标签，右击鼠标，在弹出的快捷菜单中将指针指向“工作表标签颜色”选项，再在展开的菜单选择“深红”选项，如下图所示。

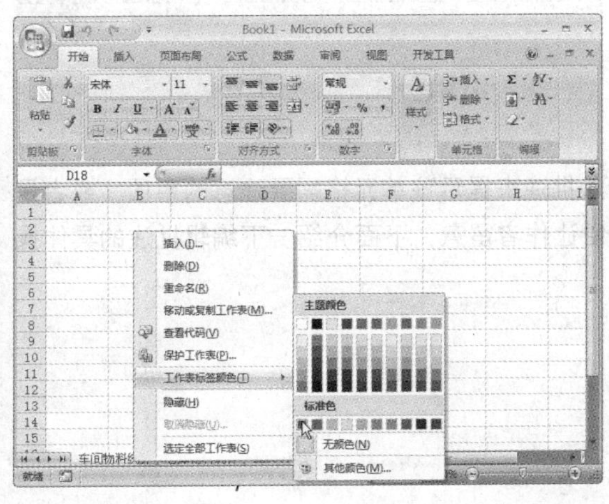

步骤 02 显示最终效果

返回操作界面，就完成了工作表标签颜色的设置，最终效果如下图所示。

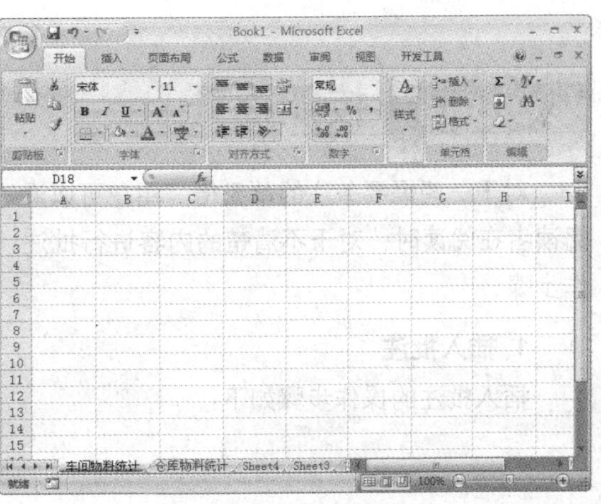

＊方法二 通过标签组设置

步骤 01 打开目标工作表

打开 Excel 程序后，切换到要更改标签颜色的工作表下，如下图所示。

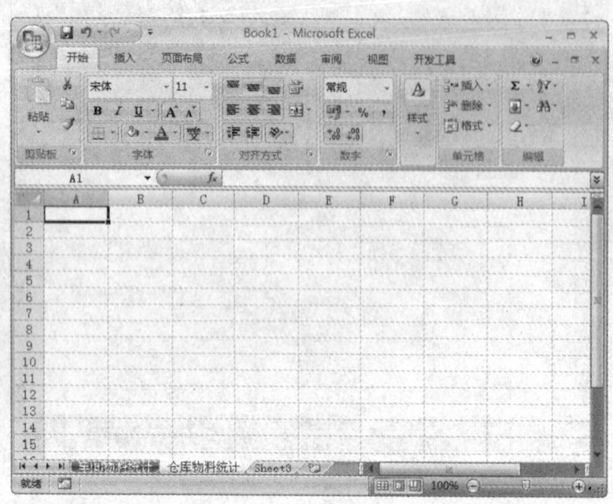

步骤 02 设置工作表标签颜色

切换到“开始”选项卡下，单击“单元格”组中的“格式”右侧的下拉按钮，在弹出的列表中将指针指向“工作表标签颜色”选项，再在展开的菜单中选择“蓝色”选项，如下图所示。

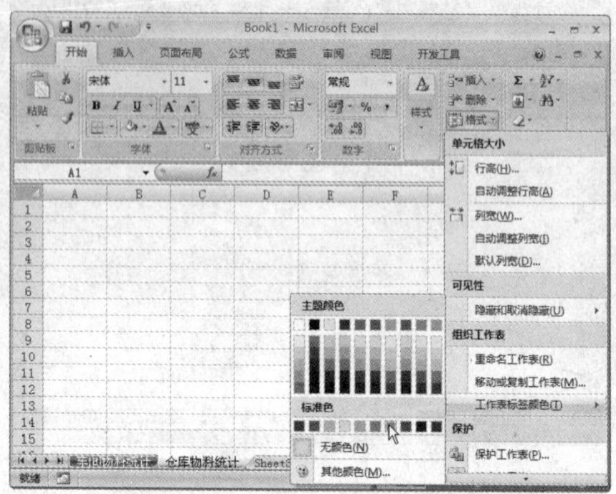

步骤 03 显示最终效果

经过以上操作，就完成了工作表标签的颜色设置操作，最终效果如右图所示。

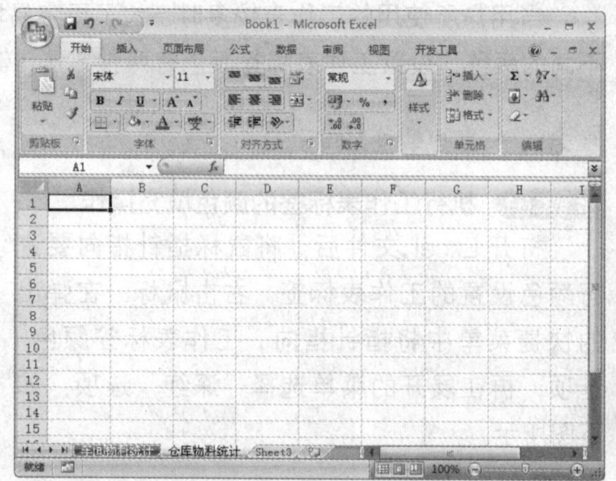

Column 技能提升

对于一些需要备注的单元格，用户可以通过插入批注来提示该单元格需要注意的事项，或者是阅读者在阅读时，对于不清楚的内容进行批注，以便让作者留意，下面介绍一下编辑批注的具体操作步骤。

1. 插入批注

插入批注的操作步骤如下：

步骤 01 选择目标单元格，建立批注

打开 Excel 文件后，单击选中要插入批注的单元格后，单击“审阅”标签，切换到“审阅”选项卡下，单击“新建批注”按钮，如下图所示。

步骤 02 显示最终效果

经过以上操作，就完成了批注的插入，用户可直接在批注框内输入批注内容，这样，将鼠标指针指向该单元格时，就会显示批注框，如下图所示。当鼠标没有指向该单元格时，插入批注的单元格右上角只会显示一个红色的小三角。

2. 删除批注

删除批注的操作步骤如下：

步骤 01 指向要删除批注的单元格

打开 Excel 文件后，将鼠标指针指向要删除批注的单元格，如下图所示。

步骤 02 执行删除批注的操作

将鼠标指向要删除批注的单元格后，右击鼠标，在弹出的快捷菜单中选择“删除批注”选项，如下图所示。

步骤 03 显示最终效果

返回到操作窗口，完成了批注的删除，最终效果如右图所示。

读书笔记

15 表格样式

本章建议学习时间

本章建议学习时间为 60 分钟，其中 20 分钟用于学习教材知识，40 分钟用于上机操作。

员工花名册					
姓名	部门	职务	加入公司日期	年龄	学历
王扬	生产部	组长	03.5.10	24	中专
刘红	生产部	工人	03.5.10	27	中专
刘丽	生产部	工人	03.5.10	22	中专
赵东林	生产部	工人	03.5.10	22	中专
孙圆圆	生产部	工人	03.5.10	25	中专
高进军	生产部	工人	03.5.10	23	中专
吕轻扬	生产部	工人	03.5.10	26	中专
刘丽丽	生产部	工人	03.5.10	27	中专

设置表格底纹

车间物料管理考核成绩					
姓名	编号	部门	职务	成绩	备注
孙玲玲	G011	生产部	物料员	80	
李梅	G012	生产部	物料员	75	
王学敏	G013	生产部	物料员	50	实习
周红丽	G014	生产部	物料员	79	
郑艳	G015	生产部	物料员	84	
高玲	G016	生产部	物料员	68	
骆永强	G017	生产部	物料员	77	
刘海艳	G018	生产部	物料员	90	
唐丽丽	G019	生产部	物料员	86	

“图标集”条件格式的设置

学习完本章后您可以

1. 进行表格的边框和底纹的设置
2. 套用表格格式和单元格格式
3. 进行条件格式的设置
4. 进行保护工作表的设置

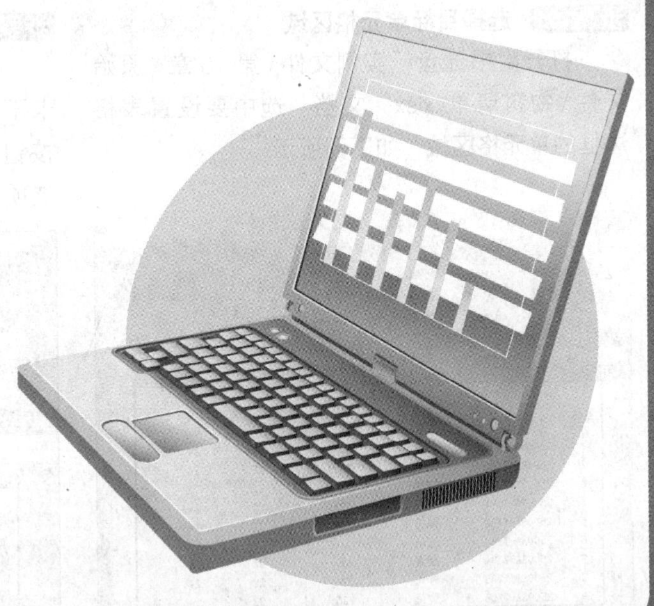

第 15 章 表格样式

在了解了 Excel 数据处理程序中单元格以及工作表的一些基本操作后，下面来学习一下 Excel 表格样式的相关操作，本章就边框和底纹的设置、单元格格式的设置以及条件样式的设置等进行一一介绍。

15.1 设置表格边框、底纹

当虚拟表格中的数据内容编辑完毕后，还要进行边框和底纹的设置，否则在打印输出时会显示不出表格的边线，下面就来介绍一下如何对表格进行边框和底纹的设置。

15.1.1 设置表格边框

由于 Excel 数据处理程序中的表格在默认情况下是虚拟的，所以在电脑中能够看到表格边框但在打印输出后却看不到，所以用户在完成表格内容的输入后必须要设置表格的边框。进行表格的边框设置有两种方法，下面介绍其具体设置方法。

原始文件：实例文件\第 15 章\原始文件\物料清单 .xlsx
最终文件：实例文件\第 15 章\最终文件\物料清单 .xlsx

＊方法一 通过标签组设置

步骤 01 选择目标单元格区域

打开附书光盘“实例文件\第 15 章\原始文件\物料清单 .xlsx”文档，选中要设置表格边框的单元格区域，如下图所示。

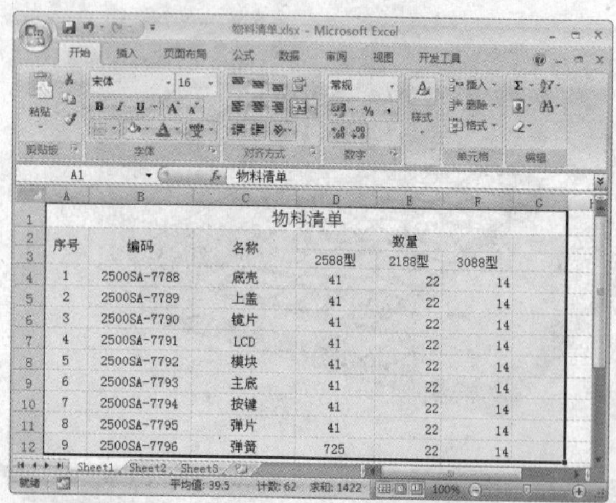

步骤 02 选择边框的类型

单击“开始”标签，切换到“开始”选项卡下，单击“字体”组中“边框”右侧的下拉按钮，在弹出的下拉列表中选择“所有框线”选项，如下图所示。

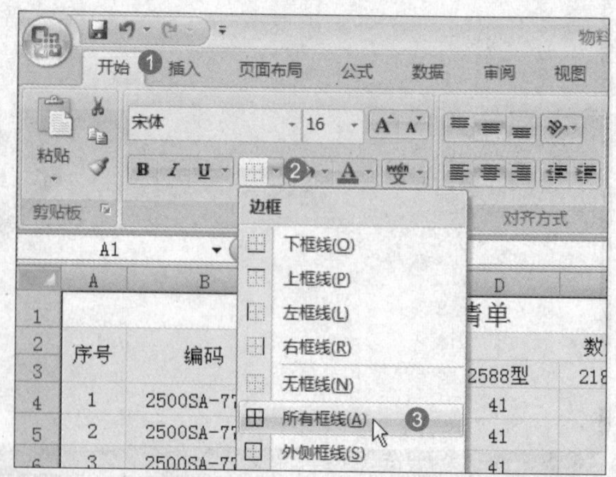

步骤 03 显示最终效果

经过以上操作，就可以完成表格边框的设置，最终效果如右图所示。

物料清单					
序号	编码	名称	数量		
			2588型	2188型	3088型
1	2500SA-7788	底壳	41	22	14
2	2500SA-7789	上盖	41	22	14
3	2500SA-7790	镜片	41	22	14
4	2500SA-7791	LCD	41	22	14
5	2500SA-7792	模块	41	22	14
6	2500SA-7793	主底	41	22	14
7	2500SA-7794	按键	41	22	14
8	2500SA-7795	弹片	41	22	14
9	2500SA-7796	弹簧	725	22	14

＊方法二 通过对话框设置

步骤 01 打开“设置单元格格式”对话框

打开 Excel 表格后，选中要添加边框的文本内容，切换到“开始”选项卡下，单击“字体”组中的对话框启动器，如下图所示。

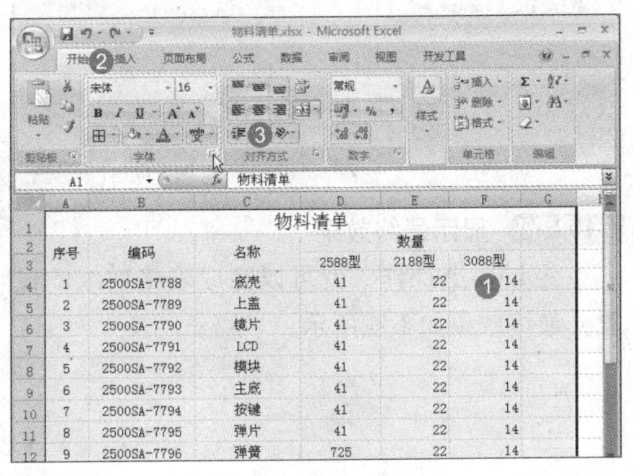

步骤 02 设置边框

弹出“设置单元格格式”对话框后，切换到“边框”选项卡下，单击选中“线条”区域内的“样式”列表框中的线条选项，再依次单击“预置”区域内的“外边框”和“内部”两个选项，并单击“确定”按钮，如下图所示。

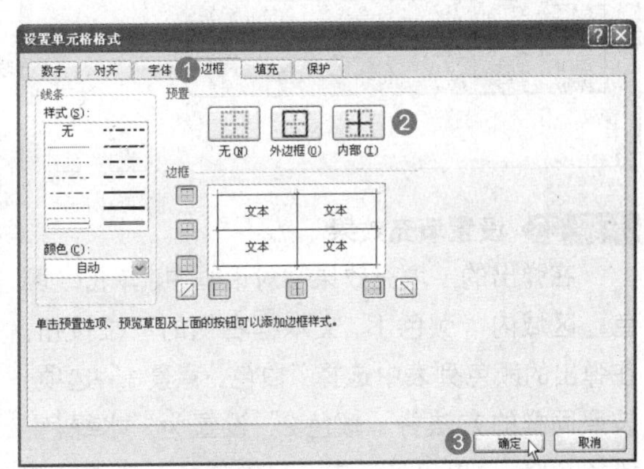

步骤 03 显示最终效果

经过以上操作，就完成了表格边框的设置操作，最终效果如右图所示。

15.1.2 设置表格底纹

在设置了表格的边框后，为了使表格的内容更为生动，还可以为其添加底纹，这样既可以丰富表格的内容，又可以使表格样式更加美观，下面介绍其具体操作步骤。

原始文件：实例文件\第 15 章\原始文件\员工花名册.xlsx
最终文件：实例文件\第 15 章\最终文件\员工花名册.xlsx

步骤 01 打开“设置单元格格式”对话框

打开附书光盘“实例文件\第 15 章\原始文件\员工花名册.xlsx”文档，选中要设置底纹的表格，切换到“开始”选项卡下，单击“字体”组中的对话框启动器，如下图所示。

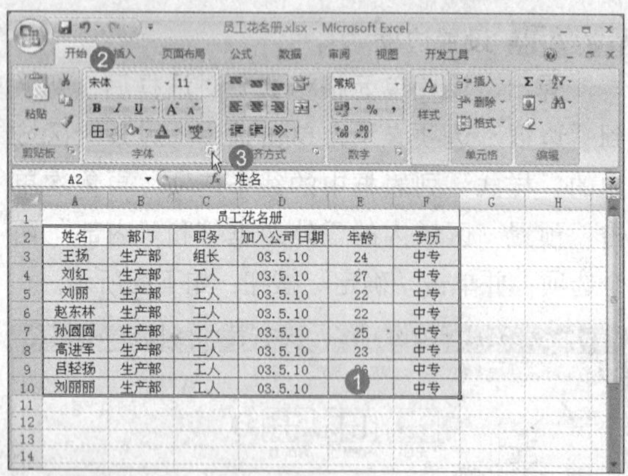

步骤 02 设置表格填充颜色

弹出“设置单元格格式”对话框后，切换到“填充”选项卡下，然后单击“填充效果”按钮，如下图所示。

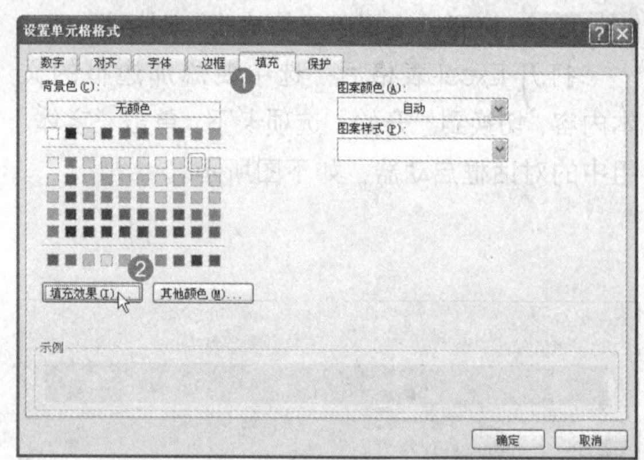

步骤 03 设置填充效果

在弹出的“填充效果”对话框中，单击“颜色”区域内“颜色 1”文本框右侧的下拉按钮，在弹出的颜色列表中选择“白色，背景 1”选项，按照同样的方法将“颜色 2”设置为“水绿色，淡色 60%”，再单击选中“底纹样式”选项区域内的“水平”单选按钮，然后单击“确定”按钮，如下图所示。

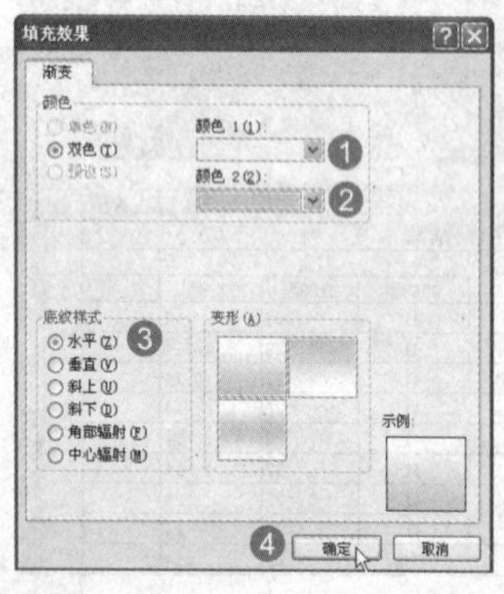

步骤 04 显示最终效果

经过以上操作，就可以完成表格底纹的设置，最终效果如下图所示。

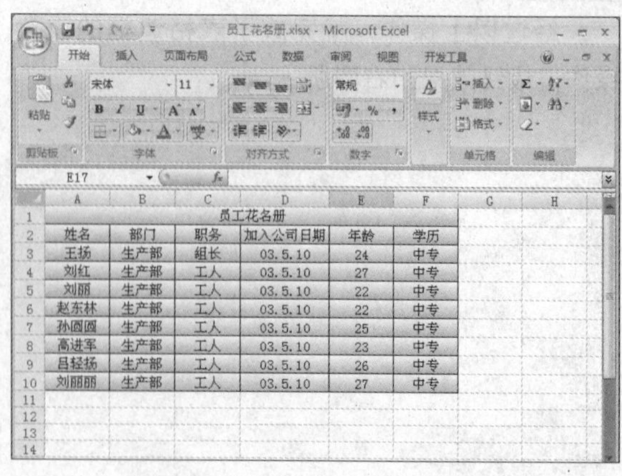

15.2 套用表格格式和单元格格式

在 Excel 数字处理程序中，包含已经设置好的多种表格及单元格的格式，用户在设置表格的格式时，可以直接套用这些格式来完成设置，下面介绍其具体操作步骤。

15.2.1 套用表格格式

在套用表格格式时，用户一定要根据表格的内容来选择套用表格的格式，在套用了表格格式之后，还可以对其进行进一步的编辑。

原始文件：实例文件 \ 第 15 章 \ 原始文件 \ 员工花名册 1.xlsx
最终文件：实例文件 \ 第 15 章 \ 最终文件 \ 员工花名册 1.xlsx

1. 套用表格格式

套用表格格式的操作步骤如下：

步骤 01 选择要套用格式的表格

打开附书光盘“实例文件 \ 第 15 章 \ 原始文件 \ 员工花名册 1.xlsx”文档，选中要套用格式的表格，如下图所示。

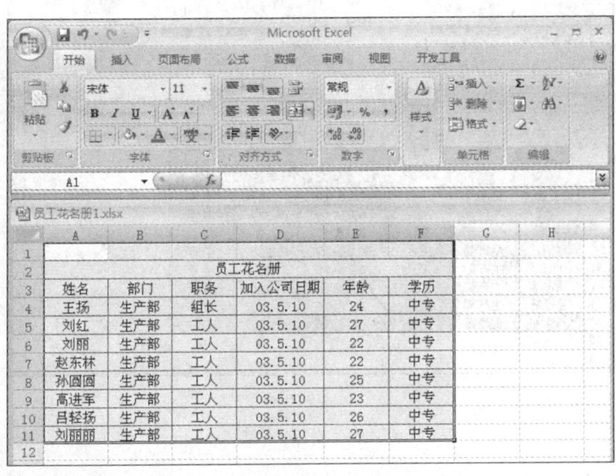

步骤 02 选择套用表格的样式

切换到“开始”选项卡下，单击“样式”组中的“套用表格格式”下方的下拉按钮，在弹出的列表中选择“表样式中等深浅 10”选项，如下图所示。

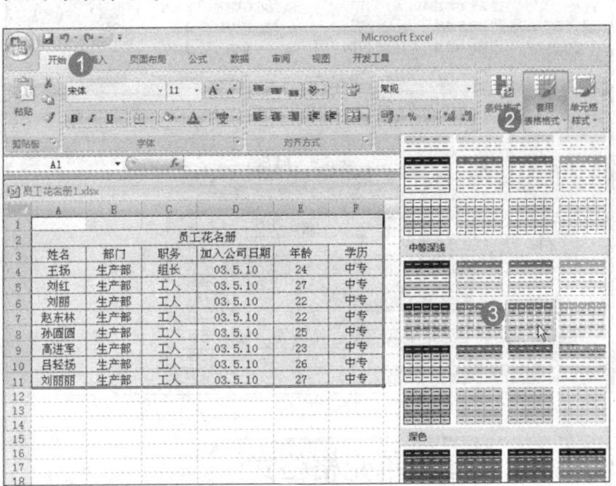

步骤 03 确定表数据来源

在弹出的“套用表格式”对话框中显示出了表数据的来源，单击“确定”按钮，如右图所示。

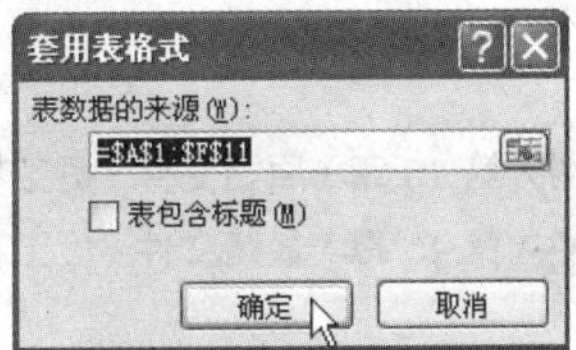

步骤 04 显示最终效果

经过以上操作，就可以完成套用表格格式的设置，最终效果如右图所示。

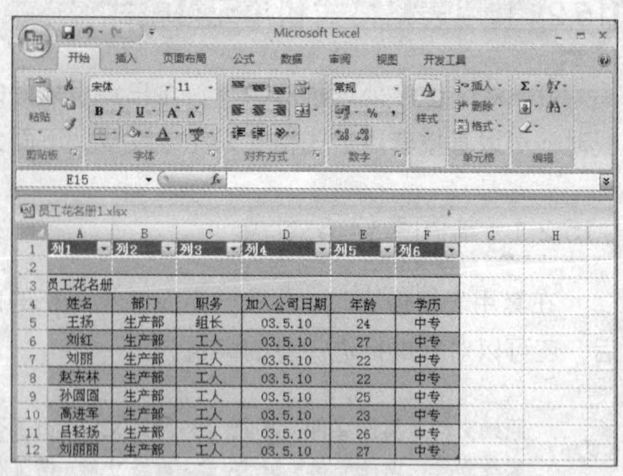

2. 编辑表格格式

套用表格格式后，用户可以通过设置将不需要的内容隐藏，其设置步骤如下：

步骤 01 切换到“设计”选项卡下

继续上例中的操作，用鼠标单击选中表格中的任意单元格后，单击“表格工具”下的“设计”标签，切换到该选项卡下，如下图所示。

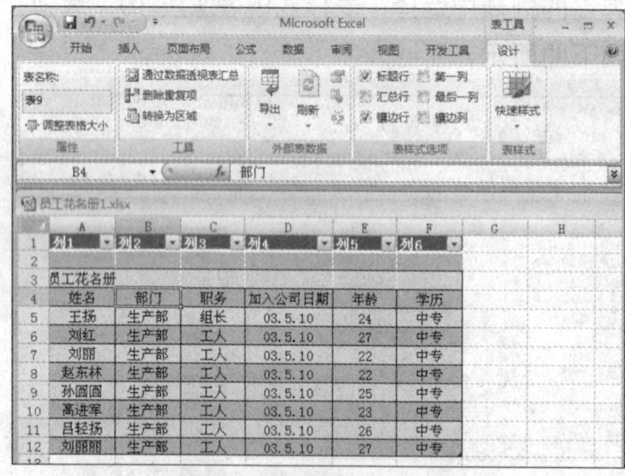

步骤 02 设置表格的样式

取消勾选“表样式选项”组中的“标题行”复选框，完成表样式的隐藏设置，最终效果如下图所示。

15.2.2 套用单元格格式

在设置表格格式时，如果用户想重点突出表格中的某一个单元格时，可以单独对这个单元格套用格式，下面介绍其操作步骤。

原始文件：实例文件 \ 第 15 章 \ 原始文件 \ 员工花名册 1.xlsx
最终文件：实例文件 \ 第 15 章 \ 最终文件 \ 员工花名册 2.xlsx

步骤 01 打开“单元格格式”列表

选中要设置的单元格后，切换到“开始”选项卡下，单击“样式”组中的“单元格样式”按钮，如下图所示。

步骤 02 选择单元格样式

在弹出的列表中选择“强调文字颜色 3”样式，如下图所示。

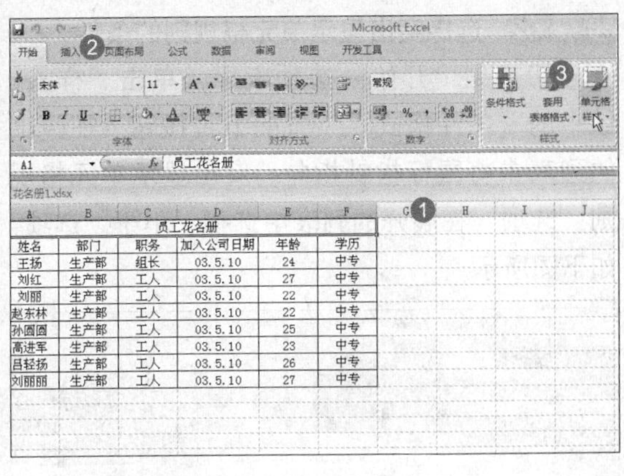

步骤 03 显示最终效果

经过以上操作，就完成了单元格套用样式的操作，最终效果如右图所示。

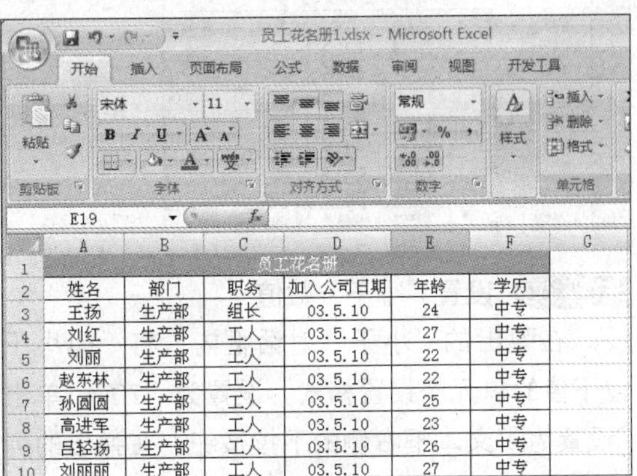

员工花名册1.xlsx - Microsoft Excel

姓名	部门	职务	加入公司日期	年龄	学历
王扬	生产部	组长	03.5.10	24	中专
刘红	生产部	工人	03.5.10	27	中专
刘丽	生产部	工人	03.5.10	22	中专
赵东林	生产部	工人	03.5.10	22	中专
孙圆圆	生产部	工人	03.5.10	25	中专
高进军	生产部	工人	03.5.10	23	中专
吕轻扬	生产部	工人	03.5.10	26	中专
刘丽丽	生产部	工人	03.5.10	27	中专

15.3 条件格式

条件格式是使单元格中的内容根据某一特定的条件，而显示出不同样式。单元格的条件格式包括突出显示单元格规则、项目选取规则、数据条样式等，用户可根据表格的内容来对单元格进行设置。

15.3.1 使用条件格式

条件格式包括突出显示单元格规则、项目选取规则、数据条、色阶、图标集五种格式，每种样式的条件和标识都不一样，下面对其进行一一介绍。

1. 突出显示单元格规则

突出显示单元格规则是为单元格设定一个规则，属于这个规则之内的单元格和不属于这个规则的单元格会有一个明确的区别，下面介绍其操作方法。

原始文件：实例文件 \ 第 15 章 \ 原始文件 \ 成绩单 .xlsx
最终文件：实例文件 \ 第 15 章 \ 最终文件 \ 成绩单 .xlsx

步骤 01 选择表格

打开附书光盘"实例文件\第 15 章\原始文件\成绩单.xlsx"文档，选中要设置突出显示单元格规则的表格，如下图所示。

步骤 02 选择突出显示单元格规则的条件

切换到"开始"选项卡下，单击"样式"组中的"条件格式"下方的下拉按钮，在弹出的列表中将鼠标指针指向"突出显示单元格规则"选项，在展开的列表中选择"小于"选项，如下图所示。

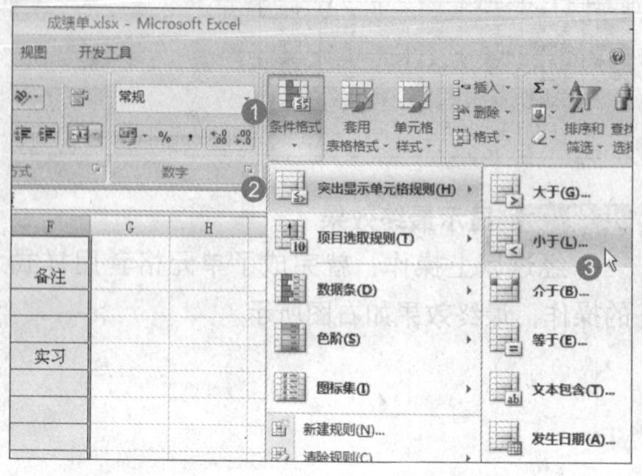

步骤 03 设置"小于"数值

在弹出的"小于"对话框内，将"为小于以下值的单元格设置格式"设置为"70"，单击"设置为"文本框右侧的下拉按钮，在弹出的列表中选择"浅绿填充色深绿色文本"选项，然后单击"确定"按钮，如下图所示。

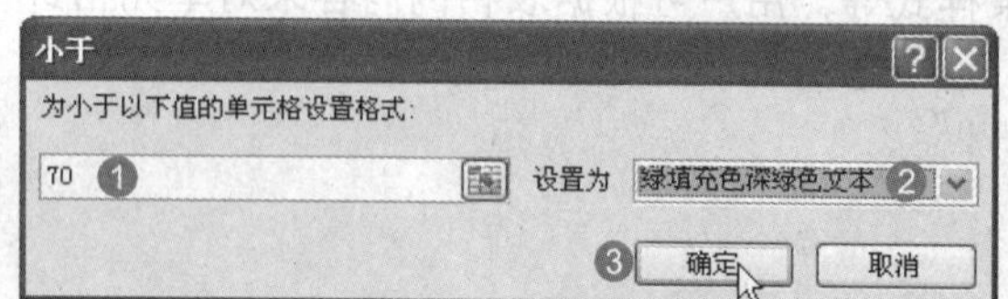

步骤 04 显示最终效果

经过以上操作，就完成了突出显示单元格规则的设置，最终效果如下图所示。

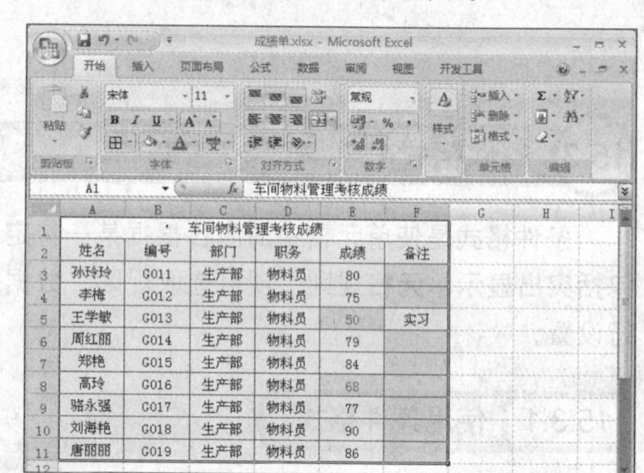

2. 项目选取规则

项目选取规则与突出显示单元格规则类似，是对单元格中的内容设置一个条件，并对符合这个条件的单元格和不符合这个条件的单元格分别做出不同的标记，下面介绍其具体操作方法。

原始文件：实例文件\第 15 章\原始文件\成绩单 1.xlsx
最终文件：实例文件\第 15 章\最终文件\成绩单 1.xlsx

步骤 01 选择表格

打开附书光盘"实例文件\第 15 章\原始文件\成绩单 1.xlsx"文档，选中要设置项目选取规则的表格，如下图所示。

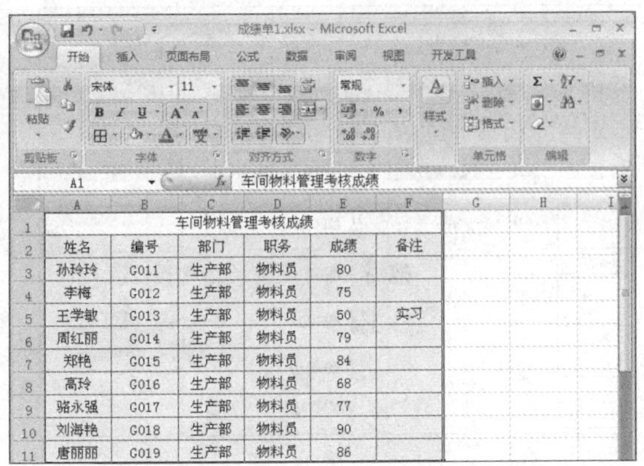

车间物料管理考核成绩					
姓名	编号	部门	职务	成绩	备注
孙玲玲	G011	生产部	物料员	80	
李梅	G012	生产部	物料员	75	
王学敏	G013	生产部	物料员	50	实习
周红丽	G014	生产部	物料员	79	
郑艳	G015	生产部	物料员	84	
高玲	G016	生产部	物料员	68	
骆永强	G017	生产部	物料员	77	
刘海艳	G018	生产部	物料员	90	
唐丽丽	G019	生产部	物料员	86	

步骤 02 选择突出项目选取规则的条件

切换到"开始"选项卡下，单击"样式"组中的"条件格式"按钮，在弹出的列表中将鼠标指针指向"项目选取规则"选项，再在展开的列表中选择"高于平均值"选项，如下图所示。

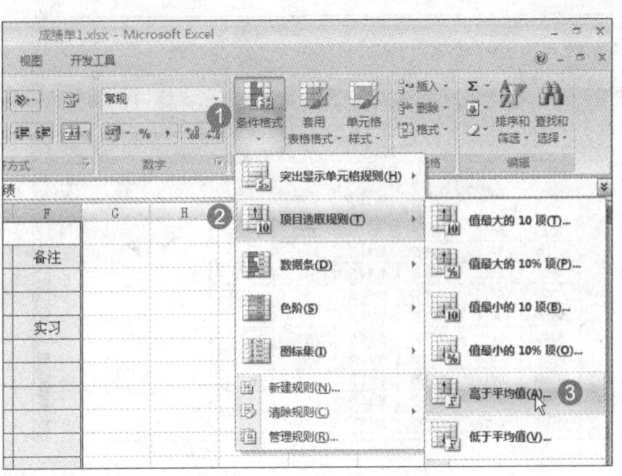

步骤 03 设置高于平均值数值的单元格格式

在弹出的"高于平均值"对话框内，单击"针对选定区域，设置为"文本框右侧的下拉按钮，在弹出的列表中选择"浅绿填充色深绿色文本"选项，然后单击"确定"按钮，如右图所示。

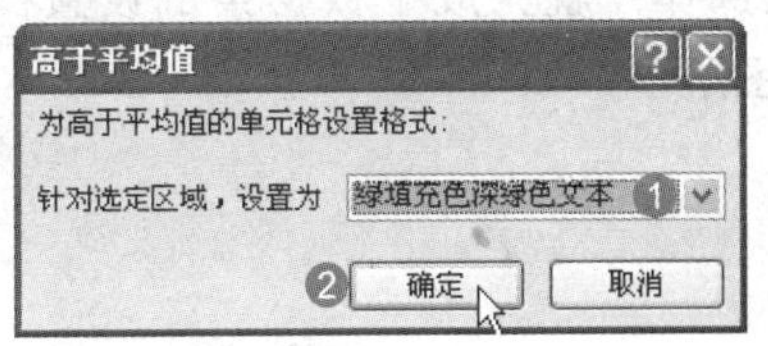

步骤 04 显示最终效果

经过以上操作，就完成了突出显示单元格规则的设置，最终效果如右图所示。

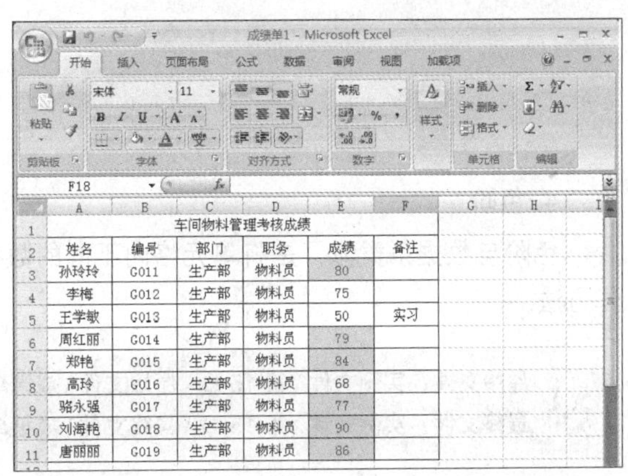

车间物料管理考核成绩					
姓名	编号	部门	职务	成绩	备注
孙玲玲	G011	生产部	物料员	80	
李梅	G012	生产部	物料员	75	
王学敏	G013	生产部	物料员	50	实习
周红丽	G014	生产部	物料员	79	
郑艳	G015	生产部	物料员	84	
高玲	G016	生产部	物料员	68	
骆永强	G017	生产部	物料员	77	
刘海艳	G018	生产部	物料员	90	
唐丽丽	G019	生产部	物料员	86	

3. 数据条

数据条样式，是将单元格内 1 以上的不同的数据，通过不同长短的颜色条来表示，下面介绍其操作方法。

原始文件：实例文件\第 15 章\原始文件\成绩单 2.xlsx
最终文件：实例文件\第 15 章\最终文件\成绩单 2.xlsx

步骤 01 选择表格

打开附书光盘“实例文件\第 15 章\原始文件\成绩单 2.xlsx”文档，选中要设置数据条的表格，如下图所示。

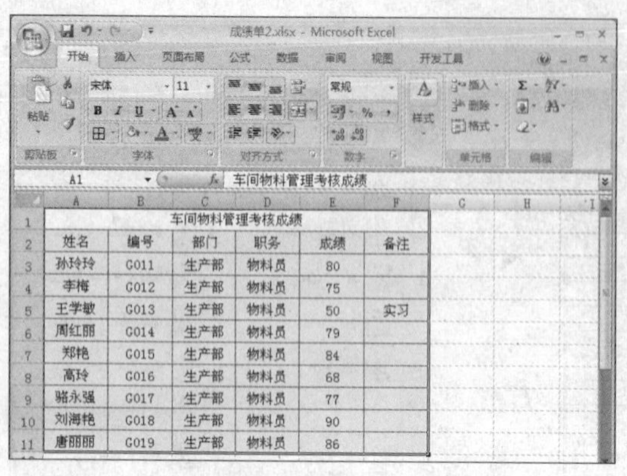

步骤 02 选择数据条样式

切换到“开始”选项卡下，单击“样式”组中的“条件格式”下方的下拉按钮，在弹出的列表中将鼠标指针指向“数据条”选项，再在展开的列表中选择“红色数据条”选项，如下图所示。

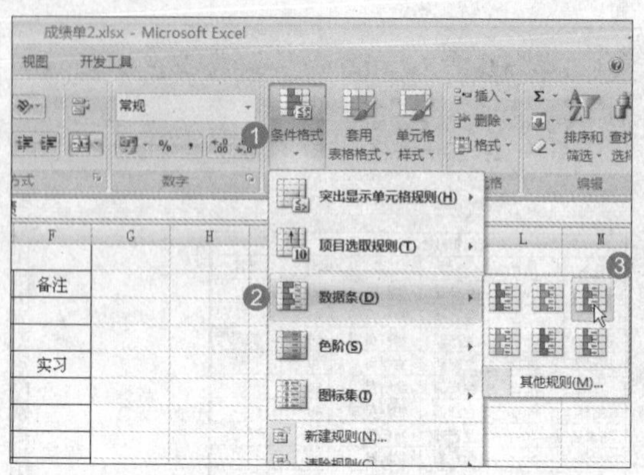

步骤 03 显示最终效果

经过以上操作，就完成了数据条的设置，最终效果如右图所示。

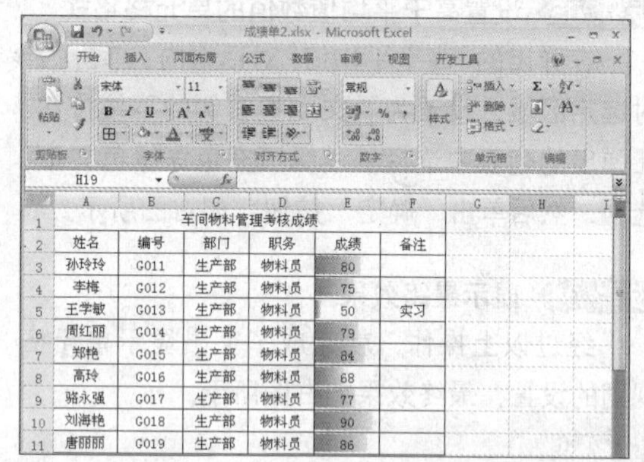

4. 色阶

色阶与数据条类似，是将单元格内不同的数据，通过不同颜色的颜色条来表示，下面介绍其操作方法。

原始文件：实例文件\第 15 章\原始文件\成绩单 3.xlsx
最终文件：实例文件\第 15 章\最终文件\成绩单 3.xlsx

步骤 01 选择表格

打开附书光盘“实例文件\第 15 章\原始文件\成绩单 3.xlsx”文档，选中要设置项目选取规则的表格，如下图所示。

步骤 02 选择色阶样式

切换到“开始”选项卡下，单击“样式”组中的“条件格式”按钮，在弹出的列表中将鼠标指针指向“色阶”选项，再在展开的列表中选择“红黄绿色阶”选项，如下图所示。

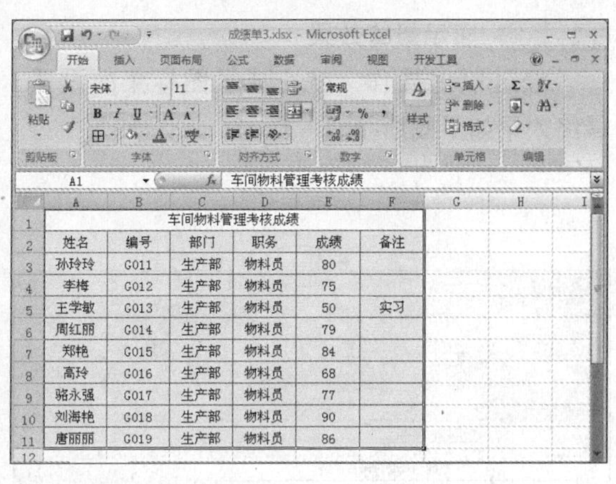

步骤 03 显示最终效果

经过以上操作，就完成了色阶的设置，最终效果如右图所示。

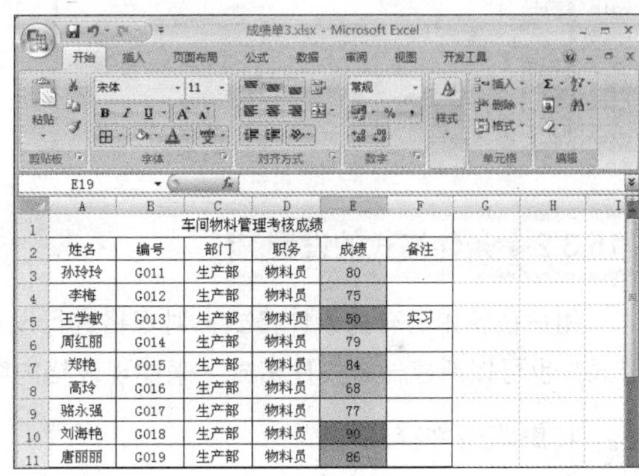

5. 图标集

图标集是根据单元格内不同的数据内容，添加一些不同样式的图标，来区分显示单元格内的数据，图标集可以在以上四种条件样式的基础上进行设置，下面介绍其具体设置方法如下。

原始文件：实例文件 \ 第 15 章 \ 原始文件 \ 成绩单 4.xlsx
最终文件：实例文件 \ 第 15 章 \ 最终文件 \ 成绩单 4.xlsx

步骤 01 选择表格

打开附书光盘“实例文件 \ 第 15 章 \ 原始文件 \ 成绩单 4.xlsx”文档，选中要设置图标集的表格，如右图所示。

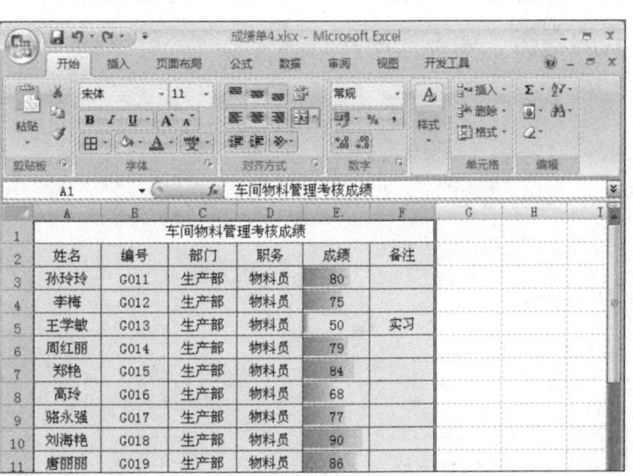

步骤 02 选择图标集样式

切换到“开始”选项卡下，单击“样式”组中的“条件格式”按钮，在弹出的列表中将鼠标指针指向“图标集”选项，再在展开的列表中选择“三色交通灯”选项，如下图所示。

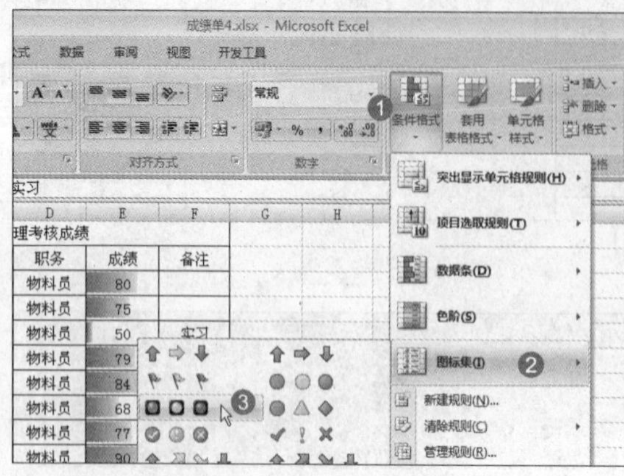

步骤 03 显示最终效果

经过以上操作，就完成了图标集的设置，最终效果如下图所示。

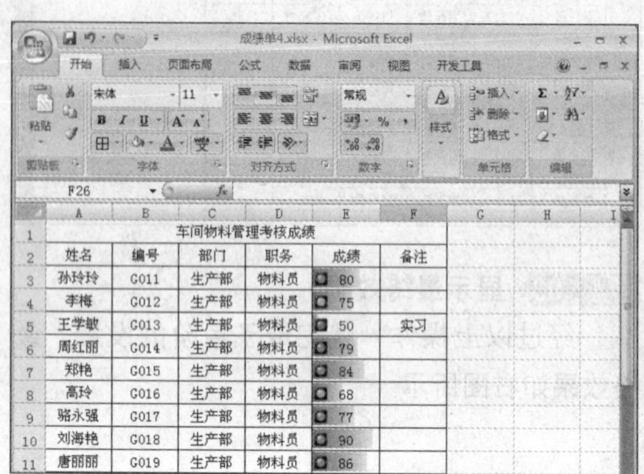

15.3.2 条件格式的设置

用户在使用已有的条件格式，对表格进行设置后，还可以更改条件格式，从而改变样式的设置形式，也可以新建一个条件格式，来体现表格内容，下面就来介绍一下它们的设置方法。

1. 更改条件样式

在设置了一种条件格式之后，用户还可以通过设置将已设置好的条件格式更改为另一种格式，下面介绍其操作方法。

原始文件：实例文件\第 15 章\原始文件\工资表 .xlsx
最终文件：实例文件\第 15 章\最终文件\工资表 .xlsx

步骤 01 选择表格

打开附书光盘“实例文件\第 15 章\原始文件\工资表 .xlsx”文档，选中要更改条件格式的表格，如右图所示。

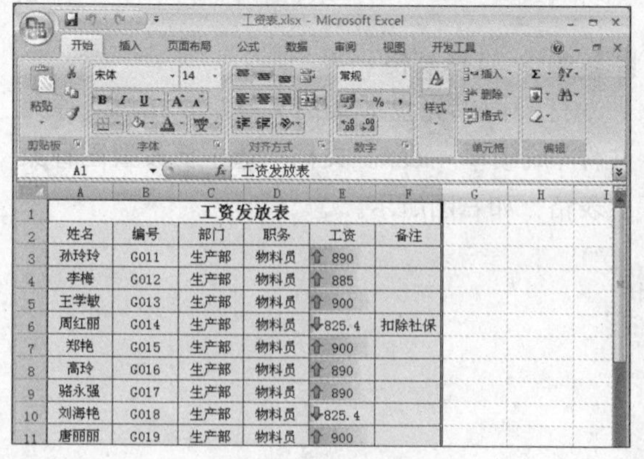

步骤 02 打开“条件格式规则管理器”对话框

切换到“开始”选项卡下，单击“样式”组中的“条件格式”下方的下拉按钮，在弹出的列表中选择“管理规则”选项，如下图所示。

步骤 03 编辑规则

在弹出的“条件格式规则管理器”对话框中，选择“数据条”选项后，再单击“编辑规则”按钮，如下图所示。

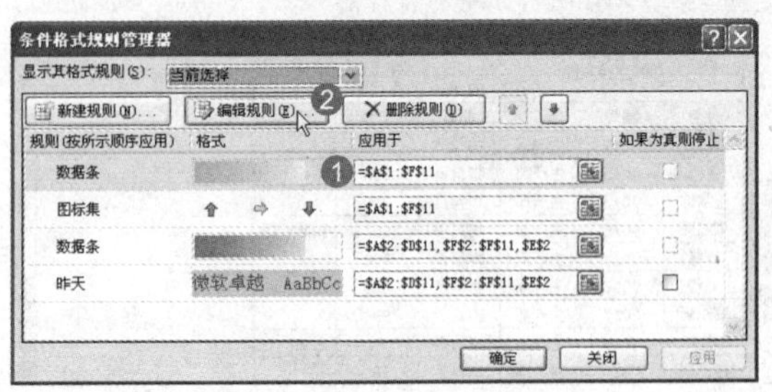

步骤 04 更改条件格式

在弹出的“编辑格式规则”对话框中，单击“格式样式”文本框右侧的下拉按钮，在弹出的列表中选择“三色刻度”选项，如下图所示，然后依次单击各对话框中的“确定”按钮。

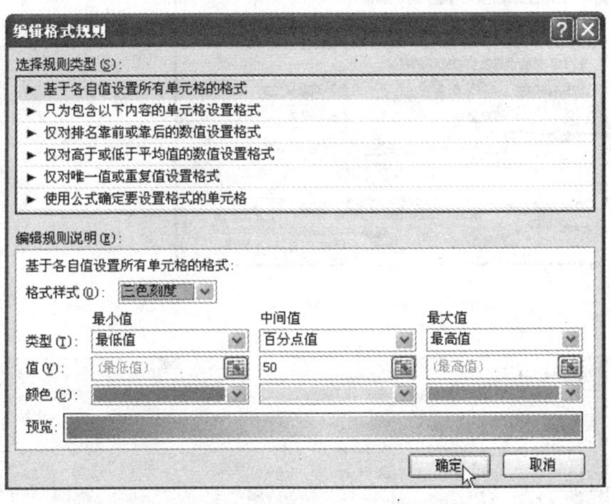

步骤 05 显示最终效果

经过以上操作，就完成了条件格式的更改，最终效果如下图所示。

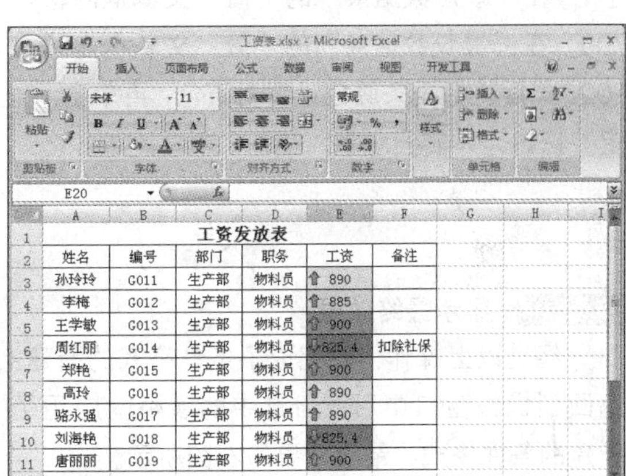

2. 新建条件格式

当用户觉得当前的条件格式不能完全表达数据内容的差异时，可以新建一个条件格式来使用，下面介绍其具体的操作方法。

原始文件：实例文件 \ 第 15 章 \ 原始文件 \ 工资表 1.xlsx

最终文件：实例文件 \ 第 15 章 \ 最终文件 \ 工资表 1.xlsx

步骤 01 选择表格

打开附书光盘"实例文件\第 15 章\原始文件\工资表 1.xlsx"文档，选中要更改条件样式的表格，如下图所示。

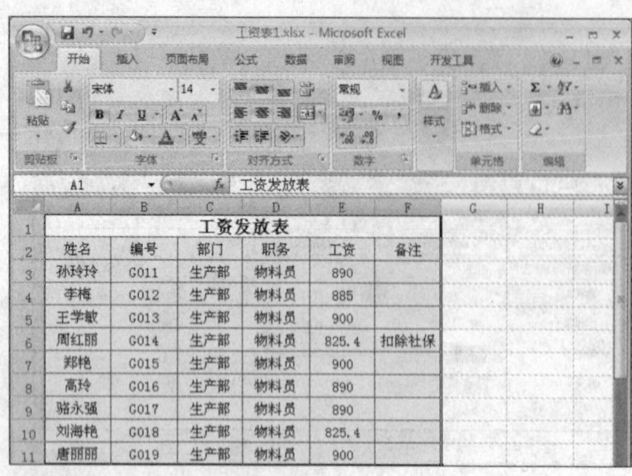

工资发放表					
姓名	编号	部门	职务	工资	备注
孙玲玲	G011	生产部	物料员	890	
李梅	G012	生产部	物料员	885	
王学敏	G013	生产部	物料员	900	
周红丽	G014	生产部	物料员	825.4	扣除社保
郑艳	G015	生产部	物料员	900	
高玲	G016	生产部	物料员	890	
骆永强	G017	生产部	物料员	890	
刘海艳	G018	生产部	物料员	825.4	
唐丽丽	G019	生产部	物料员	900	

步骤 02 打开"新建格式规则"对话框

切换到"开始"选项卡下，单击"样式"组中的"条件格式"按钮，在弹出的列表中将选择"新建规则"选项，如下图所示。

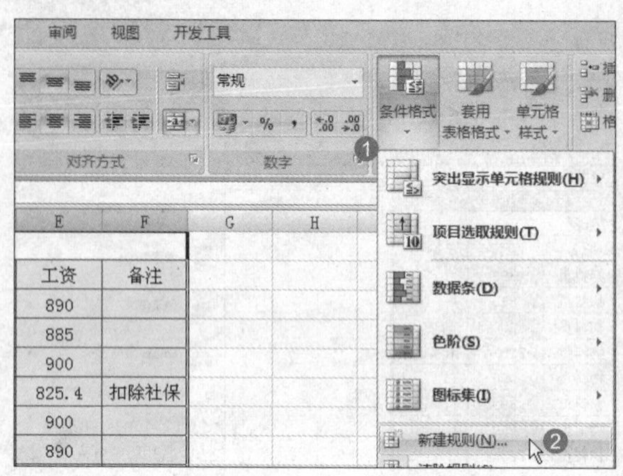

步骤 03 新建条件格式

在弹出的"新建格式规则"对话框中，单击"格式样式"文本框右侧的下拉按钮，在弹出的下拉列表中选择"数据条"选项，按照同样的方法，将"类型"的最小值和最大值都设置为"数字"，在"最短数据条"的"值"文本框内输入 700，在"最长数据条"的"值"文本框内输入 900，然后将数据条颜色设置为黄色，再单击"确定"按钮，如右图所示。

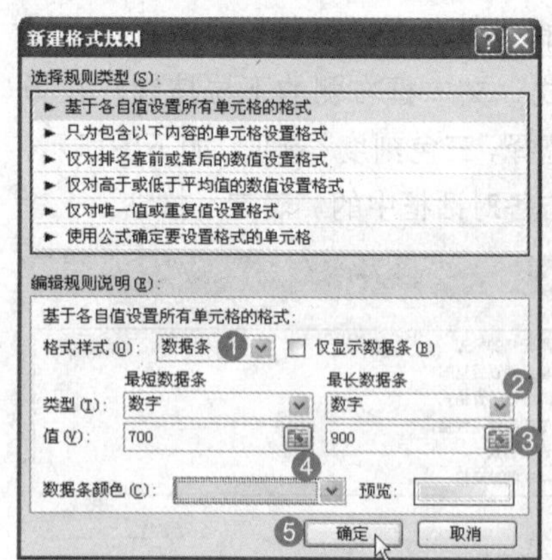

步骤 04 显示最终效果

经过以上操作，就完成了条件格式的新建，返回到操作窗口中后，所选中的表格就应用了新建的条件格式，最终效果如右图所示。

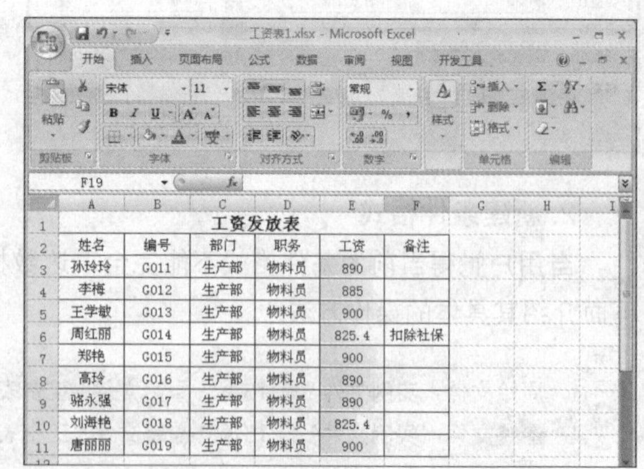

工资发放表					
姓名	编号	部门	职务	工资	备注
孙玲玲	G011	生产部	物料员	890	
李梅	G012	生产部	物料员	885	
王学敏	G013	生产部	物料员	900	
周红丽	G014	生产部	物料员	825.4	扣除社保
郑艳	G015	生产部	物料员	900	
高玲	G016	生产部	物料员	890	
骆永强	G017	生产部	物料员	890	
刘海艳	G018	生产部	物料员	825.4	
唐丽丽	G019	生产部	物料员	900	

Column 技能提升

在进行 Excel 表格的编辑工作时，为了防止其他人对表格内容进行更改，用户可以使用保护表格功能对表格进行锁定，锁定表格之后，用户要进行表格编辑时必须在取消了表格保护之后，才能进行编辑，下面就来介绍一下进行表格保护和取消保护的设置方法。

保护工作表

当用户所编辑的表格只能看而不可随便进行更改时，可将表格设置为保护状态，这样就可以防止其他人在无意间对表格做出更改，设置保护状态的具体操作步骤如下：

步骤 01 打开“保护工作表”对话框

打开目标文本后，将插入点定位在表格中的任意位置，单击“审阅”标签，切换到“审阅”选项卡下，再单击“更改”组中的“保护工作簿”按钮，如下图所示。

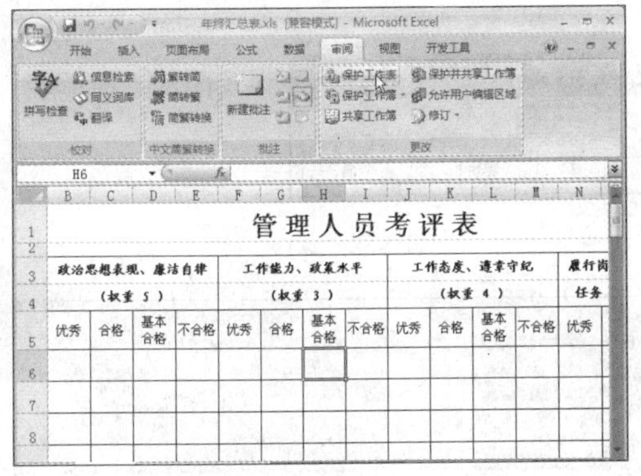

步骤 02 设置编辑工作表密码

在弹出的“保护工作表”对话框中，勾选“允许此工作表的所有用户进行”列表框中的“选定锁定单元格”复选框和“选定未锁定的单元格”复选框，然后在“取消工作表保护时使用的密码”文本框中输入要设定的密码，再单击“确定”按钮，如下图所示。

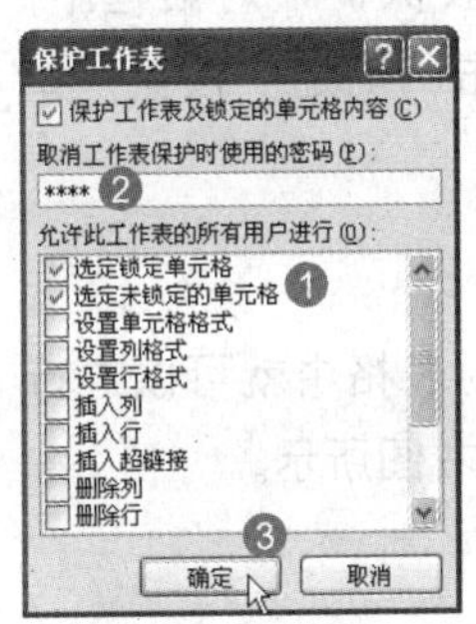

步骤 03 再次确认密码

在弹出的“确认密码”对话框中，再次输入刚设置的密码，然后单击“确定”按钮，如右图所示。

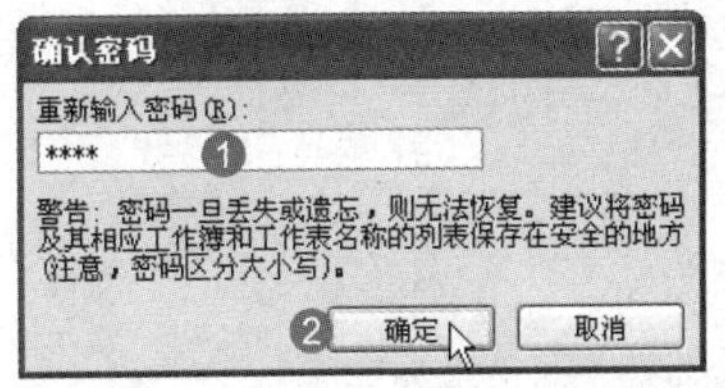

步骤 04 显示最终效果

返回到操作窗口中，当用户要编辑表格时，就会弹出一个 Microsoft Office Excel 对话框，提示用户该图表已受保护，如要进行编辑，需先取消保护，单击“确定”按钮，如右图所示。

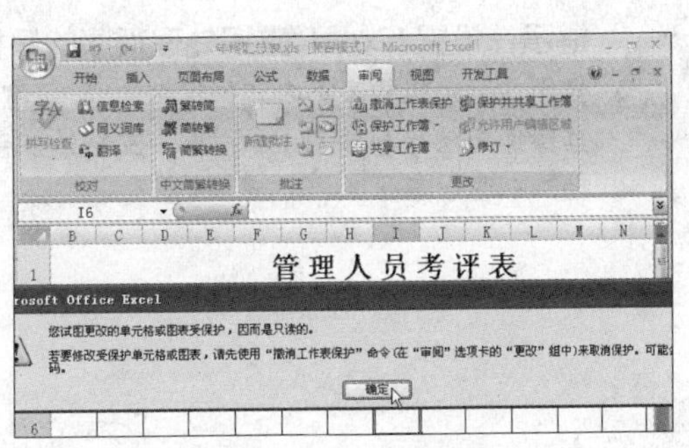

取消保护表格

当用户想要对受保护的工作表进行编辑的时候，需要先取消保护后，再进行编辑，取消保护的具体操作步骤如下：

步骤 01 打开“撤销工作表保护”对话框

打开目标文档后，将插入点定位在表格中的任意位置，单击“审阅”标签，切换到“审阅”选项卡下，单击“更改”组中的“撤销工作簿保护”按钮，如右图所示。

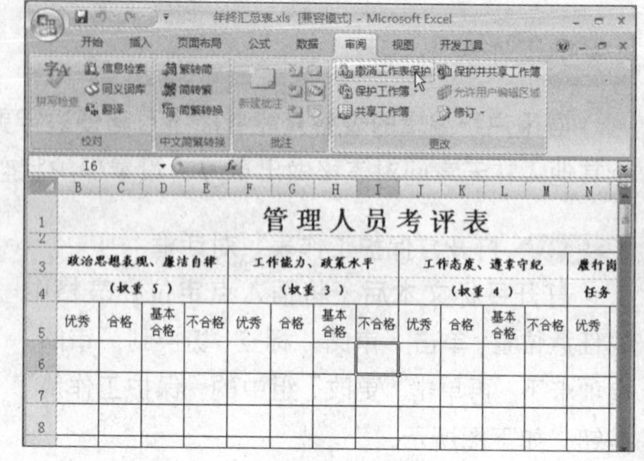

步骤 02 撤销工作表保护

在弹出的“撤销工作表保护”对话框中，输入设置的密码，然后单击“确定”按钮，如右图所示。

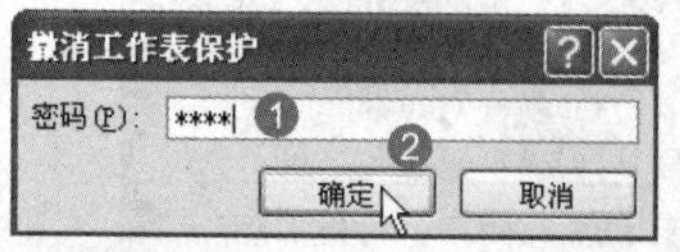

步骤 03 显示最终效果

经过以上操作，返回到表格中就可以进行表格的编辑了，最终效果如右图所示。

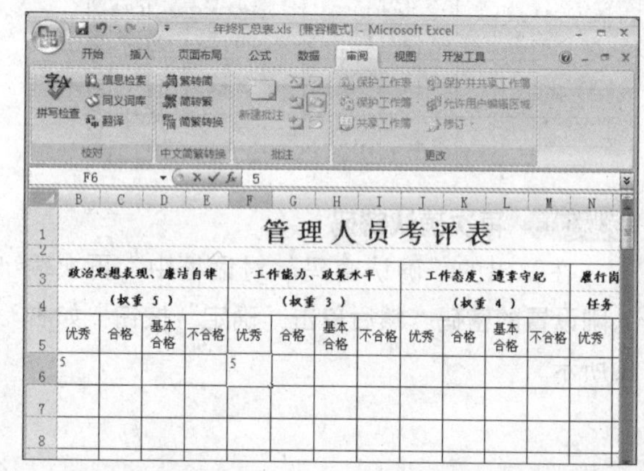

提示：设置 Excel 数据处理程序的保护

当用户所编辑的表格内容是保密内容，不能被其他人随便查看时，可以将文档设置为保密文档，其操作方法与前面 Word 程序中文档的加密设置一致，用户可参照前面的知识来进行 Excel 文档的加密设置。

16 图表的使用

本章建议学习时间

本章建议学习时间为 60 分钟，其中 20 分钟用于学习教材知识，40 分钟用于上机操作。

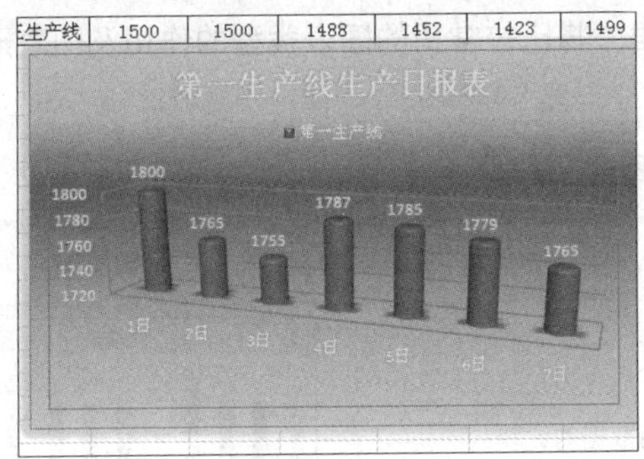

设置图表布局和格式

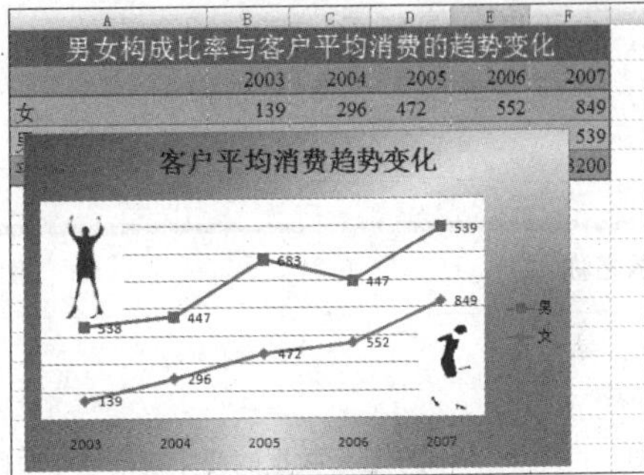

在图表中插入图片

学习完本章后您可以

1. 在 Excel 2007 中插入图表
2. 设置图表布局和格式
3. 转变图表类型
4. 在图表中插入图片

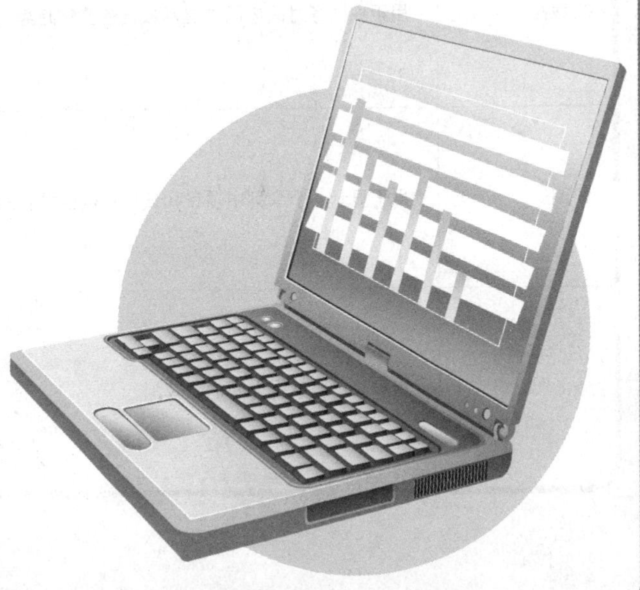

第 16 章 图表的使用

为了使表格中的数据内容表达更为充分，用户在输入完表格的数据后，可以插入一些图表来表达数据的内容。插入图表后的表格形式会更为清晰，内容也更容易让读者理解。本章就来学习一下图表的创建、设置及如何移动图表的操作。

16.1 Excel 程序中的图表类型

Excel 程序中的图表共有 11 种，其中包括柱形图、折线图、饼图、条形图、面积图、XY 散点图、股价图、曲面图、圆环图、气泡图及雷达图。这里，将比较常用的图表类型的作用及图表形状统计成表格，供用户学习，如下表所示。

Excel 常用图表汇总表

图表名称	作　用	示例图表
柱形图	用于显示数据的变化或描述各项目之间数据的比较	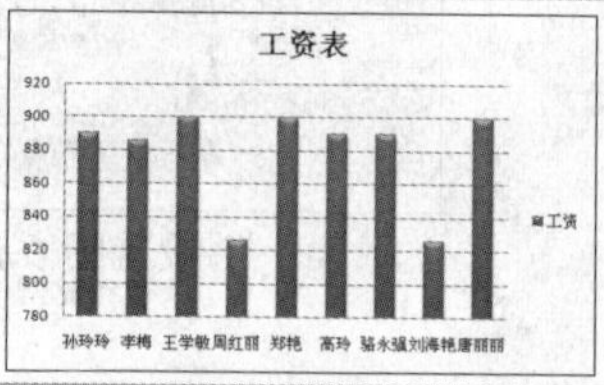 工资表
折线图	用于在同等时间内间隔显示数据的变化趋势	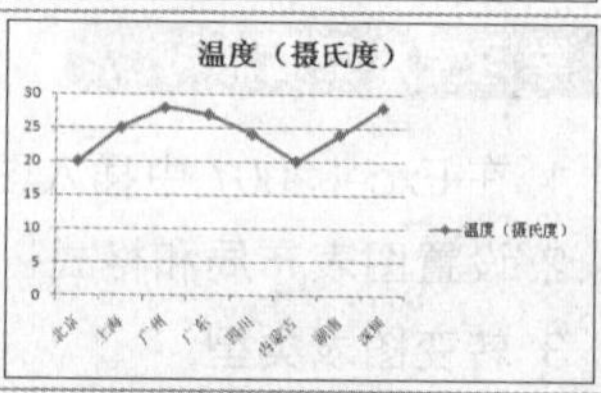 温度（摄氏度）
饼图	用于显示一个系列中项目和该项目数值总和的比例关系	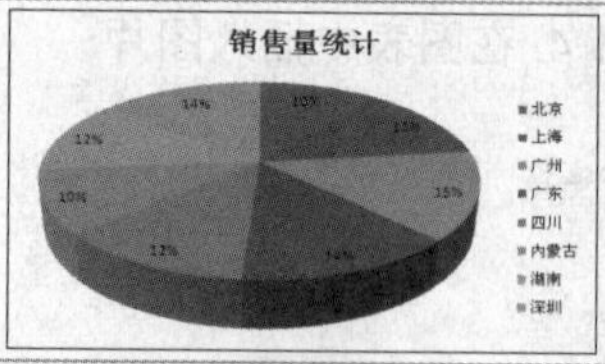 销售量统计
条形图	用于显示各数据之间的比较	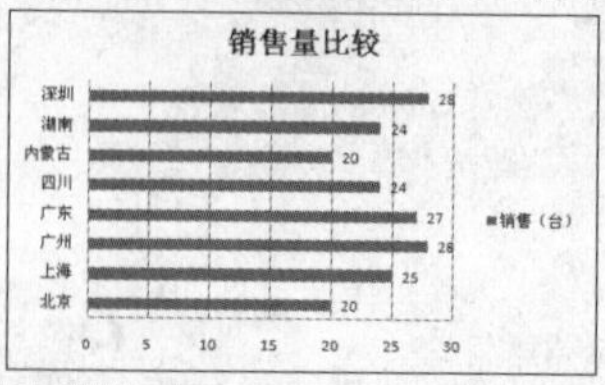 销售量比较

（续表）

图表名称	作　用	示例图表
面积图	用于强调数量随时间的变化	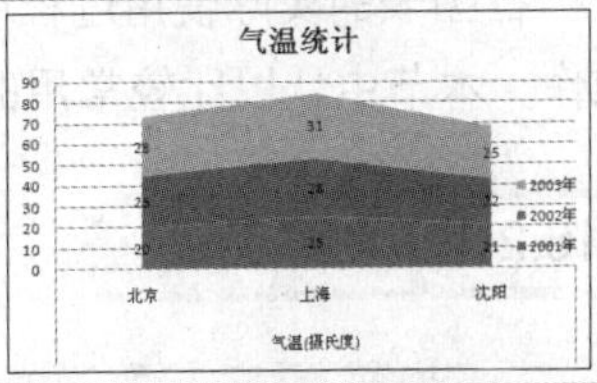 气温统计
XY 散点图	用于显示单个或多个数据系列的数据在某个间隔条件下的变化趋势	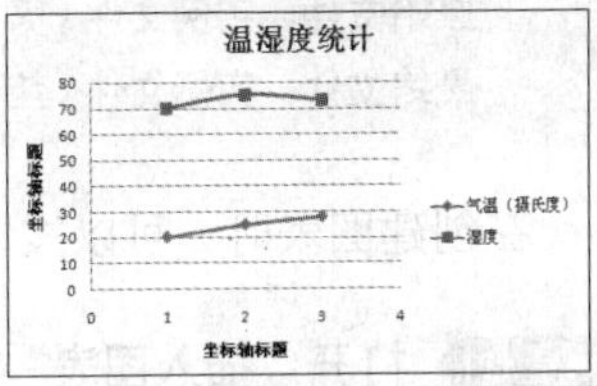 温湿度统计
股价图	用来显示股价的波动	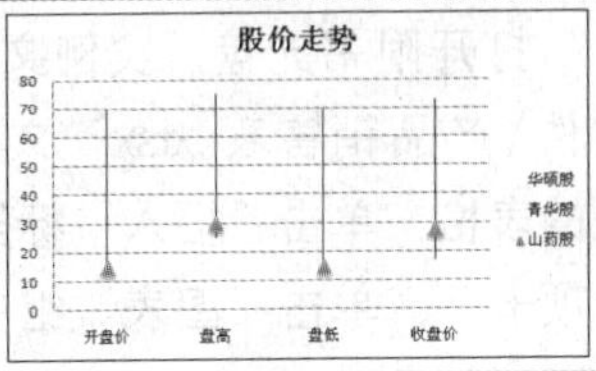 股价走势
曲面图	用于寻找两组数据之间的最佳组合	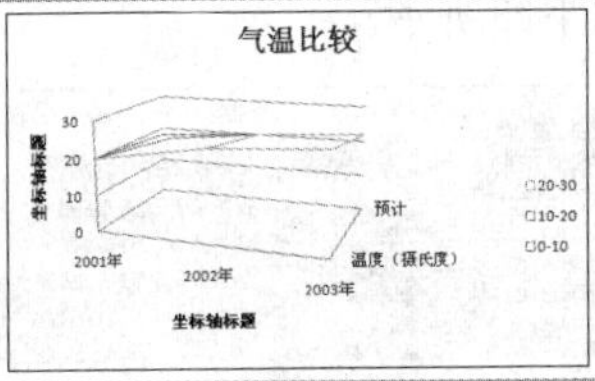 气温比较
圆环图	用于显示部分与整体之间的关系	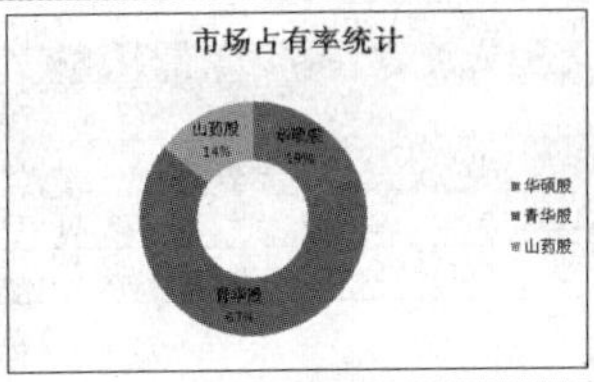 市场占有率统计
气泡图	用于显示数据之间的变化	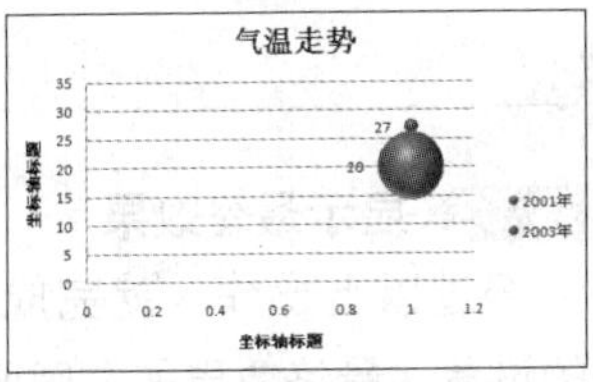 气温走势
雷达图	用于显示数据系列相对于中心点及相对于彼此数据系列间的变化	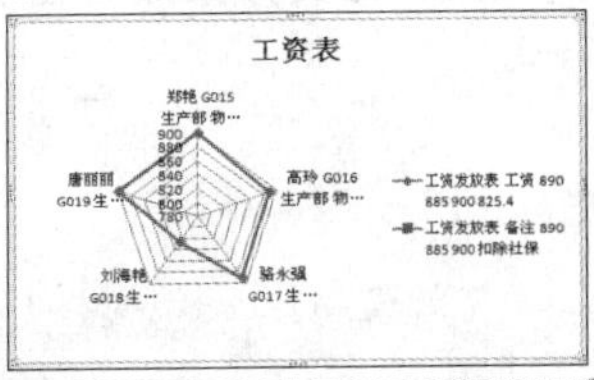 工资表

16.2 图表的使用

在图表的实际使用过程中，第一步是插入图表，在插入图表以后还要对图表进行一系列的编辑操作。本节中就以比较常用的柱形图为例，来介绍一下图表的创建和设置。

16.2.1 创建图表

原始文件：实例文件 \ 第 16 章 \ 原始文件 \ 产品销售表 .xlsx
最终文件：实例文件 \ 第 16 章 \ 最终文件 \ 产品销售表 .xlsx

在创建图表时，可以按以下步骤来完成操作。

步骤 01 打开“插入图表”对话框

打开附书光盘“实例文件 \ 第 16 章 \ 原始文件 \ 产品销售表 .xlsx”文档，选中要插入图表的表格，单击“插入”标签，切换到“插入”选项卡下，单击“图表”组中的对话框启动器，如下图所示。

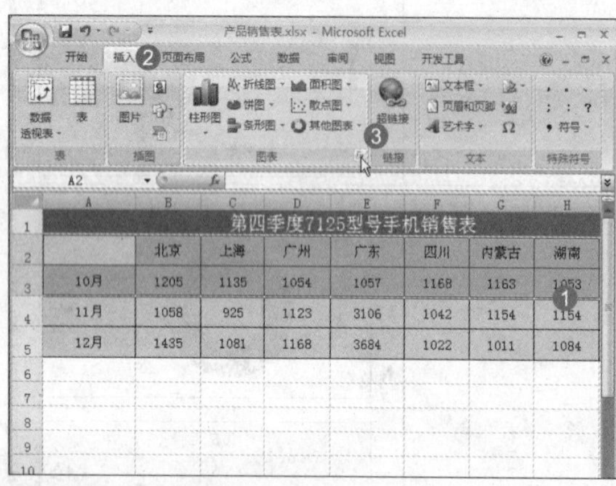

步骤 02 选择插入图表的类型

在弹出的“插入图表”对话框中，选择“柱形图”选项，在右侧的“柱形图”列表中选择“三维圆柱图”选项，然后单击“确定”按钮，如下图所示。

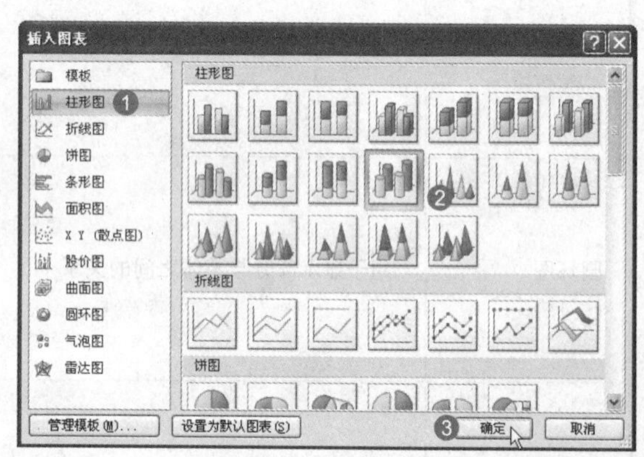

步骤 03 显示最终效果

经过以上操作，就完成了在表格中插入图表的设置，最终效果如右图所示。

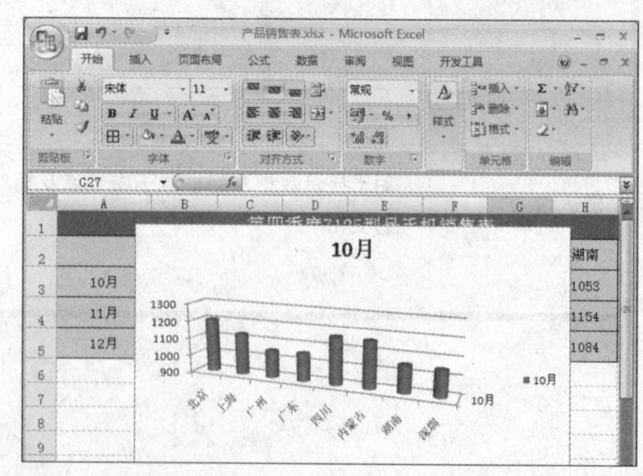

16.2.2 认识插入图表的结构

在插入图表后，可以看到图表由很多部分构成，那么每个部分的名称又是什么呢？下面就来认识一下图表的结构及各部分的相应名称，如下图所示。

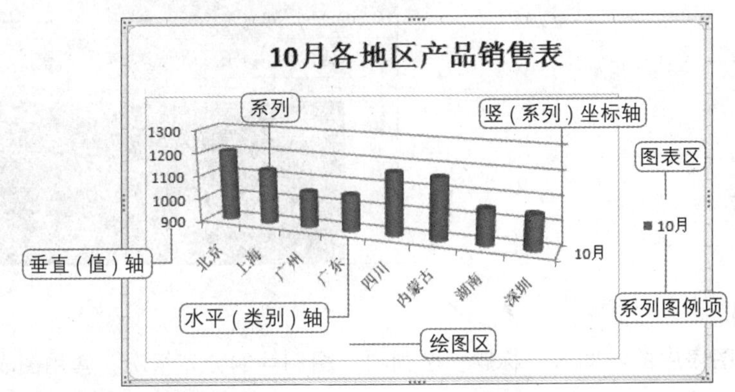

16.2.3 套用图表样式和布局

在完成了图表的插入后，图表的样式、格式等内容还不能完成体现表格的所要表达的意图，还需要对其进行一系列的设置操作，下面就来学习一下如何对图表进行格式化设置。

原始文件：实例文件 \ 第 16 章 \ 原始文件 \ 产品销售表 1.xlsx
最终文件：实例文件 \ 第 16 章 \ 最终文件 \ 产品销售表 1.xlsx

1. 套用图表样式

图表样式是指图表中系列选项与整个图表的配合样式，Excel 程序中包含已经设置好的多种图表的样式，用户可以直接套用，应用图表样式的操作步骤如下：

步骤 01 打开“图表样式”列表

打开附书光盘“实例文件 \ 第 16 章 \ 原始文件 \ 产品销售表 1.xlsx”文档，选中图表，切换到“图表工具”下的“设计”选项卡，单击“图表样式”组中列表框的下拉按钮，如下图所示。

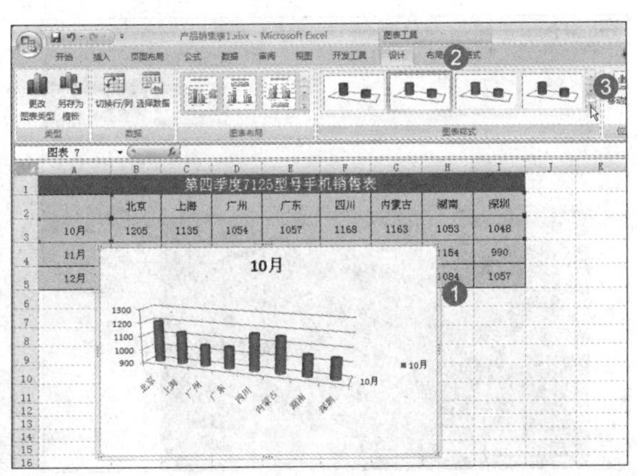

步骤 02 选择图表样式

在弹出的“图表样式”库中，选择“样式 46”选项，如下图所示。

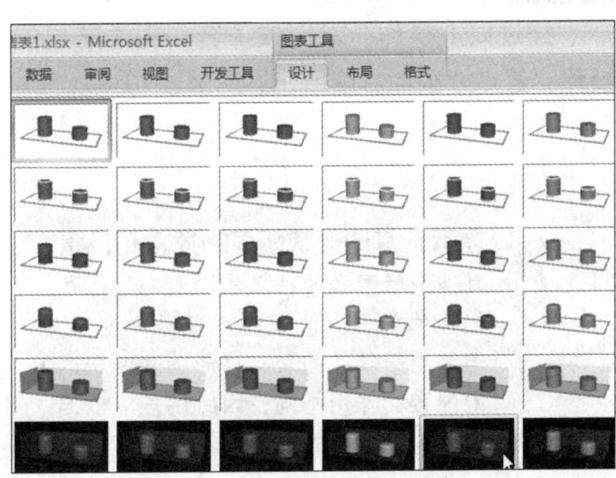

步骤 03 显示最终效果

经过以上操作，就完成了套用图表样式的操作，最终效果如右图所示。

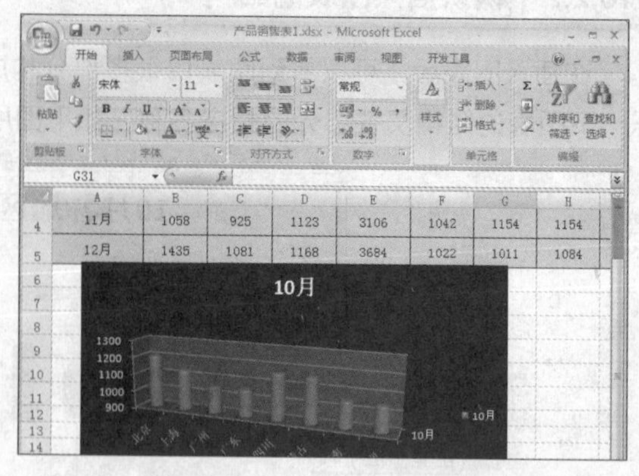

2. 套用图表布局

图表的布局是指图表中的绘图区、标题、系列项、图例等的分布情况，套用图表布局的步骤如下：

步骤 01 选择布局列表

继续上例中的操作，选中要设置的图表后，切换到“图表工具”下的“设计”选项卡，单击“图表布局”组中列表框的下拉按钮，如下图所示。

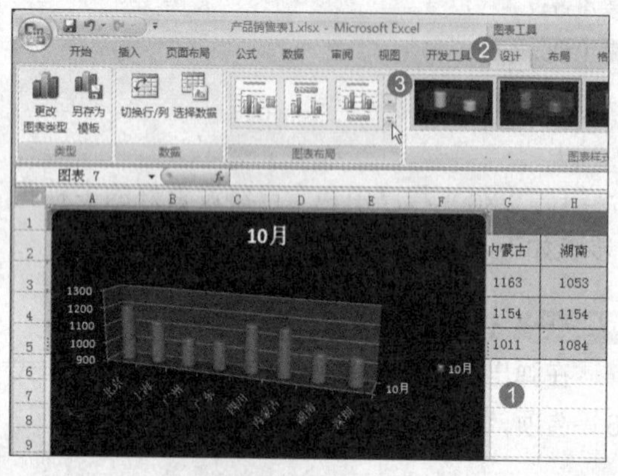

步骤 02 选择布局样式

在弹出的“图表布局”库中，选择“布局 5”选项，如下图所示。

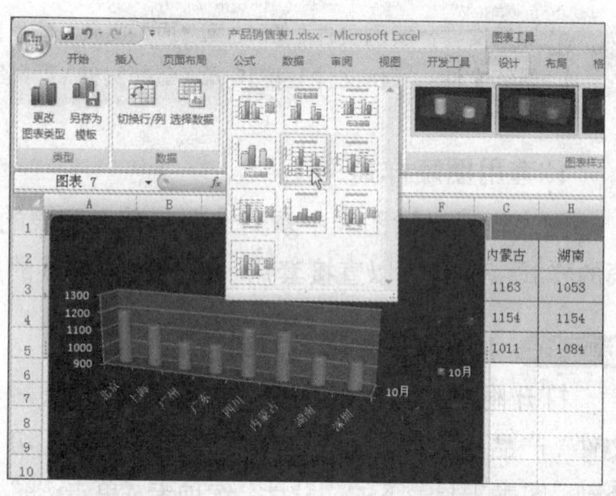

步骤 03 显示最终效果

经过以上操作，就完成了套用图表布局的操作，最终效果如右图所示。

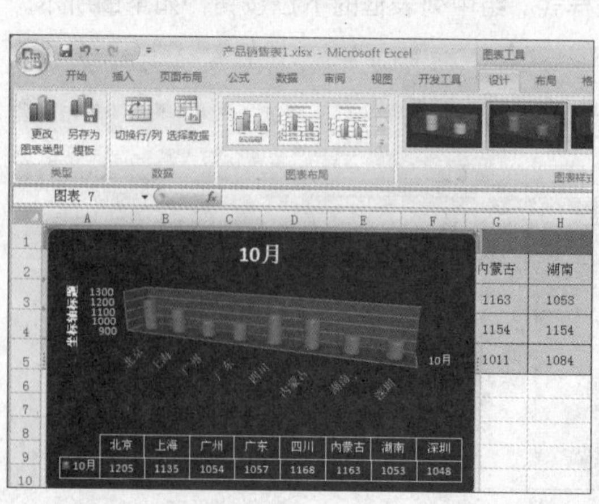

提示：其他形状图表的插入和设置

其他形状图表的插入和设置与柱形图的操作类似，这里就不多做介绍了，但是由于其他图表与柱形图表所表达的内容和作用不同，因此用户应根据自己的需要选择相应的图表进行操作。

16.3 自定义设置图表布局和格式

如果用户觉得套用 Excel 程序中提供的图表样式与表格的内容不搭配，可以自定义对图表进行设置，下面介绍其设置方法。

16.3.1 更改图表布局

图表的布局包括图表的标题、绘图区、图例、标签等的整体布局结构，用户可以分别对其进行设置，下面介绍其具体的设置步骤。

原始文件：实例文件 \ 第 16 章 \ 原始文件 \ 生产日报表 .xlsx
最终文件：实例文件 \ 第 16 章 \ 最终文件 \ 生产日报表 .xlsx

1. 设置图表标题

图表标题的位置一般位于图表和图表内容的上方，用户可以根据内容的需要对其进行设置，另外对于图表自动生成的标题，用户也可以进行更改，其操作步骤如下：

步骤 01 打开“图表标题”列表

打开附书光盘“实例文件 \ 第 16 章 \ 原始文件 \ 生产日报表 .xlsx”文档，选中图表，切换到“图表工具”下的“布局”选项卡，单击“标签”组中的“图表标题”按钮，如下图所示。

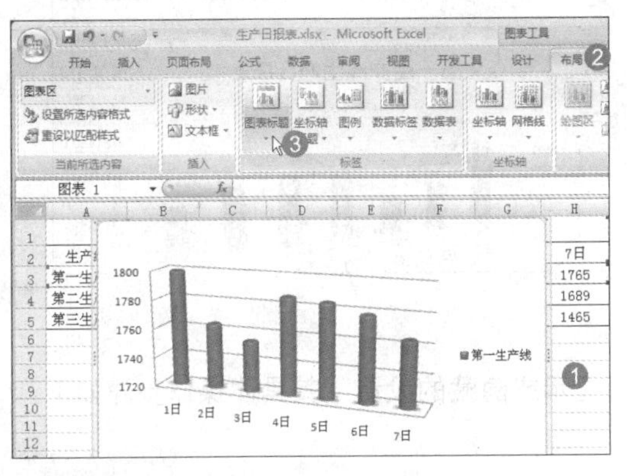

步骤 02 选择标题样式

在弹出的“图表标题”列表中，选择“图表上方”选项，如下图所示。

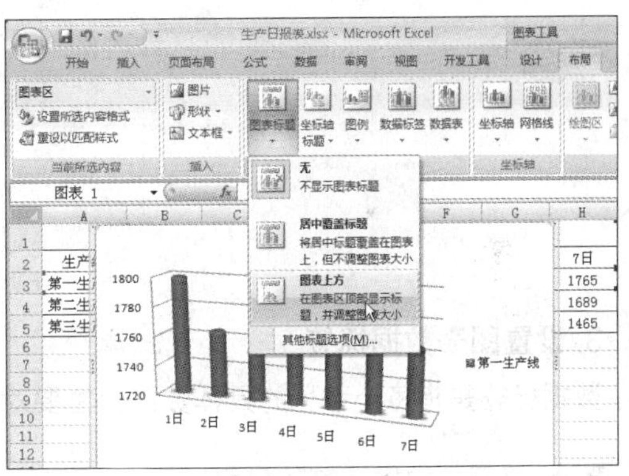

步骤 03 显示插入标题效果

设置了标题样式后，在图表中单击选中标题，直接删除系统默认设置的标题，重新输入标题，即可完成插入图表标题的操作，最终效果如右图所示。

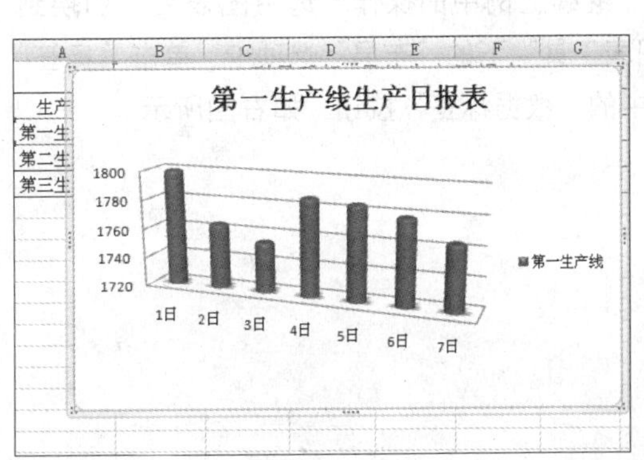

2. 设置图表图例

对于图例的设置一般是针对它的显示或隐藏，以及显示位置而言，其设置步骤如下：

步骤 01 打开“图例”列表

继续上例中的操作，选中图表后，切换到“图表工具”下的“布局”选项卡，单击“标签”组中的“图例”按钮，如下图所示。

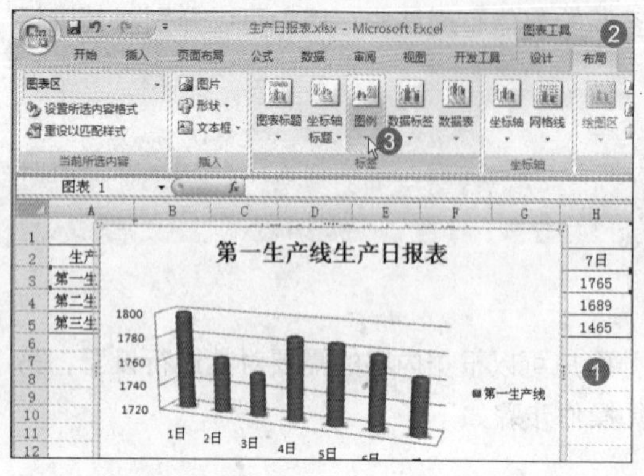

步骤 02 选择图例的显示位置

在弹出的“图例”列表中，选择“在顶部显示图例”选项，如下图所示。

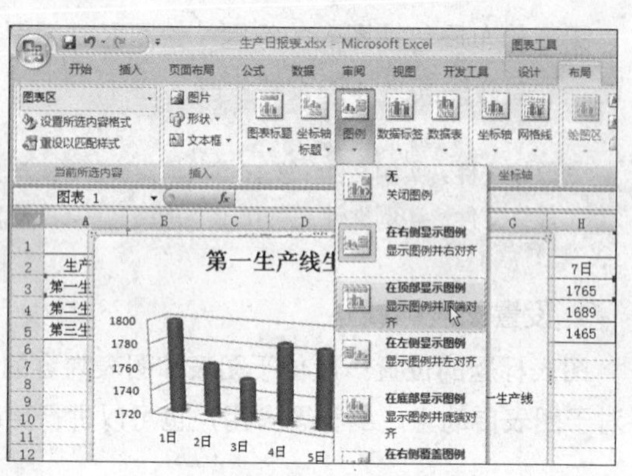

步骤 03 显示最终效果

经过以上操作，就完成了设置图例的操作，最终效果如右图所示。

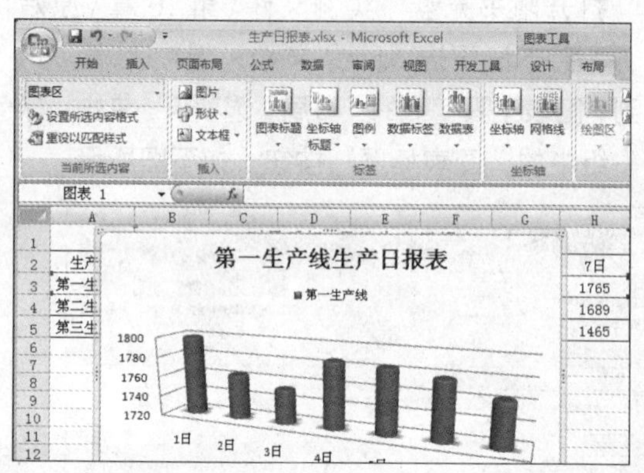

3. 设置图表数据标签

数据标签是指每个系列的具体数值，主要对其进行显示或隐藏的设置，其具体操作步骤如下：

步骤 01 打开“数据标签”列表

继续上例中的操作，选中图表后，切换到“图表工具”下的“布局”选项卡，单击“标签”组中的“数据标签”按钮，如右图所示。

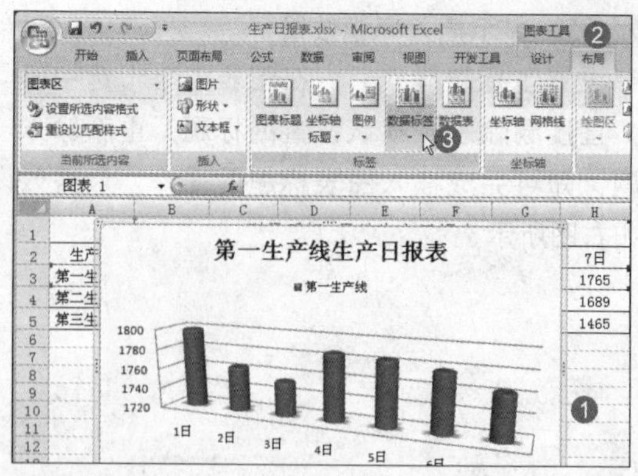

步骤 02 设置显示数据标签

在弹出的"数据标签"列表中，选择"显示"选项，如下图所示。

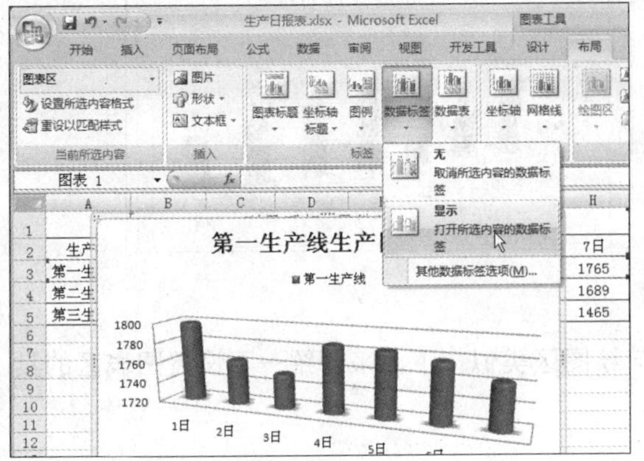

步骤 03 显示最终效果

经过以上操作，就完成了设置数据标签的操作，最终效果如下图所示。

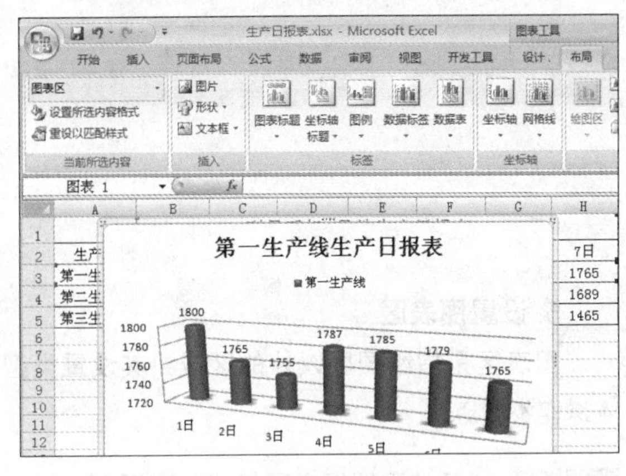

4. 设置绘图区

绘图区是指包括坐标轴、系列在内的图标区域，用户可以通过设置，来改变绘图区的背景、边框等内容，其具体操作方法如下：

步骤 01 打开"设置绘图区格式"对话框

继续上例中的操作，选中图表中的绘图区后，切换到"图表工具"下的"布局"选项卡，单击"当前所选内容"组中的"设置所选内容格式"按钮，如右图所示。

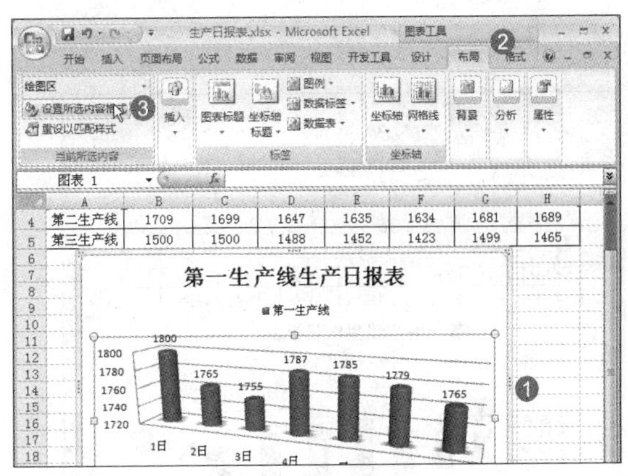

步骤 02 设置绘图区

在弹出的"设置绘图区格式"对话框中，选择"边框颜色"选项，在右侧的选项面板中单击"颜色"下拉按钮，在弹出的颜色列表中选择"深蓝，淡色 40%"选项，然后单击"关闭"按钮，如右图所示。

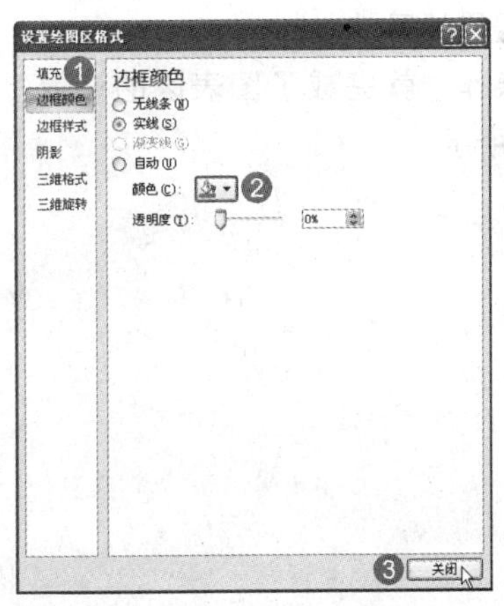

五笔打字　电脑办公

步骤 03 **显示最终效果**

经过以上操作，就完成了绘图区边框颜色的设置，最终效果如右图所示。

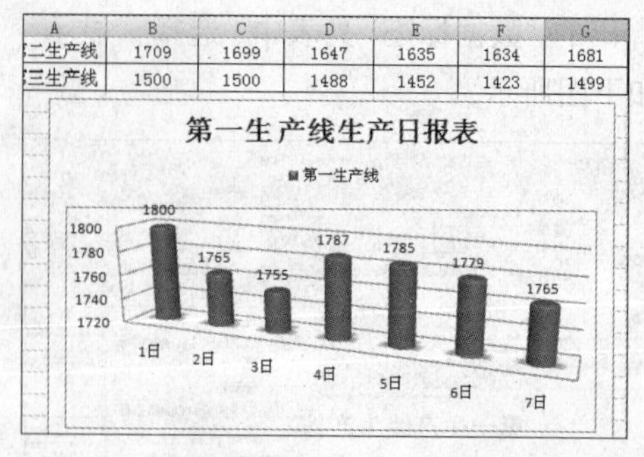

5. 设置图表区

图表区是指绘图区以外的区域，其设置类型与绘图区类似，下面来介绍一下设置图表区的具体操作步骤。

步骤 01 **打开“设置图表区格式”对话框**

继续上例中的操作，选中图表中的图表区后，切换到“图表工具”“布局”选项卡下，单击“当前所选内容”组中的“设置所选内容格式”按钮，如下图所示。

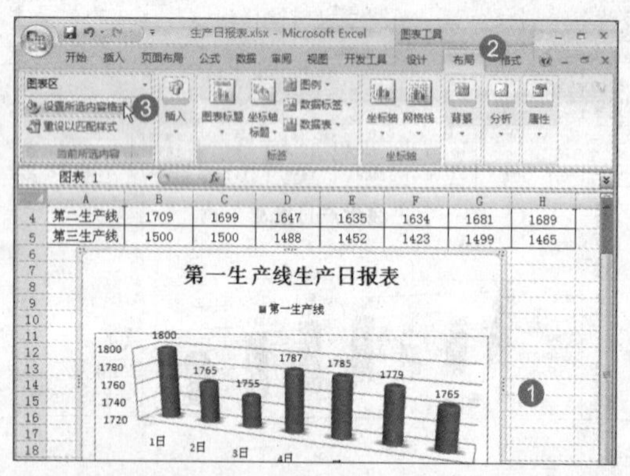

步骤 02 **设置图表区**

在弹出的“设置图表区格式”对话框中，选择“填充”选项，在右侧的选项面板中单击选中“渐变填充”单选按钮，再单击“预设颜色”下拉按钮，在弹出的列表中选择“心如止水”选项，然后单击“关闭”按钮，如下图所示。

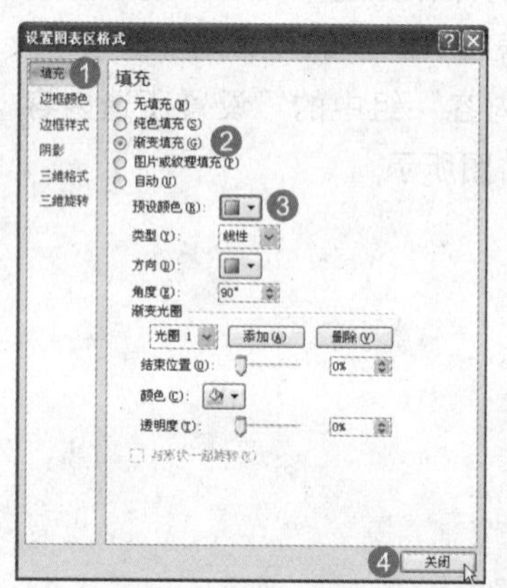

步骤 03 **显示最终效果**

经过以上操作，就完成了图表区的设置，最终效果如右图所示。

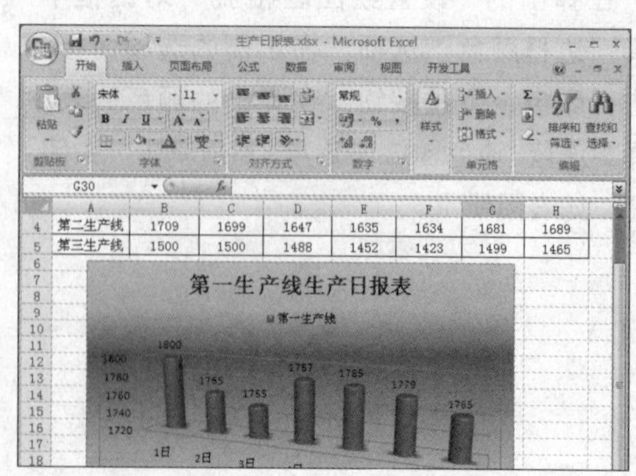

16.3.2 更改图表格式

图表格式的更改是指对图表中的字体颜色、形状等的更改，以及图表背景填充颜色的更改，下面就来介绍一下更改图表格式的具体操作。

原始文件：实例文件\第 16 章\原始文件\生产日报表 1.xlsx

最终文件：实例文件\第 16 章\最终文件\生产日报表 1.xlsx

1. 图表中字体的更改

对于图表中的字体，用户可以根据图表的内容对字体进行相应的颜色、轮廓及效果的更改，下面就来介绍一下字体的更改设置。

步骤 01 打开“文本效果”列表

打开附书光盘“实例文件\第 16 章\原始文件\生产日报表 1.xlsx”文档，选中图表，切换到“图表工具”下的“格式”选项卡，单击“艺术字样式”组中的“文本填充”下拉按钮，如下图所示。

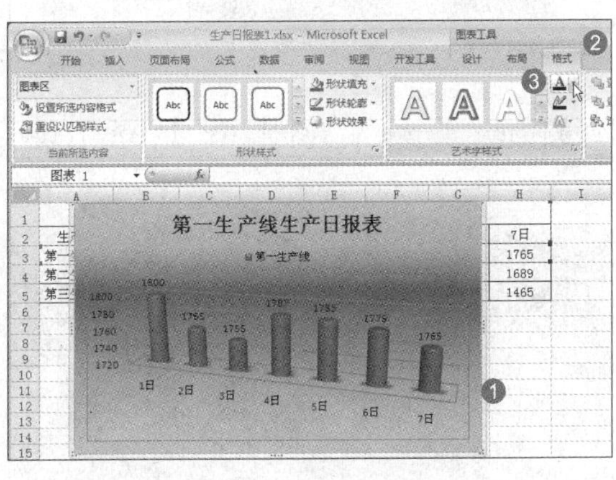

步骤 02 选择文本效果样式

在弹出的“文本填充”列表中，选择“黄色”选项，如下图所示。

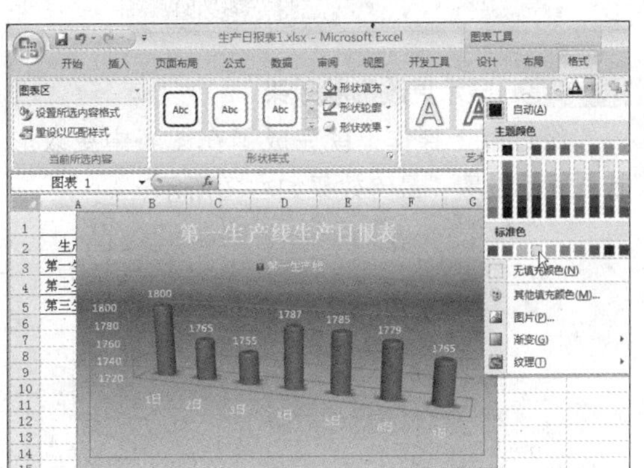

步骤 03 显示更改文字格式效果

经过以上操作，就完成了图表中文本格式的设置，最终效果如右图所示。

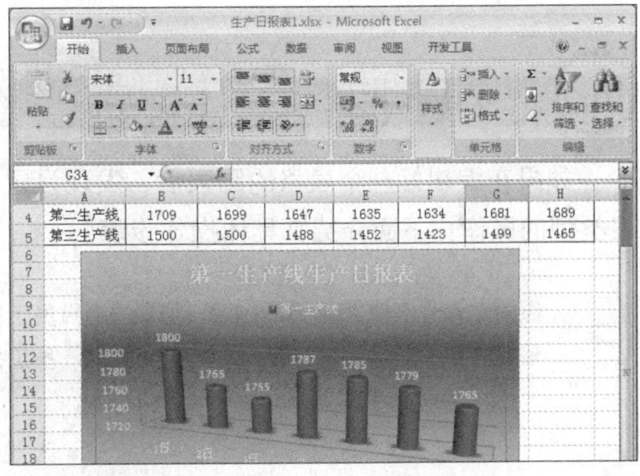

2. 更改图表形状样式

更改图表形状样式包括更改图表中的绘图区、图表区以及系列中的坐标线轴等等，用户可以根据图表的内容进行相应的更改，下面就来介绍一下图表形状样式的更改设置。

步骤 01 打开“文本效果”列表

继续上例中的操作，选中图表后，切换到“图表工具”下的“格式”选项卡，单击“形状样式”组中的“文本效果”下拉按钮，如下图所示。

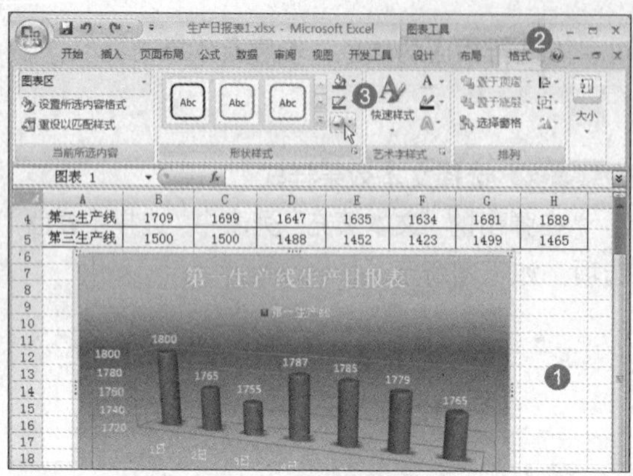

步骤 02 设置图表的形状效果

在弹出的“文本效果”列表中，将鼠标指针指向“发光”选项，在展开的列表中，选择“强调文字颜色 5，11pt 发光”选项，如下图所示。

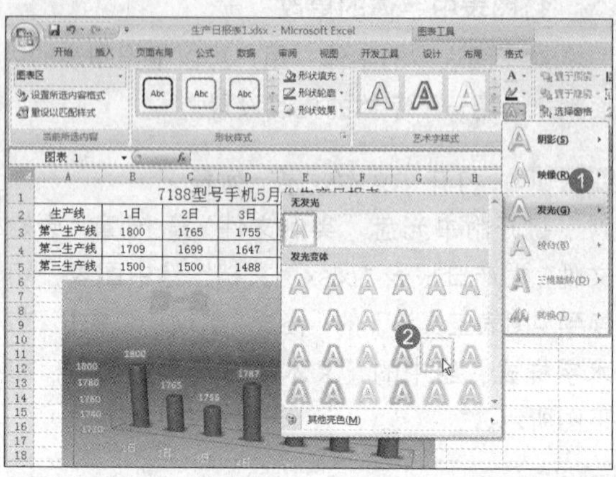

步骤 03 显示更改形状效果

经过以上操作，就完成了在图表中更改形状样式的设置，最终效果如右图所示。

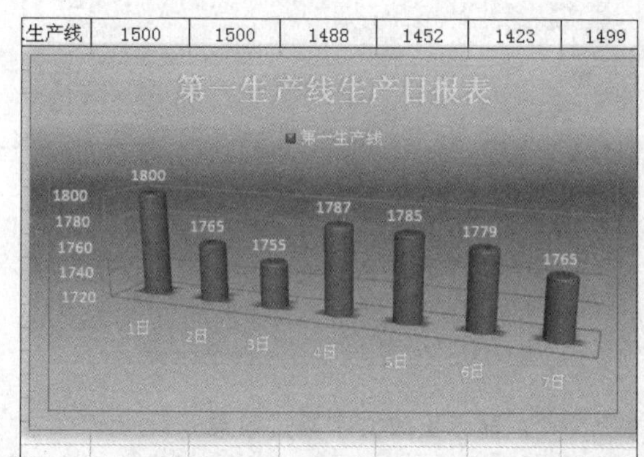

16.4 更改图表类型

如果在编辑好一个表格的图表后，发现设置的图表不能充分表现表格的内容，可以进行更改图表类型的操作，下面介绍其具体操作步骤。

原始文件：实例文件 \ 第 16 章 \ 原始文件 \ 员工福利 .xlsx
最终文件：实例文件 \ 第 16 章 \ 最终文件 \ 员工福利 .xlsx

步骤 01 打开“更改图表类型”对话框

打开附书光盘“实例文件\第 16 章\原始文件\员工福利.xlsx”文档，选中图表，切换到“图表工具”下的“设计”选项卡，单击“类型”组中的“更改图表类型”选项，如下图所示。

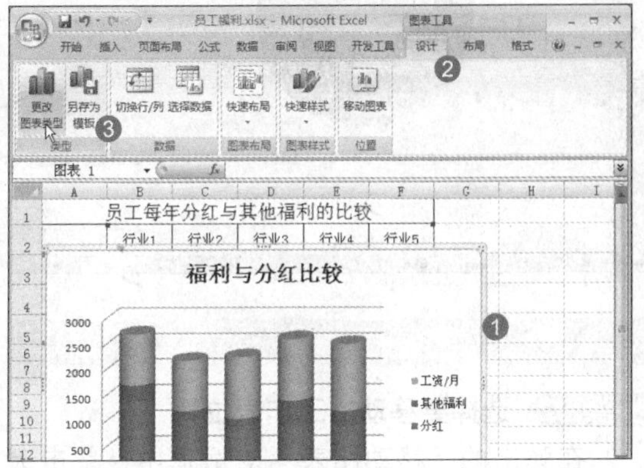

步骤 02 选择更改的图表类型

在弹出的“更改图表类型”对话框中，选择“饼图”选项，在右侧的图表列表中选择“饼图”选项，再单击“确定”按钮，如下图所示。

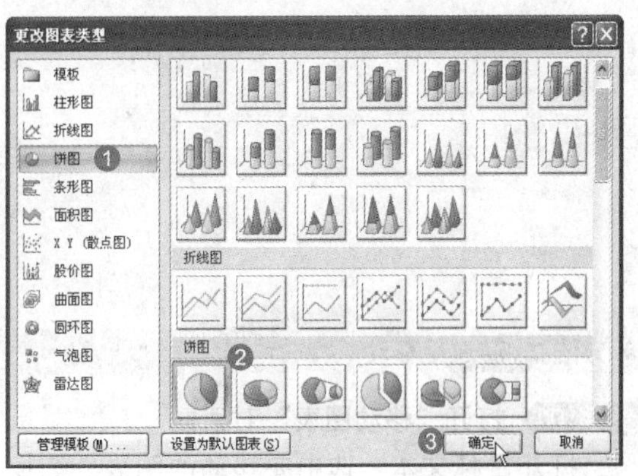

步骤 03 显示最终效果

经过以上操作，就完成了更改图表类型的设置，最终效果如右图所示。用户可根据前面所学的知识对新更改的饼图进行进一步的设置。

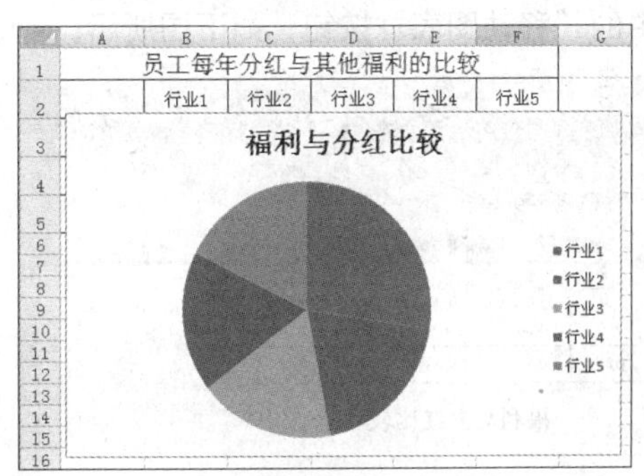

16.5 移动图表

图表的移动分为在当前工作表内移动和移动到其他工作表两种情况，在不同工作表之间移动图表时，可以使用以下两种方法来完成，本节中将对其做一个具体的介绍。

＊方法一 通过快捷键移动

步骤 01 选中要移动的图表

打开目标文档，选中要移动的图表，如右图所示。

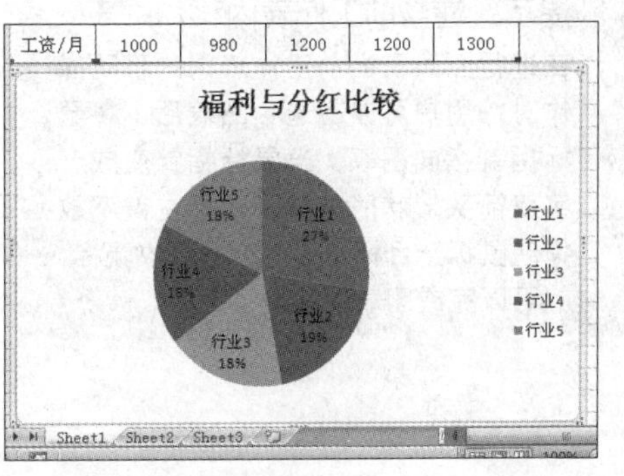

五笔打字

电脑办公

步骤 02 粘贴图表到其他工作表

按下 Ctrl+X 快捷键，剪切图表，然后切换到要移至的工作表 Shift 3 中，按下 Ctrl+V 快捷键进行粘贴，即可完成图表的移动，如右图所示。

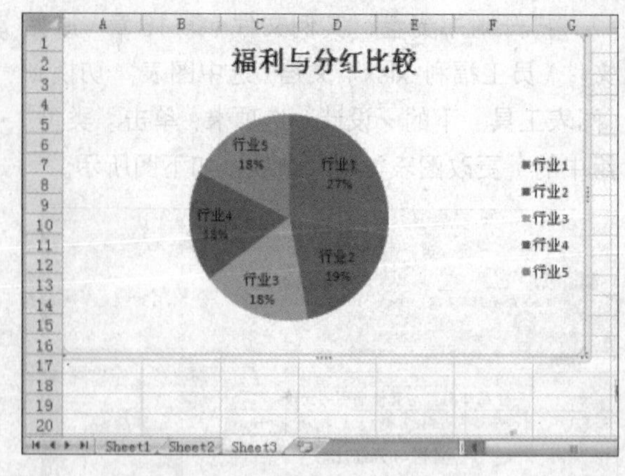

* 方法二 通过组移动

步骤 01 打开“移动图表”对话框

打开目标文本，选中要移动的图表，切换至“图表工具”下的“设计”选项卡，单击“位置”组中的“移动图表”按钮，如下图所示。

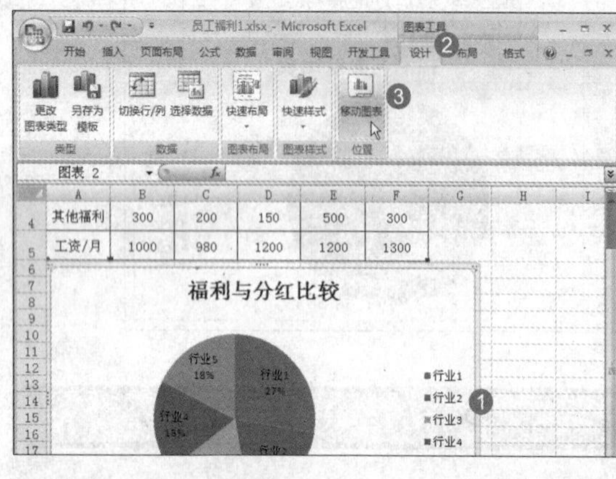

步骤 02 选择要移动的工作表位置

在弹出的“移动图表”对话框中，单击选中“对象位于”单选按钮，并在其下拉列表中选择 Shift 3 选项，然后单击“确定”按钮，如下图所示。

步骤 03 显示最终效果

经过以上操作，就可以完成图表的移动操作，最终效果如右图所示。

提示：在当前工作表内移动图表

在进行图表在当前工作表内的移动操作时，用户可以在选中图表后，将鼠标指针指向图表，当鼠标指针变成十字双箭头形状时，按下鼠标左键不放拖动鼠标至目标位置，然后释放鼠标，就可以完成图表的移动了。

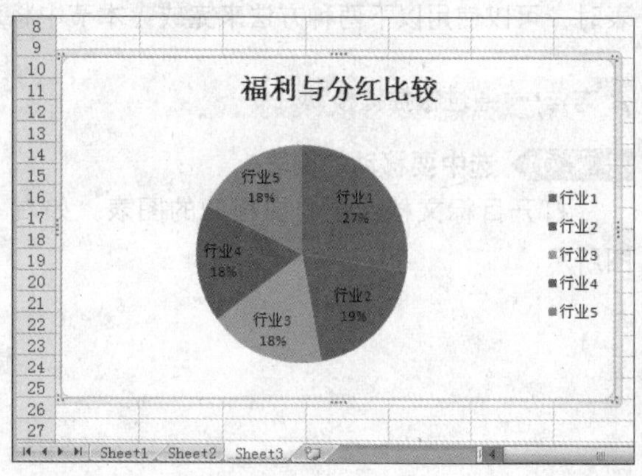

Column 技能提升

在使用图表表现表格内容时，为了使图表更为美观，用户还可以在图表中插入一些图片，来表现图表内容，下面介绍其具体操作方法。

原始文件：实例文件 \ 第 16 章 \ 原始文件 \ 消费水平统计 .xlsx
最终文件：实例文件 \ 第 16 章 \ 最终文件 \ 消费水平统计 .xlsx

步骤 01 打开“剪贴画”任务窗格

打开附书光盘“实例文件 \ 第 16 章 \ 原始文件 \ 消费水平统计 .xlsx”文档，将插入点定位在表格中的任意位置后，单击“插入”标签，切换到“插入”选项卡下，单击“插图”组中的“剪贴画”按钮，如下图所示。

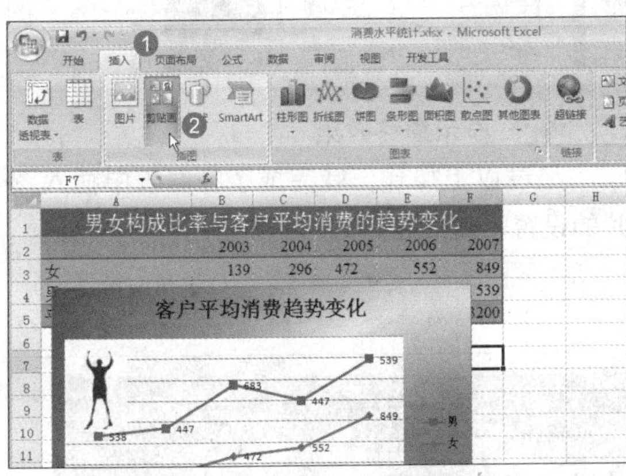

步骤 02 设置搜索图片的范围及类型

在弹出的“剪贴画”任务窗格中，单击“搜索范围”文本框右侧的下拉按钮，在弹出的列表中选择“所有收藏集”选项，按照同样的方法将“结果类型”设置为“所有媒体文件类型”，然后单击“搜索”按钮，如下图所示。

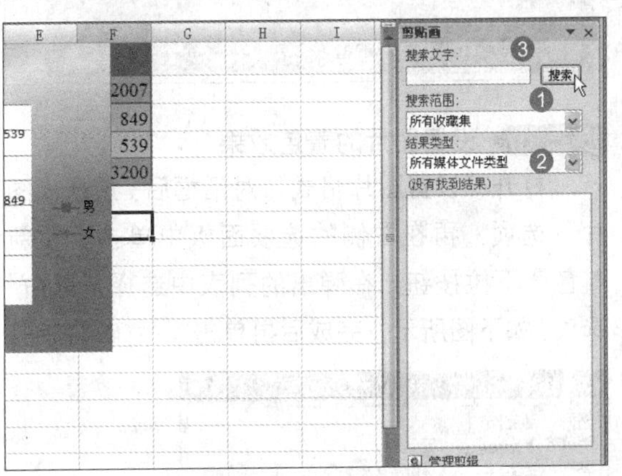

步骤 03 选择要插入的剪贴画

在“剪贴画”列表框中显示出搜索出剪贴画后，拖动列表框右侧的滚动条，找到并单击选择目标图片，如下图所示，即可在图表中插入剪贴画。

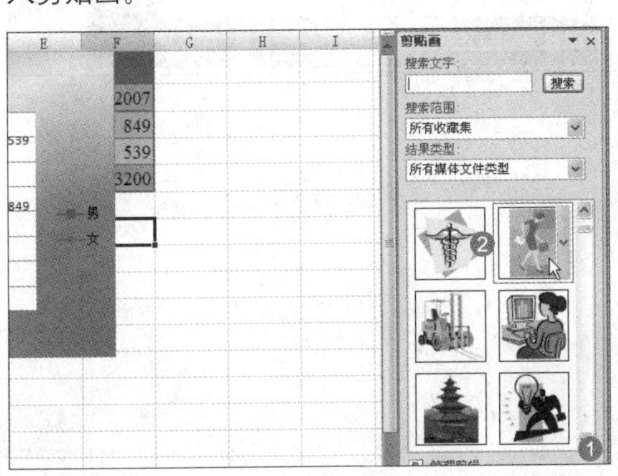

步骤 04 移动剪贴画至图表中

选中图片，将鼠标指针指向图片，当指针变成十字双箭头形状时，按住鼠标左键不放，拖动鼠标，如下图所示，至目标位置时释放鼠标。

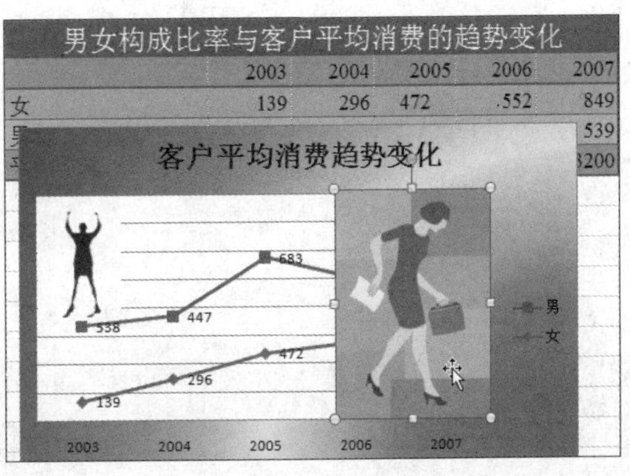

步骤 05 调整图片大小

选中图片，将鼠标指针指向图片的控点，当指针变成斜向的双箭头时，按住鼠标左键不放，斜向拖动鼠标，当图片缩小到适当大小时释放鼠标，效果如下图所示。

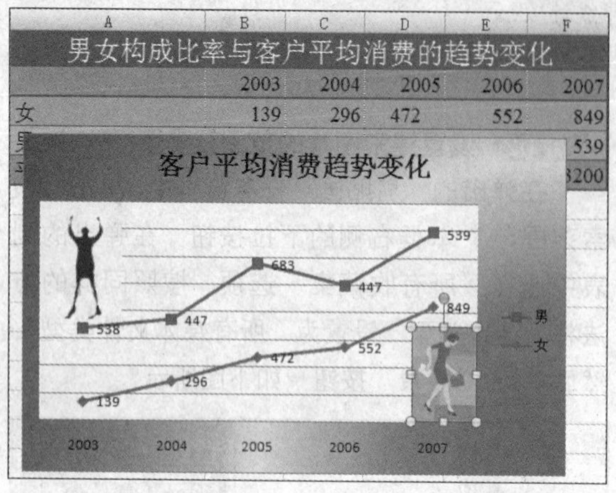

步骤 06 打开“设置图片格式”对话框

切换到“图片工具”下的“格式”选项卡，单击“图片样式”组中的对话框启动器，如下图所示。

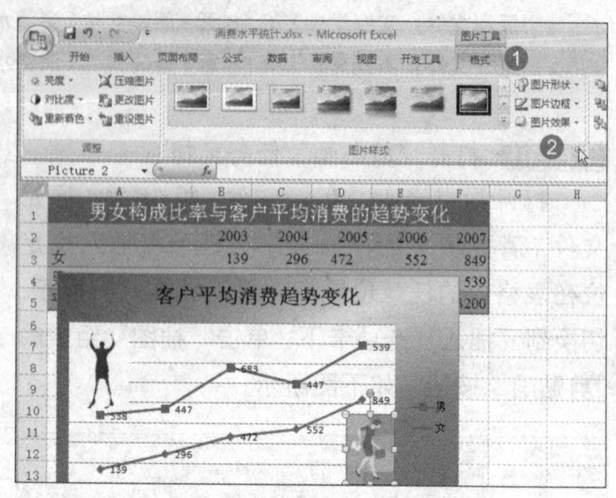

步骤 07 设置图片的着色效果

打开“设置图片格式”对话框后，选择“图片”选项，再在右侧的选项面板中单击“重新着色”下拉按钮，在弹出的列表中选择“黑白”选项，如下图所示，完成后再单击“关闭”按钮。

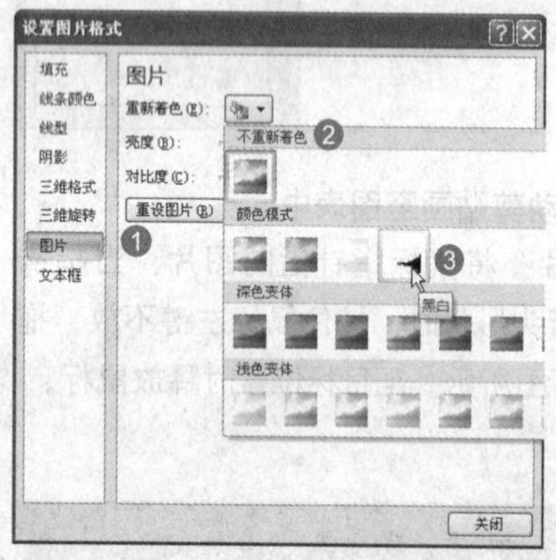

步骤 08 显示最终效果

经过以上操作，就完成了在图表中插入图片的设置，其最终效果如下图所示。

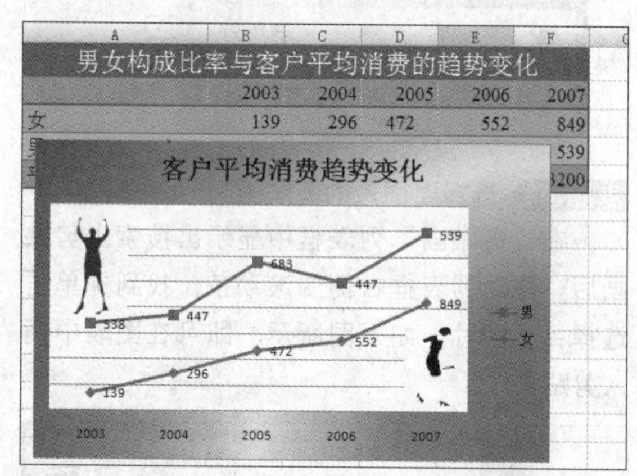

17 函数与公式

本章建议学习时间

本章建议学习时间为 60 分钟，其中 20 分钟用于学习教材知识，40 分钟用于上机操作。

使用简单公式进行计算

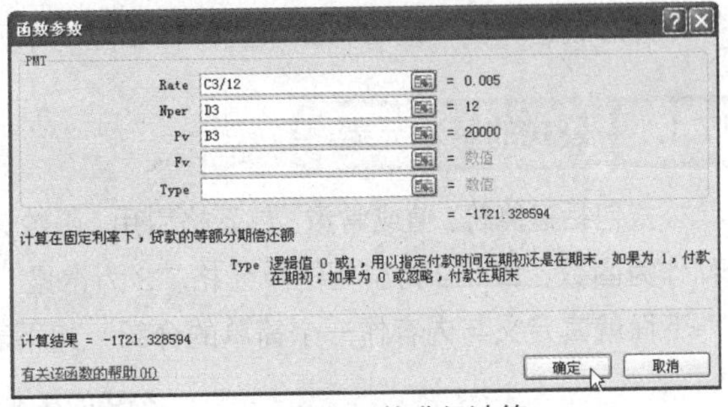

使用 PMT 函数进行计算

学习完本章后您可以

1. 了解 Excel 2007 中公式的使用
2. 了解单元格的相对引用和绝对引用
3. 了解函数的应用
4. 了解单元格的混合引用

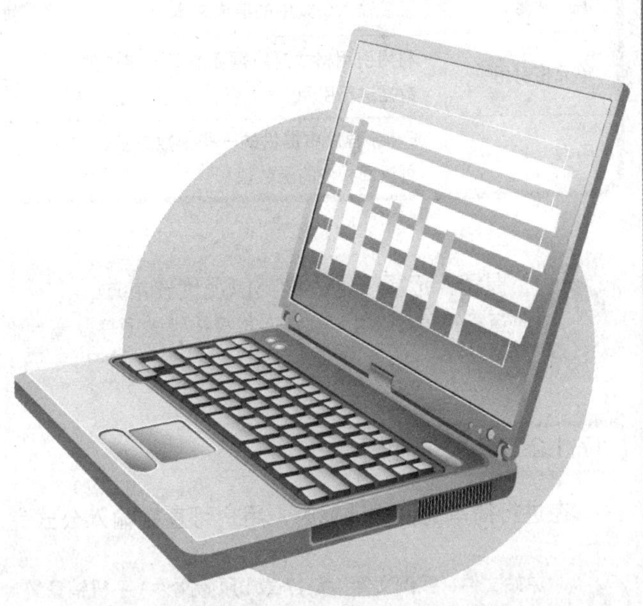

第 17 章 函数与公式

由于 Excel 程序是数据处理程序，因此在使用它时一定会应用到一些数据的求和之类的数字计算知识，这就需要用户掌握 Excel 程序中的函数与公式方面的知识，本章中将对函数与公式的相关操作进行介绍。

17.1 公式的操作

Excel 数据处理程序的计算公式是以“=”开始，并通过运算符号连接常数、函数、单元格引用等元素形成运算式，最后将结果显示在相应的单元格内，下面就来介绍一下公式的基本元素。

17.1.1 公式的基本元素

公式包括运算符、值或常量、单元格引用、函数这几个基本元素，例如公式“=SUM(B2:E2)*2”中，SUM作为函数，B2:E2 为引用的单元格，2 为常量，* 为运算符。

下面就其定义与内容作一个简单的介绍，如下表所示。

公式的基本元素表

名 称	意 义	包括内容	示 例
运算符	用于公式中数值元素的连接	+、−、*、/ 等	=2*5
值或常量	直接输入公式中的值或文本	数字或文本	=4+7
单元格引用	利用引用格式对所需要的单元格中的数据进行引用	所引用单元格中的数据	=C2+D2+E2
函数	Excel 程序中提供的一些函数或参数，可返回相应的函数值	统计函数、财务函数等	=SUM(B2:E2)

提示：运算符号的种类以及优先顺序

运算符号共有 9 种，各运算符按优先顺序从高到低排列分别为：^（幂运算）、*（乘号）、\（除号）、+（加号）、−（减号）、&（连接符号）、=（等于符号）、<（小于符号）、>（大于符号）。

17.1.2 公式的使用

在进行简单的公式计算时，用户可直接输入公式完成计算，下面介绍其具体操作步骤。

原始文件：实例文件\第 17 章\原始文件\手机销量统计 .xlsx
最终文件：实例文件\第 17 章\最终文件\手机销量统计 .xlsx

步骤 01　选择单元格

打开附书光盘"实例文件\第 17 章\原始文件\手机销量统计.xlsx"文档，将插入点定位在要引用公式计算的单元格内，如下图所示。

产品销量统计表（部）						
型号	上海	深圳	北京	长春	沈阳	合计
2188	712	854	741	954	711	
7025	835	624	689	688	900	
8300	911	980	1024	754	689	

步骤 02　输入公式

在单元格内输入"="后，用鼠标依次单击要引用的单元格，单元格间用"+"连接，如下图所示，最后按下 Enter 键确定输入。

产品销量统计表（部）						
型号	上海	深圳	北京	长春	沈阳	合计
2188	712	854	741	954	711	=F3+E3+D3+C3+B3
7025	835	624	689	688	900	
8300	911	980	1024	754	689	

步骤 03　显示最终效果

经过以上操作，就完成了公式的计算，结果会显示在单元格内，如右图所示。

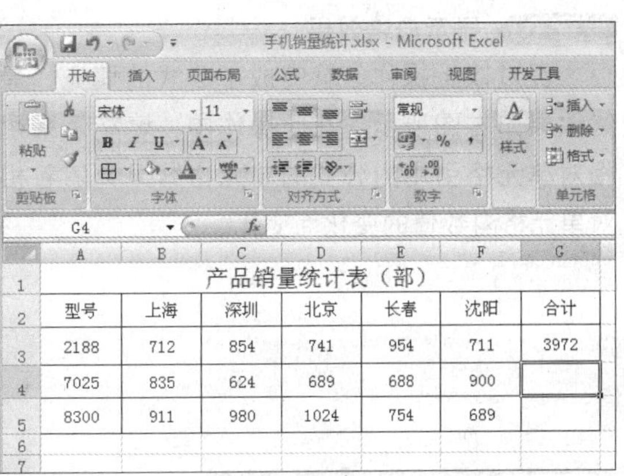

产品销量统计表（部）						
型号	上海	深圳	北京	长春	沈阳	合计
2188	712	854	741	954	711	3972
7025	835	624	689	688	900	
8300	911	980	1024	754	689	

提示：手动输入公式的方法

在输入公式时，用户也可以通过手动进行公式的输入，如在进行 C2、D2、E2 三个单元格的求和计算时，可直接在求和的单元格内输入"=C2+D2+E2"然后按下 Enter 键确定，即可完成公式的计算。

17.2 公式中单元格的引用

在一个单元格的公式编辑完成后，如其他单元格的计算公式与这个单元格的计算公式相同时，可以通过拖动填充此公式的方式来完成计算，这就涉及到了公式中的单元格引用设置。单元格的引用一般分为绝对引用和相对引用两种。

17.2.1 相对引用的使用

相对引用是在公式中进行单元格的引用时，数据会根据单元格所对应的数据源而变化，引用后的结果会随着相对单元格内数值的变化而变化。下面介绍相对引用的使用和公式的填充步骤。

原始文件：实例文件\第 17 章\原始文件\手机销量统计 2.xlsx
最终文件：实例文件\第 17 章\最终文件\手机销量统计 2.xlsx

步骤 01 输入公式

打开附书光盘“实例文件\第 17 章\原始文件\手机销量统计 2.xlsx”文档，将插入点定位在单元格 G3 中，然后输入采用相对单元格引用方式的公式“=B3+ C3+D3+E3+F3”，按下 Enter 键，即可得出计算结果，如下图所示。

G3 =B3+C3+D3+E3+F3

产品销量统计表（部）						
型号	上海	深圳	北京	长春	沈阳	合计
2188	712	854	741	954	711	3972
7025	835	624	689	688	900	
8300	911	980	1024	754	689	

步骤 02 填充公式

在进行了相对引用的计算后，选中该单元格，将鼠标指针指向该单元格的右下角，当鼠标指针转换成黑色十字形状时，如下图所示，向下拖动鼠标到 G5 单元格。

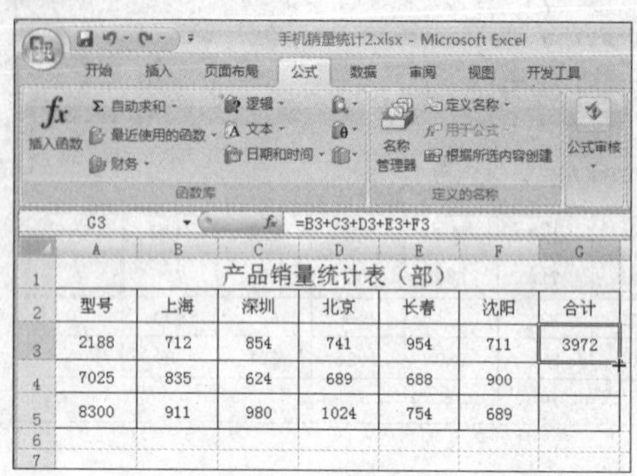
G3 =B3+C3+D3+E3+F3

产品销量统计表（部）						
型号	上海	深圳	北京	长春	沈阳	合计
2188	712	854	741	954	711	3972
7025	835	624	689	688	900	
8300	911	980	1024	754	689	

步骤 03 显示最终效果

经过以上操作，就完成了公式的填充，最终效果如右图所示。在此操作中，填充了采用相对单元格引用的公式的单元格结果会随着相对单元格内数值的变化而变化。

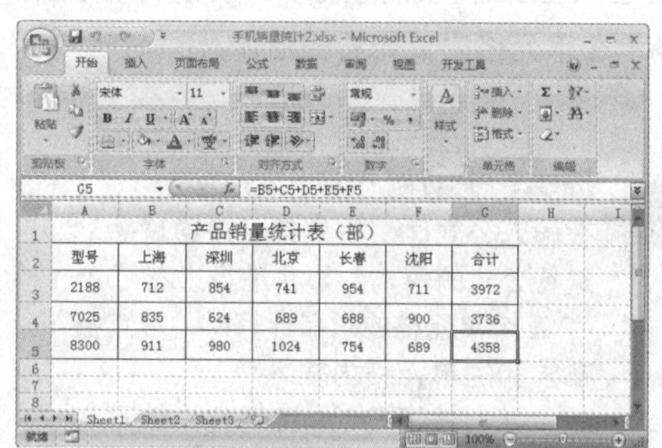
G5 =B5+C5+D5+E5+F5

产品销量统计表（部）						
型号	上海	深圳	北京	长春	沈阳	合计
2188	712	854	741	954	711	3972
7025	835	624	689	688	900	3736
8300	911	980	1024	754	689	4358

17.2.2 绝对引用的使用

绝对引用是在公式中进行单元格的引用时，只固定地引用一个或几个单元格，在使用了绝对引用后，在接下来的运算过程中，公式都只会固定地引用设置了绝对引用的单元格。

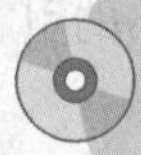

原始文件：实例文件\第 17 章\原始文件\手机销量统计 1.xlsx
最终文件：实例文件\第 17 章\最终文件\手机销量统计 1.xlsx

步骤 01 输入公式

打开附书光盘“实例文件\第 17 章\原始文件\手机销量统计 1.xlsx”文档，将插入点定位在要使用公式进行计算的单元格内，输入采用绝对单元格引用方式的公式“=$B$3+ $C$3+$D$3+$E$3+$F$3”，如下图所示，然后按下 Enter 键，即可得出计算结果。

步骤 02 填充公式

在进行了绝对引用的计算后，选中该单元格后，将鼠标指针指向该单元格的右下角，当鼠标指针转换成黑色十字形状时，如下图所示，向下拖动鼠标至 G5 单元格。

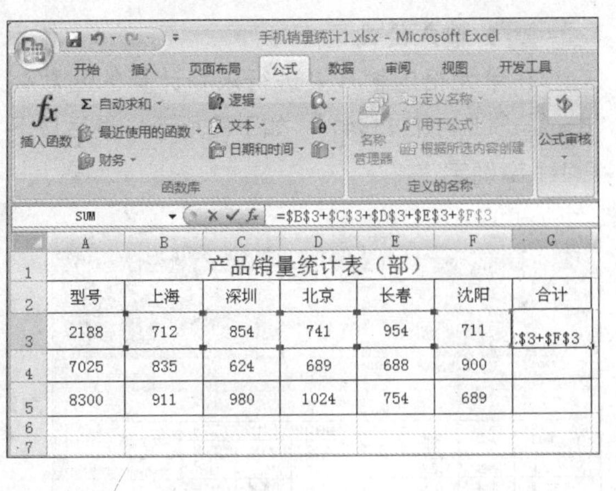

步骤 03　显示最终效果

经过以上操作，就完成了公式的填充，最终效果如右图所示。在此操作中，填充了采用绝对单元格引用的公式的单元格，由于绝对引用了行和列的单元格数值，因此结果不会发生变化。

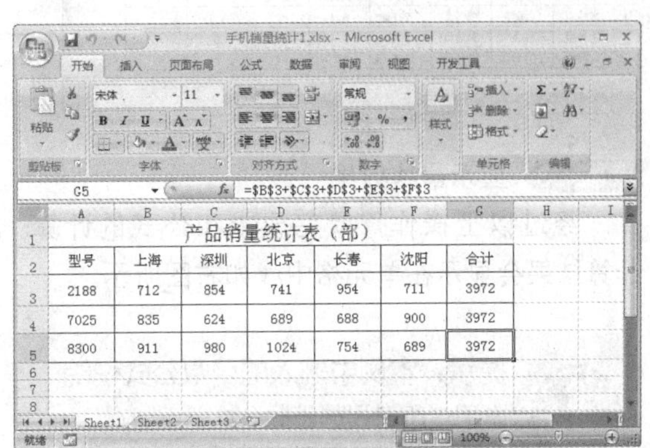

17.3 函数

函数是 Excel 数据处理程序中的一些预定义公式，在实际工作中可以将其引入到工作表中进行简单或复杂的运算，使用函数进行运算，大大地方便了用户对于数据的运算处理，下面就对函数的知识进行讲解。

17.3.1 插入函数进行计算

要进行函数运算，首先要插入函数，然后进行计算，下面就来介绍一下如何插入函数并进行计算。

原始文件：实例文件 \ 第 17 章 \ 原始文件 \ 加班统计表 .xlsx
最终文件：实例文件 \ 第 17 章 \ 最终文件 \ 加班统计表 .xlsx

1. 手动输入函数

对于一些简单的函数公式，用户可以直接进行手动输入，其操作步骤如下：

步骤 01 定位插入点

打开附书光盘“实例文件\第 17 章\原始文件\加班统计表.xlsx”文档，将插入点定位在要输入函数的单元格 H4 中，如下图所示。

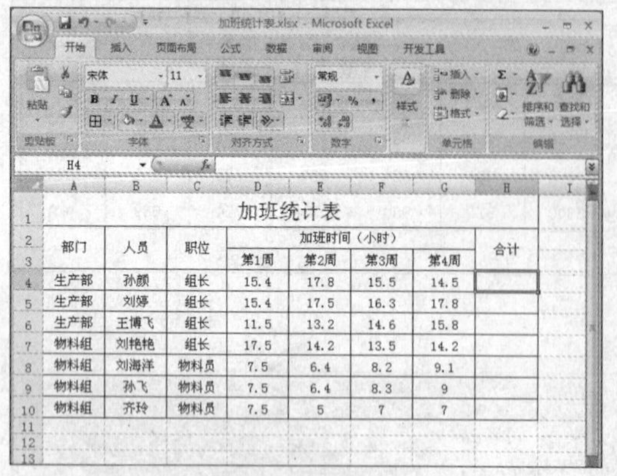

步骤 02 输入公式

在单元格内输入要进行求和计算的函数公式“=SUM（D4:G4）”，如下图所示，最后按下 Enter 键确定。

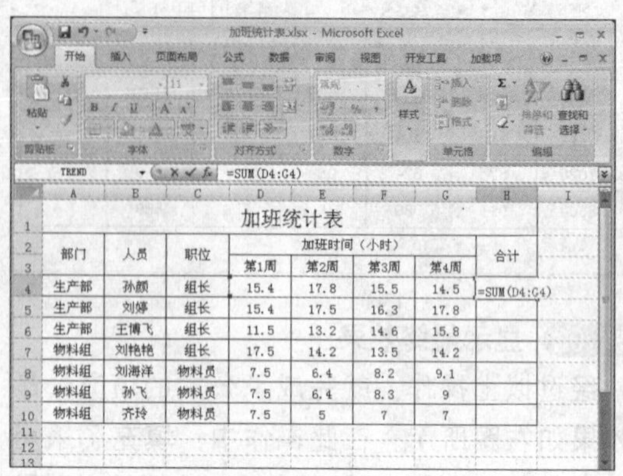

步骤 03 显示最终效果

经过以上操作，就完成求和公式的计算，计算结果会显示在单元格中，如右图所示。

提示：本例中输入的函数公式说明

本例中所使用的函数公式“=SUM(D4:G4)”中，“=”为运算符号，SUM 为求和函数，“()”为单元格定位，D4:G4 表示 D4 单元格到 G4 单元格之间的所有单元格，整个公式的意思为对 D4 单元格到 G4 单元格之间的所有单元格中的数值进行求和计算。

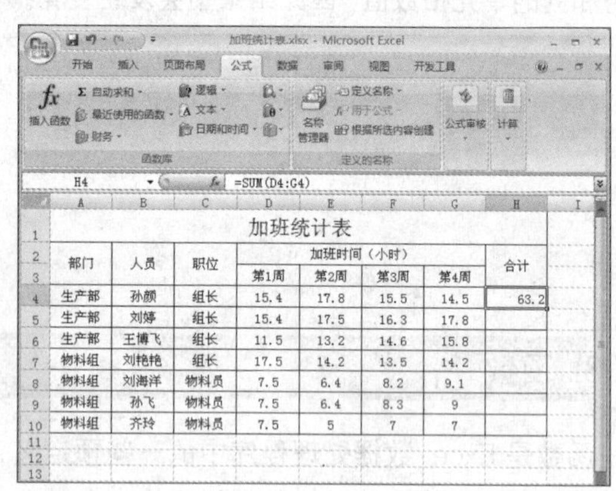

2. 通过标签组插入函数

为了更快捷地进行函数的计算，用户可以使用 Excel 中内置的求和公式进行计算，其操作步骤如下：

步骤 01 选择自动求和函数

打开 Excel 程序后，将插入点定位在要输入公式的单元格 H4 中，切换到“公式”选项卡下，单击“函数库”组中的“自动求和”右侧的下拉按钮，在弹出的列表中选择“求和”选项，如右图所示。

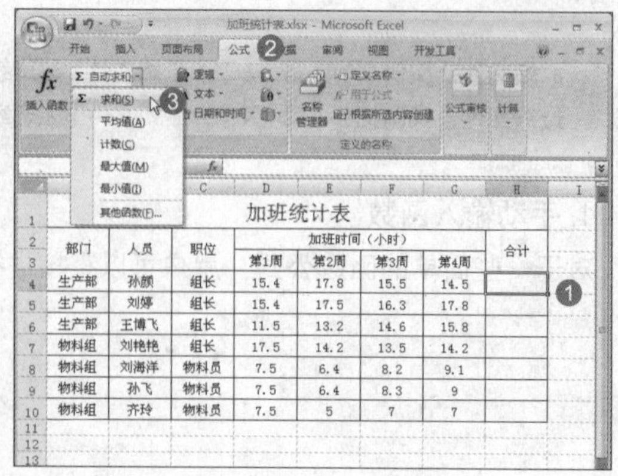

步骤 02 显示函数公式

所选单元格内便会自动显示求和的公式，如下图所示，最后按下 Enter 键完成求和计算。

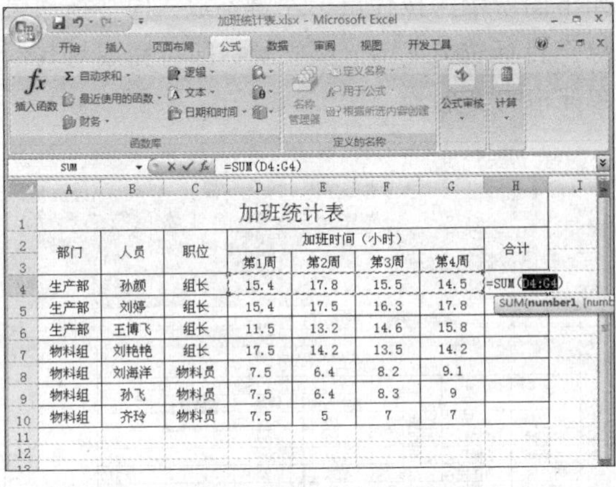

部门	人员	职位	加班时间（小时）				合计
			第1周	第2周	第3周	第4周	
生产部	孙颜	组长	15.4	17.8	15.5	14.5	=SUM(D4:G4)
生产部	刘婷	组长	15.4	17.5	16.3	17.8	
生产部	王博飞	组长	11.5	13.2	14.6	15.8	
物料组	刘艳艳	组长	17.5	14.2	13.5	14.2	
物料组	刘海洋	物料员	7.5	6.4	8.2	9.1	
物料组	孙飞	物料员	7.5	6.4	8.3	9	
物料组	齐玲	物料员	7.5	5	7	7	

步骤 03 显示最终效果

经过以上操作，就完成了通过标签组插入函数的计算，最终效果如下图所示。

部门	人员	职位	加班时间（小时）				合计
			第1周	第2周	第3周	第4周	
生产部	孙颜	组长	15.4	17.8	15.5	14.5	63.2
生产部	刘婷	组长	15.4	17.5	16.3	17.8	
生产部	王博飞	组长	11.5	13.2	14.6	15.8	
物料组	刘艳艳	组长	17.5	14.2	13.5	14.2	
物料组	刘海洋	物料员	7.5	6.4	8.2	9.1	
物料组	孙飞	物料员	7.5	6.4	8.3	9	
物料组	齐玲	物料员	7.5	5	7	7	

17.3.2 在目标工作表中引用其他工作表中的单元格值

当用户需要在另一个工作表中引用一个单元格公式的运算结果时，就不能单纯地依靠复制和粘贴的功能了，而是要使用公式进行引用，下面介绍其具体操作步骤。

原始文件：实例文件 \ 第 17 章 \ 原始文件 \ 加班统计表 1.xlsx
最终文件：实例文件 \ 第 17 章 \ 最终文件 \ 加班统计表 1.xlsx

步骤 01 定位插入点

打开附书光盘"实例文件 \ 第 17 章 \ 原始文件 \ 加班统计表 1.xlsx"文档，切换到"工资统计"工作表下，将插入点定位在要输入函数的单元格 F4 内，输入"="后，单击"加班统计"工作表标签，如下图所示。

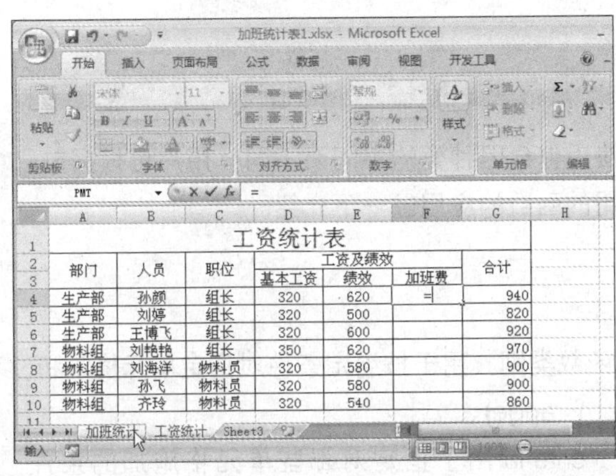

部门	人员	职位	工资及绩效			合计
			基本工资	绩效	加班费	
生产部	孙颜	组长	320	620	=	940
生产部	刘婷	组长	320	500		820
生产部	王博飞	组长	320	600		920
物料组	刘艳艳	组长	350	620		970
物料组	刘海洋	物料员	320	580		900
物料组	孙飞	物料员	320	580		900
物料组	齐玲	物料员	320	540		860

步骤 02 在目标工作表中引用其他工作表中数据

切换到"加班统计"工作表后，单击要引用的单元格 I4，然后再单击"工资统计"工作表标签，如下图所示。

=320/30/8*1.5*加班统计!H4

部门	人员	职位	加班时间（小时）				合计	加班费（元）
			第1周	第2周	第3周	第4周		
生产部	孙颜	组长	15.4	17.8	15.5	14.5	63.2	126.4
生产部	刘婷	组长	15.4	17.5	16.3	17.8	67	134
生产部	王博飞	组长	11.5	13.2	14.6	15.8	55.1	110.2
物料组	刘艳艳	组长	17.5	14.2	13.5	14.2	59.4	118.8
物料组	刘海洋	物料员	7.5	6.4	8.2	9.1	31.2	62.4

步骤 03 更改引用公式

切换到"工资统计"工作表下，将单元格内的文本内容"=工资统计 I4"，更改为"=加班统计 I4"如下图所示，然后按下 Enter 键。

加班统计表1.xlsx - Microsoft Excel

SUM =加班统计!I4

部门	人员	职位	基本工资	绩效	加班费	合计
工资统计表						
生产部	孙颜	组长	320	=加班统计!I4		
生产部	刘婷	组长	320	500		820
生产部	王博飞	组长	320	600		920
物料组	刘艳艳	组长	350	620		970
物料组	刘海洋	物料员	320	580		900
物料组	孙飞	物料员	320	580		900

步骤 04 填充公式至其他单元格

选中已引用了公式的单元格，将鼠标指针指向它的右下角，当指针变成黑色十字形状时，如下图所示，按住鼠标左键不放，向下拖动鼠标至目标位置 F10，释放鼠标即可完成对其他单元格的填充。

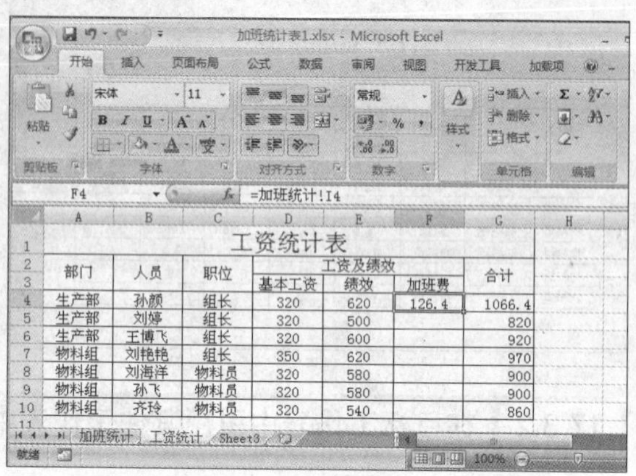

加班统计表1.xlsx - Microsoft Excel

F4 =加班统计!I4

部门	人员	职位	基本工资	绩效	加班费	合计
生产部	孙颜	组长	320	620	126.4	1066.4
生产部	刘婷	组长	320	500		820
生产部	王博飞	组长	320	600		920
物料组	刘艳艳	组长	350	620		970
物料组	刘海洋	物料员	320	580		900
物料组	孙飞	物料员	320	580		900
物料组	齐玲	物料员	320	540		860

步骤 05 显示最终效果

经过以上操作，就完成了通过对其他工作表中单元格值的引用计算出所有加班费，最终效果如右图所示。这样，当"加班统计"工作表中的数据有所变化时，"工资统计"工作表中的数据也会随之发生变化。

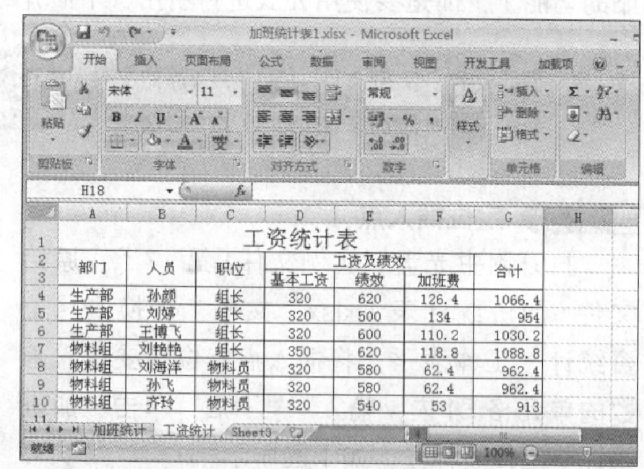

加班统计表1.xlsx - Microsoft Excel

部门	人员	职位	基本工资	绩效	加班费	合计
生产部	孙颜	组长	320	620	126.4	1066.4
生产部	刘婷	组长	320	500	134	954
生产部	王博飞	组长	320	600	110.2	1030.2
物料组	刘艳艳	组长	350	620	118.8	1088.8
物料组	刘海洋	物料员	320	580	62.4	962.4
物料组	孙飞	物料员	320	580	62.4	962.4
物料组	齐玲	物料员	320	540	53	913

17.4 常用函数的应用

Excel 程序中提供了多种类型的函数，函数的使用也会因种类的不同而不同，用户可根据自己的工作需要对函数进行学习，下面就对几种比较常用的函数的应用做一下介绍。

17.4.1 常用的数学三角函数的应用

SUMIF 函数是数学三角函数中比较常用的一个函数类别，用于按给定条件对指定单元格求和。

SUMIF 函数的表达式为 SUMIF(range,criteria,sum_range)。

其中 range 表示根据条件计算的单元格区域，criteria 用于指定对那些单元格施加的条件，sum_range 表示要相加的实际单元格。

假设已将北京、上海、深圳、珠海的销量按型号进行了统计，现在需要统计北京分区所有型号的总销量，这时就可以运用 SUMZF 函数进行销售统计，具体操作步骤如下。

原始文件：实例文件 \ 第 17 章 \ 原始文件 \ 销售统计 .xlsx
最终文件：实例文件 \ 第 17 章 \ 最终文件 \ 销售统计 .xlsx

步骤 01 打开“数学和三角函数”列表

打开附书光盘“实例文件 \ 第 17 章 \ 原始文件 \ 销售统计 .xlsx”文档，将插入点定位在要使用 SUMIF 函数进行计算的单元格 A19 内，切换到“公式”选项卡下，单击“函数库”组中的“数学和三角函数”按钮，如下图所示。

步骤 02 打开“函数参数”对话框

在弹出的下拉列表中，向下拖动滚动条，选择 SUMIF 选项，如下图所示。

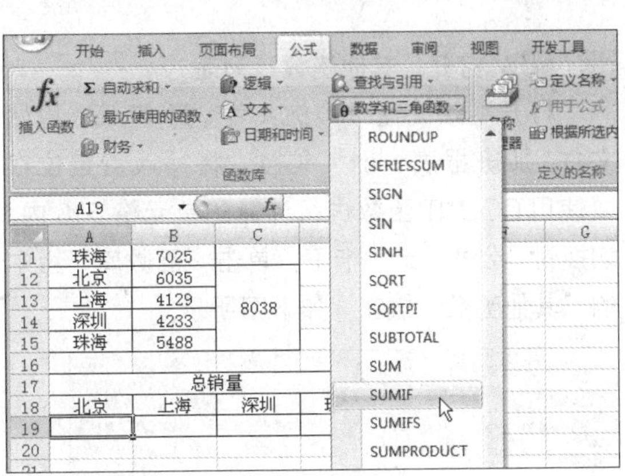

步骤 03 设置函数参数

在弹出的“函数参数”对话框中，将插入点定位在 Range 文本框内，返回工作表选择 A4:B15 单元格区域，然后再将插入点定位在 Criteria 文本框内，单击选中工作表中的 A4 单元格，按照同样的方法，将 Sum_range 设置为 B4:B15 单元格区域，然后单击“确定”按钮，如下图所示。

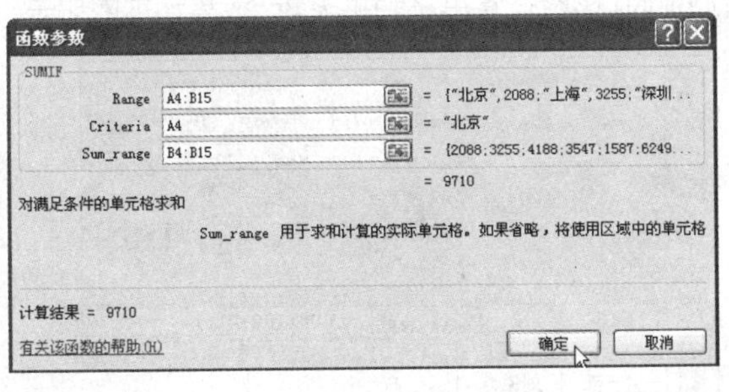
函数参数
SUMIF
Range　A4:B15　= {"北京",2088;"上海",3255;"深圳…
Criteria　A4　= "北京"
Sum_range　B4:B15　= {2088;3255;4188;3547;1587;6249…
= 9710
对满足条件的单元格求和
Sum_range　用于求和计算的实际单元格。如果省略，将使用区域中的单元格
计算结果 = 9710
有关该函数的帮助(H)
确定　取消

步骤 04 显示最终效果

经过以上操作，返回到工作表中，SUMIF 函数的运算结果就显示在了 A19 单元格内，效果如下图所示。

A19　=SUMIF(A4:B15,A4,B4:B15)

	A	B	C
4	北京	2088	7188
5	上海	3255	
6	深圳	4188	
7	珠海	3547	
8	北京	1587	8025
9	上海	6249	
10	深圳	3578	
11	珠海	7025	
12	北京	6035	8038
13	上海	4129	
14	深圳	4233	
15	珠海	5488	
16			
17	总销量		
18	北京	上海	深圳	珠海
19	9710		

17.4.2 常用的统计函数的应用

COUNT 函数是统计函数中的一个比较常用的函数类别，用于统计参数列表中非空值的单元格个数。

COUNT 函数的表达式为 COUNT(value1, value2,...)。

其中 value1, value2... 是 1 到 255 个参数，可以包含或引用各种类型的数据，在进行计算时，只对数字型数据进行计数。

假设车间要上报晚上的加班人员，这时就可以运用 COUNT 函数统计要加班人数，具体操作步骤如下。

原始文件：实例文件 \ 第 17 章 \ 原始文件 \ 加班报表 .xlsx
最终文件：实例文件 \ 第 17 章 \ 最终文件 \ 加班报表 .xlsx

步骤 01 打开“其他函数”列表

打开附书光盘“实例文件 \ 第 17 章 \ 原始文件 \ 加班报表 .xlsx”文档，将插入点定位在要使用 COUNT 函数进行计算的单元格 B13 内，切换到“公式”选项卡下，单击“函数库”组中的“其他函数”按钮，如下图所示。

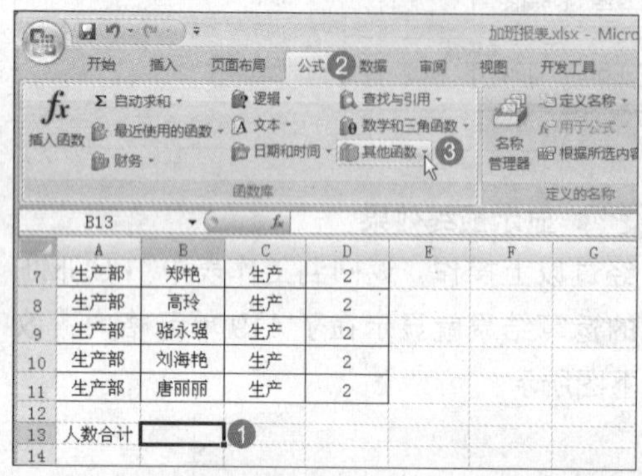

步骤 02 打开“函数参数”对话框

在弹出的下拉列表中，将鼠标指针指向“统计”选项，在展开的列表中选择 COUNT 选项，如下图所示。

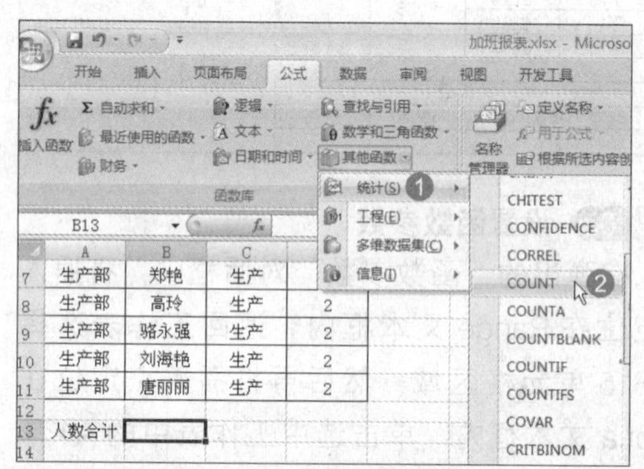

步骤 03 设置函数参数

在弹出的“函数参数”对话框中，将插入点定位在 Value1 文本框内，返回工作表选择 D3:D11 单元格区域，然后单击“确定”按钮，如下图所示。

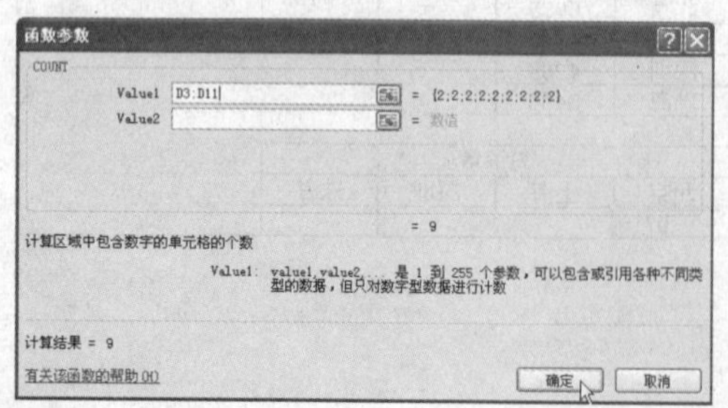

步骤 04 显示最终效果

经过以上操作，返回到工作表中，就用 COUNT 函数计算出了加班人数，效果如下图所示。

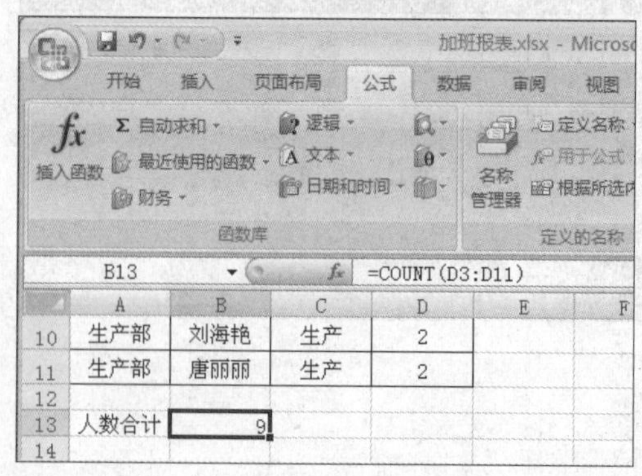

17.4.3 常用的查找与引用函数的应用

VLOOKUP 函数是查找与引用函数中一个比较常用的函数类别，用于在表格数组的首列查找指定的值，并由此返回表格数组当前行中其他列的值。

VLOOKUP 的表达式为 (lookup_value,table_array,col_index_num,range_lookup)。

其中 lookup_value 为需要在表格数组第一列中查找的数值，table_array 为两列或多列数据，col_index_num 为 table_array 中待返回的匹配值的列序号，range_lookup 为逻辑值，指定希望 VLOOKUP 查找精确匹配值还是近似匹配值。

假设在进行 XX 胶的实验中，由于温度的不同，胶的粘力和密度都会有所差别，现需要使用近似匹配搜索 B 列中的值 1，在 B 列中找到小于等于 1 的最大值 0.908，然后返回同一行中 C 列的值。下面介绍其具体的操作步骤。

原始文件：实例文件 \ 第 17 章 \ 原始文件 \ 实验表 .xlsx
最终文件：实例文件 \ 第 17 章 \ 最终文件 \ 实验表 .xlsx

步骤 01 打开“查找与引用”列表

打开附书光盘“实例文件 \ 第 17 章 \ 原始文件 \ 实验表 .xlsx”文档，将插入点定位在要使用 VLOOKUP 函数查找的 C12 单元格内，切换到“公式”选项卡下，单击“函数库”组中的“查找与引用”按钮，如下图所示。

	A	B	C	D
4	3	0.467	3.14	500
5	4	0.579	2.85	400
6	5	0.675	2.74	300
7	6	0.748	2.51	200
8	7	0.862	2.32	150
9	8	0.908	2.06	100
10	9	1.05	1.92	50
11	10	1.38	1.7	0
12				

步骤 02 打开“函数参数”对话框

在弹出的下拉列表中，选择 VLOOKUP 选项，如下图所示。

ADDRESS
AREAS
CHOOSE
COLUMN
COLUMNS
GETPIVOTDATA
HLOOKUP
HYPERLINK
INDEX
INDIRECT
LOOKUP
MATCH
OFFSET
ROW
ROWS
RTD
TRANSPOSE
VLOOKUP

步骤 03 设置函数参数

在弹出的“函数参数”对话框中，将插入点定位在 Lookup_value 文本框内，返回工作表选择 A2 单元格，然后单击 Table_array 文本框，将插入点定位在内，选中工作表中 B3:D11 单元格区域，按照同样的方法将 Col_index_num 设置为 A3，然后单击“确定”按钮，如右图所示。

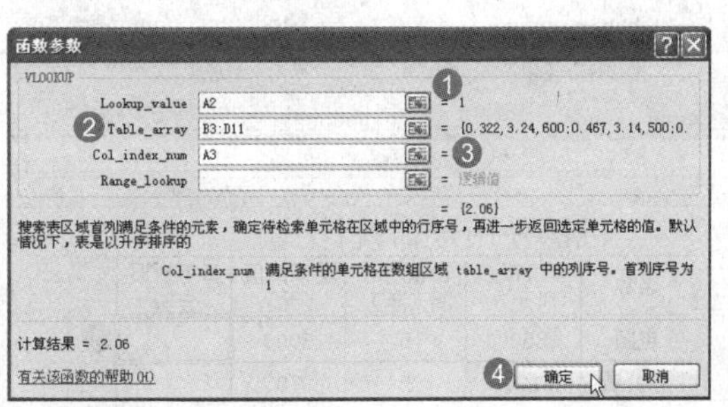

步骤 04 显示最终效果

经过以上操作，返回到工作表，就完成了查找和引用函数的操作，最终效果如右图所示。

C12 =VLOOKUP(A2, B3:D11, A3)

A	B	C	D
1	密度	粘力N	温度℃
2	0.322	3.24	600
3	0.467	3.14	500
4	0.579	2.85	400
5	0.675	2.74	300
6	0.748	2.51	200
7	0.862	2.32	150
8	0.908	2.06	100
9	1.05	1.92	50
10	1.38	1.7	0
		2.06	

17.4.4 常用的财务函数的应用

财务函数中包括 ACCRINT 函数、DB 函数、FV 函数、PMT 函数、PV 函数等，下面对其中比较常用的几种函数进行介绍。

1.DB 函数

DB 函数在财务函数中，用于计算一笔资产在固定期内的折旧值。

DB 函数的表达式为 DB(cost, salvage, life, period, month)。

其中 cost 为资产原值，salvage 为资产在折旧期末的价值，life 为折旧期限，period 为需要计算折旧值的期间，period 必须使用与 life 相同的单位，month 为第一年的月份数。

假设一个车间中使用的电脑原价为 3500 元，在使用了 5 年后现价值 3000 元，现需要计算每年的折旧金额，这时就可以使用 DB 函数进行计算，具体操作步骤如下。

原始文件：实例文件 \ 第 17 章 \ 原始文件 \ 车间机器折旧统计 .xlsx
最终文件：实例文件 \ 第 17 章 \ 最终文件 \ 车间机器折旧统计 .xlsx

步骤 01 打开“财务”函数列表

打开附书光盘“实例文件 \ 第 17 章 \ 原始文件 \ 车间机器折旧统计 .xlsx”文档，将插入点定位在要使用 DB 函数进行计算的单元格 E3 内，切换到“公式”选项卡下，单击“函数库”组中的“财务”按钮，如下图所示。

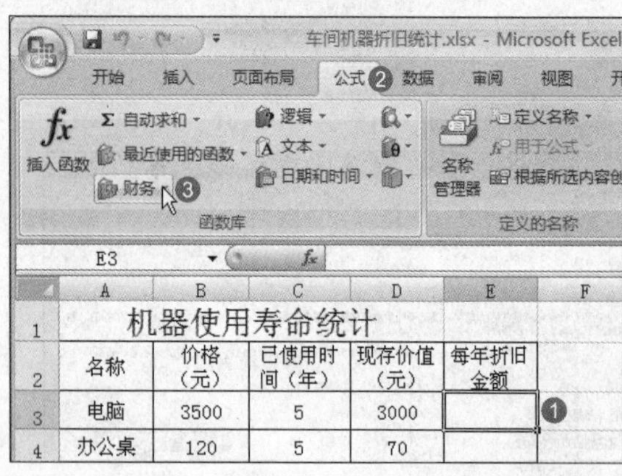

步骤 02 打开“函数参数”对话框

在弹出的下拉列表中，向下拖动滚动条，选择 DB 选项，如下图所示。

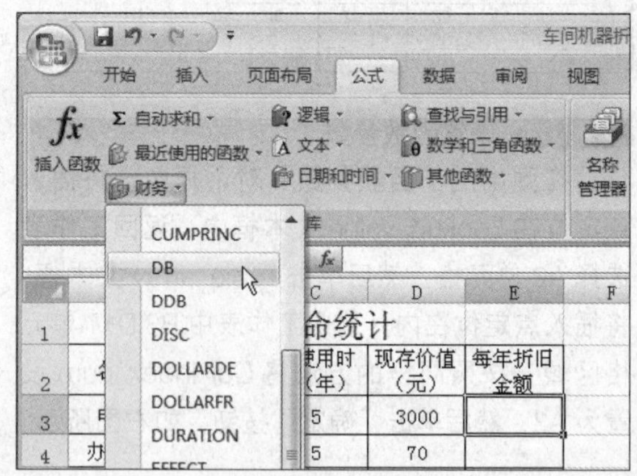

步骤 03 **设置函数参数**

在弹出的"函数参数"对话框中，将插入点定位在 Cost 文本框内，返回工作表选中 B3 单元格，按照同样的方法将 Salvage 设置为 D3，Life 设置为 C3，Period 设置为 C3，再在 Month 文本框内输入 12，然后单击"确定"按钮，如下图所示。

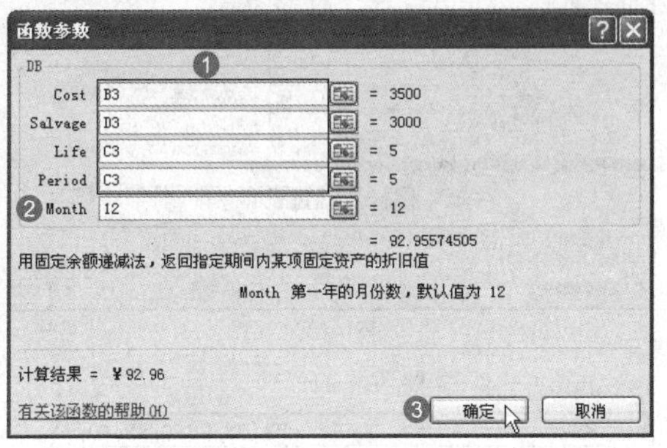

步骤 04 **显示最终效果**

经过以上操作，返回到工作表中就完成了每年折旧金额的计算，最终效果如下图所示。

E3 =DB(B3, D3, C3, C3, 12)

A	B	C	D	E
机器使用寿命统计				
名称	价格（元）	已使用时间（年）	现存价值（元）	每年折旧金额
电脑	3500	5	3000	¥92.96
办公桌	120	5	70	
空调	1500	5	800	
发动机	45000	5	35000	

2. PV 函数

PV 函数在财务函数中用于返回投资现值。

PV 函数的表达式为 PV(rate, nper, pmt, fv, type)。

其中 rate 为各期利率，nper 为总投资期，fv 为未来值，type 为数字 0 或 1，0 表示在付款时间的期末进行支付，1 表示在各期付款期的期初进行支付。

假设王红在银行中存款的月利息是 0.01 元，在银行中存了 3 年后，现在的存款为 50000 元，现在要计算出她三年前在银行存了多少钱，就可以使用 PV 函数进行计算，具体操作步骤如下。

原始文件：实例文件 \ 第 17 章 \ 原始文件 \ 存款统计 .xlsx
最终文件：实例文件 \ 第 17 章 \ 最终文件 \ 存款统计 .xlsx

步骤 01 **打开"财务"函数列表**

打开附书光盘"实例文件 \ 第 17 章 \ 原始文件 \ 存款统计 .xlsx"文档，将插入点定位在要使用 PV 函数进行计算的单元格 B3 内，切换到"公式"选项卡下，单击"函数库"组中的"财务"按钮，如右图所示。

存款统计.xlsx
开始 插入 页面布局 公式 数据 审阅 视图 开发工具
插入函数 自动求和 最近使用的函数 财务 逻辑 文本 日期和时间 查找与引用 数学和三角函数 其他函数 函数库 名称管理器 定义名称 用于公式 根据所选内容创建 定义的名称

	A	B	C	D	E
1	初存款统计				
2	姓名	初存款	期限（年）	月息	现存款
3	王红		3	1%	50000
4	刘海涛		2	1%	5000
5	李子宇		5	2%	10000
6	凌红雨		2	1%	15000

五笔打字 电脑办公

步骤 02 打开“函数参数”对话框

在弹出的下拉列表中，向下拖动滚动条，选择 PV 选项，如下图所示。

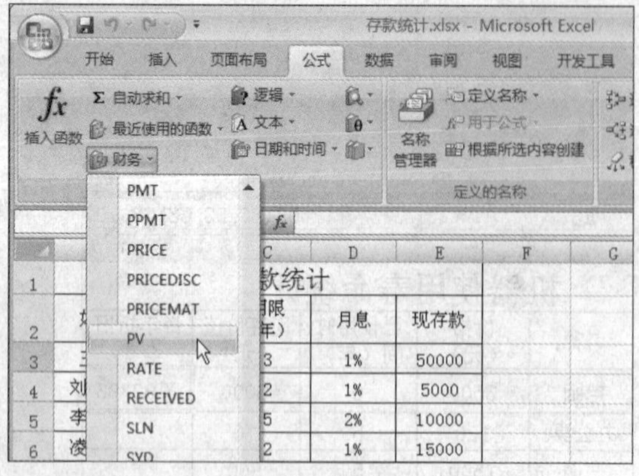

步骤 03 设置函数参数

在弹出的“函数参数”对话框中，将插入点定位在 Rate 文本框内，返回工作表选中 D3 单元格，按照同样的方法将 Nper 设置为 C3，Fv 设置为 E3，其他选项设置为 0，然后单击“确定”按钮，如下图所示。

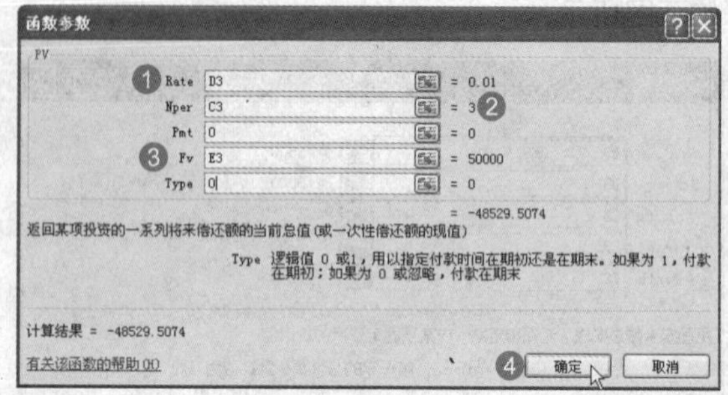

步骤 04 显示最终效果

经过以上操作，返回到工作表中就完成了初存款数据的计算，得出最初存款金额为 48529.51 元，效果如右图所示。

B3 =PV(D3,C3,0,E3,0)

A	B	C	D
初存款统计			
姓名	初存款	期限（年）	月息
王红	￥-48,529.51	3	1%
刘海涛		2	1%
李子宇		5	2%
凌红雨		2	1%
刘夏		3	1.50%
李凌		2	1%

提示：PV 函数运算结果的设置

在进行 PV 函数运算后，显示的结果数字为红色负数，是因为此款项为支出数额，如果用户需要将其变成黑色字体，可以通过设置单元格格式，将字体设置成为正数黑体字体。

3. PMT 函数

PMT 函数在财务函数中用于计算基于固定利率及等额分期付款方式，返回贷款的每期付款额。PMT 函数的表达式为 PMT (rate,nper,pv,fv,type)。

其中 rate 贷款利率，nper 为该项贷款的付款总数，pv 为现值或一系列未来付款的当前值的累积和，fv 为未来值，type 为数字 0 或 1，用以指定各期的付款时间是在期初还是期末。

假设王敏从银行贷款了 20000 元，还款期限为 12 个月，年利率是 6%，现在需要计算王敏的月还款金额，这时就可以使用 PMT 函数进行计算，具体操作步骤如下。

原始文件：实例文件 \ 第 17 章 \ 原始文件 \ 还款计划 .xlsx
最终文件：实例文件 \ 第 17 章 \ 最终文件 \ 还款计划 .xlsx

步骤 01 打开"财务"函数列表

打开附书光盘"实例文件\第 17 章\原始文件\还款计划.xlsx"文档，将插入点定位在要使用 PMT 进行计算的单元格 E3 内，切换到"公式"选项卡下，单击"函数库"组中的"财务"按钮，如下图所示。

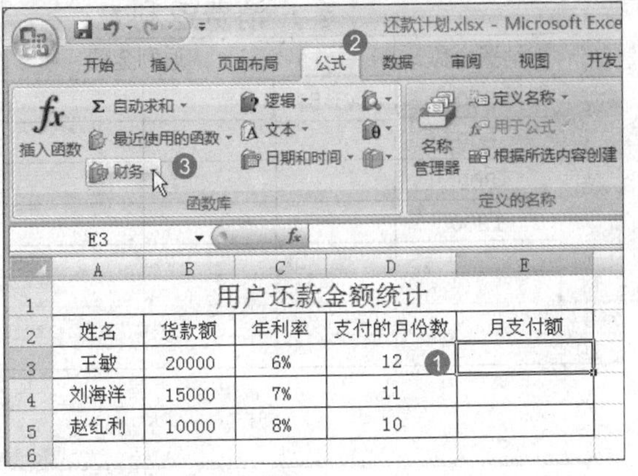

步骤 02 打开"函数参数"对话框

在弹出的下拉列表中，向下拖动滚动条，选择 PMT 选项，如下图所示。

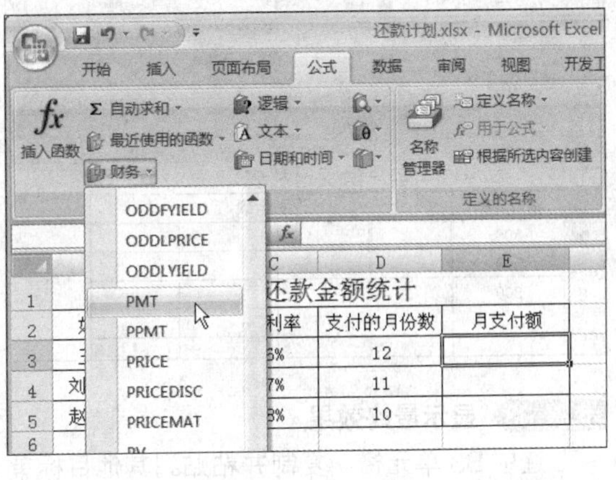

步骤 03 设置函数参数

在弹出的"函数参数"对话框中，将插入点定位在 Rate 文本框内，返回工作表选中 C3 单元格，然后在文本框内输入"/12"，按照同样的方法将 Nper 设置为 D3，Pv 设置为 B3，其他文本框保持默认值，然后单击"确定"按钮，如下图所示。

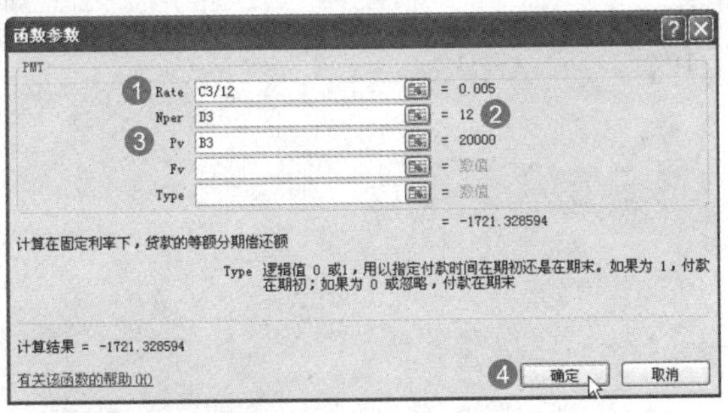

步骤 04 显示最终效果

经过以上操作，返回到工作表中就完成了数据的计算，得出每月的还款金额为 1721.33 元，效果如下图所示。

=PMT(C3/12,D3,B3)

B	C	D	E
用户还款金额统计			
贷款额	年利率	支付的月份数	月支付额
20000	6%	12	￥-1,721.33
15000	7%	11	
10000	8%	10	

Column 技能提升

用户在公式中进行单元格引用时，除了前面所讲的相对引用和绝对引用外，还可以采用混合引用的方式，但是混合引用在实际应用中并不常见，本节中将介绍其操作方法，以供用户在实际工作中参考。

原始文件：实例文件\第 17 章\原始文件\返利表.xlsx
最终文件：实例文件\第 17 章\最终文件\返利表.xlsx

步骤 01 **定位插入点**

打开附书光盘“实例文件\第 17 章\原始文件\返利表.xlsx”文档，将插入点定位在要使用公式进行计算的单元格 B3 内，如下图所示。

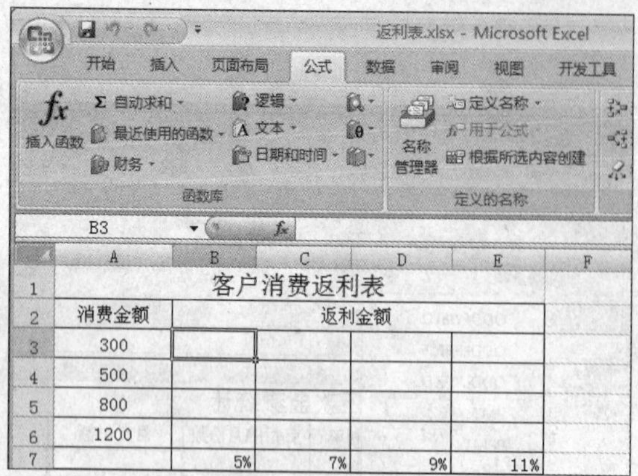

步骤 03 **显示最终效果**

选中 B3 单元格，复制并粘贴到其他目标单元格中，在填充其他单元格时，就会应用混合引用单元格进行运算，最终效果如右图所示。

步骤 02 **设置单元格的混合引用**

在单元格内输入公式“=$A3*B$7”，如下图所示，然后按下 Enter 键后，在单元格 B3 进行运算时就会绝对引用 A 列和第 7 行中的数值。

PMT　=$A3*B$7

	A	B	C	D
1	客户消费返利表			
2	消费金额	返利金额		
3	300	=$A3*B$7		
4	500			
5	800			
6	1200			
7		5%	7%	9%
8				
9				
10				

C4　=$A4*C$7

	A	B	C	D
1	客户消费返利表			
2	消费金额	返利金额		
3	300	15		
4	500		35	
5	800			72
6	1200			
7		5%	7%	9%
8				
9				
10				

18 数据的处理

本章建议学习时间

本章建议学习时间为 60 分钟，其中 20 分钟用于学习教材知识，40 分钟用于上机操作。

	B	C	D	E
	公司员工工资表			
	部门	姓名	发放日期	工资金额（元）
	销售部	刘玲	2007年12月1日	1716.5
	销售部	李丹丹	2007年12月1日	1714.3
	销售部	赵诗雨	2007年12月1日	1710.5
	销售部	刘丽丽	2007年12月1日	1700.5
	销售部	钱海艳	2007年12月1日	1716.5
	销售部	孙思佳	2007年12月1日	1714.3
	财务部	李倩	2007年12月1日	2005.8
	财务部	赵红	2007年12月1日	2007.8
	财务部	钱绘影	2007年12月1日	2005.7
	财务部	吴配荞	2007年12月1日	2000.4

对数据进行筛选

	A	B	C	D	E
1	公司员工工资表				
2	编号	部门	姓名	发放日期	工资金额（元）
3	X002	销售部	刘玲	2007年12月1日	1716.5
4	X003	销售部	李丹丹	2007年12月1日	1714.3
5	X004	销售部	赵诗雨	2007年12月1日	1710.5
6	X005	销售部	刘丽丽	2007年12月1日	1700.5
7	X006	销售部	钱海艳	2007年12月1日	1716.5
8	X007	销售部	孙思佳	2007年12月1日	1714.3
9		销售部 计数			6
10		销售部 汇总			10272.6
11	G001	生产部	李维权	2007年12月1日	1500.2
12	G002	生产部	周红丽	2007年12月1日	1500.2
13	G003	生产部	吴启明	2007年12月1日	1495.3
14	G004	生产部	李晓燕	2007年12月1日	1495.3
15	G005	生产部	刘宏明	2007年12月1日	1499.2
16	G006	生产部	孙明	2007年12月1日	1492.3
17		生产部 计数			6
18		生产部 汇总			8982.5

对数据进行分类汇总

学习完本章后您可以

1. 对 Excel 2007 中的数据进行排序
2. 对数据进行筛选
3. 对数据进行分类汇总
4. 对分类汇总的数据进行合并计算

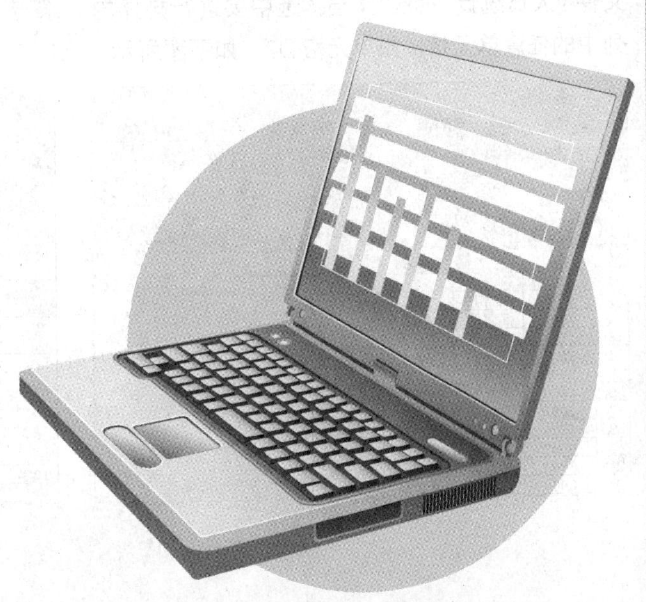

第 18 章 数据的处理

当用户编辑完一些产品的清单，需要对数据的内容进行分类整理时，可以使用数据的排序、筛选及汇总等功能对数据进行整理，本章中就来学习一下应用这几种数据处理方法的操作方法。

18.1 数据的排序

在对数据进行排序时，用户可以根据内容的需要设置单个或多个条件对数据进行排序，排序可分为单条件排序、多条件排序及自定义排序，下面就来介绍一下这三种排序方法。

18.1.1 单条件的排序

单条件排序，即在对表格进行排序时，根据数据内容将顺序设置为升序或降序排列这两个条件的排列，下面介绍其具体的操作方法。

原始文件：实例文件\第 18 章\原始文件\人员统计 .xlsx
最终文件：实例文件\第 18 章\最终文件\人员统计 .xlsx

步骤 01 选择目标单元格

打开附书光盘“实例文件\第 18 章\原始文件\人员统计 .xlsx”文档，选中要进行排序的列中的任意单元格，如单元格 D2，如下图所示。

步骤 02 进行排序

切换到“数据”选项卡下，单击“排序和筛选”组中的“升序”按钮，如下图所示。

步骤 03 显示最终效果

经过以上操作，就完成数据的升序排列，最终效果如右图所示。

	A	B	C	D
1	X002	销售部	刘玲	05.10.15
2	X003	销售部	李丹丹	05.10.15
3	X004	销售部	赵诗雨	05.10.15
4	X005	销售部	刘丽丽	05.10.15
5	X006	销售部	钱海艳	05.10.15
6	X007	销售部	孙思佳	05.10.15
7	Z001	财务部	李倩	05.10.20
8	Z002	财务部	赵红	05.10.21
9	Z003	财务部	钱绘影	05.10.22
10	Z004	财务部	吴配芹	05.10.23
11	Z005	财务部	周晓英	05.10.24

提示：降序排列的方法

当用户需要对数据进行降序排列时，操作方法与升序排列的方法一致，只需要在切换到“数据”选项卡后，单击“排序和筛选”组中的“降序”按钮即可。

18.1.2 多条件的排序

当用户在排序的过程中遇到有些数据清单中含有相同信息的排序内容时，就可以设置多条件的排序来对数据进行排序，下面介绍其具体的操作方法。

原始文件：实例文件 \ 第 18 章 \ 原始文件 \ 材料价目表 .xlsx
最终文件：实例文件 \ 第 18 章 \ 最终文件 \ 材料价目表 .xlsx

步骤 01 打开“排序”对话框

打开附书光盘“实例文件 \ 第 18 章 \ 原始文件 \ 材料价目表 .xlsx”文档，单击选中表格中的任意单元格后，切换到“数据”选项卡下，单击“排序和筛选”组中的“排序”按钮，如下图所示。

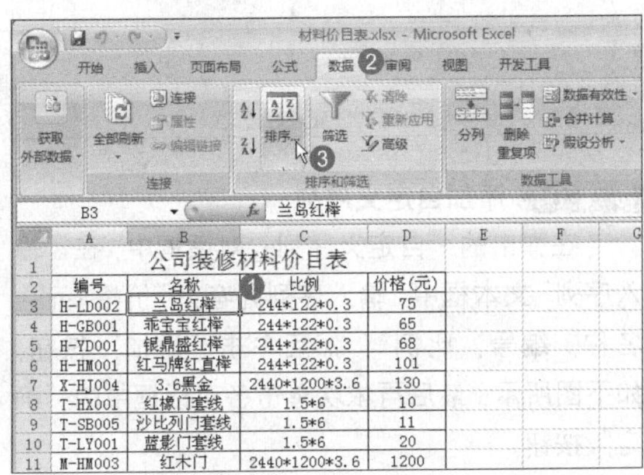

公司装修材料价目表

编号	名称	比例	价格(元)
H-LD002	兰岛红榉	244*122*0.3	75
H-GB001	乖宝宝红榉	244*122*0.3	65
H-YD001	银鼎盛红榉	244*122*0.3	68
H-HM001	红马牌红直榉	244*122*0.3	101
X-HJ004	3.6黑金	2440*1200*3.6	130
T-HX001	红橡门套线	1.5*6	10
T-SB005	沙比列门套线	1.5*6	11
T-LY001	蓝影门套线	1.5*6	20
M-HM003	红木门	2440*1200*3.6	1200

步骤 02 进行排序条件的设置

在弹出的“排序”对话框中，单击“列”选项区域中“主要关键字”下拉按钮，在弹出的列表中选择“价格（元）”选项，按照同样的方法将“排序依据”设置为“数值”，将“次序”设置为“升序”，然后单击“确定”按钮，如下图所示。

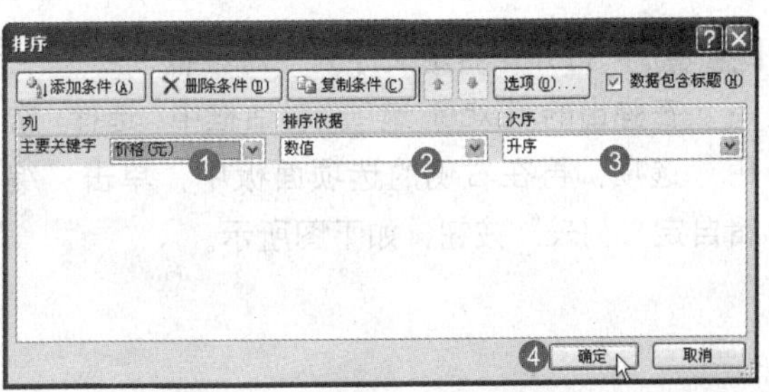

步骤 03 显示最终效果

经过以上操作，就完成了数据的多条件排列，最终效果如右图所示。

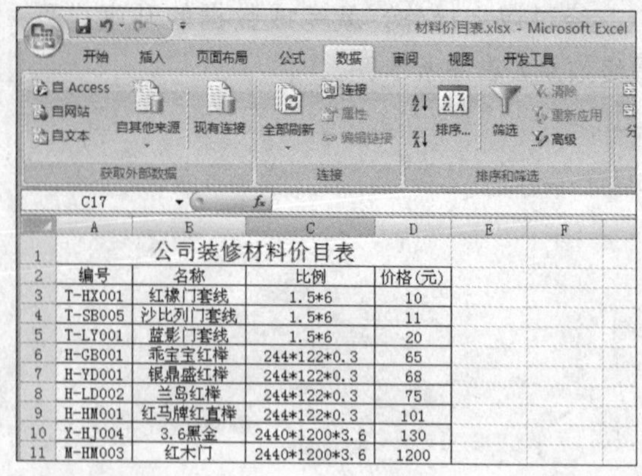

编号	名称	比例	价格(元)
T-HX001	红橡门套线	1.5*6	10
T-SB005	沙比列门套线	1.5*6	11
T-LY001	蓝影门套线	1.5*6	20
H-GB001	乖宝宝红榉	244*122*0.3	65
H-YD001	银鼎盛红榉	244*122*0.3	68
H-LD002	兰岛红榉	244*122*0.3	75
H-HM001	红马牌红直榉	244*122*0.3	101
X-HJ004	3.6黑金	2440*1200*3.6	130
M-HM003	红木门	2440*1200*3.6	1200

18.1.3 自定义排序

当用户所要进行排序的表格中包含比较特殊的数据时，可以自定义地添加序列，按照自定义的方式对数据进行排列，下面介绍其操作方法。

原始文件：实例文件\第 18 章\原始文件\装修材料 .xlsx

最终文件：实例文件\第 18 章\最终文件\装修材料 .xlsx

步骤 01 打开目标工作表

打开附书光盘“实例文件\第 18 章\原始文件\装修材料 .xlsx”文档，选中表格中任意的单元格，如下图所示。

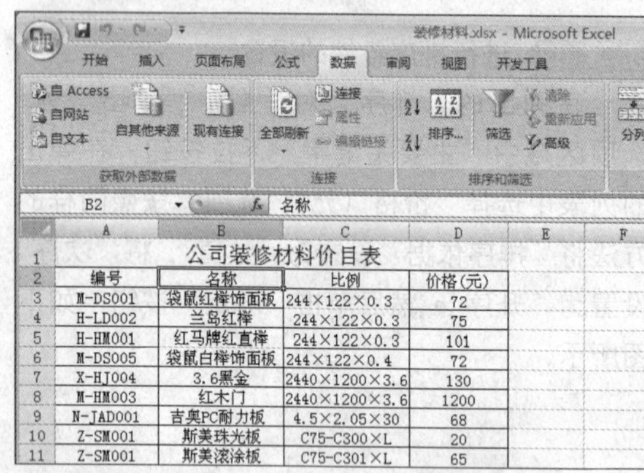

编号	名称	比例	价格(元)
M-DS001	袋鼠红榉饰面板	244×122×0.3	72
H-LD002	兰岛红榉	244×122×0.3	75
H-HM001	红马牌红直榉	244×122×0.3	101
M-DS005	袋鼠白榉饰面板	244×122×0.4	72
X-HJ004	3.6黑金	2440×1200×3.6	130
M-HM003	红木门	2440×1200×3.6	1200
N-JAD001	吉奥PC耐力板	4.5×2.05×30	68
Z-SM001	斯美珠光板	C75-C300×L	20
Z-SM001	斯美滚涂板	C75-C301×L	65

步骤 02 打开“Excel 选项”对话框

单击 Excel 操作界面中的 Office 按钮，在弹出的列表中单击选择“Excel 选项”按钮，如下图所示。

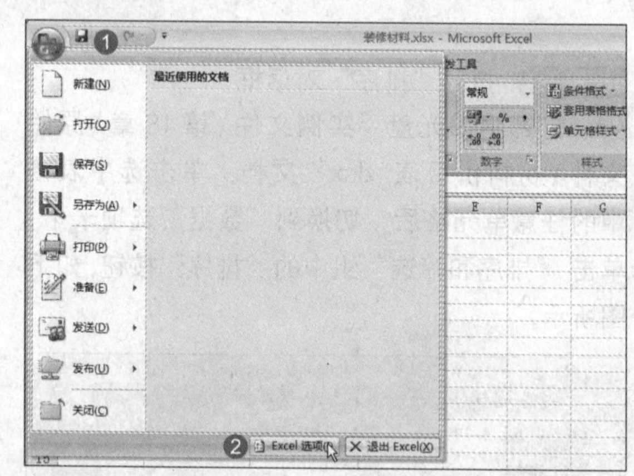

步骤 03 打开“自定义序列”对话框

在弹出的“Excel 选项”对话框中，选择“常用”选项，再在右侧的选项面板中，单击“编辑自定义列表”按钮，如下图所示。

步骤 04 添加自定义序列

在弹出的“自定义序列”对话框中，在“输入序列”文本框中，输入序列内容为“价格(元)，名称，编号，比例”，然后单击“添加”按钮，如下图所示，最后再依次单击各对话框中的“确定”按钮。

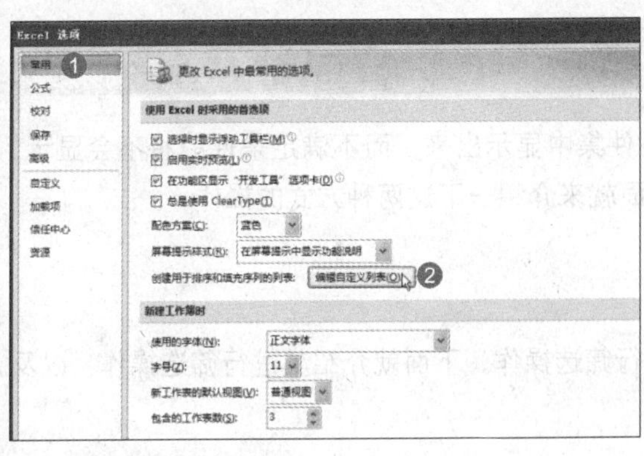

步骤 05 打开“排序”对话框

返回到工作表中，单击“数据”选项卡下的“排序和筛选”组中的“排序”按钮，如下图所示。

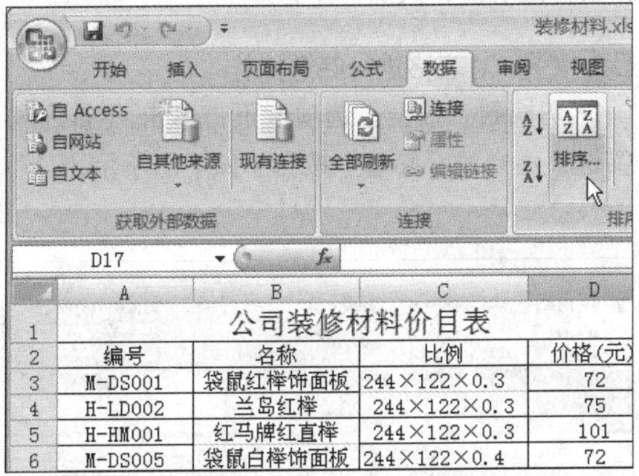

步骤 07 应用添加的自定义序列

在弹出的“自定义序列”对话框中，选择已经设置好的排序方式“价格（元）,名称,编号,比例”选项，如下图所示，然后依次单击各对话框中的“确定”按钮。

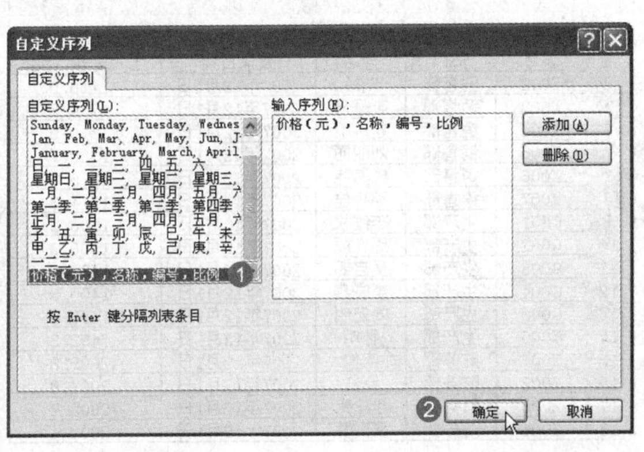

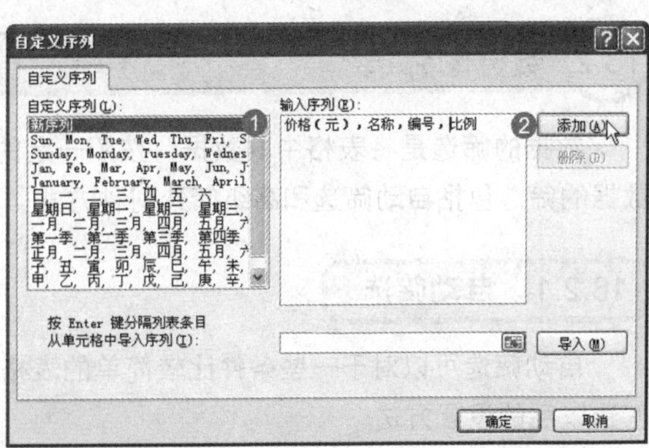

步骤 06 打开“自定义序列”对话框

在弹出的“排序”对话框中，单击“主要关键字”文本框右侧的下拉按钮，在弹出的列表中选择“价格（元）”选项，按照同样的方法将“排序依据”设置为“数值”，“次序”设置为“自定义排序”，如下图所示。

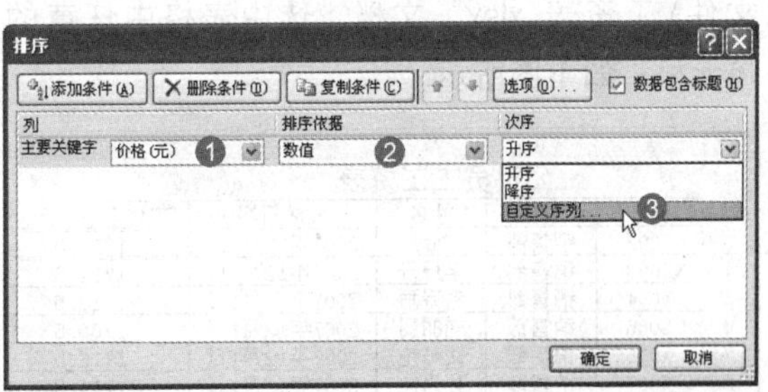

步骤 08 显示最终效果

经过以上操作，就完成数据根据自定义条件的排列，最终效果如下图所示。

C17

A	B	C	D
公司装修材料价目表			
编号	名称	比例	价格(元
Z-SM001	斯美珠光板	C75-C300×L	20
Z-SM001	斯美滚涂板	C75-C301×L	65
N-JAD001	吉奥PC耐力板	4.5×2.05×30	68
M-DS001	袋鼠红榉饰面板	244×122×0.3	72
M-DS005	袋鼠白榉饰面板	244×122×0.4	72
H-LD002	兰岛红榉	244×122×0.3	75
H-HM001	红马牌红直榉	244×122×0.3	101
X-HJ004	3.6黑金	2440×1200×3.6	130
M-HM003	红木门	2440×1200×3.6	1200

18.2 数据的筛选

数据的筛选是将表格中的数据，按照一定的条件集中显示出来，而不满足条件的将不会显示。数据的筛选包括自动筛选和高级筛选两种方式，下面就来介绍一下这两种方式的操作。

18.2.1 自动筛选

自动筛选可以对于一些条件比较简单的表格进行筛选操作。下面就介绍其进行筛选操作，以及筛选以后的设置方法。

原始文件：实例文件 \ 第 18 章 \ 原始文件 \ 工资表 .xlsx
最终文件：实例文件 \ 第 18 章 \ 最终文件 \ 工资表 .xlsx

1. 进行自动筛选操作

当用户要进行自动筛选时，首先要对表格应用自动筛选功能，其操作步骤如下：

步骤 01 打开工作表

打开附书光盘“实例文件 \ 第 18 章 \ 原始文件 \ 工资表 .xlsx”文档，选中表格中任意的单元格，如下图所示。

	A	B	C	D	E
1		公司员工工资表			
2	编号	部门	姓名	发放日期	工资金额（元）
3	X002	销售部	刘玲	2007年12月1日	1716.5
4	X003	销售部	李丹丹	2007年12月1日	1714.3
5	X004	销售部	赵诗雨	2007年12月1日	1710.5
6	X005	销售部	刘丽丽	2007年12月1日	1700.5
7	X006	销售部	钱海艳	2007年12月1日	1716.5
8	X007	销售部	孙思佳	2007年12月1日	1714.3
9	G001	生产部	李维权	2007年12月1日	1500.2
10	G002	生产部	周红丽	2007年12月1日	1500.2
11	G003	生产部	吴启明	2007年12月1日	1495.3
12	G004	生产部	李晓燕	2007年12月1日	1495.3
13	G005	生产部	刘宏明	2007年12月1日	1499.2
14	G006	生产部	孙明	2007年12月1日	1492.3
15	Z001	财务部	李倩	2007年12月1日	2005.8

步骤 02 对表格进行筛选操作

切换到“数据”选项卡下，单击“排序和筛选”组中的“筛选”按钮，如下图所示。

	A	B	C	D	E
1		公司员工工资表			
2	编号	部门	姓名	发放日期	工资金额（元）
3	X002	销售部	刘玲	2007年12月1日	1716.5
4	X003	销售部	李丹丹	2007年12月1日	1714.3
5	X004	销售部	赵诗雨	2007年12月1日	1710.5
6	X005	销售部	刘丽丽	2007年12月1日	1700.5
7	X006	销售部	钱海艳	2007年12月1日	1716.5
8	X007	销售部	孙思佳	2007年12月1日	1714.3

步骤 03 显示最终效果

经过以上操作，就完成数据的自动筛选操作，最终效果如右图所示。

	A	B	C	D	E
1		公司员工工资表			
2	编号	部门	姓名	发放日期	工资金额（元）
3	X002	销售部	刘玲	2007年12月1日	1716.5
4	X003	销售部	李丹丹	2007年12月1日	1714.3
5	X004	销售部	赵诗雨	2007年12月1日	1710.5
6	X005	销售部	刘丽丽	2007年12月1日	1700.5
7	X006	销售部	钱海艳	2007年12月1日	1716.5
8	X007	销售部	孙思佳	2007年12月1日	1714.3
9	G001	生产部	李维权	2007年12月1日	1500.2
10	G002	生产部	周红丽	2007年12月1日	1500.2
11	G003	生产部	吴启明	2007年12月1日	1495.3
12	G004	生产部	李晓燕	2007年12月1日	1495.3
13	G005	生产部	刘宏明	2007年12月1日	1499.2
14	G006	生产部	孙明	2007年12月1日	1492.3
15	Z001	财务部	李倩	2007年12月1日	2005.8
16	Z002	财务部	赵红	2007年12月1日	2007.8
17	Z003	财务部	钱绘影	2007年12月1日	2005.7
18	Z004	财务部	吴配荞	2007年12月1日	2000.4

2. 自动筛选条件的设置

在进行了自选筛选的设置后，用户就可以通过设置的条件对表格进行筛选的操作了，其具体操作步骤如下：

步骤 01 打开“自定义自动筛选方式”对话框

继续上例中的操作，单击“工资金额（元）”单元格中的下拉按钮，在弹出的列表中，将鼠标指针指向“数字筛选”选项，再在展开的菜单中选择“大于”选项，如右图所示。

步骤 02 设置自动筛选方式

在打开的“自定义自动筛选方式”对话框中，单击“显示行”区域内“大于”文本框右侧的文本框下拉按钮，在弹出的列表中选择 1500.2 选项，然后单击“确定”按钮，如右图所示。

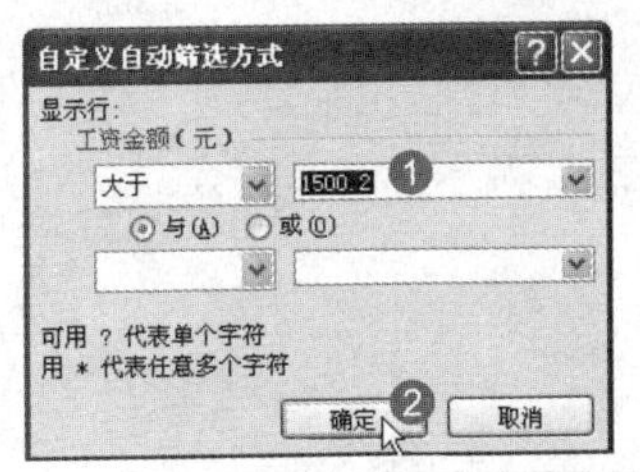

步骤 03 显示最终效果

经过以上操作，就完成了自定义数据自动筛选方式的操作，效果如右图所示。

公司员工工资表

部门	姓名	发放日期	工资金额（元）
销售部	刘玲	2007年12月1日	1716.5
销售部	李丹丹	2007年12月1日	1714.3
销售部	钱海艳	2007年12月1日	1716.5
销售部	孙思佳	2007年12月1日	1714.3
财务部	李倩	2007年12月1日	2005.8
财务部	赵红	2007年12月1日	2007.8
财务部	钱绘影	2007年12月1日	2005.7
财务部	吴配荞	2007年12月1日	2000.4

3. 设置显示筛选后符合条件数据的数量

在筛选完毕后，用户还可以通过自己的设置改变符合条件的单元格显示的数量，其具体操作步骤如下：

步骤 01 打开“自动筛选前 10 个”对话框

继续上例中的操作，单击表格中任意列标题的下拉按钮，在弹出的列表中，将鼠标指针指向“数字筛选”选项，再在展开的菜单中选择“10 个最大的值”选项，如下图所示。

步骤 02 设置自动筛选数量

在打开的“自动筛选前 10 个”对话框中，单击“显示”区域中第二个文本框中的数字调节按钮，将数值设置为 8，设置第三个文本框中的文本为“项”，然后单击“确定”按钮，如下图所示。

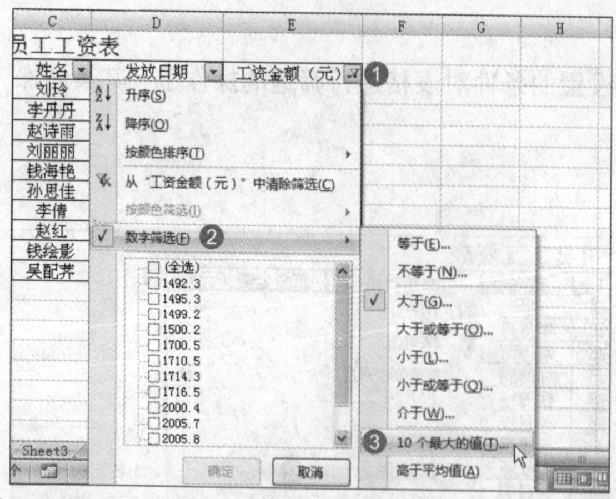

步骤 03 显示最终效果

经过以上操作，就完成了设置显示筛选后符合条件数据的数量的操作，效果如右图所示。

公司员工工资表

编号	部门	姓名	发放日期	工资金额（元）
X002	销售部	刘玲	2007年12月1日	1716.5
X003	销售部	李丹丹	2007年12月1日	1714.3
X006	销售部	钱海艳	2007年12月1日	1716.5
X007	销售部	孙思佳	2007年12月1日	1714.3
Z001	财务部	李倩	2007年12月1日	2005.8
Z002	财务部	赵红	2007年12月1日	2007.8
Z003	财务部	钱绘影	2007年12月1日	2005.7
Z004	财务部	吴配荠	2007年12月1日	2000.4

18.2.2 取消表格的自动筛选

当用户在设置了表格的自动筛选后，如需要取消该操作时，可以通过设置来取消操作，下面就来介绍一下撤销自动筛选条件和撤销表格的自动筛选功能的操作。

1. 撤销自动筛选条件

当用户设置了一种条件的自动筛选后，需要撤销该操作而使用另一种条件的筛选时，可进行如下操作：

步骤 01 打开“自动筛选”下拉列表

打开目标文档，单击已设置条件进行了自动筛选的单元格 E2 中的下拉按钮，如下图所示。

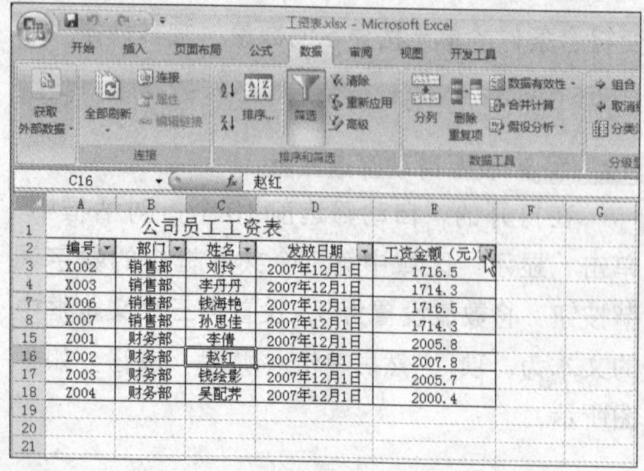

步骤 02 取消自动筛选的设置

在下拉列表中，选择“从工资金额（元）中清除筛选”选项，如下图所示。

步骤 03 显示最终效果

经过以上操作，就完成了撤销自动筛选条件的设置，最终效果如右图所示。

2. 撤销自动筛选功能设置

当用户需要取消表格中的自动筛选操作时，可以按以下步骤进行操作。

步骤 01 取消表格中的自动筛选

打开目标文档，单击选中表格中的任意单元格，切换到“数据”选项卡下，单击“排序和筛选”组中的“筛选”按钮，如下图所示。

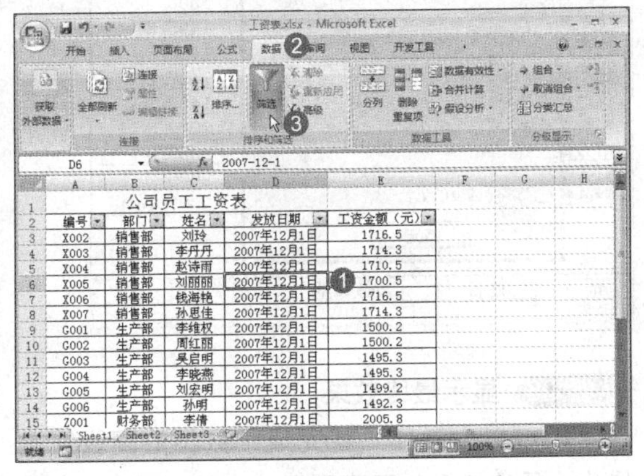

步骤 02 显示最终效果

经过以上操作，就完成了撤销表格自动筛选的设置，最终效果如下图所示。

公司员工工资表				
编号	部门	姓名	发放日期	工资金额（元）
X002	销售部	刘玲	2007年12月1日	1716.5
X003	销售部	李丹丹	2007年12月1日	1714.3
X004	销售部	赵诗雨	2007年12月1日	1710.5
X005	销售部	刘丽丽	2007年12月1日	1700.5
X006	销售部	钱海艳	2007年12月1日	1716.5
X007	销售部	孙思佳	2007年12月1日	1714.3
G001	生产部	李维权	2007年12月1日	1500.2
G002	生产部	周红丽	2007年12月1日	1500.2
G003	生产部	吴启明	2007年12月1日	1495.3
G004	生产部	李晓燕	2007年12月1日	1495.3
G005	生产部	刘宏明	2007年12月1日	1499.2
G006	生产部	孙明	2007年12月1日	1492.3
Z001	财务部	李倩	2007年12月1日	2005.8

18.2.3 高级筛选的操作

当用户所要进行筛选操作的表格为比较复杂时，可以设置多个筛选条件来完成操作，这就需要用到 Excel 程序中的高级筛选功能，下面介绍其具体操作步骤。

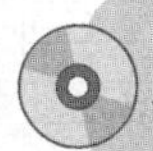

原始文件：实例文件 \ 第 18 章 \ 原始文件 \ 工资表 1.xlsx
最终文件：实例文件 \ 第 18 章 \ 最终文件 \ 工资表 1.xlsx

步骤 01 打开目标文本

打开附书光盘“实例文件 \ 第 18 章 \ 原始文件 \ 工资表 1.xlsx”文档，在表格的下方输入筛选的条件，如下图所示。

步骤 02 打开“高级筛选”对话框

切换到“数据”选项卡下，单击“排序和筛选”组中的“高级”按钮，如下图所示。

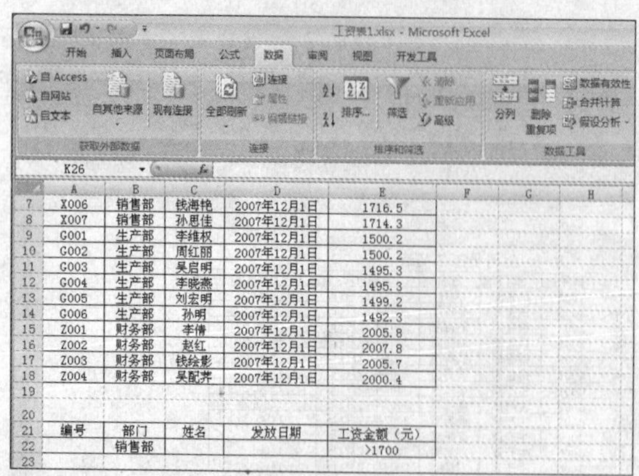

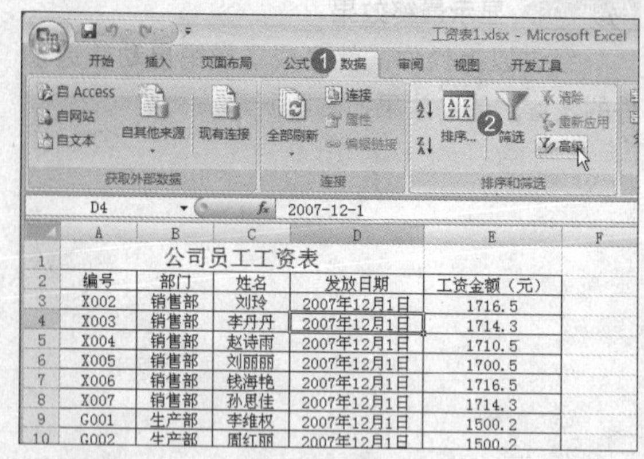

步骤 03 设置高级筛选的列表区域

弹出“高级筛选”对话框后，将插入点定位在“列表区域”文本框内，返回工作表选中表格中数据所在的单元格区域 A2:E18，对话框中就会显示所选区域，如下图所示。

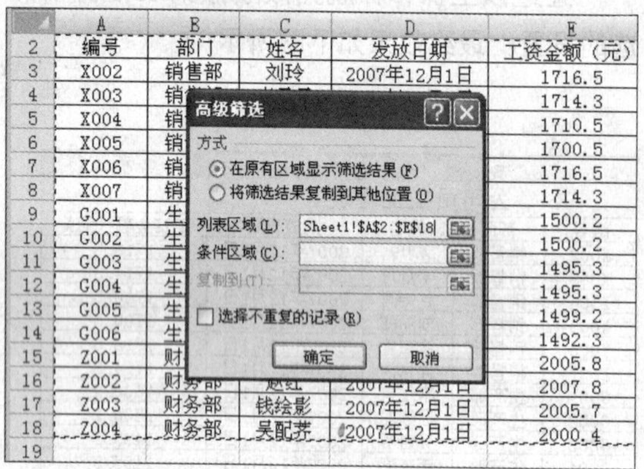

步骤 04 设置高级筛选的条件区域

单击“条件区域”文本框，将插入点定位在该文本框内，返回工作表选中表格中的条件所在的单元格区域 A21:E22，对话框中就会显示所选区域，如下图所示。

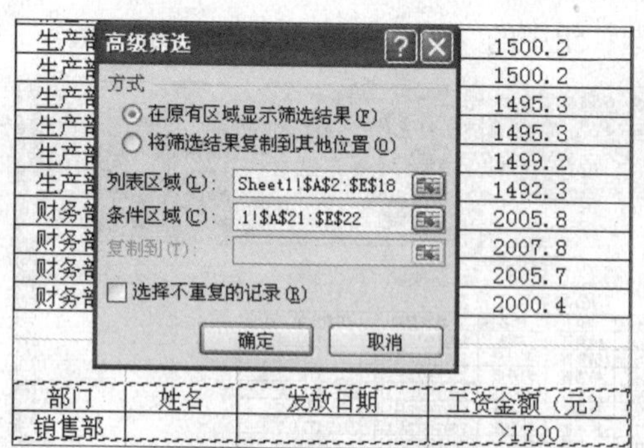

步骤 05 设置结果显示的位置

确认对话框中“方式”区域内所选中的为“在原有区域显示筛选结果”单选按钮后，单击“确定”按钮，如下图所示。

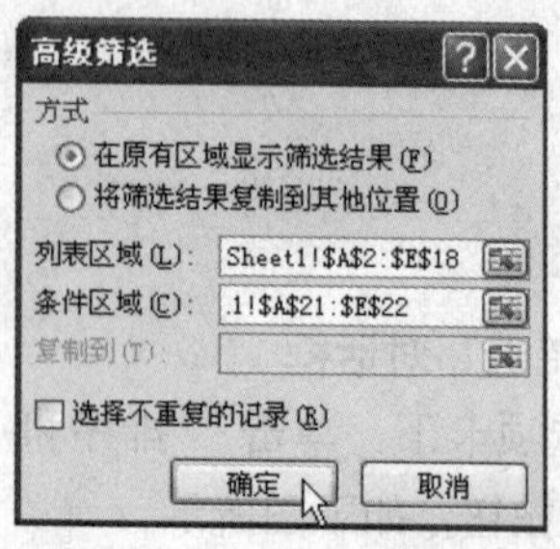

步骤 06 显示最终效果

经过以上操作，就完成了数据的高级筛选操作，最终效果如下图所示。

	A	B	C	D	E
1	公司员工工资表				
2	编号	部门	姓名	发放日期	工资金额（元）
3	X002	销售部	刘玲	2007年12月1日	1716.5
4	X003	销售部	李丹丹	2007年12月1日	1714.3
5	X004	销售部	赵诗雨	2007年12月1日	1710.5
6	X005	销售部	刘丽丽	2007年12月1日	1700.5
7	X006	销售部	钱海艳	2007年12月1日	1716.5
8	X007	销售部	孙思佳	2007年12月1日	1714.3
19					
20					
21	编号	部门	姓名	发放日期	工资金额（元）
22		销售部			>1700
23					
24					
25					
26					

18.2.4 撤销高级筛选

当用户需要撤销工作表中的高级筛选操作时可以通过两种方法来完成操作，如果用户刚刚对工作表进行了高级筛选设置，并且没有存过盘时，可以使用快捷键来撤销刚才的操作，如果是存过盘又重新打开的文档则需通过标签组来撤销操作，下面介绍这两种撤销的具体操作步骤。

＊方法一 通过快捷键撤销

步骤 01 执行撤销操作

在进行了高级筛选功能的设置后的文档如下图所示，此时，按下 Ctrl+Z 快捷键。

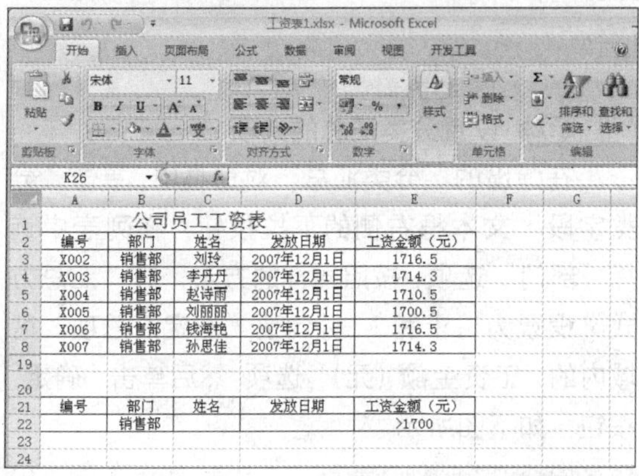

步骤 02 显示最终效果

经过以上操作，就完成了撤销工作表中高级筛选的操作，最终效果如下图所示。

编号	部门	姓名	发放日期	工资金额（元）
X002	销售部	刘玲	2007年12月1日	1716.5
X003	销售部	李丹丹	2007年12月1日	1714.3
X004	销售部	赵诗雨	2007年12月1日	1710.5
X005	销售部	刘丽丽	2007年12月1日	1700.5
X006	销售部	钱海艳	2007年12月1日	1716.5
X007	销售部	孙思佳	2007年12月1日	1714.3
G001	生产部	李维权	2007年12月1日	1500.2
G002	生产部	周红丽	2007年12月1日	1500.2
G003	生产部	吴启明	2007年12月1日	1495.3
G004	生产部	李晓燕	2007年12月1日	1495.3
G005	生产部	刘宏明	2007年12月1日	1499.2
G006	生产部	孙明	2007年12月1日	1492.3

＊方法二 通过标签组来完成撤销

步骤 01 清除高级筛选

打开目标文档后，切换到“数据”选项卡下，单击“排序和筛选”组中的“清除”按钮，如下图所示。

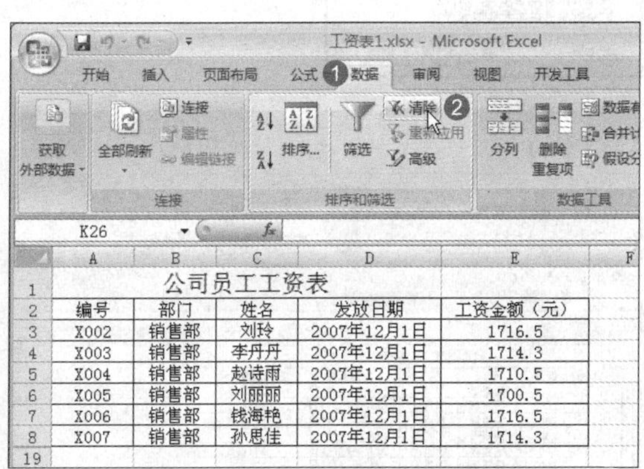

步骤 02 显示最终效果

经过以上操作，就完成了撤销工作表中高级筛选的操作，最终效果如下图所示。

编号	部门	姓名	发放日期	工资金额（元）
X002	销售部	刘玲	2007年12月1日	1716.5
X003	销售部	李丹丹	2007年12月1日	1714.3
X004	销售部	赵诗雨	2007年12月1日	1710.5
X005	销售部	刘丽丽	2007年12月1日	1700.5
X006	销售部	钱海艳	2007年12月1日	1716.5
X007	销售部	孙思佳	2007年12月1日	1714.3
G001	生产部	李维权	2007年12月1日	1500.2
G002	生产部	周红丽	2007年12月1日	1500.2
G003	生产部	吴启明	2007年12月1日	1495.3
G004	生产部	李晓燕	2007年12月1日	1495.3
G005	生产部	刘宏明	2007年12月1日	1499.2
G006	生产部	孙明	2007年12月1日	1492.3

18.3 数据分类汇总

在进行了数据的排序操作后，为了使表格的内容更为清晰，用户还可以对表格进行数据的分类汇总设置，在对数据进行分类汇总时，可以创建一级分类汇总，也可以创建多级分类汇总，还可以进行多种数据同时汇总的嵌套设置，下面就来介绍一下创建分类汇总的操作方法。

18.3.1 创建一级汇总

当用户的表格只需要对一种数据的内容进行分类汇总时，可以按以下步骤来完成操作。

原始文件：实例文件\第 18 章\原始文件\工资表 2.xlsx
最终文件：实例文件\第 18 章\最终文件\工资表 2.xlsx

步骤 01 打开“分类汇总”对话框

打开附书光盘“实例文件\第 18 章\原始文件\工资表 2.xlsx”文档，选中表格中的任意单元格，切换到“数据”选项卡下，单击“分类显示”组中的“分类汇总”按钮，如下图所示。

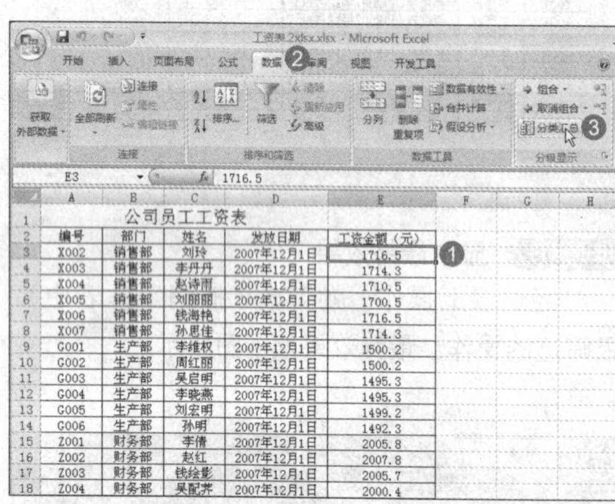

步骤 02 设置分类汇总的选项

在弹出的“分类汇总”对话框中，单击“分类字段”文本框右侧的下拉按钮，在列表中选择“部门”选项，按照同样的方法，将“汇总方式”设置为“求和”，并勾选“选定汇总项”区域内的“工资金额（元）”选项，然后单击“确定”按钮，如下图所示。

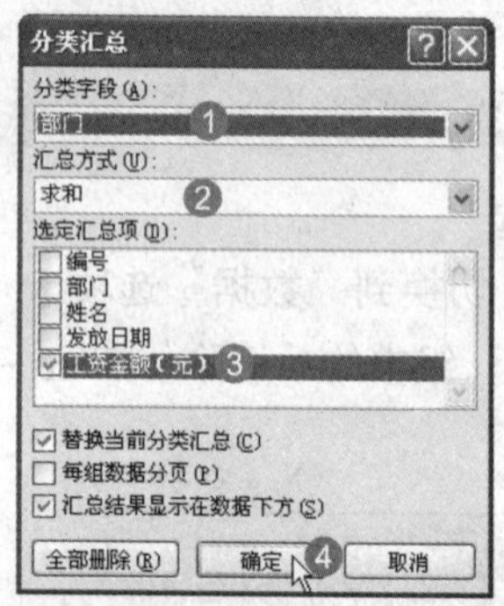

步骤 03 显示最终效果

经过以上操作，就完成了在表格中创建一级汇总，最终效果如右图所示。

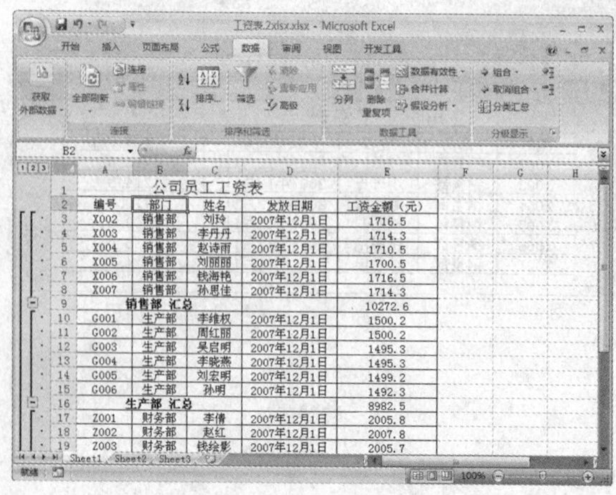

提示：创建多级分类汇总的方法

当用户所编辑的表格需要显示多级分类汇总的数据内容时，可以按照以上的操作打开“分类汇总”对话框，在设置“选定汇总项”区域时，分别勾选多个要显示的汇总项，再进行其他选项设置即可。其他选项的设置与一级分类汇总的设置步骤一致。

18.3.2 创建多个对象的分类汇总

当用户所编辑的表格内的数据，有多个对象都需要进行分类汇总时，可以通过设置显示出多个对象的分类汇总，下面介绍其具体操作步骤。

原始文件：实例文件 \ 第 18 章 \ 原始文件 \ 工资表 3.xlsx
最终文件：实例文件 \ 第 18 章 \ 最终文件 \ 工资表 3.xlsx

步骤 01 打开“分类汇总”对话框

打开附书光盘“实例文件 \ 第 18 章 \ 原始文件 \ 工资表 3.xlsx”文档，选中表格中的任意单元格，切换到“数据”选项卡下，单击“分类显示”组中的“分类汇总”按钮，如下图所示。

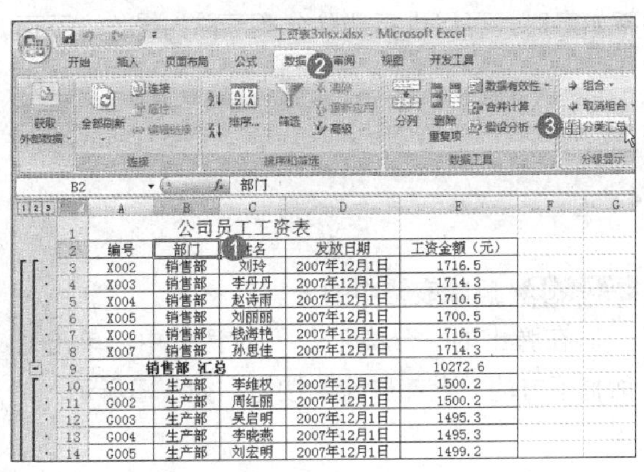

步骤 02 选定汇总项

在弹出的“分类汇总”对话框中，单击“汇总方式”文本框中右侧的下拉按钮，在弹出的列表中选择“计数”选项，并取消勾选“替换当前分类汇总”选项，然后单击“确定”按钮，如下图所示。

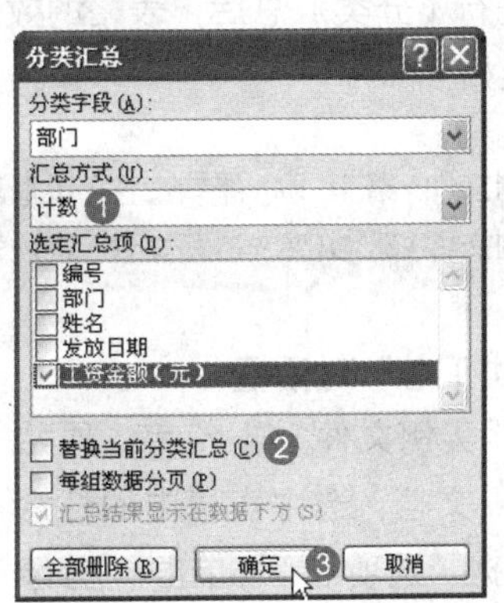

步骤 03 显示最终效果

经过以上操作，就完成了在表格中显示多个对象的分类汇总的设置，最终效果如右图所示。

提示：设置分级显示按钮

认识分级按钮

当表格进行了数据的分类汇总设置后，在表格的左侧就会出现一些分级按钮，如下图所示。

	A	B	C	D
1	公司员工工资表			
2	编号	部门	姓名	发放日期
3	X002	销售部	刘玲	2007年12月
4	X003	销售部	李丹丹	2007年12月
5	X004	销售部	赵诗雨	2007年12月
6	X005	销售部	刘丽丽	2007年12月
7	X006	销售部	钱海艳	2007年12月
8	X007	销售部	孙思佳	2007年12月
9		销售部 计数		
10		销售部 汇总		
11	G001	生产部	李维权	2007年12月
12	G002	生产部	周红丽	2007年12月
13	G003	生产部	吴启明	2007年12月
14	G004	生产部	李晓燕	2007年12月

设置分级按钮

当用户想隐藏这一级别中的数据时，可单击该分级按钮 [-]，此时数据按钮会变成 [+] 形状，并且数据内容只会显示汇总数据，如下图所示，当用户想显示分别数据时，再次单击分级按钮即可。

	A	B	C	D
1	公司员工工资表			
2	编号	部门	姓名	发放日期
9		销售部 计数		
10		销售部 汇总		
11	G001	生产部	李维权	2007年12月
12	G002	生产部	周红丽	2007年12月
13	G003	生产部	吴启明	2007年12月
14	G004	生产部	李晓燕	2007年12月
15	G005	生产部	刘宏明	2007年12月
16	G006	生产部	孙明	2007年12月
17		生产部 计数		
18		生产部 汇总		
19	Z001	财务部	李倩	2007年12月
20	Z002	财务部	赵红	2007年12月

18.3.3 删除分类汇总

当用户对表格进行了分类汇总后，表格的效果不如意时，可以进行删除分类汇总的操作，下面介绍其具体操作步骤如下。

原始文件：实例文件\第 18 章\原始文件\工资表 4.xlsx
最终文件：实例文件\第 18 章\最终文件\工资表 4.xlsx

步骤 01 打开“分类汇总”对话框

打开附书光盘“实例文件\第 18 章\原始文件\工资表 4.xlsx”文档，选中表格中的任意单元格，切换到“数据”选项卡下，单击“分级显示”组中的“分类汇总”按钮，如下图所示。

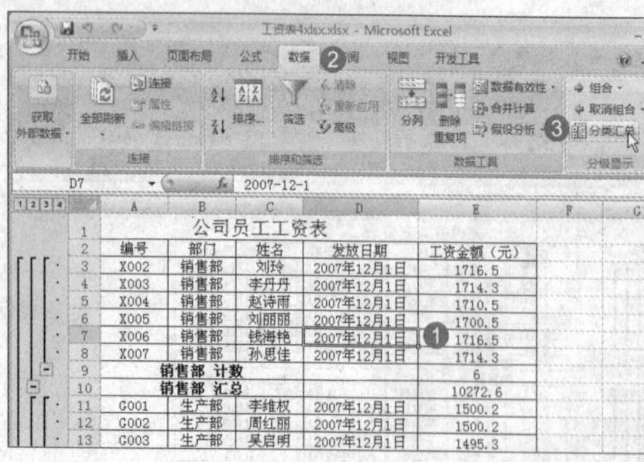

步骤 02 删除表格中的分类汇总

在弹出的“分类汇总”对话框中，单击对话框下方的“全部删除”按钮，如下图所示。

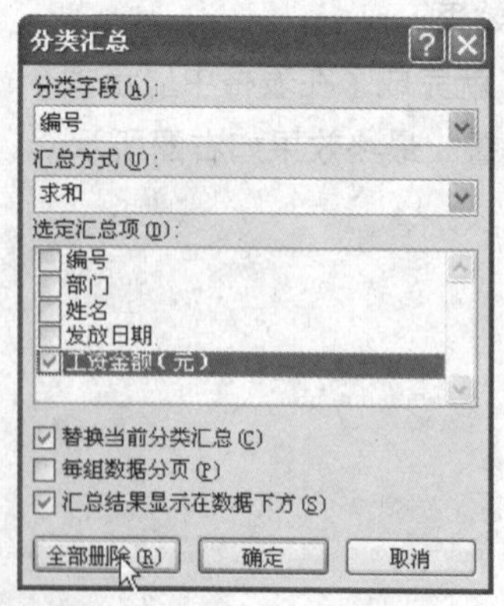

步骤 03 显示最终效果

经过以上操作，返回到工作表中，就完成了删除表格中分类汇总的操作，最终效果如右图所示。

公司员工工资表

编号	部门	姓名	发放日期	工资金额（元）
X002	销售部	刘玲	2007年12月1日	1716.5
X003	销售部	李丹丹	2007年12月1日	1714.3
X004	销售部	赵诗雨	2007年12月1日	1710.5
X005	销售部	刘丽丽	2007年12月1日	1700.5
X006	销售部	钱海艳	2007年12月1日	1716.5
X007	销售部	孙思佳	2007年12月1日	1714.3
G001	生产部	李维权	2007年12月1日	1500.2
G002	生产部	周红丽	2007年12月1日	1500.2
G003	生产部	吴启明	2007年12月1日	1495.3
G004	生产部	李晓燕	2007年12月1日	1495.3
G005	生产部	刘宏明	2007年12月1日	1499.2

18.4 数据的合并计算

当用户要将表格的计算结果单独显示时，可以使用数据的合并计算功能，使用此功能时，可以对数据进行不同类型的计算，下面介绍其操作方法。

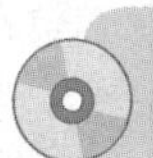

原始文件：实例文件 \ 第 18 章 \ 原始文件 \ 办公费用统计 .xlsx
最终文件：实例文件 \ 第 18 章 \ 最终文件 \ 办公费用统计 .xlsx

步骤 01 打开目标文本

打开附书光盘“实例文件 \ 第 18 章 \ 原始文件 \ 办公费用统计 .xlsx”文档后，单击 Sheet 2 工作表标签，如下图所示。

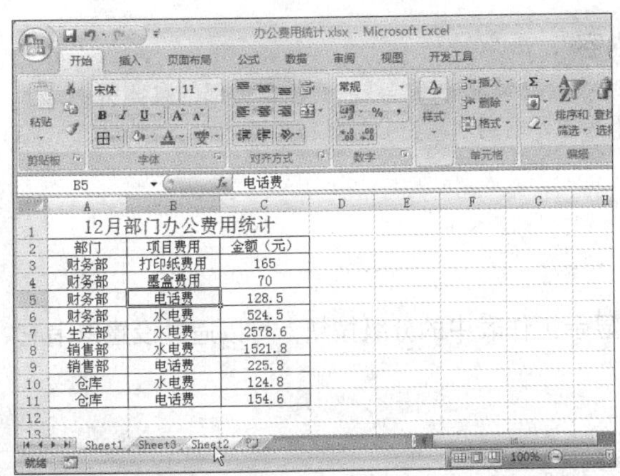

12月部门办公费用统计

部门	项目费用	金额（元）
财务部	打印纸费用	165
财务部	墨盒费用	70
财务部	电话费	128.5
财务部	水电费	524.5
生产部	水电费	2578.6
销售部	水电费	1521.8
销售部	电话费	225.8
仓库	水电费	124.8
仓库	电话费	154.6

步骤 02 打开“合并计算”对话框

切换到 Sheet 2 工作表后，单击选中表格中的 A1 单元格，切换到“数据”选项卡下，单击“数据工具”组中的“合并计算”按钮，如下图所示。

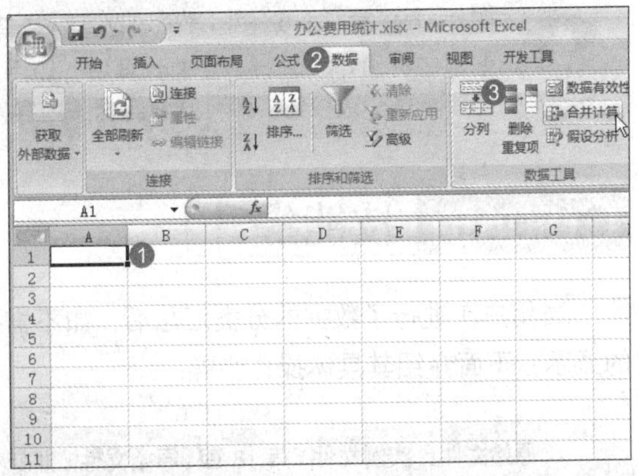

步骤 03 设置合并计算的函数

在弹出的“合并计算”对话框中，单击“引用位置”文本框，将插入点定位在其中，再单击 Sheet 1 工作表标签，如下图所示。

步骤 04 设置引用位置

切换到 Sheet 1 工作表后，选中要进行合并计算的单元格区域 A2:C11，然后单击对话框中的“添加”按钮，如下图所示。

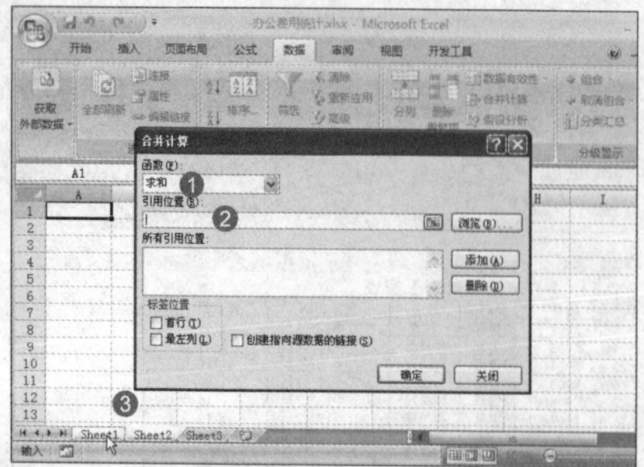

步骤 05 设置标签位置

勾选“合并计算”对话框中“标签位置”区域内的“最左列”和“创建指向源数据的链接”复选框，然后单击“确定”按钮，如下图所示。

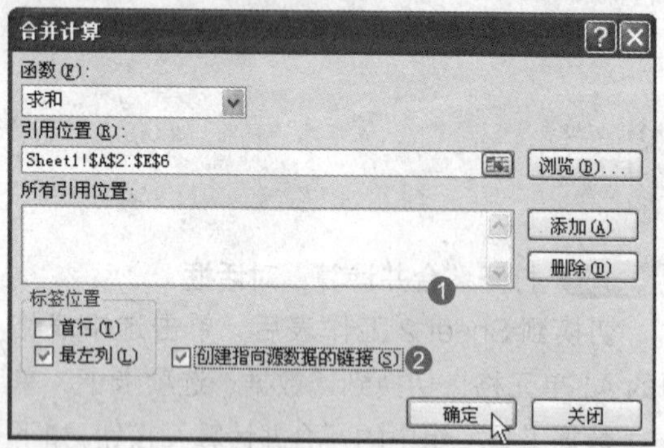

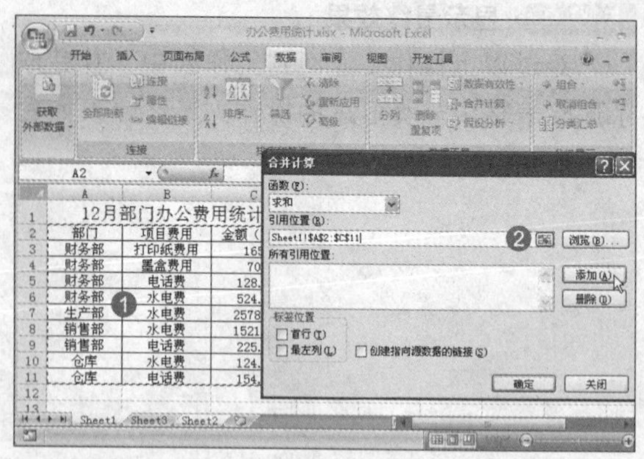

步骤 06 显示最终效果

经过以上操作，返回到 Sheet 2 工作表中，就完成了表格的单独显示并进行合并计算的操作，最终效果如下图所示。

	A	B	C	D
1	部门			
6	财务部			888
8	生产部			2578.6
11	销售部			1747.6
14	仓库			279.4
15				
16				
17				
18				

提示：在合并计算的工作表中查看具体内容

上例中将工作表进行了合并计算后，如用户想在合并计算的工作表中查看财务部的具体费用，可以单击分级按钮，即可查看到相关内容，不想显示时再次单击分级按钮隐藏即可。

Column 技能提升

当用户在进行了数据的分类汇总后，如不需要显示工作表中的分级按钮，可以通过设置取消它的显示，下面介绍其具体操作步骤。

原始文件：实例文件 \ 第 18 章 \ 原始文件 \ 办公费用统计 1.xlsx
最终文件：实例文件 \ 第 18 章 \ 最终文件 \ 办公费用统计 1.xlsx

步骤 01 打开目标文本

打开附书光盘“实例文件 \ 第 18 章 \ 原始文件 \ 办公费用统计 1.xlsx”文档，选中表格中任意的单元格，如下图所示。

步骤 02 打开“Excel 选项”对话框

单击 Excel 操作界面中的 Office 按钮，在弹出的菜单中单击“Excel 选项”按钮，如下图所示。

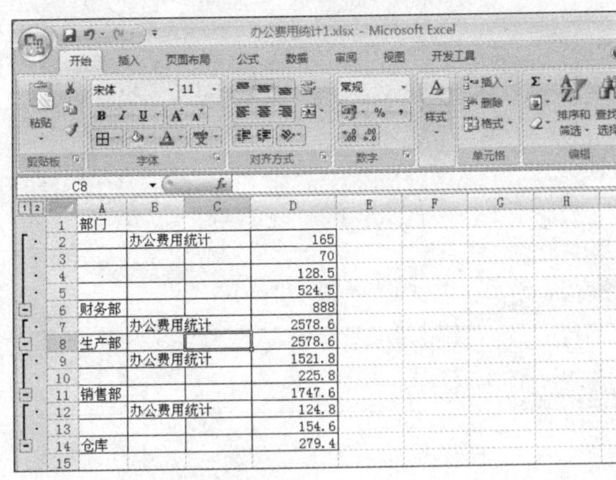

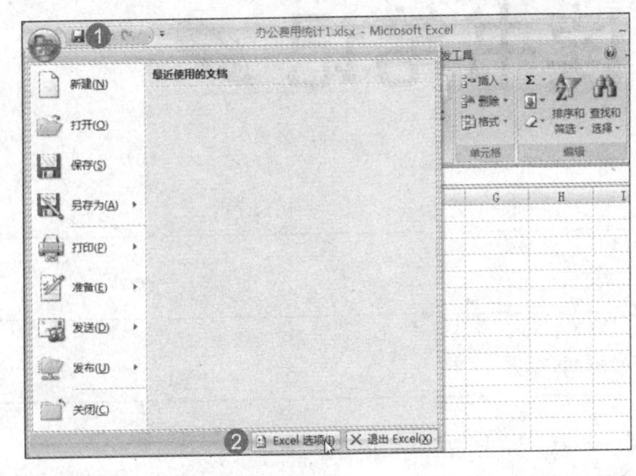

步骤 03 打开“选项”对话框

在弹出的“Excel 选项”对话框中，选择“高级”选项，再在右侧的选项面板中，取消勾选“如果应用了分级显示，则显示分级符号”选项，如下图所示，然后单击“确定”按钮。

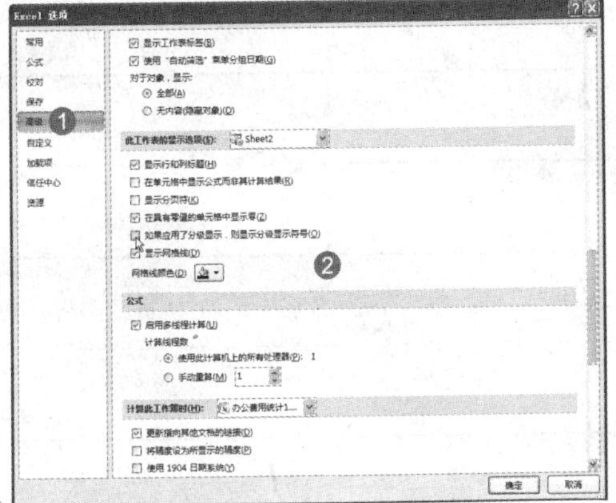

步骤 04 显示最终效果

经过以上操作，返回到 Excel 工作表中，就完成了取消分级符号的设置，最终效果如下图所示。

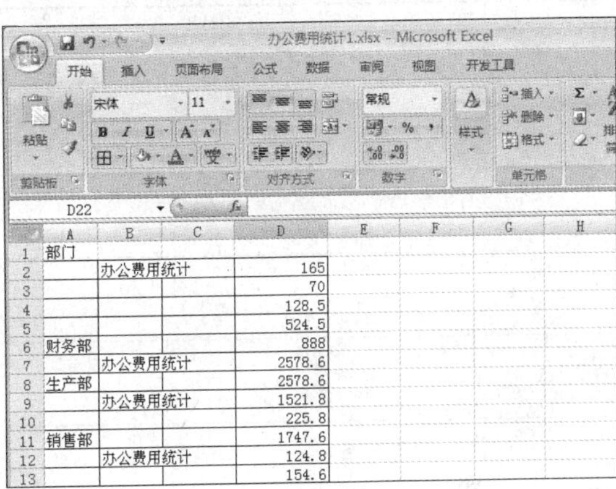

读书笔记

19

本章建议学习时间

本章建议学习时间为 40 分钟，其中 15 分钟用于学习教材知识，25 分钟用于上机操作。

制作管理人员考评表

管理人员考评表

标准 分数 姓名	政治表现权重（5）	工作能力权重（3）	工作态度权重（4）	履行岗位职责程度权重（8）
陈丰	5	4	4	5
陈萍	5	5	3	5
李东	4	3	4	4
李冉冉	4	5	5	4
刘华丰	3	5	5	5
孙梅	4	4	4	4
王红雷	3	3	3	4
张兰	4	4	3	4
张树兰	3	3	3	4
赵树明	4	4	4	3

制作斜线表头

插入(I)...
删除(D)
重命名(R)
移动或复制工作表(M)...
查看代码(V)
保护工作表(P)...
工作表标签颜色(T)
隐藏(H)
取消隐藏(U)...
选定全部工作表(S)

对工作表进行重命名操作

学习完本章后您可以

1. 对 Excel 2007 中的表格进行格式设置
2. 使用函数进行计算
3. 在表格中插入图表并进行设置
4. 对工作表进行重命名操作

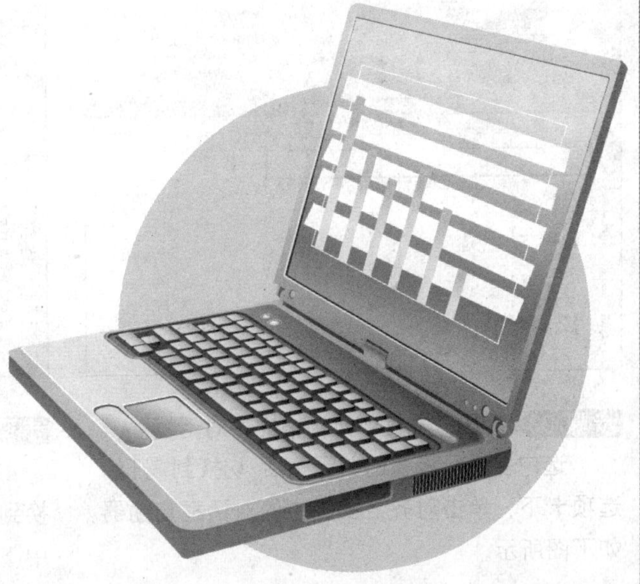

第 19 章 制作管理人员考评表

通过前几章中对于 Excel 数据处理程序的了解和学习，用户就可以进行制作表格及对表格中的数值进行函数运算的操作了。本章中就利用前面章节中所学的知识制作一份完整的管理人员考评表，来对前面所学的知识进行巩固。

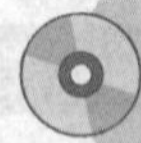

原始文件：实例文件 \ 第 19 章 \ 原始文件 \ 管理人员考评表 . docx
最终文件：实例文件 \ 第 19 章 \ 最终文件 \ 管理人员考评表 . docx

19.1 合并单元格并设置单元格格式

表格内容录入完毕后，需要对其中一些单元格进行合并，还有一些单元格需要设置格式，此时，可进行以下操作。

步骤 01 设置单元格的合并后居中

打开附书光盘“实例文件 \ 第 19 章 \ 原始文件 \ 管理人员考评表 .xlsx”文档，选中要进行合并设置的单元格，切换到“开始”选项卡下，单击对齐方式组中的“合并后居中”按钮，如下图所示。

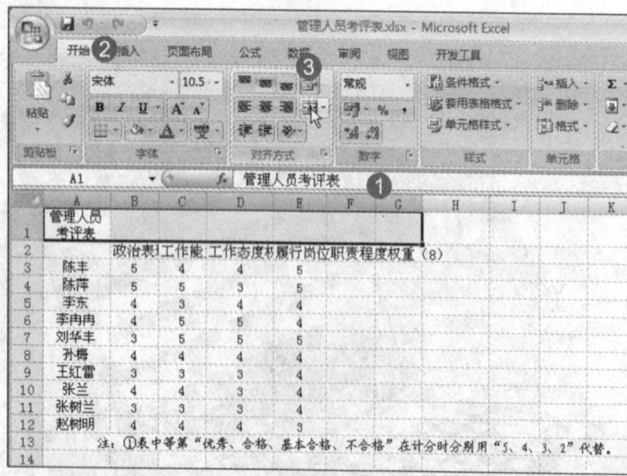

步骤 02 显示合并后居中效果

经过以上操作，就完成了表格的合并后居中设置，其效果如下图所示。

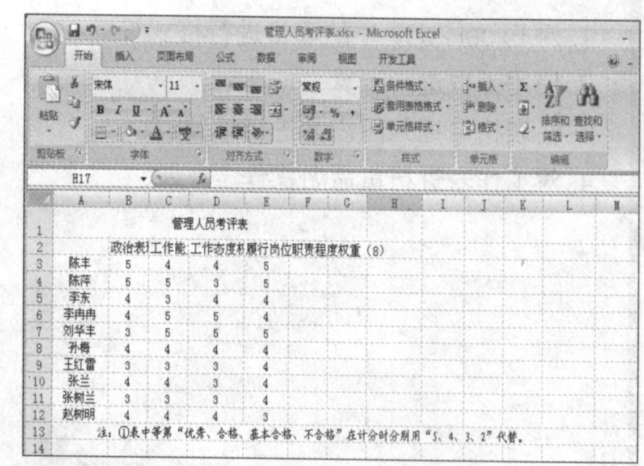

步骤 03 打开“设置单元格格式”对话框

选中要进行设置的单元格后，切换到“开始”选项卡下，单击对齐方式组中的对话框启动器，如下图所示。

步骤 04 设置单元格格式

在弹出的“设置单元格格式”对话框中切换到“对齐”选项卡下，设置“水平对齐”为“居中”，然后勾选“自动换行”复选框，最后单击“确定”按钮，如下图所示。

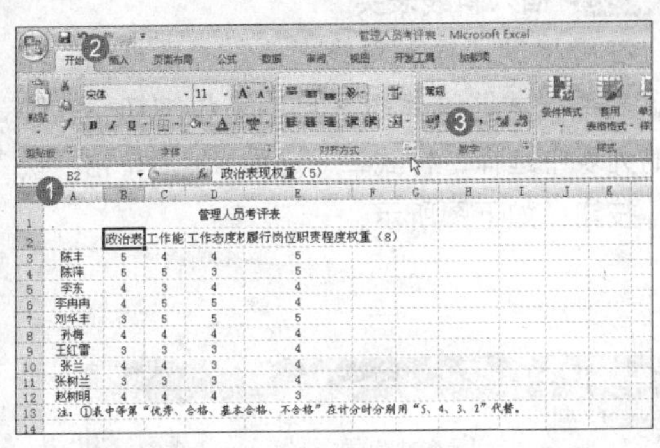

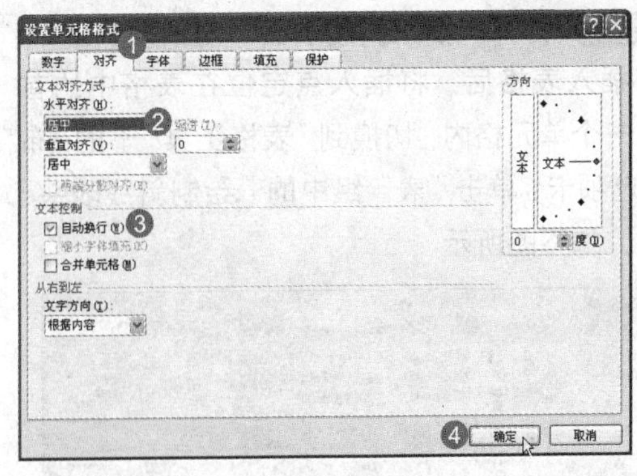

步骤 05 调整单元格大小

将鼠标指向需要调整列宽的单元格列线上，当鼠标变成✛形状时，按下鼠标左键不放拖动鼠标至适合大小，释放鼠标，最终效果如下图所示。

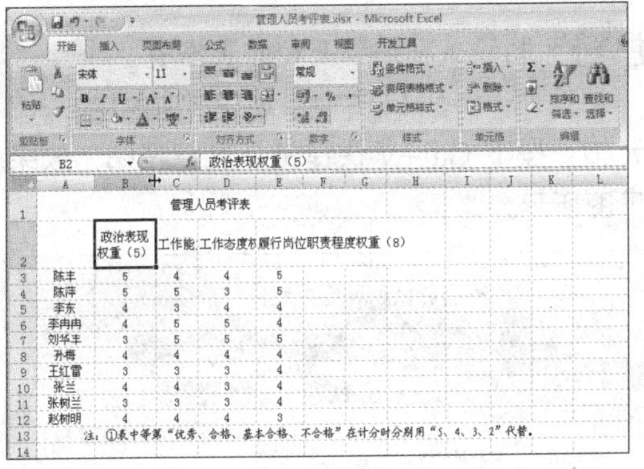

步骤 06 显示设置后的最终效果

按照以上操作对表格中所有需要合并后居中的单元格及需要调整对齐方式的单元格进行设置后，最终效果如下图所示。

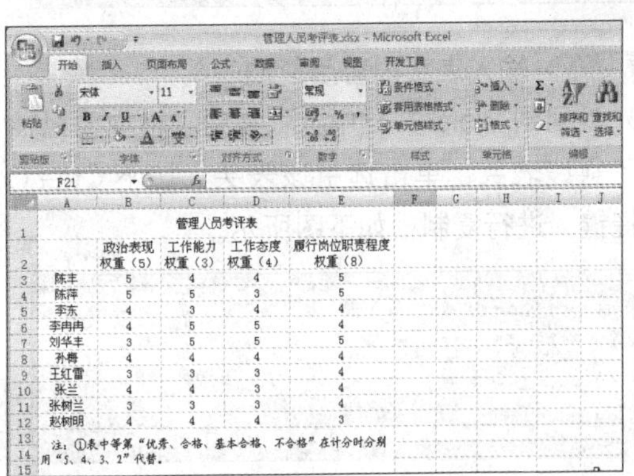

19.2 制作斜线表头

表格的内容录入完毕后，为了使表格的样式更为美观，可以在 A2 单元格中插入一个斜线表头，由于 Excel 程序中没有插入表头的功能，所以要先在 Word 程序中制作一个表头，然后粘贴到 Excel 表格中，其操作步骤如下：

步骤 01 打开空白 Word 文档后插入表格

打开一个空白 Word 文档后，切换到"插入"选项卡下，单击"表格"组中的"表格"按钮，在弹出的下拉列表中将鼠标指向虚拟表格中的 2 行 4 列交叉的单元格后，单击鼠标，即可在文档中插入一个 2 行 4 列的表格，如右图所示。

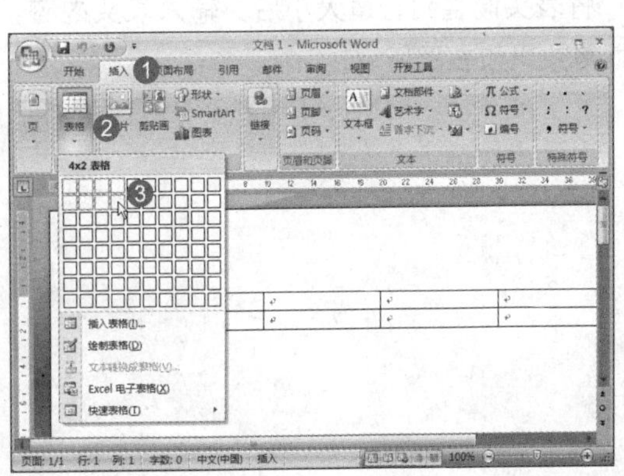

步骤 02 打开“插入斜线表头”对话框

插入表格后，将插入点定位在表格中的首行第一个单元格内，切换到“表格工具”下的“布局”选项卡，单击“表”组中的“绘制斜线表头”按钮，如下图所示。

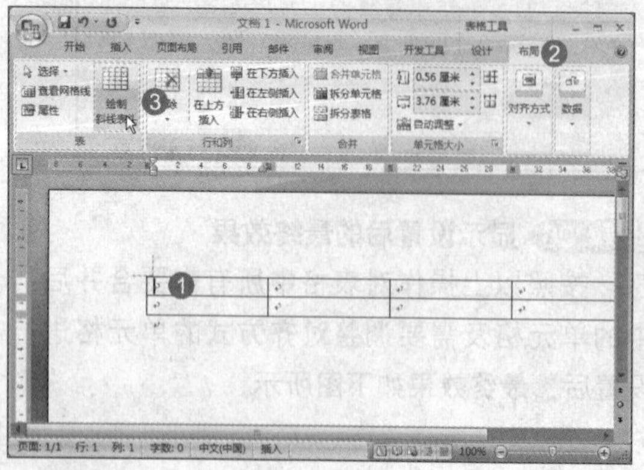

步骤 03 插入斜线表头

在弹出的“插入斜线表头”对话框中，单击“表头样式”文本框右侧的下拉按钮，在弹出的列表中选择“样式二”选项，然后单击“确定”按钮，如下图所示。

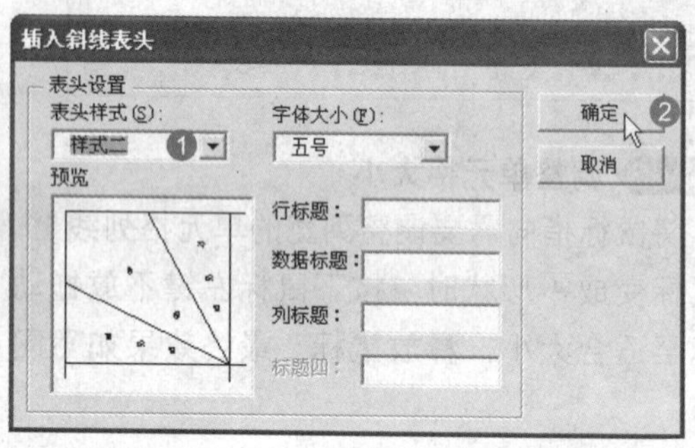

步骤 04 输入表头内容后复制表头

返回到Word文档中，可看到表格中已经插入了斜线表头，单击选中该表头，按下Ctrl+C快捷键，进行复制，如下图所示。

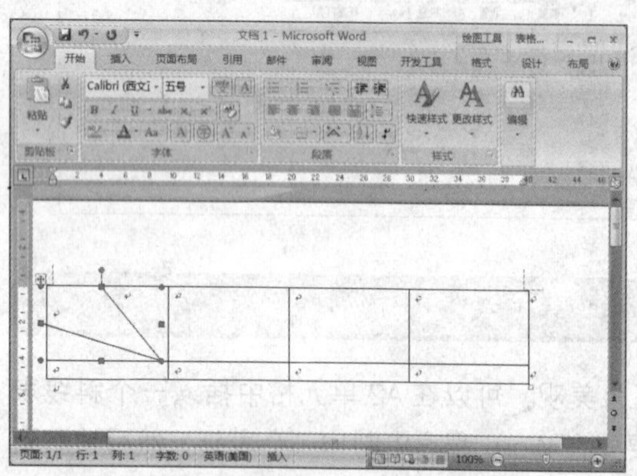

步骤 05 将表头粘贴到Excel表格中

切换到Excel程序中，选中要粘贴表头的单元格，按下Ctrl+V快捷键，进行粘贴，效果如下图所示。

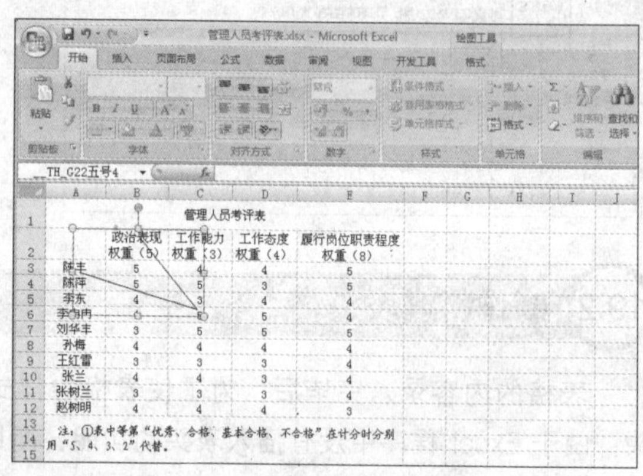

步骤 06 显示最终效果

将表头调整到合适大小后，输入表头内容，其最终效果如右图所示。

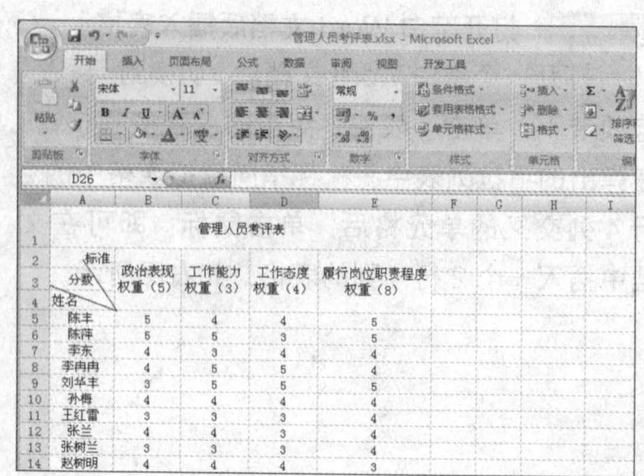

19.3 设置表格边框

表格中的文本内容录入完毕后，由于 Excel 程序中的表格都是虚拟的，所以还要为表格添加边框，其具体操作步骤如下：

步骤 01　打开“边框”列表

选中要添加边框的单元格，切换到“开始”选项卡下，单击“字体”组中的“边框”下拉按钮，如下图所示。

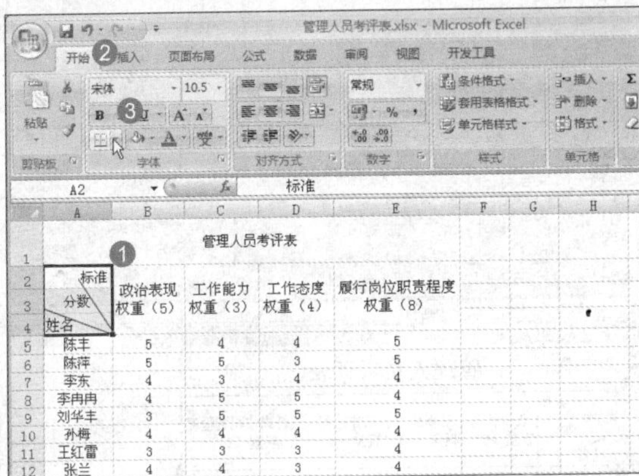

步骤 02　添加表格边框

在弹出的列表中选择“外侧框线”选项，如下图所示。

步骤 03　显示效果

返回到 Excel 工作表中，就完成了为单元格添加边框的设置，效果如下图所示。

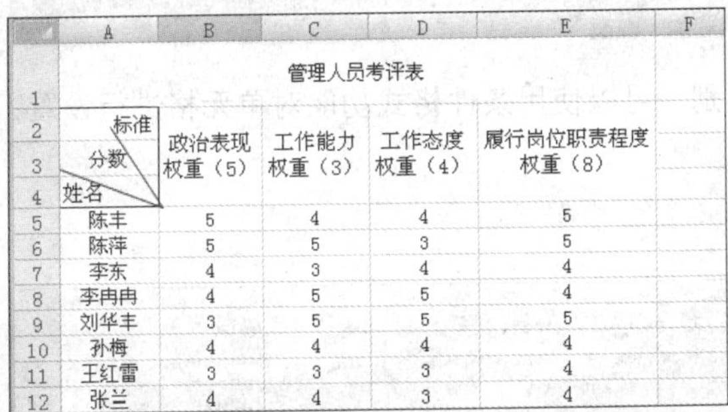

标准 / 分数 / 姓名	政治表现 权重（5）	工作能力 权重（3）	工作态度 权重（4）	履行岗位职责程度 权重（8）
陈丰	5	4	4	5
陈萍	5	5	3	5
李东	4	3	4	4
李冉冉	4	5	5	4
刘华丰	3	5	5	5
孙梅	4	4	4	4
王红雷	3	3	3	4
张兰	4	4	3	4

步骤 04　设置其他单元格边框，显示最终效果

运用上面的方法，单元格中的内容，也对其他单元格进行边框样式的设置，最终效果如下图所示。

标准 / 分数 / 姓名	政治表现 权重（5）	工作能力 权重（3）	工作态度 权重（4）	履行岗位职责程度 权重（8）
陈丰	5	4	4	5
陈萍	5	5	3	5
李东	4	3	4	4
李冉冉	4	5	5	4
刘华丰	3	5	5	5
孙梅	4	4	4	4
王红雷	3	3	3	4

19.4 设置表格标题

为单元格添加了边框后，此时，表格中的标题与正文的内容没有区别，还需要对表格的标题进行一些设置，其操作步骤如下。

步骤 01　打开“单元格样式”列表

选中表格中的标题行，切换到“开始”选项卡下，单击“格式”组中的“单元格样式”按钮，如下图所示。

步骤 02　选择单元格样式

在弹出的下拉列表中，选择“标题”样式，如下图所示。

五笔打字　电脑办公

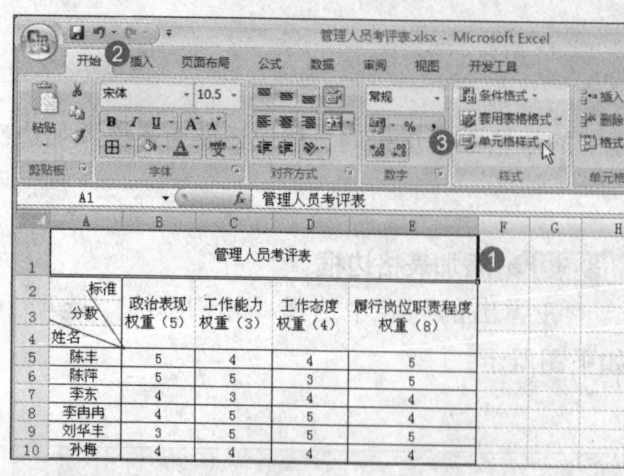

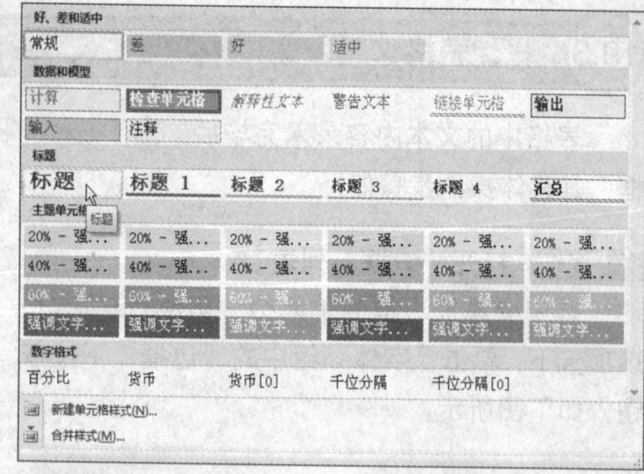

步骤 03 显示最终效果

经过以上操作，就完成了表格中标题行样式的设置，最终效果如右图所示。

19.5 设置表格的条件格式

为了突出显示表格中的各个人员被评分数的差别，可以使用条件格式功能对单元格进行设置，其操作方法如下：

步骤 01 打开“条件格式”列表

选中表格中要进行条件格式设置的单元格区域 B5:E14，切换到“开始”选项卡下，单击“样式”组中的“条件格式”按钮，如右图所示。

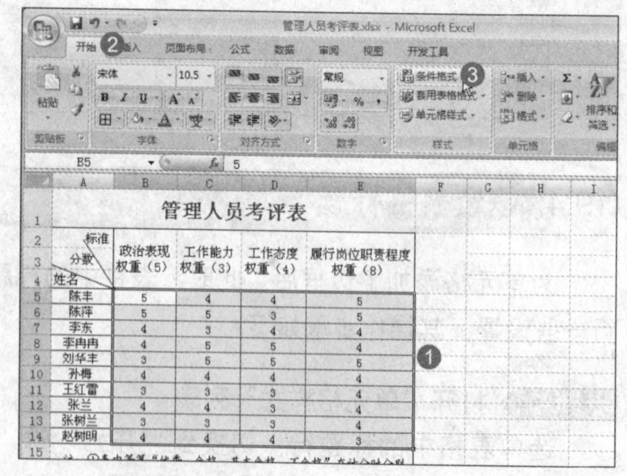

步骤 02 选择条件格式的样式

在弹出的下拉列表中，将鼠标指针指向“数据条”选项，再在展开列表中选择“红色数据条”样式，如下图所示。

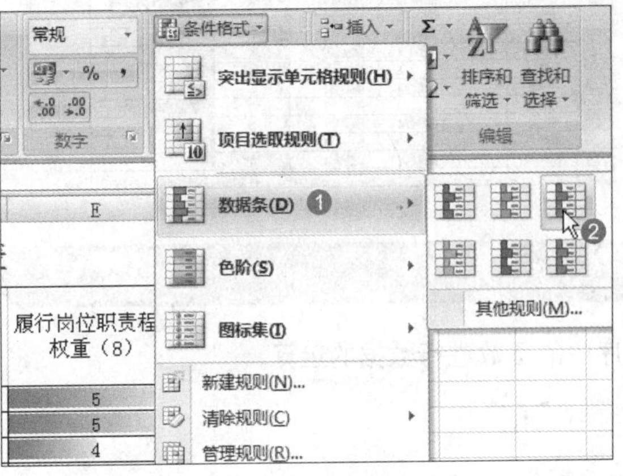

步骤 03 显示最终效果

经过以上操作，就完成了表格中使用条件功能对单元格进行的设置，最终效果如下图所示。

标准 分数 姓名	政治表现权重（5）	工作能力权重（3）	工作态度权重（4）	履行岗位职责程度权重（8）
陈丰	5	4	4	5
陈萍	5	5	3	5
李东	4	3	4	4
李冉冉	4	5	5	4
刘华丰	3	5	5	5
孙梅	4	4	4	4
王红雷	3	3	3	4
张兰	4	4	3	4
张树兰	3	3	3	4
赵树明	4	4	4	3

管理人员考评表

注：①表中等第“优秀、合格、基本合格、不合格”在计分时分别

19.6 插入单元格

为了使管理人员考评表中的内容更为充实，还要在表格中插入一列合计表格，下面就来进行插入表格的操作。

步骤 01 打开“插入”对话框

选中要插入表格右侧的单元格，切换到“开始”选项卡下，单击“单元格”组中的“插入”的下拉按钮，在弹出的列表中选择“插入单元格”选项，如右图所示。

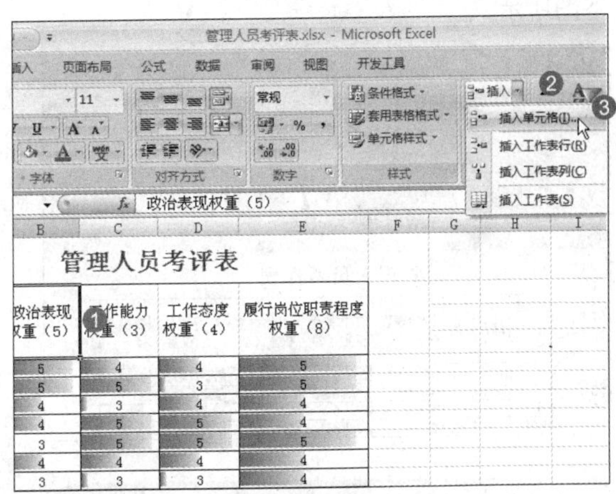

步骤 02 插入一列单元格

在弹出的“插入”对话框中，单击选中“整列”单选按钮，然后单击“确定”按钮，如右图所示。

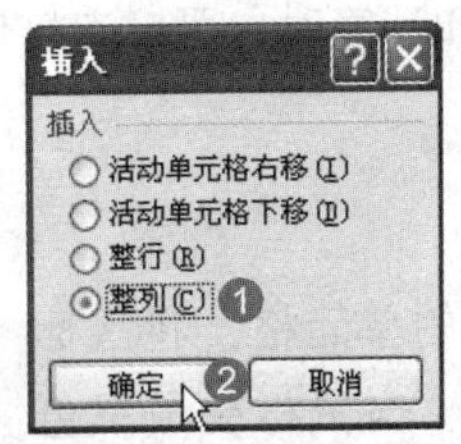

步骤 03 显示最终效果

返回到 Excel 工作表中，就完成了整列单元格的插入设置，再根据前面的内容对新插入的一列单元格进行编辑，最终效果如右图所示。

管理人员考评表					
标准 分数 姓名	综合分数	政治表现权重（5）	工作能力权重（3）	工作态度权重（4）	履行岗位职责程度权重（8）
陈丰		5	4	4	5
陈萍		5	5	3	5
李东		4	3	4	4
李冉冉		4	5	5	4
刘华丰		3	5	5	5
孙梅		4	4	4	4
王红雷		3	3	3	4
张兰		4	4	3	4
张树兰		3	3	3	4
赵树明		4	4	4	3

19.7 利用函数计算

在进行综合分数的统计时，可以使用 Excel 程序中的函数进行数据的运算。

19.7.1 进行函数计算

在进行表格的计算时，首先要在一个单元格中输入函数公式后，再进行函数计算，其具体操作步骤如下：

步骤 01 输入函数公式

选中要进行函数计算的单元格 B5 后，在单元格中输入函数求和公式"=SUM(C5:F5)"，如下图所示。

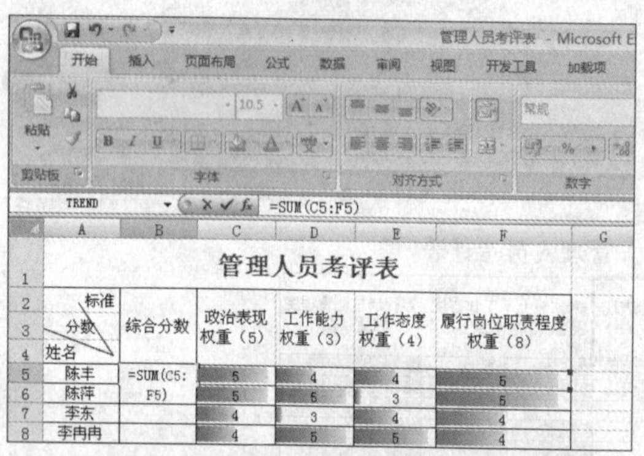

步骤 02 显示最终效果

输入函数求和公式后，按下 Enter 键，即可完成求和函数的计算，最终效果如下图所示。

19.7.2 对其他单元格进行公式填充

在进行其他单元格的求和计算时，可以直接使用填充功能进行公式填充来完成求和计算，其具体操作方法如下：

步骤 01 填充公式

选中已进行了求和计算的单元格，将鼠标指针指向该单元格的右下角，当鼠标变成黑色十字形状时，向下拖动鼠标，如下图所示，至 B14 单元格释放鼠标。

步骤 02 显示最终效果

经过以上操作，就完成了在其他单元格中公式的填充，最终效果如下图所示。

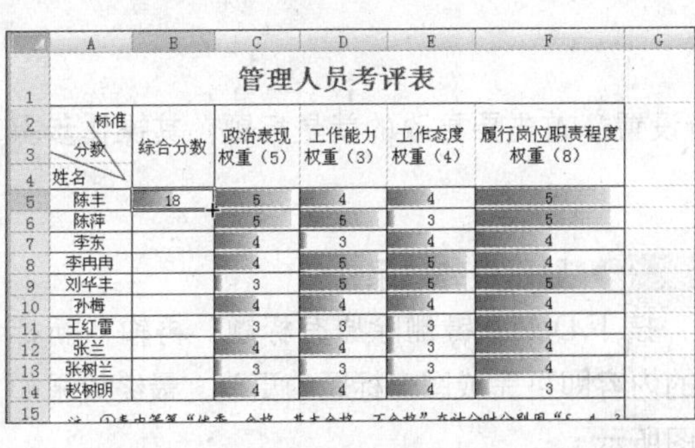

管理人员考评表

标准/分数/姓名	综合分数	政治表现权重（5）	工作能力权重（3）	工作态度权重（4）	履行岗位职责程度权重（8）
陈丰	18	5	4	4	5
陈萍		5	5	3	5
李东		4	3	4	4
李冉冉		4	5	5	4
刘华丰		3	5	5	5
孙梅		4	4	4	4
王红雷		3	3	3	4
张兰		4	4	3	4
张树兰		3	3	3	4
赵树明		4	4	4	3

管理人员考评表

标准/分数/姓名	综合分数	政治表现权重（5）	工作能力权重（3）	工作态度权重（4）	履行岗位职责程度权重（8）
陈丰	18	5	4	4	5
陈萍	18	5	5	3	5
李东	15	4	3	4	4
李冉冉	18	4	5	5	4
刘华丰	18	3	5	5	5
孙梅	16	4	4	4	4
王红雷	13	3	3	3	4
张兰	15	4	4	3	4
张树兰	13	3	3	3	4
赵树明	15	4	4	4	3

19.8 插入并设置图表

为了使表格的内容更为美观、充实，还可以在表格中插入图表来表现表格的内容。

19.8.1 插入图表

在图表的插入过程中，应首先插入图表，然后再对该图表进行一些设置，以使图表的内容更好地配合表格的内容。插入图表的具体操作步骤如下：

步骤 01 打开“插入图表”对话框

选中要制作为图表的单元格区域 A2:B14，切换到“插入”选项卡下，单击“图表”组中的对话框启动器，如下图所示。

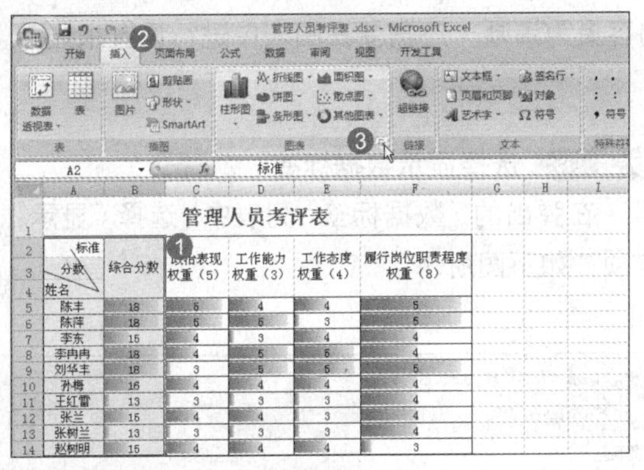

步骤 02 选择插入图表的样式

弹出“插入图表”对话框后，选择“柱形图”选项，在右侧的柱形图列表中选择“簇壮圆柱图”选项，然后单击“确定”按钮，如下图所示。

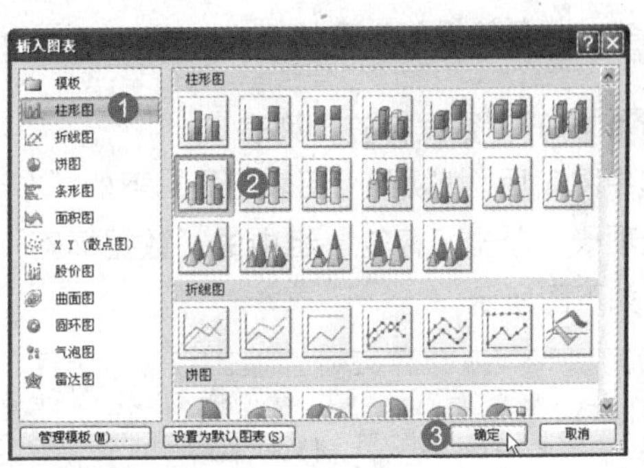

步骤 03 显示最终效果

经过以上操作，就完成了在表格中插入图表的操作，效果如右图所示。

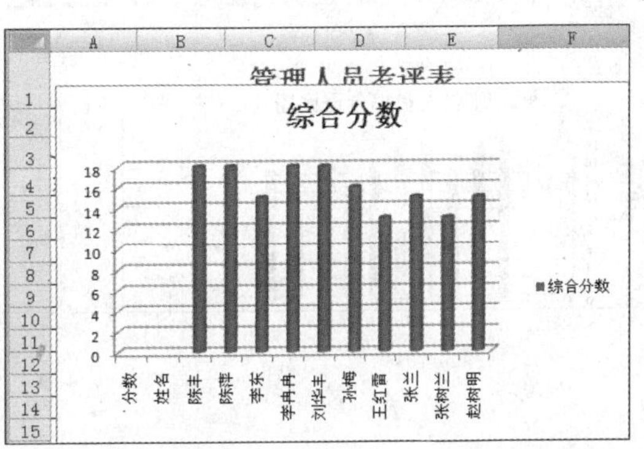

19.8.2 更改图表标题

插入了图表后，还需要对图表中的一些内容进行设置，首先要更改的就是标题，其操作步骤如下：

步骤 01 选中图表标题

单击选中表格中的“图表标题”栏，再选择其中的文本内容，如下图所示。

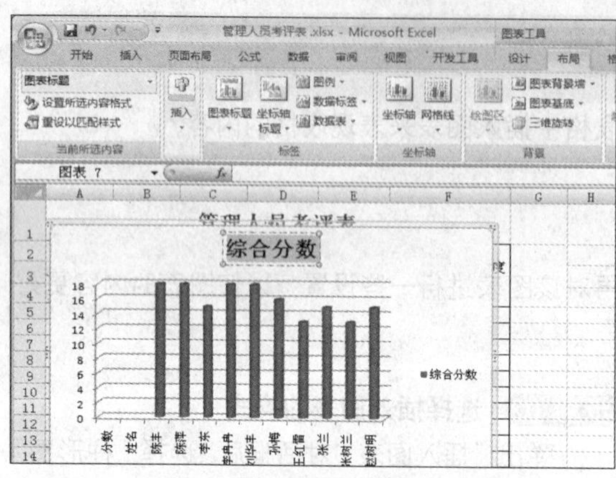

步骤 02 显示最终效果

按下 Delete 键删除原有标题，再输入新标题的内容即可完成图表标题的更改，最终效果如下图所示。

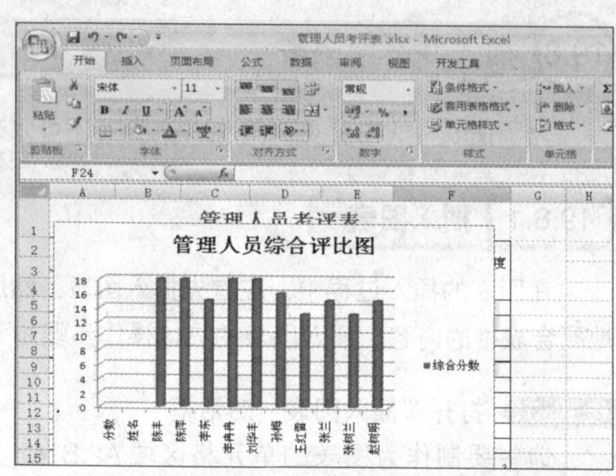

19.8.3 设置图表数据标签

图表的标题更改完毕后，为了使图表中的数据内容更为清晰，还需要在图表中进行设置来显示数据标签，其具体操作步骤如下：

步骤 01 打开“数据标签”列表

选中图表后，切换到“图表工具”下的“布局”选项卡，单击“标签”组中的“数据标签”按钮，如下图所示。

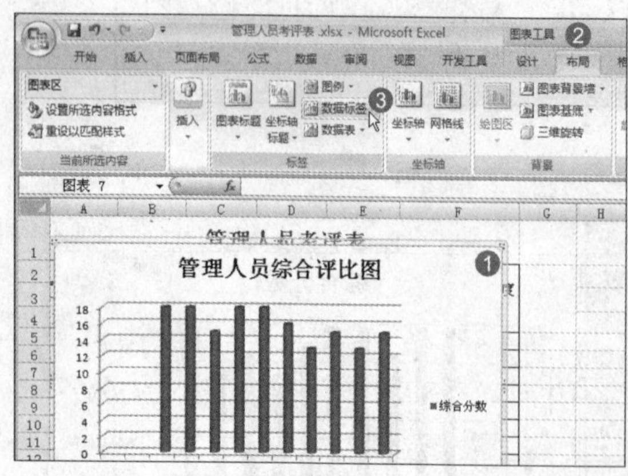

步骤 02 选择显示数据标签

在弹出的“数据标签”列表中，选择“显示”选项，如下图所示。

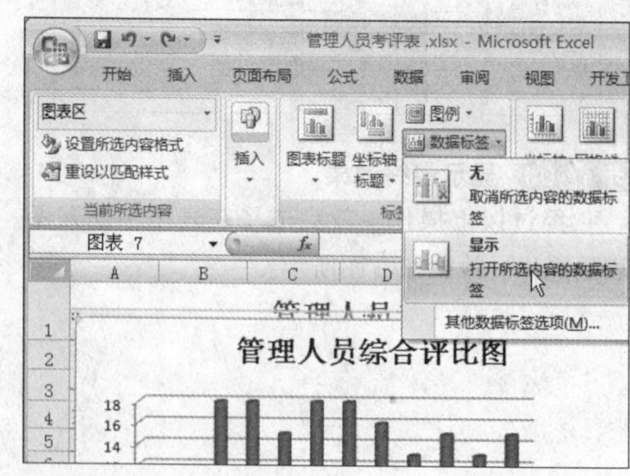

步骤 03 显示最终效果

经过以上操作，就完成了在图表中显示数据标签的操作，最终效果如右图所示。

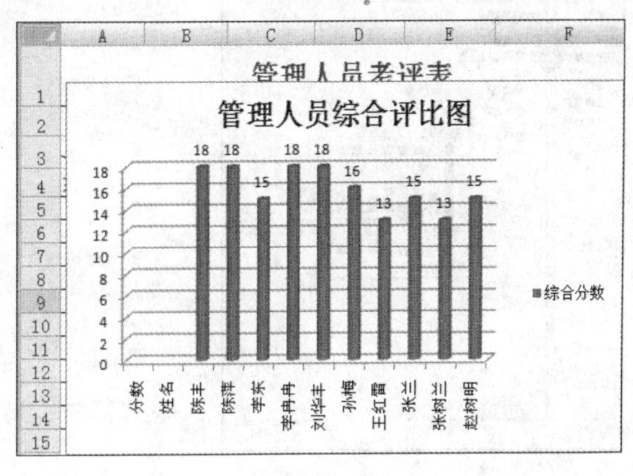

19.8.4 设置图表绘图区

为了美化图表，还可以为绘图区设置边框和底纹，其操作步骤如下：

步骤 01 打开“设置绘图区格式”对话框

选中图表中的绘图区后，切换到“图表工具”下的“布局”选项卡，单击“当前所选内容”组中的“设置所选内容格式”按钮，如下图所示。

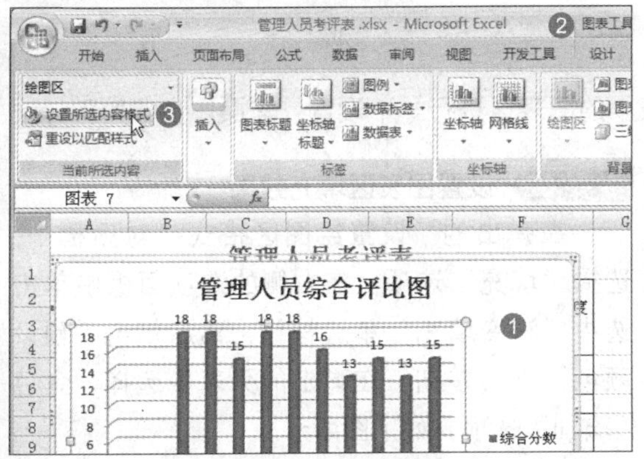

步骤 02 设置绘图区边框样式

在弹出的“设置绘图区格式”对话框中，选择“边框样式”选项，在右侧的选项面板中，单击“复合类型”下拉按钮，在弹出的列表中选择“由粗到细”选项，如下图所示。

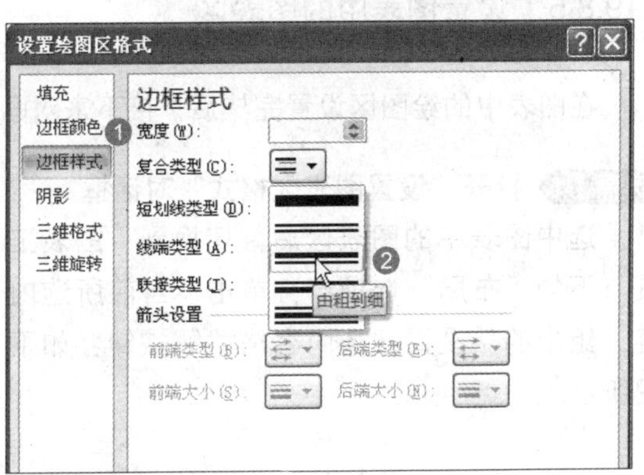

步骤 03 设置绘图区边框颜色

选择“边框颜色”选项，在右侧的选项面板中，单击选中“实线”单选按钮，再单击“颜色”下拉按钮，在弹出的颜色列表中选择“水绿色，强调文字颜色 5，淡色 40%”选项，如下图所示。

步骤 04 设置绘图区填充效果

选择“填充”选项，在右侧的选项面板中，单击选中“渐变填充”单选按钮，然后单击“预设颜色”下拉按钮，在弹出的列表中选择“雨后初晴”选项，如下图所示，设置完成后，单击“关闭”按钮。

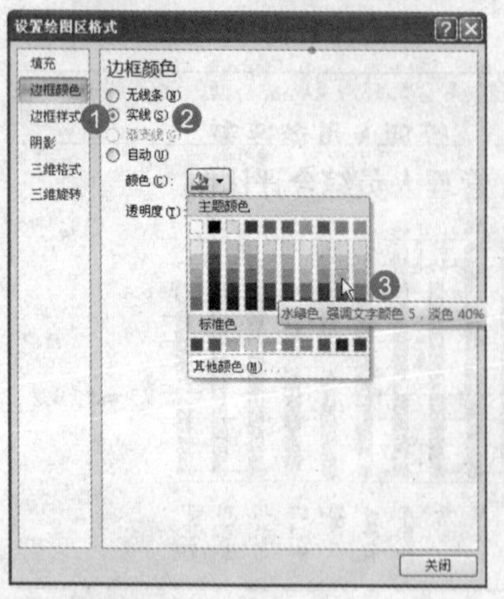

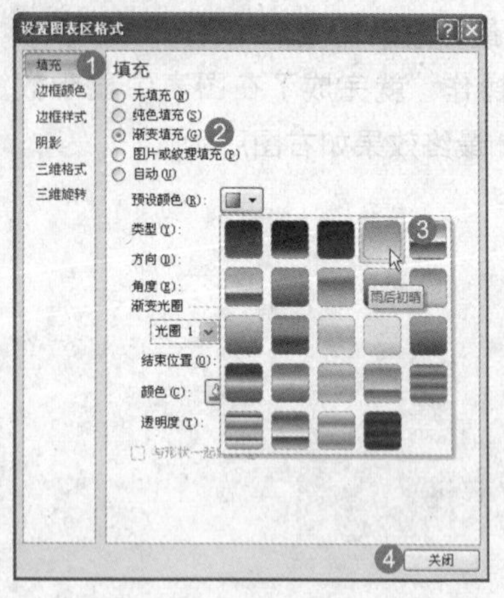

步骤 05 显示设置的边框效果

经过以上操作，返回到工作表中就完成了图表中绘图区边框和底纹的设置，其效果如右图所示。

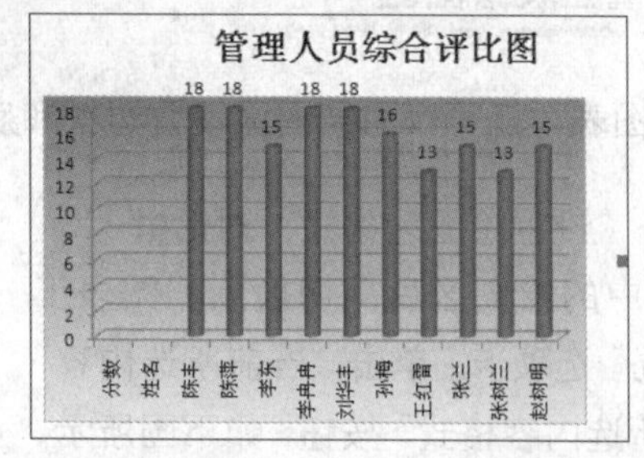

19.8.5 设置图表中的图表区

在图表中的绘图区设置完毕后，接下来对图表中的图表区进行一下设置，其操作步骤如下：

步骤 01 打开"设置图表区格式"对话框

选中图表中的图表区后，切换到"图表工具"下的"布局"选项卡，单击"当前所选内容"组中的"设置所选内容格式"按钮，如下图所示。

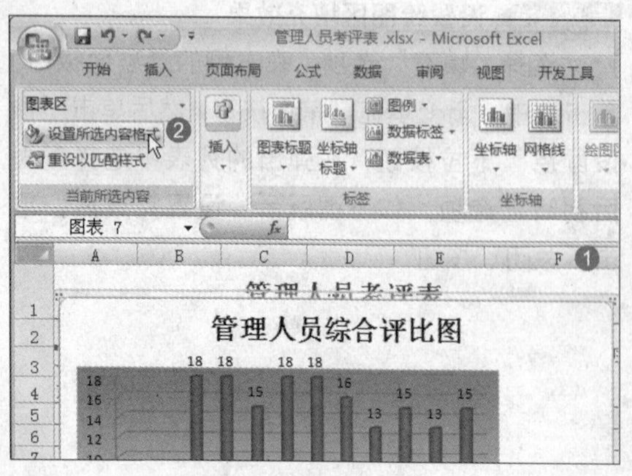

步骤 02 设置图表区填充效果

在弹出的"设置绘图区格式"对话框中，选择"填充"选项，在右侧的选项面板中单击选中"渐变填充"单选按钮，然后单击"预设颜色"下拉按钮，在弹出的列表中选择"金色华年 II"选项，如下图所示。

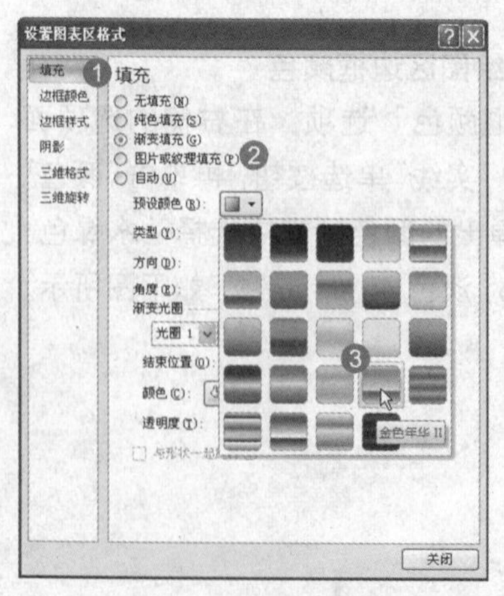

步骤 03 显示最终效果

经过以上操作，就完成了图表中图表区的设置，最终效果如右图所示。

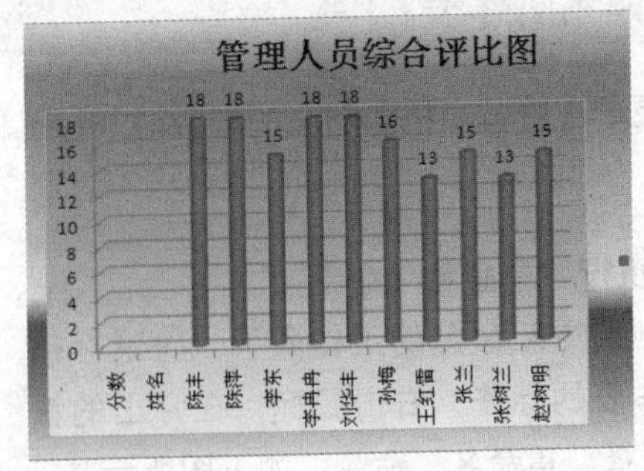

19.9 移动图表

为了使表格中的内容更为简约，可以将图表单独移到一个工作表下，在查看图表时，单击该工作表标签即可。移动图表的操作步骤如下：

步骤 01 打开"移动图表"对话框

选中表格中的图表后，切换到"图表工具"下的"设计"选项卡，单击"位置"组中的"移动图表"按钮，如下图所示。

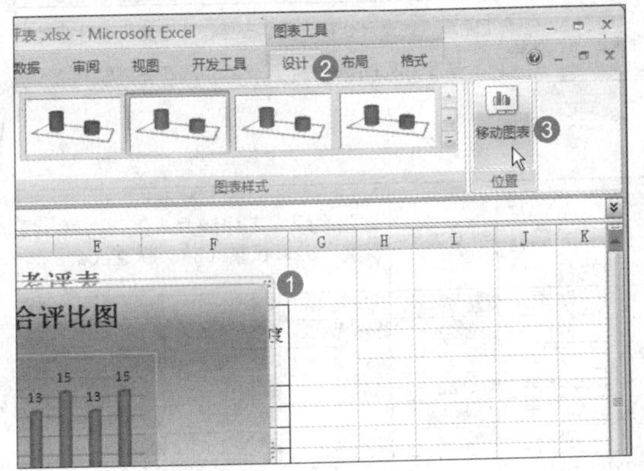

步骤 02 设置图表放置的位置

弹出"移动图表"对话框后，单击选中"新工作表"单选按钮，然后单击"确定"按钮，如下图所示。

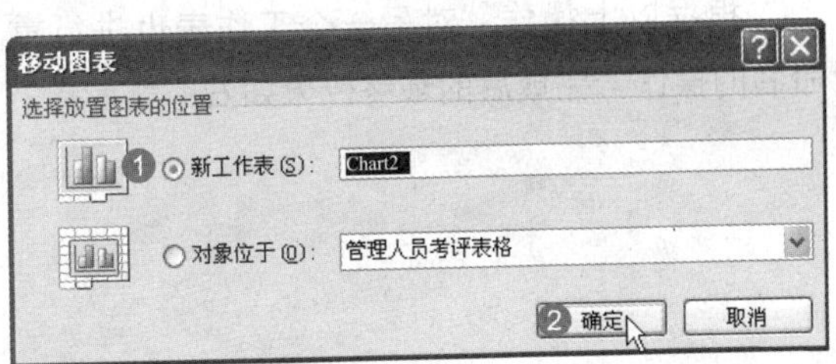

步骤 03 显示最终效果

经过以上操作，就将图表移到了一个新建的 Chart 2 工作表中，效果如右图所示。

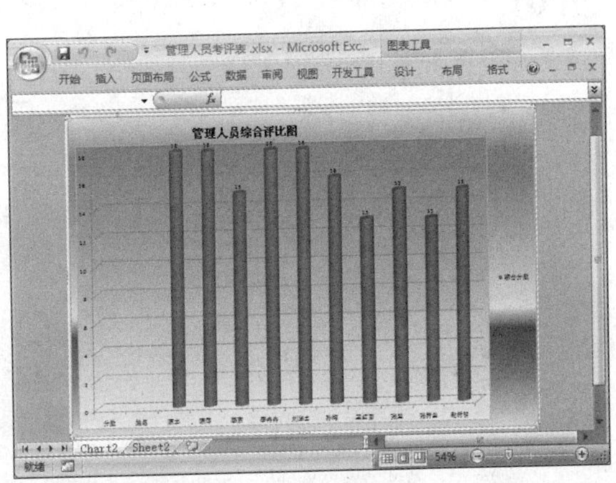

19.10 重命名工作表

为了便于在查看表格和图表的内容时进行工作表的切换，可将工作表进行重新命名，其操作步骤如下：

步骤 01 执行“重命名”命令

切换到要重新命名的工作表下，将鼠标指针指向工作表的标签，右击鼠标，在弹出的快捷菜单中选择“重命名”命令，如下图所示。

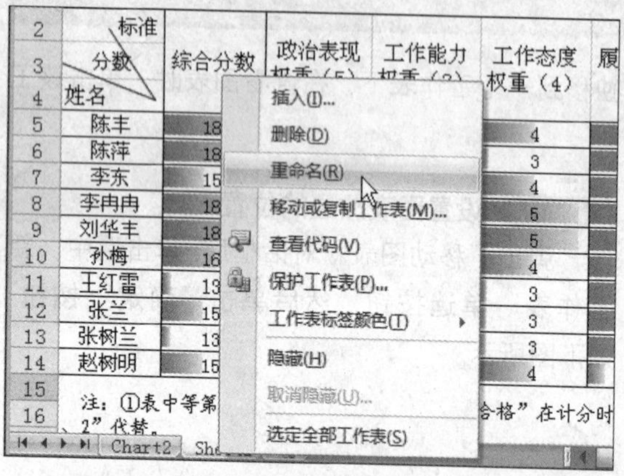

	标准 分数 姓名	综合分数	政治表现权重（5）	工作能力权重（3）	工作态度权重（4）	履
5	陈丰	18			4	
6	陈萍	18			3	
7	李东	15			4	
8	李冉冉	18			5	
9	刘华丰	18			5	
10	孙梅	16			4	
11	王红雷	13			3	
12	张兰	15			3	
13	张树兰	13			3	
14	赵树明	15			4	
15						
16	注：①表中等第……合格”在计分时、2”代替。					

插入(I)...
删除(D)
重命名(R)
移动或复制工作表(M)...
查看代码(V)
保护工作表(P)...
工作表标签颜色(T)
隐藏(H)
取消隐藏(U)...
选定全部工作表(S)

Chart2 | She…

步骤 02 对工作表进行重命名操作

此时，工作表标签的名称就处于可编辑状态，直接输入工作表的名称后，再单击表格中的任意位置，即可完成工作表的重命名操作，效果如下图所示。

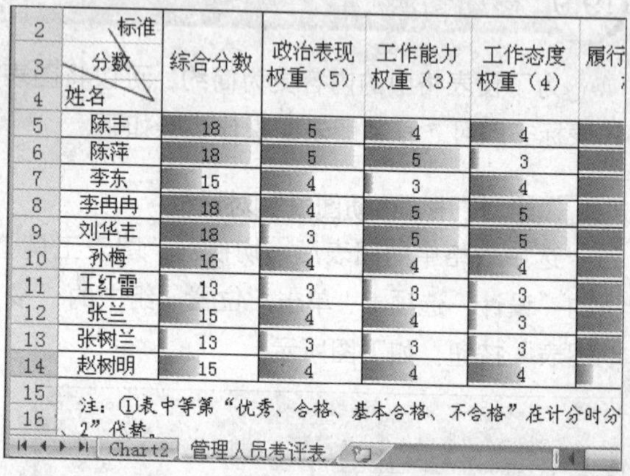

	标准 分数 姓名	综合分数	政治表现权重（5）	工作能力权重（3）	工作态度权重（4）	履行
5	陈丰	18	5	4	4	
6	陈萍	18	5	5	3	
7	李东	15	4	3	4	
8	李冉冉	18	4	5	5	
9	刘华丰	18	3	5	5	
10	孙梅	16	4	4	4	
11	王红雷	13	3	3	3	
12	张兰	15	4	4	3	
13	张树兰	13	3	3	3	
14	赵树明	15	4	4	4	
15						
16	注：①表中等第“优秀、合格、基本合格、不合格”在计分时分、2”代替。					

Chart2 | 管理人员考评表

步骤 03 显示最终效果

根据以上操作，对另一个工作表也进行重命名的操作，完成后的最终效果如右图所示。

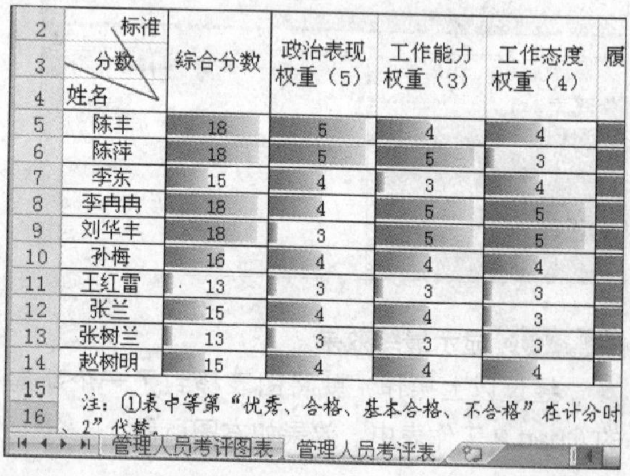

	标准 分数 姓名	综合分数	政治表现权重（5）	工作能力权重（3）	工作态度权重（4）	履
5	陈丰	18	5	4	4	
6	陈萍	18	5	5	3	
7	李东	15	4	3	4	
8	李冉冉	18	4	5	5	
9	刘华丰	18	3	5	5	
10	孙梅	16	4	4	4	
11	王红雷	13	3	3	3	
12	张兰	15	4	4	3	
13	张树兰	13	3	3	3	
14	赵树明	15	4	4	4	
15						
16	注：①表中等第“优秀、合格、基本合格、不合格”在计分时、2”代替。					

管理人员考评图表 | 管理人员考评表

最新五笔字型常用字速查拼音索引表

N

O

P

Q

R

S

T

W

X

Y

Z

A

拼音（a）双拼（a）

阿 ā ē | 阝丁口㊀ | BSKG
阿根廷 bstf | 阿富汗 bpif

啊 ā á ǎ à a | 口阝丁口 | KBSK
钅阝丁口 | QBSK
口丆目夂 | KDHT

拼音（ai）　双拼（l）

哎 āi | 口艹乂⊙ | KAQY

哀 āi | 亠衣③ | YEU
哀乐 yeqi | 哀伤 yewt

唉 āi ài | 口厶𠂉大 | KCTD
唉声叹气 kfkr

挨 ái āi | 扌厶𠂉大 | RCTD
挨打 rcrs | 挨着 rcud

癌 ái | 疒口口山 | UKKM
癌细胞 uxeq | 癌症 ukug

矮 ǎi | 𠂉大禾女 | TDTV
矮小 tdih

蔼 ǎi | 艹讠日乙 | AYJN

艾 ài | 艹乂③ | AQU

爱 ài | 爫冖𠂇又 | EPDC
爱莫能助 eace | 爱慕 epaj

碍 ài | 石日一寸 | DJGF
碍手碍脚 drde | 碍事 djgk

拼音（an）　双拼（j）

安 ān | 宀女㊂ | PVF
安稳 pvtq | 安慰 pvnf

氨 ān | 气乙宀女 | RNPV

庵 ān | 广大日乙 | YDJN

鞍 ān | 廿串宀女 | AFPV
鞍钢 afqm | ㊀ afbb

俺 ǎn | 亻大日乙 | WDJN
俺们 wdwu

岸 àn | 山厂干⑪ | MDFJ
岸边 mdlp | 岸上 mdhh

按 àn | 扌宀女㊀ | RPVG
按此 rphx | 按键 rpqv

案 àn | 宀女木③ | PVSU
案件 pvwr | 案卷 pvud

暗 àn | 日立日㊀ | JUJG
暗娼 juvj | 暗藏 juad

昂 áng | 日𠂎卩⑪ | EQBJ
昂贵 jqkh | 昂扬 jqrn

盎 àng | 冂大皿㊂ | MDLF
盎然 mdqd | 盎司 mdng

拼音（ao）　双拼（k）

凹 āo | 丨乙冂一 | HNMG
凹凸不平 hhgg

敖 áo | 主力攵⊙ | GQTY

傲 ào | 亻主力攵 | WGQT
傲然 wgqd | 傲骨 wgme

奥 ào | 丿冂米大 | TMOD
奥运会 tfwf | 奥地利 tftj

澳 ào | 氵丿冂大 | ITMD
澳大利亚 idtg | 澳门 ituy

懊 ào | 忄丿冂大 | NTMD
懊丧 ntfu | 懊悔 ntnt

B

拼音（ba）双拼（ba）

八 bā | 八丿乀 | WTY
八卦 wtff | 八角 wtqe

巴 bā | 巴乙丨乙 | CNHN
巴掌 cnip | 巴西 cnsg

叭 bā | 口八⊙ | KWY

扒 bā | 扌八⊙ | RWY
扒手 rwrt

吧 bā ba | 口巴② | KCN

拔 bá | 扌𠂇又⊙ | RDCY
拔草 rdaj | 拔除 rdbw

把 bǎ bà | 扌巴② | RCN
把柄 rcsg | 把持 rcrf

靶 bǎ | 廿串巴② | AFCN
靶子 afbb

坝 bà | 土贝⊙ | FMY
坝子 fmbb

爸 bà | 八乂巴⑪ | WQCB
爸爸 wqwq

罢 bà ba | 皿土厶③ | LFCU
罢休 lfws | 罢工 lfaa

霸 bà | 雨廿串月 | FAFE
霸道 faut | 霸主 fayg

拼音（bai）双拼（bl）

掰 bāi | 手八刀手 | RWVR

白 bái | 白白白白 | RRRR
白杨 rrsn | 白头偕老 ruwf

百 bǎi | 丆日㊂ | DJF
百倍 djwu | 百步穿杨 dhps

佰 bǎi | 亻丆日㊀ | WDJG

柏 bǎi bó bò | 木白㊀ | SRG
柏林 srss

摆 bǎi | 扌皿土厶 | RLFC
摆动 rlfc | 摆渡 rliy

呗 bài bei | 口贝⊙ | KMY

败 bài | 贝攵⊙ | MTY
败给 mtxw | 败坏 mtfg

拜 bài | 手三十① | RDFH
拜倒 rdwg | 拜读 rdyf

拼音（ban）双拼（bj）

扳 bān | 扌厂又⊙ | RRCY

班 bān | 王丶丿王 | GYTG
班车 gylg | 班次 gyuq

般 bān | 丿舟几又 | TEMC

斑 bān | 王文王㊀ | GYGG
斑白 gyrr | 斑驳 gycq

搬 bān | 扌丿舟又 | RTEC
搬兵 rtrg | 搬运 rtfc

板 bǎn | 木厂又⊙ | SRCY
板报 srrb | 板材 srsf

版 bǎn | 丿丨一又 | THGC
版本 thsg | 版式 thaa

办 bàn | 力八③ | LWI
办案 lwpv | 办班 lwgy

半 bàn | 丷十⑪ | UFK
半天 ufgd | 半透明 utje

伴 bàn | 亻丷十① | WUFH
伴侣 wuwk | 伴奏 wudw

扮 bàn | 扌八刀⊙ | RWVT
扮演 rwip | 扮相 rwsh

拌 bàn | 扌丷十① | RUFH
拌嘴 rukh | 拌种 rutk

瓣 bàn | 辛厂厶辛 | URCU

拼音（bang）双拼（bh）

邦 bāng | 三丿阝① | DTBH
邦交 dtuq

帮 bāng | 三丿阝丨 | DTBH
帮派 dtir | 帮助 dteg

梆 bāng | 木三丿阝 | SDTB
氵斤一八 | IRGW

榜 bǎng | 木六冖方 | SUPY
榜首 suut | 榜样 susu

膀 bǎng pāng páng | 月六冖方 | EUPY

傍 bàng | 亻六冖方 | WUPY
傍晚 wujq

汉字	拼音	字根	编码	词组	词组
棒	bàng	木三人丨	SDWH	棒球 sdgf	
磅	bang páng	石六冖方	DUPY	磅礴 duda	磅秤 dutg
镑	bàng	钅六冖方	QUPY		
拼音（bao）双拼（bk）					
包	bāo	勹巳◎	QNV	包办 qnlw	包庇 qnyx
宝	bǎo	宀王丶⑤	PGYU	宝宝 pgpg	宝贝 pgmh
饱	bǎo	饣乙勹⊘	QNQN	饱含 qnwy	饱和 qntk
保	bǎo	亻口木⊙	WKSY	保安 wkpv	保本 wksg
堡	bǎo	亻口木土	WKSF	堡垒 wkcc	
报	bào	扌卩又⊙	RBCY	报案 rbpv	报纸 rbxq
抱	bào	扌勹巳⊘	RQNN	抱病 rqug	抱负 rqqm
豹	bào	爫豸勹丶	EEQY		
趵	bào	口止勹丶	KHQY		
暴	bào	日廾八氺	JAWI	暴跌 jakh	暴动 jafc
爆	bào	火日廾氺	OJAI	爆发 ojnt	爆竹 ojtt
拼音（bei）双拼（bz）					
卑	bēi	白丿十⦶	RTFJ	卑鄙 rtkf	卑下 rtgh
杯	bēi	木一小⊙	SGIY		
悲	bēi	丨三丨心	HDHN	悲哀 hdye	悲惨 hdnc

汉字	拼音	字根	编码	词组	词组
碑	bēi	石白丿十	DRTF	碑文 dryy	
北	běi	丬匕⊘	UXN	北边 uxlp	北冰洋 uuiu
贝	bèi	贝丨乙丶	MHNY	贝雕 mhmf	
备	bèi	夂田⊖	TLF	备案 tlpv	备注 tliy
背	bèi bēi	丬匕月⊖	UXEF	背后 uxrg	背负 uxqm
倍	bèi	亻立口⊖	WUKG	倍感 wudg 倍受 wuep	倍加 wulk 倍数 wuov
被	bèi	衤⺀广又	PUHC	被盗 puuq	被动 pufc
辈	bèi	丨三丨车	HDHL	辈出 hdbm	
拼音（ben）双拼（bf）					
奔	bēn	大十廾⦶	DFAJ	奔忙 dfny	奔命 dfwg
本	běn	木一⊖	SGD	本报 sgrb	本土 sgff
笨	bèn	⺮木一⊖	TSGF	笨拙 tsrb	笨重 tstg
拼音（beng）双拼（bg）					
崩	bēng	山月月⊖	MEEF	崩溃 meik	崩塌 mefj
绷	bēng	纟月月⊖	XEEG	绷紧 xejc	
甭	béng	一小用⦶	GIEJ		
泵	bèng	石水⊙	DIU		
迸	bèng	䒑廾辶⦶	UAPK	迸发 uant	迸裂 uagq
蹦	bèng	口止山月	KHME		

汉字	拼音	字根	编码	词组	词组
拼音（bi）双拼（bi）					
逼	bī	一口田辶	GKLP	逼供 gkwa	逼真 gkfh
鼻	bí	丿目田丿	THLJ	鼻祖 thpy	鼻孔 thbn
比	bǐ	匕匕⊘	XXN	比较 xxlu	比方 xxyy
彼	bǐ	彳广又⊙	THCY	彼岸 thmd	彼此 thhx
笔	bǐ	⺮丿二乙	TTFN	笔答 tttw	笔录 ttvi
鄙	bǐ	口十口阝	KFLB	鄙薄 kfai	鄙弃 kfyc
币	bì	丿冂丨⦶	TMHK	币值 tmwf	
必	bì	心丿③	NTE	必然 ntqd	必胜 ntet
毕	bì	匕匕十⦶	XXFJ	毕生 xxtg	毕业 xxog
闭	bì	门十丿③	UFTE	闭门羹 uuug	闭塞 ufpf
陛	bì	阝匕匕土	BXXF	陛下 bxgh	
毙	bì	匕匕一匕	XXGX		
敝	bì	丷冂小攵	UMIT		
辟	bì	尸口辛⦶	NKUH	辟谣 nkye	
弊	bì	丷冂小廾	UMIA	弊端 umum	
碧	bì	王白石⊖	GRDF	碧波 grih	碧玉 grgy
蔽	bì	艹丷冂攵	AUMT		

汉字	拼音	字根	编码	词组	词组
壁	bì	尸口辛土	NKUF	壁垒森严 ncsg	壁画 nkgl
避	bì	尸口辛辶	NKUP	避风 nkmq	避风港 nmia
臂	bì	尸口辛月	NKUE	臂膀 nkeu	臂章 nkuj
拼音（bian）双拼（bm）					
边	biān	力辶③	LPV	边陲 lpbt	边远 lpfq
编	biān	纟丶尸廾	XYNA	编成 xydn	编程 xytk
鞭	biān	廿串亻乂	AFWQ	鞭子 afbb	鞭炮 afoq
贬	biǎn	贝丿之⊙	MTPY	贬职 mtbk	贬值 mtwf
扁	biǎn	丶尸冂廾	YNMA	扁担 ynrj	扁平 yngu
卞	biàn	亠卜⊙	YHU		
便	biàn	亻一日乂	WGJQ	便当 wgiv	便于 wggf
变	biàn	亠小又③	YOCU	变迁 yotf	变形 yoga
遍	biàn	丶尸冂辶	YNMP	遍布 yndm	遍地 ynfb
辨	biàn	辛丶丿辛	UYTU	辨清 uyig	辨认 uyyw
辩	biàn	辛讠辛⦶	UYUH	辩白 uyrr	辩驳 uycq
辫	biàn	辛纟辛⦶	UXUH	辫子 uxbb	
拼音（biao）双拼（bc）					
彪	biāo	虍七几彡	HAME		

标 biāo 木二小⊙ SFIY
标榜 sfsu　标本 sfsg

表 biǎo 丰𧘇③ GEU
表白 gerr　表决权 gusc

拼音（bie）双拼（bm）

憋 biē 丷冂小心 UMIN

别 bié 口力 刂① KLJH
别称 kltq　别致 klgc

拼音（bin）双拼（bn）

宾 bīn 宀斤一八 PRGW
宾馆 prqn　宾客 prpt

彬 bīn 木木彡① SSET

斌 bīn 文一七、 YGAH

滨 bīn 氵宀斤八 IPRW

濒 bīn 氵止少贝 IHIM
濒临 ihjt　濒危 ihqd
濒于 ihgf

鬓 bìn 镸彡宀八 DEPW

拼音（bing）双拼（b;）

冰 bīng 冫水⊙ UIY
冰雹 uifq　冰柜 uisa

兵 bīng 斤一八③ RGWU
兵舰 rgte　兵力 rglt

丙 bǐng 一冂人③ GMWI

秉 bǐng 丿一彐小 TGVI
秉性 tgnt

柄 bǐng 木一冂人 SGMW

炳 bǐng 火一冂人 OGMW

饼 bǐng 饣乚丷井 QNUA
饼干 qnfg

禀 bǐng 亠口口小 YLKI
禀报 ylrb　禀性 ylnt

并 bìng bīng 丷卄① UAJ
并按 uarp　并重 uatg

病 bìng 疒一冂人 UGMW
病案 ugpv　病状 ugud

拼音（bo）双拼（bo）

拨 bō 扌乚丿、 RNTY
拨动 rnfc　拨通 rnce

波 bō 氵广又⊙ IHCY
波长 ihta　波动 ihfc

玻 bō 王广又⊙ GHCY
玻璃 ghgy

剥 bō bāo 彐水 刂① VIJH
剥夺 vidf　剥离 viyb

饽 bó 饣乚十子 QNFB

脖 bó 月十冖子 EFPB
脖子 efbb

菠 bō 艹氵广又 AIHC
菠菜 aiae

播 bō 扌丿米田 RTOL
播出 rtbm　播种 rttk

伯 bó bǎi 亻白㊀ WRG
伯伯 wrwr　伯父 wrwq

驳 bó 马乂乂⊙ CQQY
驳岸 cqmd　驳斥 cqry

泊 bó pō 氵白㊀ IRG

勃 bó 十冖子力 FPBL
勃然 fpqd　勃勃生机 ffts

铂 bó 钅白㊀ QRG

舶 bó 丿舟白㊀ TERG

博 bó 十一月寸 FGEF
博览 fgjt　博士 fgfg

渤 bó 氵十冖力 IFPL
渤海 ifit

搏 bó 扌一月寸 RGEF
搏斗 rguf　搏击 rgfm

箔 bó 𥫗氵白㊀ TIRF

膊 bó 月一月寸 EGEF

薄 bó bò báo 艹氵一寸 AIGF
薄膜 aiea　薄片 aith

簸 bǒ bò 𥫗甘八又 TADC
簸箕 tata

卜 bú bo 卜丨、 HHY

补 bǔ 衤冫卜⊙ PUHY
补报 purb　补偿 puwi

哺 bǔ 口一月、 KGEY
哺乳 kgeb　哺育 kgyc

捕 bǔ 扌一月、 RGEY
捕捞 rgra　捕捉 rgrk

不 bù 一小③ GII
不便 giwg　不变 giyo

布 bù ナ冂丨① DMHJ
布置 dmlf　布鞋 dmaf

步 bù 止少② HIR
步骤 hicb　步履 hint

部 bù 立口阝① UKBH
部委 uktv　部位 ukwu

簿 bù 𥫗氵一寸 TIGF

C

拼音（ca）双拼（ca）

嚓 cā 口宀夗小 KPWI

擦 cā 扌宀夗小 RPWI
擦亮 rpyp　擦伤 rpwt

拼音（cai）双拼（cl）

猜 cāi 犭丿丰月 QTGE
猜测 qtim　猜疑 qtxt

才 cái 十丿② FTE
才气 ftrn　才智 fttd

材 cái 木十丿① SFTT
材料 sfou

财 cái 贝十丿① MFTT
财宝 mfpg　财主 mfyg

裁 cái 十戈一𧘇 FAYE
裁定 fapg　裁判 faud
裁缝 faxt　裁减 faud

采 cǎi cài 爫木③ ESU
采编 esxy　采摘 esru

彩 cǎi 爫木彡① ESET
彩灯 esos　彩电 esjn

踩 cǎi 口止爫木 KHES

菜 cài 艹爫木③ AESU
菜场 aefn　菜园 aelf

拼音（can）双拼（cj）

参 cān shēn cēn 厶大彡② CDER
参拜 cdrf　参差 cdud

餐 cān 卜夕又艮 HQCE
餐馆 hqqn　餐桌 hqhj

残 cán 一夕一丿 GQGT
残部 gquk　残废 gqyn

蚕 cán 一大虫③ GDJU
蚕桑 gdcc　蚕食 gdwy

惭 cán 忄车斤① NLRH
惭愧 nlnr

惨 cǎn 忄厶大彡 NCDE
惨案 ncpv　惨淡 ncio

璨 càn 王⺊夕米 GHQO

拼音（cang）双拼（ch）

仓 cāng　人㔾Ⓑ　WBB
仓储 wbwy　仓库 wbyl
苍 cāng　艹人㔾Ⓑ　AWBB
苍翠 awny　苍劲 awca
舱 cāng　丿舟人㔾　TEWB
舱位 tewu　舱口 tekk
藏 cáng zàng　艹厂乚丿　ADNT
藏胞 adeq　藏历 addl

拼音（cao）双拼（cc）

操 cāo　扌口口木　RKKS
操办 rklw　操场 rkfn
糙 cāo　米丿土辶　OTFP
曹 cáo　一冂廾日　GMAJ
槽 cáo　木一冂日　SGMJ
草 Cǎo　艹早Ⓙ　AJJ
草案 ajpv　草原 ajdr

拼音（ce）双拼（ce）

册 cè　冂冂一Ⓖ　MMGD
册子 mmbb
侧 cè zhāi zè　亻贝刂Ⓙ　WMJH
厕 cè　厂贝刂Ⓙ　DMJK
厕所 dmrn
测 cè　氵贝刂Ⓙ　IMJH
测定 impg　测绘 imxw
策 cè　⺮一冂小　TGMI
策动 tgfc　策划 tgaj

拼音（cen）双拼（cf）

岑 cén　山人丶乙　MWYN
涔 cén　氵山人乙　IMWN

拼音（ceng）双拼（cg）

噌 cēng　口丷罒日　KULJ
层 céng　尸二厶Ⓢ　NFCI
层层 nfnf　层出不穷 nbgp
蹭 cèng　口止丷日　KHUJ

拼音（cha）双拼（ia）

叉 chā chá chǎ　又丶Ⓢ　CYI
叉子 cybb
杈 chā chà　木又丶Ⓢ　SCYY
插 chā　扌丿十白　RTFV
插曲 rtma　插手 rtrt
查 chá　木日一Ⓖ　SJGF
查办 sjlw　查出 sjbm
茶 chá　艹人木Ⓢ　AWSU
茶杯 awsg　茶园 awlf
察 chá　宀癶二小　PWFI
察看 pwrh
岔 chà　八刀山Ⓙ　WVMJ
岔道 wvut　岔子 wvbb
诧 chà　讠宀丿七　YPTA
诧异 ypna
刹 chà　乂木刂Ⓙ　QSJH
差 chà chā chāi cī　丷𦍌工Ⓖ　UDAF
差距 udkh　差旅费 uyxj

拼音（chai）双拼（il）

拆 chāi　扌斤丶Ⓢ　RRYY
拆成 rrdn　拆卸 rrrh
柴 chái　止匕木Ⓢ　HXSU
柴草 hxaj　柴油 hxim

拼音（chan）双拼（ij）

掺 chān　扌厶大彡　RCDE
掺假 rcwn
搀 chān　扌⺈口⺀　RQKU
搀扶 rqrf　搀杂 rqvs
婵 chán　女丷日十　VUJF
谗 chán　讠⺈口⺀　YQKU
谗言 yqyy
孱 chán　尸子子子　NBBB
禅 chán　礻丶丷十　PYUF
禅师 pyjg
缠 chán　纟广日土　XYJF
缠绵 xyxr　缠绕 xyxa
澶 chán　氵亠口一　IYLG
蝉 chán　虫丷日十　JUJF
蝉联 jubu
产 chǎn　立丿Ⓢ　UTE
产量 utjg　产品 utkk
产权 utsc　产生 uttg
铲 chǎn　钅立丿Ⓙ　QUTT
铲除 qubw
忏 chàn　忄丿十Ⓙ　NTFH
忏悔 ntnt
颤 chàn　亠口口贝　YLKM
颤抖 ylru　颤栗 ylss

拼音（chang）双拼（ih）

昌 chāng　日日Ⓖ　JJF
昌盛 jjdn　昌吉 jjfk
娼 chāng　女日日Ⓖ　VJJG
娼妓 vjvf
长 cháng zhǎng　丿七㇏Ⓢ　TAYI
长安 tapv　长辈 tadj
肠 cháng　月乙彡Ⓙ　ENRT
尝 cháng　⺌冖二厶　IPFC
尝试 ipya
偿 cháng　亻⺌冖厶　WIPC
偿还 wigi　偿付 wiwf
常 cháng　⺌冖口丨　IPKH
常常 ipip　常规 ipfw
嫦 cháng　女⺌冖丨　VIPH
嫦娥 vivt
厂 chǎng　厂一丿　DGT
厂部 dguk　厂长 dgta
厂址 dgfh　厂房 dgyn
场 chǎng　土乙彡Ⓙ　FNRT
场长 fnta　场次 fnuq
敞 chǎng　⺌冂口攵　IMKT
畅 chàng　曰丨乙彡　JHNR
畅游 jhiy　畅饮 jhqn
唱 chàng　口日日Ⓖ　KJJG
唱片 kjth　唱腔 kjep

拼音（chao）双拼（ik）

抄 chāo　扌小丿Ⓙ　RITT
抄本 risg　抄写 ripg
钞 chāo　钅小丿Ⓙ　QITT
钞票 qisf
超 chāo　土龰刀口　FHVK
超重 fhtg　超速 fhgk
朝 cháo zhāo　十早月Ⓖ　FJEG
朝廷 fjtf　朝夕 fjqt
巢 cháo　巛日木Ⓢ　VJSU
巢穴 vjpw
嘲 cháo zhāo　口十早月　KFJE
嘲弄 kfga　嘲笑 kftt
潮 cháo　氵十早月　IFJE
潮流 ifiy　潮湿 ifij
吵 chǎo　口小丿Ⓙ　KITT
吵架 kilk　吵闹 kiuy
炒 chǎo　火小丿Ⓙ　OITT
炒菜 oiae

拼音（che）双拼（ie）

车 chē　车一乚Ⓙ　LGNH
车把 lgrc　车场 lgfn

彻 chě | 彳七刀⑪ | TAVN
彻底 tayq | 彻夜 tayw

撤 chè | 扌亠厶攵 | RYCT
撤兵 ryrg | 撤出 rybm

澈 chè | 氵亠厶攵 | IYCT

拼音（chen）双拼（if）

抻 chēn | 扌日丨① | RJHH

尘 chén | 小土⊖ | IFF
尘埃 iffc | 尘土 ifff

臣 chén | 匚丨コ丨 | AHNH

沉 chén | 氵冖几Ⓩ | IPMN
沉浮 ipie | 沉积 iptk

沈 chén shěn | 氵冖儿Ⓩ | IPQN

辰 chén | 厂二k③ | DFEI

陈 chén | 阝七小⊙ | BAIY
陈述 basy | 陈迹 bayo

晨 chén | 曰厂二k | JDFE
晨曦 jdju

衬 chèn | 礻⺀寸⊙ | PUFY
衬衫 pupu | 衬托 purt

称 chèn chēng chèng | 禾⺈小⊙ | TQIY
称职 tqbk

拼音（cheng）双拼（ig）

撑 chēng | 扌⺌冖手 | RIPR

称 chēng | 禾⺈小⊙ | TQIY
称霸 tqfa | 称道 tqut

成 chéng | 厂乙乙丶 | DNNT
成熟 dnyb | 成套 dndd

呈 chéng | 口王⊖ | KGF
呈报 kgrb | 呈递 kgux

承 chéng | 了三⺢③ | BDII
承包 bdqn | 承担 bdrj

诚 chéng | 讠厂乙丶 | YDNT
诚聘 ydbm | 诚信 ydwy

城 chéng | 土厂乙丶 | FDNT
城镇 fdqf | 城堡 fdwk

乘 chéng shèng | 禾丬匕⑩ | TUXV
乘坐 tuww | 乘车 tulg

惩 chéng | 彳一止心 | TGHN
惩处 tgth | 惩罚 tgly

程 chéng | 禾口王⊖ | TKGG
程度 tkya | 程控 tkrp

澄 chéng | 氵癶一⺍ | IWGU
澄清 iwig

橙 chéng | 木癶一⺍ | SWGU

秤 chèng | 禾一⺍丨 | TGUH

拼音（chi）双拼（ii）

吃 chī | 口𠂉乙Ⓩ | KTNN
吃亏 ktfn | 吃力 ktlt

痴 chī | 疒𠂉大口 | UTDK
痴呆 utks

弛 chí | 弓也Ⓩ | XBN

池 chí | 氵也Ⓩ | IBN
池塘 ibfy

驰 chí | 马也Ⓩ | CBN
驰骋 cbcm | 驰名 cbqk

迟 chí | 尸乀辶③ | NYPI
迟滞 nyig | 迟到 nygc

持 chí | 扌土寸⊙ | RFFY
持平 rfgu | 持续 rfxf

尺 chǐ chě | 尸乀③ | NYI
尺寸 nyfg | 尺度 nyya

齿 chǐ | 止人凵⑪ | HWBJ
齿轮 hwlw

耻 chǐ | 耳止⊖ | BHG
耻辱 bhdf | 耻笑 bhtt

斥 chì | 斤丶③ | RYI
斥责 rygm

赤 chì | 土⺌③ | FOU

炽 chì | 火口八⊙ | OKWY
炽烈 okgq | 炽热 okrv

翅 chì | 十又羽⊖ | FCND
翅膀 fceu

拼音（chong）双拼（is）

充 chōng | 亠厶儿⑩ | YCQB
充当 yciv | 充电 ycjn

冲 chōng | 冫口丨① | UKHH
冲撞 ukru | 冲出 ukbm

虫 chóng | 虫丨乙丶 | JHNY
虫灾 jhpo | 虫害 jhpd

崇 chóng | 山宀二小 | MPFI

宠 chǒng | 宀𠂇匕⊘ | PDXR
宠信 pdwy | 宠爱 pdep

拼音（chou）双拼（ib）

抽 chōu | 扌由⊖ | RMG
抽查 rmsj | 抽搐 rmry

仇 chóu | 亻九Ⓩ | WVN
仇敌 wvtd | 仇恨 wvnv

惆 chóu | 忄冂土口 | NMFK
惆怅 nmnt

绸 chóu | 纟冂土口 | XMFK
绸缎 xmxw

畴 chóu | 田三丿寸 | LDTF

愁 chóu | 禾火心③ | TONU
愁苦 toad | 愁容 topw

筹 chóu | ⺮三丿寸 | TDTF
筹办 tdlw | 筹备 tdtl

酬 chóu | 西一丶丨 | SGYH
酬宾 sgpr | 酬金 sgqq

丑 chǒu | 乙丨二⊖ | NHFD
丑闻 nhub | 丑恶 nhgo

瞅 chǒu | 目禾火⊙ | HTOY

臭 Chòu | 丿目大⊙ | THDU

拼音（chu）双拼（iu）

出 chū | 凵山⑪ | BMK
出版 bmth | 出差 bmud

初 chū | 礻⺀刀⊘ | PUVT
初等 putf | 初冬 putu

除 chú | 阝人禾⊙ | BWTY
除尘 bwif | 除外 bwqh

厨 chú | 厂一口寸 | DGKF
厨师 dgjg | 厨房 dgyn

锄 chú | 钅月一力 | QEGL

橱 chú | 木厂一寸 | SDGF
橱窗 sdpw | 橱柜 sdsa

蹰 chú | 口止厂寸 | KHDF

础 chǔ | 石凵山⑪ | DBMH

储 chǔ | 亻讠土日 | WYFJ
储藏 wyad | 储存 wydh

楮 chǔ | 木土丿日 | SFTJ

楚 chǔ | 木木乙⺊ | SSNH

处 chǔ | 夂卜③ | THI
处罚 thly | 处方 thyy

触 chù | ⺈用虫⊙ | QEJY
触动 qefc | 触发 qent

矗 chù | 十且十且 | FHFH
矗立 fhuu

拼音（chuai）双拼（ux）

揣 chuǎi | 扌山𠂆刂 | RMDJ

揣测 rmim　揣度 rmya

啜 chuài chuò　口又又又　KCCC
啜泣 kciu

踹 chuài　口止山刂　KHMJ

拼音（chuan）双拼（ir）

川 chuān　川丿丨丨　KTHH

穿 chuān　宀八匚丿　PWAT
穿插 pwrt　穿过 pwfp

传 chuán　亻二乙丶　WFNY
传记 wfyn　传播 wfrt

船 chuán　丿舟几口　TEMK
船舶 tete　船只 tekw

喘 chuǎn　口山𠂆刂　KMDJ
喘息 kmth

串 chuàn　口口丨⑪　KKHK
串通 kkce　串行 kktf

拼音（chuang）双拼（id）

疮 chuāng　疒人㔾⑫　UWBV
疮疤 uwuc　疮痍满目 uuih

窗 chuāng　宀八丿夕　PWTQ
窗口 pwkk　窗帘 pwpw

床 chuáng　广木③　YSI
床边 yslp　床单 ysuj

闯 chuǎng　门马⊜　UCD
闯关 ucud　闯祸 ucpy

创 chuàng　人㔾刂①　WBJH
创办 wblw　创作 wbwt

拼音（chui）双拼（iv）

吹 chuī　口⺈人⊙　KQWY
吹捧 kqrd　吹打 kqrs

炊 chuī　火⺈人⊙　OQWY
炊具 oqhw　炊事 oqgk

垂 chuí　丿一龷一　TFAG

锤 chuí　钅丿十一　QTFG
锤子 qtbb　锤炼 qtoa

拼音（chun）双拼（ip）

春 chūn　三人日⊜　DWJF
春播 dwrt　春装 dwuf

纯 chún　纟一凵乙　XGBN
纯粹 xgoy　纯度 xgya

唇 chún　厂二𠄌口　DFEK

醇 chún　西一亠子　SGYB
醇厚 sgdj

蠢 chǔn　三人日虫　DWJJ

拼音（chuo）双拼（uo）

踔 chuō　口止⺊早　KHHJ

绰 chuò　纟⺊早①　XHJH

辍 chuò　车又又又　LCCC
辍学 lcip

拼音（ci）双拼（ci）

疵 cī　疒止匕⑫　UHXV
疵点 uhhk

词 cí　讠乙一口　YNGK
词典 ynma　词根 ynsv

祠 cí　礻丶乙口　PYNK
祠堂 pyip

瓷 cí　冫⺈人丶　UQWN
瓷器 uqkk　瓷砖 uqdf

慈 cí　䒑幺幺心　UXXN
慈爱 uxep　慈悲 uxdj

辞 cí　丿古辛①　TDUH
辞别 tdkl　辞职 tdbk

磁 cí　石䒑幺幺　DUXX
磁性 dunt　磁化 duwx

雌 cí　止匕亻圭　HXWY
雌性 hxnt　雌雄 hxdc

此 cǐ　止匕⊘　HXN
此处 hxth　此致 hxgc

次 cì　冫⺈人⊙　UQWY
次之 uqpp　次品 uqkk

刺 cì　一冂小刂　GMIJ
刺绣 gmxt　刺刀 gmvn

赐 cì　贝日勹彡　MJQR
赐教 mjft　赐给 mjxw

拼音（cong）双拼（cs）

匆 cōng　勹彡丶③　QRYI
匆匆 qrqr　匆忙 qrny

葱 cōng　艹勹彡心　AQRN
葱郁 aqde

聪 cōng　耳丷口心　BUKN
聪颖 buxt　聪慧 budh

从 cóng　人人⊙　WWY
从此 wwhx　从而 wwdm

丛 cóng　人人一⊜　WWGF
丛刊 wwfj　丛林 wwss

拼音（cou）双拼（cb）

凑 còu　冫三人大　UDWD
凑合 udwg　凑巧 udag

拼音（cu）双拼（cu）

粗 cū　米月一⊖　OEGG
粗暴 oeja　粗糙 oeot

促 cù　亻口龰⊙　WKHY
促成 wkdn　促进 wkfj

猝 cù　犭丿亠十　QTYF
猝然 qtqd

醋 cù　西一龷日　SGAJ

拼音（cuan）双拼（cr）

蹿 cuān　口止宀丨　KHPH

窜 cuàn　宀八口丨　PWKH
窜犯 pwqts

拼音（cui）双拼（cv）

崔 cuī　山亻圭⊖　MWYF

催 cuī　亻山亻圭　WMWY
催眠 wmhn　催促 wmwk

摧 cuī　扌山亻圭　RMWY

璀 cuǐ　王山亻圭　GMWY

脆 cuì　月⺈厂㔾　EQDB
脆弱 eqxu　脆性 eqnt

悴 cuì　忄一人十　NYWF

翠 cuì　羽一人十　NYWF
翠绿 nyxv　翠竹 nytt

拼音（cun）双拼（cp）

村 cūn　木寸⊙　SFY
村落 sfai　村民 sfna

存 cún　𠂇丨子⊜　DHBD
存储 dhwy　存折 dhrr

寸 cùn　寸一丨丶　FGHY

拼音（cuo）双拼（co）

搓 cuō　扌丷𡗗工　RUDA

磋 cuō　石丷𡗗工　DUDA
磋商 duum

蹉 cuō　口止丷工　KHUA

挫 cuò　扌人人土　RWWF
挫败 rwmt　挫伤 rwwt

措 cuò　扌龷日⊖　RAJG
措辞 ratd　措施 rayt

锉 cuò　钅人人土　QWWF

错 cuò　钅龷日⊖　QAJG
错怪 qanc　错过 qafp

D

拼音（da）双拼（da）

耷 dā　大耳⊜　DBF

搭 dā 扌艹人口 RAWK
搭乘 ratu 搭讪 raym

嗒 dā 口艹人口 KAWK

达 dá 大辶③ DPI
达标 dpsf 达成 dpdn

答 dá 𥫗人一口 TWGK
答辩 twuy 答应 twyi

打 dǎ dá 扌丁① RSH
打靶 rsaf 打滚 rsiu

大 dà dài 大大大大 DDDD
大豆 ddgk 大队 ddbw

拼音（dai）双拼（dl）

呆 dāi 口木② KSU
呆若木鸡 kasc 呆板 kssr

代 dài 亻弋⊙ WAY
代表 wage 代词 wayn

带 dài 一川冖丨 GKPH
带兵 gkrg 带病 gkug

待 dài 彳土寸⊙ TFFY
待命 tfwg 待批 tfrx

贷 dài 亻弋贝② WAMU
贷方 wayy 贷款 waff

袋 dài 亻弋亠𧘇 WAYE
袋装 wauf 袋子 wabb

逮 dài dǎi 彐氺辶③ VIPI
逮捕 virg

戴 dài 土戈田八 FALW

拼音（dan）双拼（dj）

丹 dān 冂一⊜ MYD
丹东 myai 丹麦 mygt

单 dān 丷日十① UJFJ
单薄 ujai 单车 ujlg

担 dān dǎn dàn 扌日一⊖ RJGG
担保 rjwk 担待 rjtf

眈 dān 目冖儿⊘ HPQN

耽 dān 耳冖儿⊘ BPQN
耽误 bpyk 耽搁 bpru

胆 dǎn 月日一⊖ EJGG
胆敢 ejnb 胆量 ejjg

旦 dàn 日一⊜ JGF

但 dàn 亻日一⊖ WJGG
但愿 wjdr 但是 wjjg

诞 dàn 讠丿止廴 YTHP
诞辰 ytdf 诞生 yttg

弹 dàn tán 弓丷日十 XUJF
弹道 xuut 弹力 xult

淡 dàn 氵火火⊙ IOOY
淡薄 ioai 淡化 iowx

蛋 dàn 乙龰虫② NHJU
蛋白质 nrrf 蛋糕 nhou

拼音（dang）双拼（dh）

当 dāng ⺌彐 IVF
当场 ivfn 当初 ivpu

挡 dǎng dàng 扌⺌彐⊖ RIVG
挡住 riwy 挡驾 rilk

党 dǎng ⺌冖口儿 IPKQ
党风 ipmq 党纲 ipxm

荡 dàng 艹氵乙彡 AINR

档 dàng 木⺌彐⊖ SIVG
档案 sipv 档次 siuq

拼音（dao）双拼（dk）

刀 dāo 刀乙丿 VNT
刀刃 vnvy 刀具 vnhw

叨 dāo tāo 口刀① KVT
叨念 kvwy

导 dǎo 巳寸② NFU
导弹 nfxu 导致 nfgc

岛 dǎo 勹丶乙山 QYNM
岛屿 qymg

倒 dǎo dào 亻一厶刂 WGCJ
倒闭 wguf 倒立 wguu

捣 Dǎo 扌勹丶山 RQYM
捣蛋 rqnh 捣鬼 rqrq

祷 dǎo 礻丶三寸 PYDF
祷告 pytf

蹈 dǎo 口止爫臼 KHEV

到 dào 一厶土刂 GCFJ
到场 gcfn 到处 gcth

悼 dào 忄⺊早① NHJH
悼念 nhwy 悼词 nhyn

盗 dào 冫⺈人皿 UQWL
盗卖 uqfn 盗贼 uqma

道 dào 丷丿目辶 UTHP
道谢 utyt 道德 uttf

稻 dào 禾爫臼⊖ TEVG
稻草 teaj 稻谷 teww

拼音（de）双拼（de）

得 dé 彳日一寸 TJGF

德 dé 彳十罒心 TFLN

的 de dì dí 白勹丶⊙ RQYY
的确 rqdq

拼音（deng）双拼（dg）

灯 dēng 火丁① OSH
灯笼 ostd 灯谜 osyo

登 dēng 癶一口丷 WGKU
登攀 wgsq

等 děng 𥫗土寸② TFFU
等到 tfgc 等号 tfkg

邓 dèng 又阝① CBH

凳 dèng 癶一口几 WGKM
凳子 wgbb

拼音（di）双拼（di）

低 dī 亻𠂆七丶 WQAY
低潮 wqif 低产 wqut
低处 wqth 低垂 wqtg

堤 dī 土日一龰 FJGH
堤防 fjby 堤岸 fjmd

滴 dī 氵立冂古 IUMD
滴水穿石 iipd 滴水 iuii

嘀 dí 口立冂古 KUMD
嘀咕 kukd

迪 dí 由辶⊜ MPD

敌 dí 丿古攵⊙ TDTY
敌对 tdcf 敌方 tdyy

底 dǐ 广𠂆七丶 YQAY
底下 yqgh 底部 yquk

地 dì 土也⊘ FBN
地窖 fbpw 地皮 fbhc

弟 dì 丷弓丨丿 UXHT
弟兄 uxkq 弟子 uxbb

帝 dì 立冖冂丨 UPMH
帝国 uplg 帝制 uprm

娣 dì 女丷弓丨 VUXT

递 dì 丷弓丨辶 UXHP
递补 uxpu 递增 uxfu

第 dì 𥫗弓丨丿 TXHT

谛 dì 讠立冖丨 YUPH

拼音（dian）双拼（dm）

掂 diān 扌广⺊口 RYHK

颠 diān 十且八贝 FHWM

癫 diān 疒十且贝 UFHM

癫痫 ufuu

典 diǎn
冂卄八(冫) MAWU
典范 maai　典型 maga

点 diǎn
⺊口灬(冫) HKOU
点头 hkud　点滴 hkiu

碘 diǎn
石冂卄八 DMAW

踮 diǎn
口止广口 KHYK

电 diàn
日乙(巛) JNV
电视 jnpy　电台 jnck

店 diàn
广⺊口㊂ YHKD
店铺 yhqg　店员 yhkm

垫 diàn
扌九丶土 RVYF
垫子 rvbb　垫付 rvwf

惦 diàn
忄广⺊口 NYHK
惦念 nywy　惦记 nyyn

淀 diàn
氵宀一𤴓 IPGH
淀粉 ipow

奠 diàn
丷西一大 USGD
奠定 uspg　奠基 usad

殿 diàn
尸卄八又 NAWC
殿下 nagh　殿堂 naip

拼音（diao）双拼（dc）

刁 diāo
乙㇀㊂ NGD
刁难 ngcw　刁钻 ngqh

叼 diāo
口乛㇀㊀ KNGG

貂 diāo
豸刀口 EEVK

雕 diāo
冂土口⻖ MFKY
雕梁画栋 migs　雕塑 mfub

吊 diào
口冂丨① KMHJ
吊桥 kmst　吊销 kmqi

钓 diào
钅勹丶⊙ QQYY
钓鱼 qqqg　钓饵 qqqn

调 diào tiáo
讠冂土口 YMFK
调动 ymfc　调度 ymya

掉 diào
扌⺊早① RHJH
掉换 rhrq　掉落 rhai

拼音（die）双拼（dx）

爹 diē
八乂夕夕 WQQQ

跌 diē
口止𠂉人 KHRW
跌落 khai　跌价 khww

迭 dié
𠂉人辶(氵) RWPI
迭起 rwfh

谍 dié
讠廿乚木 YANS
谍报 yarb

叠 dié
又又又一 CCCG

蝶 dié
虫廿乙木 JANS

鲽 dié
鱼一廿木 QGAS

拼音（ding）双拼（d;）

丁 dīng
丁一亅 SGH

叮 dīng
口丁① KSH
叮当 ksiv　叮咛 kskp

盯 dīng
目丁① HSH
盯梢 hssi　盯住 hswy

钉 dīng
钅丁① QSH
钉子 qsbb

顶 dǐng
丁𠂆贝⊙ SDMY
顶不住 sgwy　顶部 sduk

鼎 dǐng
目乙𠂆乙 HNDN
鼎盛 hndn

订 dìng
讠丁① YSH
订单 ysuj　订购 ysmq

定 dìng
宀一𤴓(冫) PGHU
定产 pgut　定单 pguj

拼音（diu）双拼（dq）

丢 diū
丿土厶(冫) TFCU
丢掉 tfrh　丢弃 tfyc

拼音（dong）双拼（ds）

东 dōng
七小(氵) AII
东方 aiyy　东风 aimq

冬 dōng
夂⺀(冫) TUU
冬至 tugc　冬季 tutb

董 dǒng
卄丿一土 ATGF
董事 atgk

懂 dǒng
忄卄丿土 NATF
懂事 nagk

动 dòng
二厶力① FCLN
动弹 fcxu　动荡 fcai

冻 dòng
冫七小⊙ UAIY
冻疮 uauw　冻死 uagq

栋 dòng
木七小⊙ SAIY
栋梁 saiv　栋梁之材 sips

洞 dòng
氵冂一口 IMGK
洞察 impw　洞庭湖 iyid

拼音（dou）双拼（db）

都 dōu dū
土丿日阝 FTJB
都能 ftce　都市 ftym

兜 dōu
白𠂆冂儿 QRNQ
兜风 qrmq　兜揽 qrrj
兜售 qrwy　兜圈子 qlbb

斗 dǒu　dòu
⺀十(川) UFK
斗智 uftd　斗胆 ufej
斗志昂扬 ufjr　斗殴 ufaq

抖 dǒu
扌⺀十① RUFH
抖动 rufc　抖擞 ruro

陡 dǒu
阝土龰⊙ BFHY
陡坡 bffh　陡峭 bfmi

蚪 dǒu
虫⺀十① JUFH

豆 dòu
一口丷㊀ GKUF
豆子 gkbb　豆蔻年华 garw

逗 dòu
一口丷辶 GKUP
逗留 gkqy　逗号 gkkg

拼音（du）双拼（du）

督 dū
上小又目 HICH
督察 hipw　督促 hiwk

毒 dú
龶母亠丶 GXYY
毒打 gxrs　毒害 gxpd

读 dú
讠十乙大 YFND
读报 yfrb　读本 yfsg

独 dú
犭丿虫⊙ QTJY
独自 qtth　独具匠心 qhan

笃 dǔ
⺮马㊀ TCF
笃信 tcwy

堵 dǔ
土土丿日 FFTJ
堵截 fffa　堵塞 ffpf

赌 dǔ
贝土丿日 MFTJ
赌场 mffn　赌棍 mfsj

妒 dù
女丶尸丿 VYNT
妒忌 vynn

杜 dù
木土㊀ SFG
杜绝 sfxq　杜撰 sfrn

肚 dù dǔ
月土㊀ EFG
肚皮 efhc　肚子 efbb

度 dù duó
广廿又(氵) YACI
度日 yajj　度量 yajg

渡 dù
氵广廿又 IYAC
渡轮 iylw　渡船 iyte

拼音（duan）双拼（dr）

端 duān
立山𠂆刂 UMDJ
端点 umhk　端端正正

短 duǎn
𠂉大一丷 TDGU
短波 tdih　短程 tdtk

段 duàn 亻三几又 WDMC
段落 wdai

断 duàn 米乙斤① ONRH
断案 onpv 断层 onnf

锻 duàn 钅亻三又 QWDC
锻炼 qwoa 锻造 qwtf

拼音（dui）双拼（dv）

堆 duī 土亻圭⊖ FWYG
堆砌 fwda 堆放 fwyt

队 duì 阝人⊙ BWY
队部 bwuk 队长 bwta

对 duì 又寸⊙ CFY
对岸 cfmd 对半 cfuf

拼音（dun）双拼（dp）

吨 dūn 口一凵乙 KGBN
吨位 kgwu

敦 dūn duì 亠子夂⊙ YBTY
敦促 ybwk 敦厚 ybdj

炖 dùn 火一凵乙 OGBN

盾 dùn 厂十目⊜ RFHD
盾牌 rfth

顿 dùn 一凵乙贝 GBNM
顿挫 gbrw 顿感 gbdg

拼音（duo）双拼（do）

多 duō 夕夕③ QQU
多余 qqwt 多元化 qfwx

哆 duō 口夕夕⊙ KQQY
哆嗦 kqkf

掇 duō 扌又又又 RCCC

裰 duō 衤冫又又 PUCC

夺 duó 大寸③ DFU
夺权 dfsc 夺冠 dfpf

踱 duó 口止广又 KHYC

朵 duǒ 几木③ MSU

垛 duǒ duò 土几木⊙ FMSY

躲 duǒ 丿冂三木 TMDS
躲藏 tmad 躲开 tmga

剁 duò 几木刂① MSJH

堕 duò 阝𠂇月土 BDEF
堕落 bdai 堕入 bdty

惰 duò 忄𠂇工月 NDAE
惰性 ndnt

跺 duò 口止几木 KHMS

E

拼音（e）双拼（e）

俄 é 亻丿扌、 WTRY

娥 é 女丿扌、 VTRY

峨 é 山丿扌、 MTRY
峨嵋 mtmn

鹅 é 丿扌乙一 TRNG

额 é 宀夂口贝 PTKM
额度 ptya 额角 ptqe

厄 è 厂㔾◎ DBV
厄运 dbfc

呃 è 口厂㔾⊘ KDBN

恶 è wù ě wū 一亚一心 GOGN
恶毒 gogx 恶战 gohk

饿 è 𠂊乚丿、 QNTY
饿死 qngq

噩 è 王口口口 GKKK
噩梦 gkss 噩耗 gkdi

鳄 è 鱼一口乙 QGKN
鳄鱼 qgqg

拼音（en）双拼（f）

恩 ēn 口大心③ LDNU
恩爱 ldep 恩赐 ldmj

嗯 ēn 口口大⊘ KLDN

摁 èn 扌口大心 RLDN

拼音（er）双拼（r）

儿 ér 儿丿乙 QTN
儿歌 qtsk 儿子 qtbb

而 ér 丆冂 刂① DMJJ
而后 dmrg 而今 dmwy

尔 ěr 𠂊小③ QIU
尔后 qirg

耳 ěr 耳一丨一 BGHG
耳语 bgyg 耳聪目明 bbhj

洱 ěr 氵耳⊖ IBG

饵 ěr 𠂊乚耳⊖ QNBG
钅耳⊖ QBG

F

拼音（fa）双拼（fa）

乏 fá 丿之③ TPI
乏味 tpkf

伐 fá 亻戈⊙ WAY
伐木 wass

罚 fá 罒讠 刂① LYJJ
罚金 lyqq 罚款 lyff

阀 fá 门亻戈③ UWAE
阀门 uwuy

筏 fá 𥫗亻戈⊘ TWAR

法 fǎ 氵土厶③ IFCY
法办 iflw 法宝 ifpg

拼音（fan）双拼（fj）

帆 fān 冂丨几、 MHMY
帆布 mhdm 帆船 mhte

番 fān pān 丿米田⊖ TOLF
番号 tokg

翻 fān 丿米田羽 TOLN
翻案 topv 翻版 toth

藩 fān 艹氵禾田 AITL

凡 fán 几、③ MYI
凡夫俗子 mfwb 凡人 myww

烦 fán 火丆贝⊙ ODMY
烦躁 odkh 烦闷 odun

繁 fán 𠂉口一小 TXYI
繁重 txtg 繁花似锦 tawq

反 fǎn 厂又③ RCI
反省 rcit 反思 rcln

返 fǎn 厂又辶③ RCPI
返航 rcte 返还 rcgi

犯 fàn 犭丿㔾⊘ QTBN
犯愁 qtto 犯错误 qqyk

泛 fàn 氵丿之⊙ ITPY
泛指 itrx 泛泛而谈 iidy

饭 fàn 𠂊乙厂又 QNRC
饭桌 qnhj 饭菜 qnae

范 fàn 艹氵㔾◎ AIBB
范文 aiyy 范畴 aild

拼音（fang）双拼（fh）

方 fāng 方、一丿 YYGT
方向 yytm 方向盘 ytte

坊 fāng fáng 土方⊘ FYN

芳 fāng 艹方◎ AYB
芳香 aytj

防 fáng 阝方① BYT
防备 bytl 防不胜防 bgeb

妨 Fang 女方① VYT
妨碍 vydj 妨害 vypd

字	拼音 / 字根	编码
房	fáng 、尸方⑤	YNYE
房产 ynut	房地产 yfut	
仿	fǎng 亻方①	WYT
仿佛 wywx	仿生 wytg	
访	fǎng 讠方①	YYT
访问 yyuk	访友 yydc	
纺	fǎng 纟方①	XYT
纺织 xyxk	纺车 xylg	
放	fàng 方攵⊙	YTY
放大 ytdd	放荡 ytai	
拼音（fei）双拼（fz）		
飞	fēi 乙⺀③	NUI
飞奔 nudf	飞车 nulg	
妃	fēi 女己②	VNN
非	fēi 丨三丨三⊜	HDHD
非但 djwj	非洲 djiy	
扉	fēi 、尸丨三	YNHD
扉页 yndm		
肥	féi 月巴②	ECN
肥壮 ecuf	肥大 ecdd	
匪	fěi 匚丨三三	AHDD
匪帮 addt	匪徒 adtf	
翡	fěi 丨三丨羽	HDHN
翡翠 djny		
废	fèi 广乙丿、	YNTY
废黜 ynlf	废话 ynyt	
沸	fèi 氵弓丿①	IXJH
沸点 ixhk	沸腾 ixeu	
肺	fèi 月一冂丨	EGMH
肺病 egug	肺炎 egoo	
费	fèi 弓丿贝③	XJMU
费用 xjet	费事 xjgk	

字	拼音 / 字根	编码
拼音（fen）双拼（ff）		
分	fēn 八刀③	WVR
分贝 wvmh	分崩离析	
吩	fēn 口八刀①	KWVT
吩咐 kwkw		
纷	fēn 纟八刀①	XWVT
纷呈 xwkg	纷繁 xwtx	
芬	fēn 艹八刀③	AWVR
芬芳 away	芬兰 awuf	
氛	fēn ⺧乙八刀	RNWV
焚	fén 木木火③	SSOU
焚烧 ssoa	焚毁 ssva	
粉	fěn 米八刀①	OWVT
粉尘 owif	粉红 owxa	
份	fèn 亻八刀①	WWVT
份额 wwpt	份量 wwjg	
奋	fèn 大田⊜	DLF
奋斗 dluf	奋斗不息 dugt	
忿	fèn 八刀心③	WVNU
愤	fèn 忄十艹贝	NFAM
愤懑 nfia	愤怒 nfvc	
粪	fèn 米廾八③	OAWU
粪便 oawg	粪土 oaff	
拼音（feng）双拼（fg）		
丰	fēng 三丨⑩	DHK
丰富 dhpg	丰收 dhnh	
风	fēng 几㐅③	MQI
风暴 mqja	风波 mqih	
枫	fēng 木几㐅⊙	SMQY
封	fēng 土土寸⊙	FFFY
封闭 ffuf	封存 ffdh	

字	拼音 / 字根	编码
疯	fēng 疒几㐅③	UMQI
疯子 umbb	疯狂 umqt	
峰	fēng 山夂三丨	MTDH
峰峦 mtyo		
锋	fēng 钅夂三丨	QTDH
锋芒 qtay	锋芒毕露 qaxf	
蜂	fēng 虫夂三丨	JTDH
蜂蜜 jtpn	蜂窝 jtpw	
冯	féng 冫马⊖	UCG
逢	féng 夂三丨辶	TDHP
逢年过节 trfa	逢凶化吉 tqwf	
缝	féng fèng 纟夂三辶	XTDP
缝隙 xtbi	缝缝补补 xxpp	
讽	fěng 讠几㐅⊙	YMQY
讽刺 ymgm		
凤	fèng 几又③	MCI
凤凰 mcmr	凤毛麟角 mtyq	
奉	fèng 三人二丨	DWFH
奉承 dwbd	奉告 dwtf	
俸	fèng 亻三人丨	WDWH
拼音（fo）双拼（fo）		
佛	fó 亻弓丿①	WXJH
佛法 wxif	佛教 wxft	
拼音（fou）双拼（fb）		
缶	fǒu ⺧山⑩	RMK
否	fǒu 一小口⊖	GIKF
否定 gipg	否决 giun	
拼音（fu）双拼（fu）		
夫	fū 二人③	FWI
夫人 fwww	夫妻 fwgv	
肤	fū 月二人⊙	EFWY
肤浅 efig	肤色 efqc	
伏	fú 亻犬⊙	WDY

字	拼音 / 字根	编码
伏案 wdpv	伏安 wdpv	
扶	fú 扌二人⊙	RFWY
扶老携幼 rfrx	扶贫 rfwv	
拂	fú 扌弓丿①	RXJH
拂晓 rxja		
服	fú fù 月卩又⊙	EBCY
服从 ebww	服兵役 ertm	
浮	fú 氵爫子⊖	IEBG
浮沉 ieip	浮荡 ieai	
符	fú ⺮亻寸⊙	TWFU
符号 twkg	符合 twwg	
幅	fú 冂丨一田	MHGL
幅度 mhya	幅员 mhkm	
福	fú 礻、一田	PYGL
福州 pyyt	福音 pyuj	
辐	fú 车一口田	LGKL
辐射 lgtm		
抚	fǔ 扌二儿②	RFQN
抚爱 rfep	抚州 rfyt	
府	fǔ 广亻寸③	YWFI
斧	fǔ 八㐅斤①	WQRJ
斧头 wqud	斧子 wqbb	
俯	fǔ 亻广亻寸	WYWF
俯仰 wywq	俯角 wyqe	
釜	fǔ 八㐅干丷	WQFU
辅	fǔ 车一月、	LGEY
辅导 lgnf	辅导员 lnkm	
父	fù 八㐅③	WQU
父辈 wqdj	父老 wqft	
付	fù 亻寸⊙	WFY
付出 wfbm	付钱 wfqa	
妇	fù 女彐⊖	VVG
妇产科 vutu	妇幼 vvxl	

负 fù ㄅ贝㊀ QMU
负担 qmrj 负重 qmtg

附 fù 阝亻寸㊀ BWFY
附表 bwge 附带 bwgk

咐 fu 口亻寸㊀ KWFY

阜 fù 亻𠄌二十 WNNF
阜阳 wnbj 阜新 wnus

驸 fù 马亻寸丶 CWFY

复 fù 𠂉日夂㊀ TJTU
复制 tjrm 复辟 tjnk

赴 fù 土龰卜㊂ FHHI
赴会 fhwf 赴任 fhwt

副 fù 一口田刂 GKLJ
副本 gksg 副产品 gukk

傅 fù 亻一月寸 WGEF

富 fù 宀一口田 PGKL
富国 pglg 富豪 pgyp

赋 fù 贝一弋止 MGAH
赋税 mgtu 赋予 mgcb

腹 fù 月𠂉日夂 ETJT
腹部 etuk 腹地 etfb

覆 fù 西彳𠂉夂 STTT
覆灭 stgo 覆盖 stug

G

拼音（ga）双拼（ga）

嘎 gā gá 口丆目戈 KDHA

尬 gà 𠂇乙人儿 DNWJ

拼音（gai）双拼（gl）

该 gāi 讠亠乙人 YYNW
该死 yygq

改 gǎi 己攵㊀ NTY
改行 nttf 改选 nttf

钙 gài 钅一卜乙 QGHN

盖 gài gě 丷王皿㊀ UGLF
盖棺论定 usyp 盖世无双 uafc

概 gài 木彐厶儿 SVCQ
概况 svuk 概括 svrt

拼音（gan）双拼（gj）

干 gān gàn 干一一丨 FGGH
干瘪 fgut 干杯 fgsg

杆 gān gǎn 木干㊀ SFH
杆子 sfbb

肝 gān 月干㊀ EFH
肝癌 efuk 肝胆相照 eesj

竿 gān ⺮干㊀ TFJ

尴 gān 𠂇乙刂皿 DNJL
尴尬 dndn

秆 gǎn 禾干㊀ TFH

赶 gǎn 土龰干㊀ FHFK
赶超 fhfh 赶到 fhgc

敢 gǎn 乙耳攵㊀ NBTY
敢打敢拼 nrnr 敢当 nbiv

感 gǎn 厂一口心 DGKN
感触 dgqe 感到 dggc

拼音（gang）双拼（gh）

冈 gāng 冂乂㊂ MQI

刚 gāng 冂乂刂㊀ MQJH
刚愎自用 mnte 刚才 mqft

岗 gāng gǎng 山冂乂㊀ MMQU
岗哨 mmki 岗亭 mmyp

纲 gāng 纟冂乂㊀ XMQY
纲要 xmsv 纲目 xmhh

肛 gāng 月工㊀ EAG

缸 gāng 𠂉山工㊀ RMAG

钢 gāng 钅冂乂㊀ QMQY
钢铁 qmqr 钢板 qmsr
钢笔 qatt 钢材 qmsf

港 gǎng 氵龷八巳 IAWN
港澳 iait 港币 iatm

杠 gàng 木工㊀ SAG
杠铃 saqw 杠杆 sasf

拼音（gao）双拼（gk）

羔 gāo 丷王灬㊀ UGOU

高 gāo 亠冂口㊀ YMKF
高温 ymij 高屋建瓴 ynvw

膏 gāo 亠冖口月 YPKE
膏药 ypax

糕 gāo 米丷王灬 OUGO
糕点 ouhk

搞 gǎo 扌亠冂口 RYMK
搞鬼 ryrq 搞好 ryvb

稿 gǎo 禾亠冂口 TYMK
稿子 tybb 稿酬 tysg

镐 gǎo hǎo 钅亠冂口 QYMK

告 gào 丿土口㊀ TFKF
告别 tfkl 告成 tfdn

拼音（ge）双拼（ge）

戈 gē 戈一乙丶 AGNY
戈壁 agnk

哥 gē 丁口丁口 SKSK
哥伦比亚 swxg 哥儿们 sqwu

胳 gē 月夂口㊀ ETKG
胳膊 eteg

咯 gē 口夂口㊀ KTKG

鸽 gē 人一口一 WGKG
鸽子 wgbb

割 gē 宀三丨刂 PDHJ
割除 pdbw 割地 pdfb

搁 gē 扌门夂口 RUTK
搁浅 ruig 搁置 rulf

歌 gē 丁口丁人 SKSW
歌唱 skkj 歌词 skyn

阁 gé 门夂口㊀ UTKD
阁楼 utso 阁下 utgh

革 gé jí 廿串㊀ AFJ
革除 afbw 革新 afus

格 gé 木夂口㊀ STKG
格调 stym 格斗 stuf

隔 gé 阝一口丨 BGKH
隔音 bguj 隔岸观火 bmco

个 gè 人丨㊀ WHJ
个别 whkl 个子 whbb

各 gè 夂口㊀ TKF
各行各业 ttto 各行其是 ttaj

拼音（gei）双拼（gw）

给 gěi jǐ 纟人一口 XWGK
给养 xwud

拼音（gen）双拼（gf）

根 gēn 木彐𧘇㊀ SVEY
根本 svsg 根部 svuk

跟 gēn 口止彐𧘇 KHVE
跟班 khgt 跟踪 khkh

拼音（geng）双拼（gg）

更 gēng gěng 一日乂㊂ GJQI
更换 gjrq 更迭 gjrw

耿 gěng 耳火㊀ BOY
耿耿于怀 bbgn 耿直 bofh

梗 gěng 木一日乂 SGJQ

拼音（gong）双拼（gs）

工 gōng 工工工工 AAAA
工本 aasg 工兵 aarg

弓 gōng　弓乙一乙　XNGN
弓箭 xntu

公 gōng　八厶③　WCU
公关 wcud　公式 wcaa

功 gōng　工力①　ALT
功劳 alap　功力 allt

攻 gōng　工攵⊙　ATY
攻克 atdq　攻打 atrs

供 gōng gòng　亻廾八⊙　WAWY
供不应求 wgyf　供词 wayn

宫 gōng　宀口口⊖　PKKF
宫廷政变 ptgy　宫殿 pkna

恭 gōng　廾人小③　AWNU
恭恭敬敬 aaaa　恭贺 awlk

巩 gǒng　工几丶⊙　AMYY
巩固 amld

拱 gǒng　扌廾八⊙　RAWY
拱桥 rast　拱形 raga

共 gòng　廾八③　AWU
共振 awrd　共有 awde

贡 gòng　工贝③　AMU
贡献 amfm

拼音（gou）双拼（gb）

勾 gōu gòu　勹厶③　QCI
勾引 qcxh　勾搭 qcra

沟 gōu　氵勹厶⊙　IQCY
沟通 iqce　沟壑 iqhp

钩 gōu　钅勹厶⊙　QQCY

狗 gǒu　犭丿勹口　QTQK
狗急跳墙 qqkf　狗腿子 qebb

枸 gǒu gōu jǔ　木勹口⊖　SQKG

构 gòu　木勹厶⊙　SQCY
构筑 sqta　构成 sqdn

购 gòu　贝勹厶⊙　MQCY
购房 mqyn　购置 mqlf

够 gòu　勹口夕夕　QKQQ
够呛 qkkw

拼音（gu）双拼（gu）

估 gū gù　亻古⊖　WDG
估算 wdth　估产 wdut

咕 gū　口古⊖　KDG

姑 gū　女古⊖　VDG
姑娘 vdvy　姑姑 vdvd

孤 gū　子厂厶乀　BRCY
孤单 bruj　孤独 brqt

古 gǔ　古一丨⊖　DGHG
古墓 dgaj　古巴 dgcn

谷 gǔ　八人口⊖　WWKF
谷地 wwfb　谷子 wwbb

股 gǔ　月几又⊙　EMCY
股份 emww　股本 emsg

骨 gǔ gū　冎月⊖　MEF
骨折 merr　骨肉 memw

鼓 gǔ　士口丷又　FKUC
鼓足 fkkh　鼓吹 fkkq

固 gù　口古⊖　LDD
固步自封 lhtf　固定 ldpg

故 gù　古攵⊙　DTY
故此 dthx　故地 dtfb

顾 gù　厂卩丆贝　DBDM
顾此失彼 dhrt　顾大局 ddnn

雇 gù　丶尸亻主　YNWY
雇工 ynaa　雇主 ynyg

拼音（gua）双拼（gw）

瓜 guā　厂厶乀③　RCYI
瓜子 rcbb　瓜分 rcwv

刮 guā　丿古刂①　TDJH
刮起 tdfh　刮风 tdmq

剐 guǎ　口冂人刂　KMWJ

寡 guǎ　宀丆月刀　PDEV
寡不敌众 pgtw　寡妇 pdvv

卦 guà　土土卜⊙　FFHY

挂 guà　扌土土⊖　RFFG
挂失 rfrw　挂牵 rfdp

褂 guà　衤⺀土卜　PUFH

拼音（guai）双拼（gy）

乖 guāi　丿十丬匕　TFUX
乖巧 tfag

拐 guǎi　扌口力①　RKLT
拐杖 rksd　拐棍 rksj

怪 guài　忄又土⊖　NCFG
怪罪 ncld　怪物 nctr

拼音（guan）双拼（gr）

关 guān　丷大③　UDU
关闭 uduf　关怀 udng

观 Guān　又冂儿⊘　CMQN
观众 cmww　观测 cmim

官 guān　宀丨ココ　PHNN
官职 pnbk　官办 pnlw

冠 guān guàn　冖二儿寸　PFQF
冠心病 pnug　冠军 pfpl

棺 guān　木宀丨コ　SPHN
棺材 spsf

馆 guǎn　𠂊乚宀コ　QNPN
馆长 qnta

管 guǎn　竹宀丨コ　TPHN
管保 tpwk　管道 tput

贯 guàn　毌十贝③　XFMU
贯彻 xfta　贯穿 xfpw

惯 guàn　忄毌十贝　NXFM
惯用 nxet　惯性 nxnt
惯例 nxwg

罐 guàn　𠂉山卄主　RMAY
罐子 rmbb　罐头 rmud

拼音（guang）双拼（gd）

光 guāng　⺌儿⑩　IQB
光年 iqrh　光盘 iqte

广 guǎng　广丶一丿　YYGT
广州 yyyt　广播 yyrt

逛 guàng　犭丿王辶　QTGP

拼音（gui）双拼（gv）

归 guī　刂彐⊖　JVG
归案 jvpv　归罪 jvld

龟 guī jūn qiū　⺈日乚⑩　QJNB
龟裂 qjgq

规 guī　二人冂儿　FWMQ
规程 fwtk　规则 fwmj

闺 guī　门土土⊖　UFFD
闺女 ufvv

轨 guǐ　车九⊘　LVN
轨迹 lvyo　轨道 lvut

鬼 guǐ　白儿厶③　RQCI

柜 guì　木匚コ⊖　SANG
柜台 sack　柜子 sabb

贵 guì　口丨一贝　KHGM
贵宾 khpr　贵方 khpr

桂 guì　木土土⊖　SFFG
桂冠 sfpf　桂花 sfaw

跪 guì　口止⺈㔾　KHQB
跪下 khgh　跪倒 khwg

拼音（gun）双拼（gp）

辊 gǔn　车日匕匕　LJXX

滚 gǔn　氵六厶衣　IUCE
滚蛋 iunh　滚动 iufc

棍 gùn 木日匕匕 SJXX
棍棒 sjsd　棍子 sjbb

拼音（guo）双拼（go）

郭 guō 亠子阝① YBBH
锅 guō 钅口冂人 QKMW
锅炉 qkoy
蝈 guō 虫口王丶 JLGY
国 guó 口王丶③ LGYI
国债 lgwg　国宝 lgpg
果 guǒ 曰木③ JSI
果木 jsss　果断 json
裹 guǒ 亠日木𧘇 YJSE
裹足不前 ykgu
过 guò 寸辶③ FPI
过后 fprg　过半 fpuf

H

拼音（ha）双拼（ha）

哈 hā 口人一口 KWGK
哈尔滨 kqip　哈哈 kwkw

拼音（hai）双拼（hl）

嗨 hāi hēi 口氵𠂉丶 KITY
孩 Hái 子亠乙人 BYNW
孩子 bybb　孩儿 byqt
海 hǎi 氵𠂉母⺀ ITXU
海疆 itxf　海岸 itmd
骇 hài 马亠乙人 CYNW
骇人听闻 cwku
害 hài 宀三丨口 PDHK
害病 pdug　害虫 pdjh

拼音（han）双拼（hj）

含 hán 人丶乙口 WYNK
含糊其词 woay　含混 wyij
含沙射影 witj　含笑 wytt
邯 hán 廿二阝 AFBH
邯郸 afuj
函 hán 了㐅凵⑩ BIBK
函电 bijn　函购 bimq
寒 hán 宀二‖丶 PFJU
寒意 pfuj　寒潮 pfif
韩 hán 十早二丨 FJFH
韩国 fjlg
罕 hǎn 冖八干① PWFJ
罕见 pwmq
喊 hǎn 口厂一丶 KDGY
汉 hàn 氵又⊙ ICY
汉语 icyg　汉城 icfd
汗 hàn hán 氵干丨 IFH
汗流浃背 iiiu　汗流满面 iiid
旱 hàn 日干① JFJ
旱灾 jfpo　旱稻 jfte
悍 hàn 忄日干① NJFH
悍然 njqd
捍 hàn 扌日干① RJFH
捍卫 rjbg
撼 hàn 扌厂一心 RDGN
翰 hàn 十早人羽 FJWN
瀚 hàn 氵十早羽 IFJN

拼音（hang）双拼（hh）

杭 háng 木亠几② SYMN
杭州 syyt
航 háng 丿舟亠几 TEYM
航班 tegy　航标 tesf

拼音（hao）双拼（hk）

蒿 hāo 艹亠冂口 AYMK
毫 háo 亠冖丿乚 YPTN
毫秒 ypti　毫升 ypta
豪 háo 亠冖豕③ YPEU
豪放 ypyt　豪华 ypwx
好 hǎo hào 女子⊖ VBG
好自为之 vtyp　好比 vbxx
郝 hǎo 土办阝① FOBH
号 hào háo 口一乙⑩ KGNB
号令 kgwy　号角 kgqe
昊 hào 曰一大③ JGDU
浩 hào 氵丿土口 ITFK
浩如烟海 ivoi　浩大 itdd
耗 hào 三小丿乙 DITN
耗电 dijn　耗费 dixj
皓 hào 白丿土口 RTFK

拼音（he）双拼（he）

呵 hē 口丁口⊖ KSKG
呵斥 ksry
喝 hē 口日勹乙 KJQN
喝彩 kjes　喝酒 kjis
禾 hé 禾禾禾禾 TTTT
禾苗 ttal
合 hé 人一口⊖ WGKF
合作 wgwt　合办 wglw
何 hé 亻丁口⊖ WSKG
何必 wsnt　何不 wsgi
和 hé 禾口⊖ TKG
和约 tkxq　和蔼 tkay
河 hé 氵丁口⊖ ISKG
河心 isny　河岸 ismd
荷 hé 艹亻丁口 AWSK
荷花 awaw　荷兰 awuf
盒 hé 人一口皿 WGKL
盒子 wgbb
贺 hè 力口贝③ LKMU
贺词 lkyn　贺电 lkjn

拼音（hei）双拼（hz）

黑 hēi 㓁土灬③ LFOU
黑暗 lfju　黑夜 lfyw
嘿 hēi 口㓁土灬 KLFO

拼音（hen）双拼（hf）

痕 hén 疒彐𠄌③ UVEI
痕迹 uvyo
很 hěn 彳彐𠄌⊙ TVEY
很热 tvrv　很难 tvcw
狠 hěn 犭丿彐𠄌 QTVE
狠抓 qtrr　狠毒 qtgx
恨 hèn 忄彐𠄌⊙ NVEY
恨之入骨 nptm　恨不得 ngtj

拼音（heng）双拼（hg）

亨 hēng 亠了① YBJ
哼 hēng 口亠了① KYBH
恒 héng 忄一日一 NGJG
恒温 ngij　恒星 ngjt
横 héng hèng 木龷由八 SAMW
横坐标 swsf　横财 samf
衡 héng 彳鱼大丁 TQDH
衡量 tqjg　衡器 tqkk

拼音（hong）双拼（hs）

轰 hōng 车又又③ LCCU
轰鸣 lckq　轰动 lcfc
哄 hōng hǒng hòng 口龷八⊙ KAWY
哄笑 katt　哄传 kawf
弘 hóng 弓厶⊙ XCY
弘扬 xcrn
红 hóng 纟工⊖ XAG
红肿 xaek　红茶 xaaw
宏 hóng 宀𠂇厶③ PDCU
宏伟 pdwf　宏大 pddd

洪 hóng 氵廾八⊙ IAWY
洪灾 iapo 洪峰 iamt
虹 hóng 虫工⊖ JAG
鸿 hóng 氵工鸟一 IAQG
鸿沟 iaiq 鸿运 iafc

拼音（hou）双拼（hb）

侯 hóu hòu 亻コ𠂉大 WNTD
喉 hóu 口亻コ大 KWND
喉舌 kwtd 喉咙 kwkd
猴 hóu 犭丿亻大 QTWD
猴子 qtbb
吼 hǒu 口孑乚② KBNN
吼叫 kbkn
后 hòu 厂一口⊜ RGKD
后盾 rgrf 后备 rgtl
厚 hòu 厂日子⊜ DJBD
厚颜无耻 dufb 厚礼 djpy
候 hòu 亻丨コ大 WHND
候选人 wtww 候补 whpu

拼音（hu）双拼（hu）

乎 hū 丿丷丨⑪ TUHK
呼 hū 口丿丷丨 KTUH
呼喊 ktkd 呼应 ktyi
忽 hū 勹彡心⊙ QRNU
忽闻 qrub 忽然 qrqd
弧 hú 弓厂厶乀 XRCY
弧度 xrya 弧光 xriq
狐 hú 犭丿厂乀 QTRY
胡 hú 古月⊖ DEG
胡来 dego 胡扯 derh
壶 hú 士冖业⊖ FPOG
湖 hú 氵古月⊖ IDEG
湖北 idux 湖州 idyt
糊 hú 米古月⊖ ODEG
糊涂 odiw 糊口 odkk
蝴 hú 虫古月⊖ JDEG
蝴蝶 jdja
虎 hǔ 虍七几 HAMV
虎视眈眈 hphh 虎将 hauq
互 hù 一彑一⊜ GXGD
互祝 gxpy 互爱 gxep
户 hù 丶尸③ YNE
户主 ynyg 户籍 yntd
护 hù 扌丶尸① RYNT
护照 rjyv 护城河 rfis
沪 hù 氵丶尸① IYNT

拼音（hua）双拼（hw）

花 huā 艹亻七⑥ AWXB
花丛 awww 花瓣 awur
华 huā huá huà 亻匕十① WXFJ
华中 wxkh 华北 wxux
哗 huā huá 口亻匕十 KWXF
哗众取宠 kwbp 哗啦 kwkr
滑 huá 氵冎月⊖ IMEG
滑冰 imui 滑雪 imfv
猾 huá 犭丿冎月 QTME
化 huà huā 亻匕② WXN
化肥 wxec 化工 wxaa
划 huà huá 戈刂① AJH
划拨 ajrn 划不来 aggo
画 huà 一田凵① GLBJ
画饼充饥 gqyq 画册 glmm
话 huà 讠丿古⊖ YTDG
话中有话 ykdy 话别 ytkl
桦 huà 木亻匕十 SWXF

拼音（huai）双拼（hy）

怀 huái 忄一小⊙ NGIY
怀疑 ngxt 怀抱 ngrq
徊 huái 彳口口⊖ TLKG
淮 huái 氵亻主⊖ IWYG
淮阴 iwbe 淮海 iwit
槐 huái 木白儿厶 SRQC
槐树 srsc
踝 huái 口止日木 KHJS
坏 huài 土一小⊙ FGIY
坏死 fggq 坏处 fgth

拼音（huan）双拼（hr）

欢 huān 又𠂊人⊙ CQWY
欢蹦乱跳 cktk 欢畅 cqjh
还 huán hái 一小辶③ GIPI
还有 gide 还本 gisg
环 huán 王一小⊙ GGIY
环顾 ggdb 环视 ggpy
缓 huǎn 纟爫二又 XEFC
缓和 xetk 缓急 xeqv
幻 huàn 幺乙② XNN
幻灯 xnos 幻觉 xnip
唤 huàn 口𠂊冂大 KQMD
唤起 kqfh 唤醒 kqsg
换 huàn 扌𠂊冂大 RQMD
换算 rqth 换取 rqbc
患 huàn 口口丨心 KKHN

拼音（huang）双拼（hd）

荒 huāng 艹亠乙儿 AYNQ
荒诞 ayyt 荒滩 ayic
慌 huāng 忄艹亠儿 NAYK
慌乱 natd 慌忙 nany
皇 huáng 白王⊜ RGF
皇室 rgpg 皇帝 rgup
凰 huáng 几白王⊜ MRGD
黄 huáng 廾由八③ AMWU
黄帝 amup 黄豆 amgk
徨 huáng 彳白王⊖ TRGG
惶 huáng 忄白王⊖ NRGG
惶惑 nrak 惶恐 nram
磺 huáng 石廾由八 DAMW
簧 huáng ⺮廾由八 TAMW
恍 huǎng 忄⺌儿② NIQN
恍然大悟 nqdn 恍惚 ninq
晃 huǎng huàng 曰⺌儿⑥ JIQB
晃荡 jiai 晃动 jifc
谎 huǎng 讠艹亠儿 YAYQ
谎言 yayy 谎报 yarb

拼音（hui）双拼（hv）

灰 huī 𠂇火③ DOU
灰暗 doju 灰尘 doif
恢 huī 忄𠂇火⊙ NDOY
恢复 ndtj
挥 huī 扌冖车① RPLH
挥舞 rprl 挥动 rpfc
辉 huī ⺌儿冖车 IQPL
辉煌 iqor 辉映 iqjm
徽 huī 彳山一攵 TMGT
徽墨 tmlf 徽章 tmuj
回 huí 囗口⊜ LKD
回流 lkiy 回笼 lktd
悔 huǐ 忄𠂉𠃊丶 NTXY
悔悟 ntng 悔改 ntnt
卉 huì 十廾⑪ FAJ
汇 huì 氵匚② IAN

汇总 iauk | 汇报 iarb

会 huì kuài 人二厶③ WFCU

会址 wffh | 会餐 wfhq

烩 huì 火人二厶 OWFC

晦 huì 日𠂉口丶 JTXY

晦气 jtrn | 晦涩 jtiv

惠 huì 一日丨心 GJHN

惠存 gjdh | 惠顾 gjdb

毁 huǐ 臼工几又 VAMC

绘 huì 纟人二厶 XWFC

绘制 xwrm | 绘画 xwgl

慧 huì 三丨三心 DHDN

慧眼 dhhv

拼音（hun）双拼（hp）

昏 hūn 𠂆七日⊜ QAJF

昏睡 qaht | 昏暗 qauj

婚 hūn 女𠂆七日 VQAJ

婚后 vqrg | 婚礼 vqpy

浑 hún 氵冖车① IPLH

浑厚 ipdj | 浑浊 ipij

馄 hún 饣乙日匕 QNJX

魂 hún 二厶白厶 FCRC

魂飞魄散 fnra | 魂魄 fcrr

混 hún hùn 氵日匕匕 IJXX

混浊 ijij | 混同 ijmg

拼音（huo）双拼（ho）

豁 huō huò 宀三丨口 PDHK

豁出去 pbfc | 豁达 pddp

活 huó 氵丿古⊜ ITDG

活跃 itkh | 活动 itfc

火 huǒ 火火火火 OOOO

火把 oorc | 火箭 ootu

伙 huǒ 亻火⊙ WOY

伙伴 wowu | 伙房 woyn

或 huò 戈口一⊜ AKGD

或者 akft | 或多或少 aqai

货 huò 亻匕贝③ WXMU

货品 wxkk | 货色 wxqc

获 huò 艹犭丿犬 AQTD

获得 aqtj | 获奖 aquq

祸 huò 礻丶口人 PYKW

祸从天降 pwgb | 祸心 pyny

惑 huò 戈口一心 AKGN

惑众 akww

霍 huò 雨亻主⊜ FWYF

霍地 fwfb

J

拼音（ji）双拼（ji）

讥 jī 讠几② YMN

讥讽 ymym | 讥笑 ymtt

击 jī 二山⑩ FMK

击败 fmmt | 击毙 fmxx

叽 jī 口几② KMN

饥 jī 饣乙几② QNMN

饥不择食 qgrw | 饥饿 qnqn

圾 jī 土乃㇏⊙ FEYY

机 jī 木几② SMN

机长 smta | 机场 smfn

肌 jī 月几② EMN

肌肉 emmw | 肌体 emws

芨 jī 艹乃㇏③ AEYU

鸡 jī 又勹、一 CQYG

鸡毛蒜皮 ctah | 鸡西 cqsg

积 jī 禾口八⊙ TKWY

积重难返 ttcr | 积存 tkdh

基 jī 卄三八土 ADWF

基因 adld | 基于 adgf

缉 jī 纟口耳⊜ XKBG

缉毒 xkgx | 缉获 xkaq

畸 jī 田大丁口 LDSK

畸形 ldga

跻 jī 口止文川 KHYJ

跻身于 ktgf

激 jī 氵白方攵 IRYT

激昂 irjq | 激战 irhk

及 jí 乃㇏③ EYI

及早 eyjh | 及格 eyst

吉 jí 士口⊜ FKF

吉安 fkpv | 吉利 fktj

汲 jí 氵乃㇏⊙ IEYY

汲取 iebc

级 jí 纟乃㇏⊙ XEYY

级差 xeud | 级别 xekl

即 jí 彐厶卩① VCBH

即将 vcuq | 即景 vcjy

极 jí 木乃㇏⊙ SEYY

极差 seud | 极大 sedd

亟 jí 了口又一 BKCG

亟待 bktf

急 jí 𠂊彐心③ QVNU

急转直下 qlfg | 急病 qvug

笈 jí 竹乃㇏③ TEYU

疾 jí 疒𠂉大③ UTDI

疾驶 utck | 疾病 utug

集 jí 亻主木③ WYSU

集成 wydn | 集合 wywg

嫉 jí 女疒𠂉大 VUTD

嫉恨 vunv | 嫉妒 vuvy

辑 jí 车口耳⊜ LKBG

辑录 lkvi

籍 jí 竹三小日 TDIJ

籍贯 tdxf

藉 jí 艹三小日 ADIJ

几 jǐ jī 几丿乙 MTN

几周 mtmf | 几度 mtya

己 jǐ 己乙一乙 NNGN

挤 jǐ 扌文川① RYJH

挤车 rylg | 挤兑 ryuk

脊 jǐ 㐅人月⊜ IWEF

脊椎 iwsw | 脊背 iwux

计 jì 讠十① YFH

计策 yftg | 计委 yftv

记 jì 讠己② YNN

记住 ynwy | 记者 ynft

纪 jì jǐ 纟己② XNN

纪元 xnfq | 纪检 xnsw

妓 jì 女十又⊙ VFCY

妓女 vfvv

忌 jì 己心③ NNU

忌讳 nnyf

技 jì 扌十又⊙ RFCY

技艺 rfan | 技法 rfif

际 jì 阝二小⊙ BFIY

剂 jì 文川刂① YJJH

剂量 yjjg

季 jì 禾子⊜ TBF

季刊 tbfj | 季度 tbya

既 jì 彐厶𠂆儿 VCAQ

既有 vcde | 既要 vcsv

迹 jì 亠小辶③ YOPI

迹象 yoqk

济 jì　氵文川①　IYJH
济济一堂 iigi　济南 iyfm

继 jì　纟米乚㊁　XONN
继承 xobd　继而 xodm

寂 jì　宀卜小又　PHIC
寂静 phge　寂寞 phpa

寄 jì　宀大丁口　PDSK
寄存 pddh　寄放 pdyt

祭 jì　癶二小⊙　WFIU
祭祀 wfpy　祭奠 wfus

冀 jì　丬匕田八　UXLW
冀东 uxai　冀中 uxkh

拼音（jia）双拼（jw）

加 jiā　力口㊀　LKG
加班 lkgy　加倍 lkwu

夹 jiā　一丷人㊂　GUWI
夹板 gusr　夹层 gunf

佳 jiā　亻土土㊀　WFFG
佳肴 wfqd　佳宾 wfpr

家 jiā　宀豕㊂　PEU
家书 penn　家庭 peyt

嘉 jiā　士口丷口　FKUK
嘉宾 fkpr　嘉奖 fkuq

颊 jiá　一丷人贝　GUWM

甲 jiǎ　甲丨乙丨　LHNH
甲板 lhsr　甲方 lhyy

价 jià　亻人川①　WWJH
价值连城 wwlf　价格 wwst

驾 jià　力口马㊀　LKCF
驾驭 lkcc　驾轻就熟 llyy

架 jià　力口木㊂　LKSU
架次 lkuq　架空 lkpw

假 jià　jiǎ　亻コ丨又　WNHC
假发 wnnt　假公济私 wwit

嫁 jià　女宀豕⊙　VPEY
嫁接 vpru

稼 jià　禾宀豕⊙　TPEY

拼音（jian）双拼（jm）

尖 jiān　小大㊂　IDU
尖子 idbb　尖兵 idrg

戋 jiān　戋一一丶　GGGY

奸 jiān　女干①　VFH
奸淫 vfie　奸细 vfxl

坚 jiān　丨又土㊀　JCFF
坚定 jcpg　坚不可摧 jgsr

歼 jiān　一夕丿十　GQTF
歼灭 gqgo　歼敌 gqtd
歼击 gqfm

间 jiān　jiàn　门日㊂　UJD
间作 ujwt　间隙 ujbi

肩 jiān　丶尸月㊂　YNED
肩头 ynud　肩膀 yneu

艰 jiān　又ヨ𠃊⊙　CVEY
艰巨 cvan　艰苦 cvad

兼 jiān　丷ヨ小㊂　UVOU

监 jiān　丨𠂉丶皿　JTYL
监制 jtrm　监测 jtim

拣 jiǎn　扌七乙八　RANW

俭 jiǎn　亻人一丷　WWGI
俭朴 wwsh　俭省 wwit

柬 jiǎn　一罒丨㊂　GLII
柬埔寨 gfpf

茧 Jiǎn　艹虫㊂　AJU

捡 jiǎn　扌人一丷　RWGI
捡拾 rwrw

减 jiǎn　冫厂一丶　UDGY
减产 udut　减税 udtu

剪 jiǎn　丷月刂刀　UEJV
剪彩 uees　剪子 uebb

检 jiǎn　木人一丷　SWGI
检察 swpw　检测 swim

简 jiǎn　⺮门日㊂　TUJF
简报 turb　简章 tuuj

见 jiàn　冂儿②　MQB
见多不怪 mqgn　见多识广 mqyy

件 jiàn　亻二丨①　WRHH

建 jiàn　ヨ二丨廴　VFHP
建材 vfsf　建厂 vfdg

剑 jiàn　人一丷刂　WGIJ
剑术 wgsy

荐 jiàn　艹ナ丨子　ADHB

贱 jiàn　贝戋⊙　MGT
贱民 mgna

健 jiàn　亻ヨ キ 廴　WVFP
健壮 wvuf　健步 wvhi

渐 jiàn　氵车斤①　ILRH
渐趋 ilfh　渐变 ilyo

谏 jiàn　讠一罒小　YGLI

毽 Jiàn　丿二乚廴　TFNP

溅 jiàn　氵贝戋⊙　IMGY

践 jiàn　口止戋丶　KHGY
践踏 khkh

鉴 jiàn　丨𠂉丶金　JTYQ
鉴于 jtgf　鉴别 jtkl

键 jiàn　钅ヨ二廴　QVFP
键位 qvwu　键盘 qvte

槛 jiàn　木丨𠂉皿　SJTL

箭 jiàn　⺮丷月刂　TUEJ
箭步 tuhi　箭头 tuud

拼音（jiang）双拼（jd）

江 jiāng　氵工㊀　IAG
江北 iaux　江边 ialp

姜 jiāng　丷王女㊀　UGVF

将 jiāng　jiàng　丬夕寸⊙　UQFY
将于 uqgf　将功赎罪 uaml

疆 jiāng　弓土一一　XFGG
疆域 xffa　疆场 xffn

讲 jiǎng　讠二川①　YFJH
讲究 yfpw　讲课 yfyj

奖 jiǎng　丬夕大㊂　UQDU
奖状 uqud　奖杯 uqsg

桨 jiǎng　丬夕木㊂　UQSU

匠 jiàng　匚斤Ⅲ　ARK
匠人 arww　匠心 arny

降 jiàng　阝夂㠭丨　BTAH
降到 btgc　降低 btwq

拼音（jiao）双拼（jc）

交 jiāo　六乂㊂　UQU
交往 uqty　交相辉映 usij

郊 jiāo　六乂阝①　UQBH
郊区 uqaq　郊外 uqqh

娇 jiāo　女丿大川　VTDJ
娇生惯养 vtnu　娇惯 vtnx

浇 Jiāo　氵七丿儿　IATQ
浇灌 iaia　浇水 iaii

骄 jiāo　马丿大川　CTDJ
骄阳 ctbj　骄傲 ctwg

胶 jiāo　月六乂⊙　EUQY
胶卷 euud　胶片 euth

椒 jiāo　木卜小又　SHIC

焦 jiāo　亻主灬⊙　WYOU
焦点 wyhk　焦躁 wykh

蛟 jiāo　虫六乂⊙　JUQY

蛟龙 judx

角 jiǎo ク用⑩ QEJ
角度 qeya 角落 qeai

佼 jiǎo 亻六乂⊙ WUQY

侥 jiǎo 亻七丿儿 WATQ
侥幸 wafu

狡 jiǎo 犭丿六乂 QTUQ
狡辩 qtuy 狡诈 qtyt

绞 jiǎo 纟六乂⊙ XUQY
绞尽脑汁 xnei

饺 jiǎo ク乙六乂 QNUQ
饺子 qnbb

矫 jiǎo 𠂉大丿川 TDTJ
矫正 tdgh 矫健 tdwv

脚 jiǎo 月土厶卩 EFCB
脚注 efiy 脚本 efsg

缴 jiǎo 纟白方攵 XRYT
缴获 xraq 缴纳 xrxm

叫 jiào 口乙丨① KNHH
叫喊 knkd 叫好 knvb

轿 jiào 车丿大川 LTDJ
轿车 ltlg

较 jiào 车六乂⊙ LUQY
较重 lutg 较差 luud

教 jiào jiāo 土丿子攵 FTBT
教职员 fbkm 教育家 fype

拼音（jie）双拼（jx）

阶 jiē 阝人川① BWJH
阶梯 bwsu 阶层 bwnf

皆 jiē 匕匕白⊜ XXRF
皆大欢喜 xdcf 皆可 xxsk

接 jiē 扌立女⊖ RUVG
接班人 rgww 接触 ruqe

嗟 jiē 口丷𢀖工 KUDA

揭 jiē 扌日勹乙 RJQN
揭晓 rjja 揭穿 rjpw

街 jiē 彳土土丨 TFFH
街道 tfut 街坊 tffy

节 jié jiē 艹卩⑩ ABJ
节奏 abdw 节约 abxq

劫 jié 土厶力① FCLT
劫持 fcrf 劫机 fcsm

杰 jié 木灬⊙ SOU
杰作 sowt 杰出 sobm

洁 jié 氵士口⊖ IFKG
洁白 ifrr 洁净 ifuq

结 jié jiē 纟士口⊖ XFKG
结晶 xfjj 结案 xfpv

婕 jié 女一彐⺦ VGVH

捷 jié 扌一彐⺦ RGVH
捷报 rgrb 捷径 rgtc

睫 jié 目一彐⺦ HGVH

截 jié 十戈亻主 FAWY
截断 faon 截获 faaq

姐 jiě 女月一⊖ VEGG

解 jiě ⺈用刀丨 QEVH
解除 qebw 解答 qetw

介 jiè 人川⑩ WJJ
介词 wjyn 介质 wjrf

戒 jiè 戈廾⑩ AAK
戒备 aatl 戒备森严 atsg

届 jiè 尸由⊜ NMD
届时 nmjf 届满 nmia

界 jiè 田八川① LWJJ
界桩 lwsy 界碑 lwdr

疥 jiè 疒人川⑩ UWJK

诫 jiè 讠戈廾① YAAH

借 jiè 亻艹日⊖ WAJG
借助于 wegf 借贷 wawa

蚧 jiè 虫人川① JWJH

拼音（jin）双拼（jn）

巾 jīn 冂丨⑩ MHK
巾帼 mhmh

今 jīn 人丶乙⑩ WYNB
今朝 wyfj 今晨 wyjd

斤 jīn 斤丿丨丨 RTTH
斤斤计较 rryl 斤两 rtgm

金 jīn 金金金金 QQQQ
金黄 qqam 金价 qqww

津 jīn 氵彐二丨 IVFH
津津乐道 iiqu 津津有味 iidk

筋 jīn ⺮月力⊘ TELR
筋斗 teuf 筋骨 teme

襟 jīn 衤⺀木小 PUSI
襟怀坦白 pnfr

仅 jǐn jìn 亻又⊙ WCY
仅有 wcde 仅靠 wctf

紧 jǐn 〢又幺小 JCXI
紧着 jcud 紧张 jcxt

谨 jǐn 讠廿口主 YAKG
谨慎 yanf 谨小慎微 yint

锦 jǐn 钅白冂丨 QRMH
锦州 qryt 锦标 qrsf

尽 jǐn jìn 尸㇏⺀⊙ NYUU
尽忠尽职 nknb 尽管 nytp

劲 jìn ス工力① CALT
劲敌 catd 劲旅 cayt

妗 jìn 女人丶乙 VWYN

近 jìn 斤辶⑩ RPK
近在咫尺 rdnn 近百年来 rdrg

进 jìn 二川辶① FJPK
进驻 fjcy 进步 fjhi

晋 jìn 一⺌一日 GOGJ
晋中 gokh 晋城 gofd

浸 jìn 氵彐冖又 IVPC
浸透 ivte 浸入 ivty

禁 jìn jīn 木木二小 SSFI
禁止 sshh 禁闭 ssuf

拼音（jing）双拼（j;）

京 jīng 古小⊙ YIU
京城 yifd 京东 yiai

经 jīng 纟ス工⊖ XCAG
经不起 xgfh 经常 xcip

茎 jīng 艹ス工⊖ ACAF

荆 jīng 艹一廾刂 AGAJ
荆州 agyt 荆棘 aggm

惊 Jīng 忄古小⊙ NYIY
惊异 nyna 惊诧 nyyp

晶 jīng 日日日⊜ JJJF
晶莹 jjap 晶体管 jwtp

睛 jīng 目主月⊖ HGEG

兢 jīng 古儿古儿 DQDQ
兢兢业业 ddoo

精 jīng 米主月⊖ OGEG
精美 ogug 精辟 ognk

鲸 jīng 鱼一亠小 QGYI
鲸鱼 qgqg 鲸吞 qggd

井 jǐng 二川⑩ FJK
井下 fjgh 井然有序 fqdy

颈 jǐng gěng ス工丆贝 CADM

景 Jǐng 曰古小⊙ JYIU
景德镇 jtqf 景点 jyhk

警 jǐng 艹勹口言 AQKY
警钟 aqqk 警报 aqrb

净 jìng 冫ク彐亅 UQVH

字	拼音	字根	编码
	净化 uqwx	净利 uqtj	
竞	jìng	立口儿	UKQB
	竞争者 uqft	竞技 ukrf	
竟	jìng	立日儿	UJQB
	竟是 ujjg	竟敢 ujnb	
敬	Jìng	艹勹口攵	AQKT
	敬重 aqtg	敬爱 aqep	
靖	jìng	立主月	UGEG
境	jìng	土立日儿	FUJQ
	境地 fufb	境遇 fujm	
静	jìng	主月勹丨	GEQH
	静电 gejn	静脉 geey	
镜	jìng	钅立日儿	QUJQ
	镜头 quud	镜子 qubb	

拼音（jiong）双拼（js）

字	拼音	字根	编码
窘	jiǒng	宀八彐口	PWVK
	窘迫 pwrp	窘境 pwfu	

拼音（jiu）双拼（jq）

字	拼音	字根	编码
纠	jiū	纟乙丨	XNHH
	纠正 xngh	纠察 xnpw	
究	jiū	宀八九	PWVB
	究竟 pwuj	究其根源 pasi	
九	jiǔ	九丿	VTN
	九江 vtia	九届 vtnm	
久	jiǔ	勹乀	QYI
	久经 qyxc	久经锻炼 qxqo	
酒	jiǔ	氵西一	ISGG
	酒吧间 ikuj	酒会 iswf	
旧	jiù	丨日	HJG
	旧中国 hklg	旧病复发 hutn	
救	jiù	十乂丶攵	FIYT
	救助 fieg	救星 fijt	
就	jiù	亠小犬乙	YIDN
	就餐 yihq	就手 yirt	
舅	jiù	臼田力	VLLR
	舅爷 vlwq	舅父 vlwq	

拼音（ju）双拼（ju）

字	拼音	字根	编码
居	jū	尸古	NDD
	居住 ndwy	居安思危 nplq	
拘	jū	扌勹口	RQKG
	拘束 rqgk	拘捕 rqrg	
局	jú	尸乙口	NNKD
	局部 nnuk	局长 nnta	
桔	jú	木士口	SFKG
菊	jú	艹勹米	AQOU
	菊花 aqaw		
橘	jú	木マ卩口	SCBK
	橘红 scxa		
咀	jǔ	口月一	KEGG
	咀嚼 keke		
沮	jǔ	氵月一	IEGG
	沮丧 iefu		
举	jǔ	兴八二丨	IWFH
	举办 iwlw	举报 iwrb	
矩	jǔ	𠂉大匚コ	TDAN
	矩形 tdga		
句	jù	勹口	QKD
巨	jù	匚コ	AND
	巨变 anyo	巨大 andd	
拒	jù	扌匚コ	RANG
	拒收 ranh	拒绝 raxq	
具	jù	且八	HWU
	具有 hwde	具备 hwtl	
炬	jù	火匚コ	OANG
俱	jù	亻且八	WHWY
	俱全 whwg	俱乐部 wquk	
倨	jù	亻尸古	WNDG
剧	jù	尸古刂	NDJH
	剧作家 nwpe	剧本 ndsg	
惧	jù	忄且八	NHWY
	惧怕 nhnr		
据	jù	扌尸古	RNDG
	据查 rnsj	据报道 rrut	
距	jù	口止匚コ	KHAN
	距今 khwy	距离 khyb	
聚	jù	耳又丿乂	BCTI
	聚众 bcww	聚宝盆 bpwv	

拼音（juan）双拼（jr）

字	拼音	字根	编码
娟	juān	女口月	VKEG
捐	juān	扌口月	RKEG
	捐款 rkff	捐躯 rktm	
涓	juān	氵口月	IKEG
鹃	juān	口月勹一	KEQG
卷	juàn juǎn	丷大㔾	UDBB
	卷进 udfj	卷宗 udpf	
绢	juàn	纟口月	XKEG
眷	juàn	丷大目	UDHF
	眷属 udnt	眷恋 udyo	

拼音（jue）双拼（jv）

字	拼音	字根	编码
决	jué	冫コ人	UNWY
	决战 unhk	决不 ungi	
诀	jué	讠コ人	YNWY
	诀窍 ynpw	诀别 unkl	
绝	jué	纟𠂊巴	XQCN
	绝密 xqpn	绝技 xqrf	
觉	jué	𭕄冖冂儿	IPMQ
	觉醒 ipsg	觉察 ippw	
倔	jué juè	亻尸凵山	WNBM
	倔强 wnxk		
崛	jué	山尸凵山	MNBM
	崛起 mnfh		
掘	jué	扌尸凵山	RNBM
	掘进 rnfj		

拼音（jun）双拼（jp）

字	拼音	字根	编码
军	jūn	冖车	PLJ
	军部 pluk	军警 plaq	
君	jūn	彐丿口	VTKD
	君子 vtbb		
均	jūn	土勹冫	FQUG
	均分 fqwv	均衡 fqtq	
菌	jūn	艹口禾	ALTU
	菌种 altk		
俊	jùn	亻厶八夂	WCWT
	俊杰 wcso	俊美 wcug	
峻	jùn	山厶八夂	MCWT
	峻岭 mcmw	峻峭 mcmi	
骏	jùn	马厶八夂	CCWT
	骏马 cccn		
竣	jùn	立厶八夂	UCWT
	竣工 ucaa		

K

拼音（ka）双拼（ka）

字	拼音	字根	编码
咔	kā kǎ	口上卜	KHHY
咖	kā gā	口力口	KLKG
	咖啡 klkd		
喀	kā	口宀夂口	KPTK
卡	kǎ	上卜	HHU
	卡车 hhlg	卡住 hhwy	

拼音（kai）双拼（kl）

字	拼音	字根	编码
开	kāi	一廾	GAK
	开明 gaje	开幕 gaaj	
凯	kǎi	山己几	MNMN
	凯歌 mnsk	凯旋 mnyt	
慨	kǎi	忄彐厶儿	NVCQ
楷	kǎi jiē	木匕匕白	SXXR
	楷体 sxws	楷模 sxsa	

拼音（kan）双拼（kj）

字	拼音	字根	编码
刊	kān	干刂①	FJH
勘	kān	艹三八力	ADWL
坎	kǎn	土ク人⊙	FQWY
砍	kǎn	石ク人⊙	DQWY
看	kàn kān	龵目⊖	RHF

刊登 fjwg　刊载 fjfa　勘测 adim　勘误 adyk　坎坷 fqfs　砍刀 dqvn　砍掉 dqrh　看透 rhte　看守 rhpf

拼音（kang）双拼（kh）

字	拼音	字根	编码
康	kāng	广彐水	YII
抗	kàng	扌亠几②	RYMN

康乐 yvqi　抗争 ryqv　抗癌 ryuk

拼音（kao）双拼（kk）

字	拼音	字根	编码
尻	kāo	尸九⑥	NVV
考	kǎo	土丿一乙	FTGN
犒	kào	丿扌古口	TRYK
靠	kào	丿土口三	TFKD

考证 ftyg　考查 ftsj　犒劳 trap　犒赏 trip　靠水吃水 tiki　靠背 tfux

拼音（ke）双拼（ke）

字	拼音	字根	编码
苛	kē	艹丁口⊖	ASKF
柯	kē	木丁口⊖	SSKG
科	kē	禾⺀十①	TUFH
棵	kē	木日木⊙	SJSY
稞	kē	禾日木⊙	TJSY
颗	kē	曰木丆贝	JSDM
磕	kē	石土厶皿	DFCL
蝌	kē	虫禾⺀十	JTUF
髁	kē	咼月日木	MEJS
壳	ké qiào	士冖几⑥	FPMB
咳	ké	口亠乙人	KYNW
可	kě kè	丁口⊜	SKD
渴	kě	氵日勹乙	IJQN
克	kè	古儿⑥	DQB
刻	kè	讠乙丿刂	YNTJ
客	kè	宀夂口⊜	PTKF
课	kè	讠日木⊙	YJSY

苛求 asfi　苛捐杂税 arvt　科班 tugy　科长 tuta　颗粒 jsou　磕碰 dfdu　磕睡 dfht　咳嗽 kykg　可知 sktd　可爱 skep　渴求 ijfi　渴望 ijyn　克敌制胜　克制 dqrm　刻板 ynsr　刻薄 ynai　客舱 ptte　客车 ptlg　课本 yjsg　课程 yjtk

拼音（ken）双拼（kf）

字	拼音	字根	编码
肯	kěn	止月⊖	HEF
垦	kěn	彐乀土⊖	VEFF
恳	kěn	彐乀心⊙	VENU
啃	kěn	口止月⊖	KHEG

肯定 hepg　肯干 hefg　垦荒 veay　垦区 veaq　恳求 vefi　恳切 veav

拼音（keng）双拼（kg）

字	拼音	字根	编码
吭	kēng	口亠几②	KYMN
坑	kēng	土亠几②	FYMN
铿	kēng	钅刂又土	QJCF

吭气 kyrn　吭声 kyfn　坑道 fyut　坑害 fypd　铿锵 qjqu

拼音（kong）双拼（ks）

字	拼音	字根	编码
空	kōng kòng	宀八工⊖	PWAF
孔	kǒng	子乙②	BNN
恐	kǒng	工几丶心	AWYN
控	kòng	扌宀八工	RPWA

空降 pwbt　空军 pwpl　孔道 bnut　孔洞 bnim　恐怖 amnd　恐慌 amna　控告 rptf　控诉 rpyr

拼音（kou）双拼（kb）

字	拼音	字根	编码
抠	kōu	扌匚乂⊙	RAQY
口	kǒu	口口口口	KKKK
叩	kòu	口卩①	KBH
扣	kòu	扌口⊖	RKG
寇	kòu	宀二儿又	PFQC
蔻	kòu	艹冖二又	APFC

口头 kkud　口述 kksy　扣子 rkbb　扣除 rkbw

拼音（ku）双拼（ku）

字	拼音	字根	编码
枯	kū	木古⊖	SDG
哭	kū	口口犬⊙	KKDU
窟	kū	宀八尸山	PWNM
骷	kū	咼月古⊖	MEDG
苦	kǔ	艹古⊖	ADF
库	kù	广车⑪	YLK
裤	kù	衤⺀广车	PUYL
酷	kù	西一丿口	SGTK

枯黄 sdam　枯竭 sduj　哭喊 kkkd　哭叫 kkkn　窟窿 pwpw　苦衷 adyk　苦不堪言 agfy　库藏 ylad　库存 yldh　酷刑 sgga　酷爱 sgep

拼音（kua）双拼（kw）

字	拼音	字根	编码
夸	kuā	大二乙⑥	DFNB
挎	kuà	扌大二乙	RDFN
胯	kuà	月大二乙	EDFN
跨	kuà	口止大乙	KHDN

夸大 dfdd　夸大其词 dday　跨越 khfh　跨区 khaq

拼音（kuai）双拼（ky）

字	拼音	字根	编码
块	kuài	土⼆人⊙	FNWY
快	kuài	忄⼆人⊙	NNWY
筷	kuài	⺮忄⼆人	TNNW

块状 fnud　快嘴 nnkh　快报 nnrb　筷子 tnbb

拼音（kuan）双拼（kr）

字	拼音	字根	编码
宽	kuān	宀艹冂儿	PAMQ
款	kuǎn	士二小人	FFIW

宽窄 papw　宽裕 papu　款待 fftf　款式 ffaa

拼音（kuang）双拼（kd）

字	拼音	字根	编码
匡	kuāng	匚王⊜	AGD
筐	kuāng	⺮匚王⊖	TAGF
狂	kuáng	犭丿王⊖	QTGG
况	kuàng	冫口儿②	UKQN
旷	kuàng	日广①	JYT
矿	kuàng	石广①	DYT
框	kuàng	木匚王⊖	SAGG
眶	kuàng	目匚王⊖	HAGG

匡正 aggh　匡算 agth　筐子 tabb　狂潮 qtif　狂暴 qtja　况且 ukeg　旷课 jyyj　旷工 jyaa　矿藏 dyad　矿层 dynf　框架 salk　框框 sasa

拼音（kui）双拼（kv）

字	拼音	字根	编码
亏	kuī	二乙⑥	FNV

亏本 fnsg　亏待 fntf

汉字	拼音	字根	编码	词组
窥	kuī	宀八二儿	PWFQ	窥测 pwim　窥见 pwmq
葵	kuí	艹癶一大	AWGD	葵花 awaw
暌	kuí	日癶一大	JWGD	
魁	kuí	白儿厶十	RQCF	魁梧 rqsg
匮	kuì	匚口丨贝	AKHM	
愦	kuì	忄口丨贝	NKHM	
愧	kuì	忄白儿厶	NRQC	愧疚 nruq
溃	kuì	氵口丨贝	IKHM	溃散 ikae　溃退 ikve

拼音（kun）双拼（kp）

汉字	拼音	字根	编码	词组
坤	kūn	土日丨①	FJHH	
昆	kūn	日匕匕⑥	JXXB	昆明市 jjym　昆虫 jxjh
捆	kǔn	扌口木⊙	RLSY	捆扎 rlrn　捆绑 rlxd
困	kùn	口木⑤	LSI	困倦 lswu　困难 lscw

拼音（kuo）双拼（ko）

汉字	拼音	字根	编码	词组
扩	kuò	扌广①	RYT	扩张 ryxt　扩编 ryxy
括	kuò	扌丿古⊖	RTDG	括号 rtkg
阔	kuò	门氵丿古	UITD	阔绰 uixh　阔别 uikl
廓	kuò	广亠子阝	YYBB	

L

拼音（la）双拼（la）

汉字	拼音	字根	编码	词组
垃	lā	土立⊖	FUG	垃圾 fufe
拉	lā	扌立⊖	RUG	拉帮结伙 rdxw　拉帮结派 rdxi
啦	la　lā	口扌立⊖	KRUG	
腊	là	月廿日⊖	EAJG	腊梅 east　腊月 eaee
蜡	là　zhà	虫廿日⊖	JAJG	蜡烛 jaoj
辣	là	辛一口小	UGKI	辣椒 ugsh

拼音（lai）双拼（ll）

汉字	拼音	字根	编码	词组
来	lái	一米⑤	GOI	来件 gowr　来讲 goyf
赖	lài	一口小贝	GKIM	

拼音（lan）双拼（lj）

汉字	拼音	字根	编码	词组
兰	lán	丷二⊖	UFF	兰州 ufyt　兰花 ufaw
岚	lán	山几乂⑤	MMQU	岚皋 mmrd
拦	lán	扌丷二⊖	RUFG	拦挡 ruri　拦河坝 rifm
栏	lán	木丷二⊖	SUFG	栏目 suhh　栏杆 susf
婪	lán	木木女⊖	SSVF	
阑	lán	门一四⊖	UGLI	
蓝	lán	艹刂𠂉皿	AJTL	蓝图 ajlt　蓝本 ajsg
篮	lán	竹刂𠂉皿	TJTL	篮子 tjbb　篮球 tjgf
览	lǎn	刂𠂉丶儿	JTYQ	
揽	lǎn	扌刂𠂉儿	RJTQ	
缆	lǎn	纟刂𠂉儿	XJTQ	缆绳 xjxk
榄	Lǎn	木刂𠂉儿	SJTQ	
懒	lǎn	忄一口贝	NGKM	懒汉 ngic　懒得 ngtj
烂	làn	火丷二⊖	OUFG	烂摊子 orbb　烂漫 ouij
滥	làn	氵刂𠂉皿	IJTL	滥竽充数 ityo　滥调 ijym

拼音（lang）双拼（lh）

汉字	拼音	字根	编码	词组
啷	lāng	口丶彐阝	KYVB	
郎	láng	丶彐厶阝	YVCB	郎中 yvkh
狼	láng	犭丿丶𠄌	QTYE	狼狈 qtqt　狼狈不堪 qqgf
廊	láng	广丶彐阝	YYVB	廊坊 yyfy
朗	lǎng	丶彐厶月	YVCE	朗读 yvyf　朗朗 yvyv
浪	Làng	氵丶彐𠄌	IYVE	浪花 iyaw　浪潮 iyif

拼音（lao）双拼（lk）

汉字	拼音	字根	编码	词组
捞	lāo	扌艹冖力	RAPL	捞一把 rgrc　捞钱 raqg
劳	láo	艹冖力②	APLR	劳保 apwk　劳动 apfc
牢	láo	宀𠂒丨①	PRHJ	牢骚 prcc　牢不可破 pgsd
唠	láo　lào	口艹冖力	KAPL	唠叨 kakv
老	lǎo	土丿匕⑥	FTXB	老板娘 fsvy　老伴 ftwu
佬	lǎo	亻土丿匕	WFTX	
姥	Lǎo	女土丿匕	VFTX	姥姥 vfvf
潦	lǎo　liáo	氵大丷小	IDUI	潦草 idaj

拼音（le）双拼（le）

汉字	拼音	字根	编码	词组
乐	lè	匚小⑤	QII	乐山 qimm　乐善好施 quvy
勒	lè　lēi	廿串力①	AFLT	勒紧 afjc　勒令 afwy

拼音（lei）双拼（lz）

汉字	拼音	字根	编码	词组
雷	léi	雨田⊖	FLF	雷阵雨 fbfg　雷达 fldp
垒	lěi	厶厶厶土	CCCF	
磊	lěi	石石石⊖	DDDF	
蕾	lěi	艹雨田⊖	AFLF	
泪	Lèi	氵目⊖	IHG	泪痕 ihuv　泪花 ihaw
类	lèi	米大⑤	ODU	类比 odxx　类型 odga
累	lèi　léi　lěi	田幺小⑤	LXIU	累赘 lxgq　累积 lxtk

拼音（leng）双拼（lg）

汉字	拼音	字根	编码	词组
棱	léng　líng	木土八夂	SFWT	棱角 sfqe
冷	lěng	冫人丶マ	UWYC	冷板凳 uswg　冷冰冰 uuui
愣	lèng	忄罒方①	NLYT	

拼音（li）双拼（li）

汉字	拼音	字根	编码	词组
厘	lí	厂日土⊖	DJFD	厘米 djoy
梨	lí	禾刂木⑤	TJSU	梨树 tjsc
狸	lí	犭丿日二	QTJF	
离	lí	文凵冂厶	YBMC	离别 ybkl　离不开 ygga
黎	lí	禾勹丿水	TQTI	黎巴嫩 tcvg　黎族 tqyt
礼	lǐ	礻丶乙⑦	PYNN	

礼遇 pyjm　礼拜 pyrd

李 lǐ　木子㊀　SBF

李瑞环 sggg　李鹏 sbee

里 lǐ　曰土㊀　JFD

里边 jflp　里程 jftk

哩 lǐ　口日土㊀　KJFG

逦 lǐ　一冂丶辶　GMYP

理 lǐ　王日土㊀　GJFG

理智 gjtd　理财 gjmf

力 lì　力乙丿　LNT

力争 ltqv　力不从心 lgwn

历 lì　厂力㉂　DLE

历险 dlbw　历程 dltk

厉 lì　厂丆乙㊁　DDNV

厉声 ddfn　厉行 ddtf

立 lì　立立立立　UUUU

立场 uufn　立春 uudw

吏 lì　一口乂㉂　GKQI

丽 lì　一冂丶丶　GMYY

丽水 gmii　丽江 gmia

利 lì　禾刂㊃　TJH

利比亚 txgo　利弊 tjum

励 lì　厂丆乙力　DDNL

励兵秣马 drtc　励精图治 doli

例 lì　亻一夕刂　WGQJ

例会 wgwf　例子 wgbb

隶 lì　彐水㉂　VII

隶属 vint　隶书 vinn

粒 lì　米立㊀　OUG

粒状 ouud　粒子 oubb

拼音（lia）双拼（lw）

俩 liǎ　亻一冂人　WGMW

拼音（lian）双拼（lm）

连 lián　车辶㊃　LPK

连长 lpta　连用 lpet

帘 lián　宀八冂丨　PWMH

怜 lián　忄人丶マ　NWYC

怜惜 nwna　怜悯 nwnu

涟 lián　氵车辶㊀　ILPY

莲 lián　艹车辶㉂　ALPU

莲花 alaw

联 lián　耳丷大㊀　BUDY

联展联销 bnbq　联展 buna

裢 Lián　衤⺀车辶　PULP

廉 lián　广丷彐小　YUVO

廉价 yuww　廉洁 yuif

脸 liǎn　月人一丷　EWGI

脸面 ewdm　脸庞 ewyd

练 liàn　纟七乙八　XANW

练兵 xarg　练习 xanu

炼 liàn　火七乙八　OANW

炼制 oarm　炼钢 oaqm

恋 liàn　亠小心㉂　YONU

链 liàn　钅车辶㊀　QLPY

链式反应 qary　链条 qlts

拼音（liang）双拼（ld）

良 liáng　丶彐⻖㉂　YVEI

良种 yvtk　良策 yvtg

凉 liáng　冫亠小㊀　UYIY

凉水 uyii　凉风 uymq

梁 liáng　氵刀八木　IVWS

椋 liáng　木亠小㊀　SYIY

粮 liáng　米丶彐⻖　OYVE

粮仓 oywb　粮草 oyaj

粱 liáng　氵刀八米　IVWO

踉 liáng　liàng　口止丶⻖　KHYE

两 liǎng　一冂人人　GMWW

两半 gmuf　两码事 gdgk

亮 liàng　亠冖几㊁　YPMB

亮相 ypsh　亮堂 ypip

谅 liàng　讠亠小㊀　YYIY

谅解 yyqe

辆 liàng　车一冂人　LGMW

晾 liàng　日亠小㊀　JYIY

量 liàng　曰一日土　JGJF

量刑 jgga　量具 jghw

拼音（liao）双拼（lc）

辽 liáo　了辶㊃　BPK

辽源 bpid　辽东 bpai

疗 liáo　疒了㊃　UBK

疗程 ubtk　疗法 ubif

聊 liáo　耳匚丿卩　BQTB

聊天 bqgd　聊城 bqfd

了 liǎo　le　liào　了乙丨　BNH

了不得 bgtj　了不起 bgfh

料 liào　米⺀十㊃　OUFH

料想 oush　料到 ougc

镣 liào　钅大丷小　QDUI

拼音（lie）双拼（lx）

咧 liē　liě　lie　口一夕刂　KGQJ

列 liè　一夕刂㊃　GQJH

列车 gqlg　列出 gqbm

劣 liè　小丿力㉂　ITLR

劣等 ittf　劣根性 isnt

冽 liè　冫一夕刂　UGQJ

烈 liè　一夕刂灬　GQJO

烈属 gqnt　烈度 gqya

猎 liè　犭丿廾日　QTAJ

猎人 qtww　猎枪 qtsw

裂 liě　liè　一夕刂𧘇　GQJE

裂变 gqyo　裂缝 gqxt

拼音（lin）双拼（ln）

拎 līn　扌人丶マ　RWYC

邻 lín　人丶マ⻏　WYCB

邻县 wyeg　邻邦 wydt

林 lín　木木㊀　SSY

林子 ssbb　林产品 sukk

临 lín　刂𠂉丶皿　JTYJ

临别 jtkl　临近 jtrp

啉 lín　口木木㊀　KSSY

淋 lín　氵木木㊀　ISSY

淋漓 isiy

凛 lǐn　冫亠口小　UYLI

凛冽 uyug　凛然 uyqd

拼音（ling）双拼（l;）

伶 líng　亻人丶マ　WWYC

伶仃 wwws　伶俐 wwwt

灵 líng　彐火㉂　VOU

灵便 vowg　灵敏 votx

玲 líng　王人丶マ　GWYC

玲珑 gwgd　玲珑剔透 ggjt

凌 líng　丷土八夂　UFWT

凌空 ufpw　凌厉 ufdd

铃 Ling　钅人丶マ　QWYC

陵 líng　⻏土八夂　BFWT

陵墓 bfaj　陵园 bflf

羚 líng　丷𡗗人マ　UDWC

聆 líng　耳人丶マ　BWYC

聆听 bwkr

菱 líng　艹土八夂　AFWT

零 líng　雨人丶マ　FWYC

零部件 fuwr　零点 fwhk

龄 líng　止人凵マ　HWBC

岭 lǐng　山人、マ　MWYC

领 Lǐng　人、マ贝　WYCM

领队 wybw　领导 wynf

令 lǐng　lìng　人、マ③　WYCU

令人 wyww　令箭 wytu

另 lìng　口力③　KLR

另据 klrn　另起炉灶 kfoo

呤 lìng　口人、マ　KWYC

拼音（liu）双拼（lq）

溜 liū　liù　氵匚、田　IQYL

刘 liú　文刂①　YJH

浏 liú　氵文刂①　IYJH

浏览 iyjt

流 liú　氵亠厶儿　IYCQ

流域 iyfa　流传 iywf

留 liú　匚、刀田　QYVL

留职 qybk　留下 qygh

琉 liú　王亠厶儿　GYCQ

柳 liǔ　木匚丿卩　SQTB

柳州 sqyt

六 liù　六、一、　UYGY

拼音（long）双拼（ls）

龙 lóng　九匕③　DXE

龙灯 dxos　龙飞凤舞 dnmr

笼 Long　⺮九匕③　TDXR

笼子 tdbb　笼络 tdxt

聋 lóng　九匕耳㊀　DXBF

聋哑 dxkg

隆 lóng　阝夂一丰　BTGG

隆重 bttg　隆冬 bttu

垄 lǒng　九匕土㊀　DXFF

垄断 dxon

拢 lǒng　扌九匕①　RDXT

拼音（lou）双拼（lb）

楼 lóu　木米女㊀　SOVG

楼梯 sosu　楼板 sosr

搂 lǒu　lōu　扌米女㊀　ROVG

搂抱 rorq

篓 lǒu　⺮米女㊁　TOVF

陋 lòu　阝一冂乙　BGMN

陋习 bgnu　陋俗 bgww

漏 Lòu　氵尸雨⊙　INFY

漏子 inbb　漏报 inrb

拼音（lu）双拼（lu）

露 lù　lòu　雨口止口　FKHK

露珠 fkgr　露出 fkbm

卢 lú　卜尸③　HNE

卢布 hndm

庐 lú　广、尸③　YYNE

庐山 yymm

芦 lú　艹、尸①　AYNR

芦苇 ayaf　芦苇 ayaf

泸 lú　氵卜尸①　IHNT

泸州 ahyt

炉 lú　火、尸①　OYNT

炉子 oybb　炉火纯青 ooxg

卤 lǔ　卜口乂③　HLQI

虏 lǔ　虍七力③　HALE

掳 lǔ　扌虍七力　RHAL

鲁 lǔ　鱼一日㊁　QGJF

鲁莽 qgad

陆 lù　liù　阝二山①　BFMH

陆地 bffb　陆海空 bipw

录 lù　彐氺⊙　VIU

录制 virm　录像 viwq

赂 lù　贝夂口㊀　MTKG

鹿 lù　广コ刂匕　YNJX

禄 lù　礻、彐水　PYVI

碌 lù　石彐氺⊙　DVIY

路 lù　口止夂口　KHTK

路口 khkk　路程 khtk

拼音（lv）双拼（ly）

驴 lǘ　马、尸①　CYNT

吕 lǚ　口口㊂　KKF

吕梁 kkiv

侣 lǚ　亻口口㊀　WKKG

旅 lǚ　方𠂉𧘇⊙　YTEY

旅游 ytiy　旅伴 ytwu

铝 lǚ　钅口口㊀　QKKG

屡 lǚ　尸米女㊂　NOVD

缕 lǚ　纟米女㊀　XOVG

律 lǜ　彳彐二丨　TVFH

虑 lǜ　虍七心③　HANI

率 lǜ　亠幺冫十　YXIF

率先 yxtf　率领 yxwy

绿 lǜ　纟彐水⊙　XVIY

绿洲 xviy　绿树 xvsc

氯 lǜ　气乙彐氺　RNVI

滤 lǜ　氵虍七心　IHAN

拼音（luan）双拼（lr）

孪 luán　亠仆子㊀　YOBF

孪生 yotg　孪生兄弟 ytku

峦 luán　亠仆山①　YOMJ

卵 luǎn　匚、丿、　QYTY

卵石 qydg

乱 luàn　丿古乙Ⓩ　TDNN

乱收费 tnxj　乱弹琴 txgg

拼音（lue）双拼（lt）

掠 lüè　扌亠口小⊙　RYIY

掠过 ryfp　掠夺 rydf

略 lüè　田夂口㊀　LTKG

略去 ltfc　略胜一筹 legt

拼音（lun）双拼（lp）

抡 lún　lūn　扌人匕Ⓩ　RWXN

伦 lún　人人匕Ⓩ　WWXN

伦理 wwgj　伦敦 wwyb

沦 lún　氵人匕Ⓩ　IWXN

沦陷 iwbq　沦落 iwai

轮 lún　车人匕Ⓩ　LWXN

轮班 lwgy　轮船 lwte

论 lún　lùn　讠人匕Ⓩ　YWXN

论点 ywhk　论调 ywym

拼音（luo）双拼（lo）

罗 luó　罒夕⊙　LQU

罗汉 lqic　罗列 lqgq

逻 luó　罒夕辶③　LQPI

逻辑 lqlk

锣 luó　钅罒夕⊙　QLQY

锣鼓 qlfk

箩 luó　⺮罒夕③　TLQU

箩筐 tlta

骡 luó　马田幺小　CLXI

螺 luó　虫田幺小　JLXI

螺丝 jlxx

裸 luǒ　衤冫日木　PUJS

裸露 pufk　裸体 puws

络 luò lào　纟夂口⊖　XTKG
络绎 xtxc　络绎不绝 xxgx

骆 luò　马夂口⊖　CTKG

落 luò là lào luō　艹氵夂口　AITK
落伍 aiwg　落差 aiud

M

拼音（m）双拼（m）

呒 ḿ　口二儿⊘　KFQN

拼音（ma）双拼（ma）

妈 mā　女马⊖　VGG
妈妈 vcvc

麻 má　广木木③　YSSI
麻袋 yswa　麻烦 ysod

马 mǎ　马乙乙一　CNNG
马鞍山 camm　马车 cnlg

码 mǎ　石马⊖　DCG
码头 dcud

蚂 mǎ mā mà　虫马⊖　JCG
蚂蚁 jcjy

杩 mà　木马⊖　SCG

骂 mà　口口马⊖　KKCF

吗 ma má mǎ　口马⊖　KCG

嘛 ma　口广木木　KYSS

拼音（mai）双拼（ml）

埋 mái mán　土日土⊖　FJFG
埋藏 fjad　埋伏 fjwd

买 mǎi　乙⺀大⊙　NUDU
买办 nulw　买方 nuyy

迈 mài　丆乙辶⑫　DNPV
迈步 dnhi　迈出 dnbm

麦 Mài　主夂③　GTU
麦苗 gtal　麦收 gtnh

卖 mài　十乙⺀大　FNUD
卖座 fnyw　卖出价 fbww

脉 mài mò　月丶乙⺡　EYNI
脉络 eyxt　脉动 eyfc

拼音（man）双拼（mj）

蛮 mán　亠⺣虫③　YOJU
蛮不讲理 ygyg　蛮干 yofg

馒 mán　ク乙日又　QNJC
馒头 qnud

瞒 mán　目艹一人　HAGW
瞒上欺下 hhag　瞒天过海 hgfi

满 mǎn　氵艹一人　IAGW
满座 iayw　满不在乎 igdt

慢 màn　忄日罒又　NJLC
慢悠悠 nwwh　慢车 njlg

漫 màn　氵日罒又　IJLC
漫游 ijiy　漫不经心 igxn

蔓 màn mán wàn　艹日罒又　AJLC
蔓延 ajth

拼音（mang）双拼（mh）

忙 máng　忄亠乙⊘　NYNN
忙碌 nydv　忙乱 nytd

芒 máng　艹亠乙⑫　AYNB
芒果 ayjs

盲 Máng　亠乙目⊜　YNHF
盲人 ynww　盲从 ynww

茫 máng　艹氵亠乙　AIYN
茫茫 aiai　茫然 aiqd

拼音（mao）双拼（mk）

猫 māo máo　犭丿艹田　QTAL

毛 máo　丿二乚⑫　TFNV
毛重 tftg　毛病 tfug

矛 máo　マ卩丿③　CBTR
矛盾 cbrf　矛头 cbud

牦 máo　丿扌丿乚　TRTN

茅 máo　艹マ卩丿　ACBT
茅屋 acng　茅草 acaj

茂 mào　艹厂乚丿　ADNT
茂盛 addn　茂密 adpn

冒 mào mò　曰目⊜　JHF
冒称 jhtq　冒充 jhyc

贸 mào　𠂉刀贝　QYVM
贸促会 qwwf　贸然 qyqd

帽 mào　冂丨日目　MHJH
帽子 mhbb

貌 mào　爫豸白儿　EERQ
貌合神离 ewpy

拼音（me）双拼（me）

么 me yāo ma mó mò　丿厶③　TCU

拼音（mei）双拼（mz）

没 méi mò　氵几又⊙　IMCY
没有 imde　没多久 iqqy

枚 méi　木攵⊙　STY

玫 méi　王攵⊙　GTY
玫瑰 gtgr

眉 méi　尸目⊜　NHD
眉毛 nhtf　眉目 nhhh

梅 Méi　木𠂉ㄐ⺀　STXU
梅州 styt　梅花 staw

媒 méi　女艹二木　VAFS
媒人 vaww　媒介 vawj

嵋 méi　山尸目⊖　MNHG

煤 méi　火艹二木　OAFS
煤层 oanf　煤耗 oadi

霉 méi　雨𠂉ㄐ⺀　FTXU
霉烂 ftou

每 měi　𠂉ㄐ一丶　TXYY
每逢 txtd　每隔 txbg

美 měi　丷王大③　UGDU
美方 ugyy　美感 ugdg

妹 mèi　女二小⊙　VFIY
妹妹 vfvf　妹子 vfbb

昧 mèi　日二小⊙　JFIY

媚 mèi　女尸目⊖　VNHG

魅 mèi　白儿厶小　RQCI

拼音（men）双拼（mf）

门 mén　门丶丨冂　UYHN
门当户对 uiyc　门房 uyyn

闷 mèn mēn　门心③　UNI
闷热 unrv　闷闷不乐 uugq

焖 mèn　火门心⊙　OUNY

们 men　亻门⊘　WUN

拼音（meng）双拼（mg）

萌 méng　艹日月⊖　AJEF
萌芽 ajaa　萌动 ajfc

蒙 méng mēng měng　艹冖二豕　APFE
蒙在鼓里 adfj　蒙蔽 apau

盟 méng　日月皿⊖　JELF
盟约 jexq　盟国 jelg

猛 měng　犭丿子皿　QTBL
猛涨 qtix　猛冲 qtuk

孟 mèng　子皿⊖　BLF

梦 mèng　木木夕⊙　SSQU
梦想 sssh　梦幻 ssxn

拼音（mi）双拼（mi）

咪 mī　口米⊙　KOY

眯 mí mī　目米⊙　HOY

字	拼音	字根	编码	词组
弥	mí	弓ク小⊙	XQIY	弥补 xqpu　弥合 xqwg
祢	mí	礻丶ク小	PYQI	
迷	mí	米辶③	OPI	迷雾 opft　迷你 opwq
谜	mí	讠米辶⊙	YOPY	谜语 yoyg
米	mǐ	米丶丿丶	OYTY	米饭 oyqn
泌	mì	氵心丿①	INTT	
觅	mì	爫冂儿⑥	EMQB	
秘	mì　bì	禾心丿①	TNTT	秘鲁 tnqg　秘密 tnpn
密	mì	宀心丿山	PNTM	密度 pnya　密封 pnff
幂	mì	冖日大丨	PJDH	
蜜	mì	宀心丿目	PNTJ	蜜月 pnee　蜜蜂 pnjt

拼音（mian）双拼（mm）

字	拼音	字根	编码	词组
眠	mián	目尸七②	HNAN	
绵	mián	纟白冂丨	XRMH	绵羊 srud　绵阳 xrbj
棉	mián	木白冂丨	SRMH	棉织品 sxkk　棉布 srdm
免	miǎn	ク口儿⑥	QKQB	免得 qktj　免费 qkxj
勉	miǎn	⺈口儿力	QKQL	勉励 qkdd　勉强 qkxk
面	miàn	丆冂刂三	DMJD	面不改色 dgnq　面部 dmuk

拼音（miao）双拼（mc）

字	拼音	字根	编码	词组
喵	miāo	口艹 田⊖	KALG	
苗	miáo	艹田⊜	ALF	苗子 albb　苗条 alts
描	miáo	扌艹田⊖	RALG	描绘 raxw　描摹 raaj
瞄	miáo	目艹田⊖	HALG	瞄准 hauw
秒	miǎo	禾小丿①	TITT	秒钟 tiqk
妙	miào	女小丿①	VITT	妙语 viyg　妙不可言 vgsy
庙	miào	广由⊜	YMD	庙会 ymwf　庙宇 ympg

拼音（mie）双拼（mx）

字	拼音	字根	编码	词组
咩	miē	口丷三丨	KUDH	
灭	miè	一火③	GOI	灭火 gooo　灭火器 gokk
蔑	miè	艹罒厂丶	ALDY	蔑视 alpy

拼音（min）双拼（mn）

字	拼音	字根	编码	词组
民	mín	尸七⑥	NAV	民族 nayt　民办 nalw
皿	mǐn	皿丨乛一	LHNG	
悯	mǐn	忄门文⊙	NUYY	
敏	mǐn	𠂉母一攵	TXGT	敏感 txdg　敏感性 tdnt

拼音（ming）双拼（m;）

字	拼音	字根	编码	词组
名	míng	夕口⊜	QKF	名册 qkmm　名茶 qkaw
明	Míng	日月⊖	JEG	明珠 jegr　明察秋毫 jpty
鸣	míng	口勹丶一	KQYG	鸣谢 kqyt　鸣枪 kqsw
茗	míng	艹夕口⊜	AQKF	
冥	míng	冖日六③	PJUU	冥思苦想 plas
铭	míng	钅夕口⊖	QQKG	铭刻 qqyn　铭文 qqyy
命	mìng	人一口卩	WGKB	命根子 wsbb　命令 wgwy

拼音（miu）双拼（mq）

字	拼音	字根	编码	词组
谬	miù	讠羽人彡	YNWE	谬论ynyw　谬误ynyk
缪	miù	纟羽人彡	XNWE	

拼音（mo）双拼（mo）

字	拼音	字根	编码	词组
摸	mō	扌艹日大	RAJD	摸索rafp　摸底rayq
模	mó　mú	木艹日大	SAJD	模型saga　模板sasr
磨	mó　mò	广木木石	YSSD	磨擦ysrp　磨蹭yskh
魔	mó	广木木厶	YSSC	魔鬼ysrq　魔爪ysrh
抹	mǒ　mò　mā	扌一木⊙	RGSY	抹煞rgqv　抹掉rgrh
末	mò	一木③	GSI	末代gswa　末端gsum
陌	mò	阝丆日⊖	BDJG	陌生bdtg
莫	mò	艹曰大③	AJDU	莫不ajgi　莫不是agjg
寞	mò	宀艹日大	PAJD	
漠	mò	氵艹日大	IAJD	漠不关心igun　漠然iaqd
默	mò	四土灬犬	LFOD	默许lfyt　默默lflf

拼音（mou）双拼（mb）

字	拼音	字根	编码	词组
眸	móu	目厶𠂉丨	HCRH	
谋	móu	讠艹二木	YAFS	谋财害命ympw　谋害yapd
某	mǒu	艹二木③	AFSU	某种aftk　某部afuk

拼音（mu）双拼（mu）

字	拼音	字根	编码	词组
母	mǔ	𠃊一丶	XYYI	母子xgbb　母爱xgep
亩	mǔ	亠田⊜	YLF	亩产ylut
牡	mǔ	丿扌土⊖	TRFG	牡丹trmy
姆	mǔ	女𠃊一丶	VYYU	
拇	mǔ	扌𠃊一丶	RXYY	拇指rxrx
木	mù	木木木木	SSSS	木板sssr　木版ssth
目	mù	目目目目	HHHH	目不识丁hgys　目不暇接hgjr
沐	mù	氵木⊙	ISY	沐浴isiw
牧	mù	丿扌攵⊙	TRTY	牧童truj　牧草traj
募	mù	艹曰大力	AJDL	募捐ajrk　募集ajwy
墓	mù	艹曰大土	AJDF	墓葬ajag　墓碑ajdr
幕	mù	艹曰大丨	AJDH	幕布ajdm　幕后ajrg
睦	mù	目土八土	HFWF	睦邻hfwy
慕	mù	艹曰大⺗	AJDN	

慕名而来aqdg

暮 mù　艹曰大日　AJDJ
暮年ajrh　暮气ajrn

穆 mù　禾白小彡　TRIE
穆斯林tass

N

拼音（na）双拼（na）

拿 ná　人一口手　WGKR
拿手wgrt　拿下wggh

哪 nǎ　něi　na　né　口刀二阝　KVFB
哪样kvsu　哪儿kvqt

那 nà　刀二阝①　VFBH
那边vflp　那次vfuq

呐 nà　na　nè　ne　口冂人⊙　KMWY
呐喊 kmkd

纳 nà　纟冂人⊙　XMWY
纳粹xmoy　纳闷xmun

捺 nà　扌大二小　RDFI

拼音（nai）双拼（nl）

乃 nǎi　乃乙丿　ETN
乃至etgc

奶 nǎi　女乃①　VET
奶粉veow　奶奶veve

奈 nài　大二小③　DFIU
奈何dfws

耐 nài　丆口刂寸　DMJF
耐久dmqy　耐劳dmap

拼音（nan）双拼（nj）

男 nán　田力②　LLR
男方llyy　男子llbb

南 nán　十冂丷十　FMUF
南北fmux　南极fmse

难 nán　nàn　又亻主⊖　CWYG
难看cwrh　难免cwqk

拼音（nang）双拼（nh）

囊 nāng　náng　一口丨众　GKHE
囊括gkrt　囊空如洗gpvi

攮 nǎng　扌一口众　RGKE

拼音（nao）双拼（nk）

挠 náo　扌七丿儿　RATQ

恼 nǎo　忄文凵①　NYBH
恼羞成怒nudv　恼火nyoo

脑 nǎo　月文凵①　EYBH
脑子eybb　脑袋eywa

瑙 nǎo　王巛丿乂　GVTQ

闹 nào　门一冂丨　UYMH
闹钟uyqk

淖 nào　氵⺊早①　IHJH

拼音（ne）双拼（ne）

呢 ne　ní　口尸匕②　KNXN
呢绒knxa

拼音（nei）双拼（nz）

馁 něi　饣乙爫女　QNEV

内 nèi　冂人③　MWI
内宾mwpr　内部mwuk

拼音（nen）双拼（nf）

恁 nèn　亻丿士心　WTFN

嫩 nèn　女一口攵　VGKT

拼音（neng）双拼（ng）

能 néng　厶月匕匕　CEXX
能动cefc　能动性cfnt

拼音（ni）双拼（ni）

妮 nī　女尸匕②　VNXN

尼 ní　尸匕⑩　NXV
尼日利亚njtg　尼泊尔niqi

泥 ní　氵尸匕②　INXN
泥潭inis　泥巴incn

你 nǐ　亻勹小⊙　WQIY
你我wqtr　你们wqwu

拟 nǐ　扌乙丶人　RNYW
拟于rngf　拟订rnys

逆 nì　丷凵丿辶　UBTP
逆转ublf　逆反心理urng

溺 nì　氵弓⺀⺀　IXUU
溺爱ixep

腻 nì　月弋二贝　EAFM
腻烦eaod

拼音（nian）双拼（nm）

拈 niān　扌⺊口⊖　RHKG
拈轻怕重rlnt

年 nián　𠂉丨十⑩　RHFK
年终rhxt　年报rhrb

念 niàn　人丶乙②　WYNN
念叨wykv　念念不忘wwgy

拼音（niang）双拼（nd）

娘 niáng　女丶彐𠄌　VYVE
娘家vype

酿 niàng　西一丶𠄌　SGYE
酿造sgtf　酿成sgdn

拼音（niao）双拼（nc）

鸟 niǎo　勹丶乙一　QYNG
鸟瞰qyhn　鸟语花香qyat

尿 Niào　尸水③　NII
尿素nigx

拼音（nie）双拼（nx）

捏 niē　扌日土⊖　RJFG
捏造rjtf

镊 niè　钅耳又又　QBCC

蹑 niè　口止耳又　KHBC

拼音（nin）双拼（nl）

您 nín　亻勹小心　WQIN
您好wqvb

拼音（ning）双拼（n;）

宁 níng　nìng　宀丁⑩　PSJ
宁静psge　宁可pssk

凝 níng　冫匕𠂉龰　UXTH
凝结uxxf　凝聚uxbc

拼音（niu）双拼（nq）

妞 niū　女乙丨二　VNHF

牛 niú　𠂉丨⑩　RHK
牛鬼蛇神rrjp　牛犊rhtr
牛郎织女ryxv　牛肉rhmw

扭 niǔ　扌乙丨二　RNHF
扭曲rnma　扭伤rnwt

纽 niǔ　纟乙丨二　XNHF
纽约xnxq　纽带xngk

钮 niǔ　钅乙丨二　QNHF

拼音（nong）双拼（ns）

农 nóng　冖𧘇③　PEI
农村pesf　农贷pewa

浓 nóng　氵冖𧘇⊙　IPEY
浓度ipya　浓厚ipdj

脓 nóng　月冖𧘇⊙　EPEY
脓包epqn

弄 nòng　lòng　王廾⑩　GAJ
弄堂gaip　弄错gaqa

拼音（nou）双拼（nb）

耨 nòu　三小厂寸　DIDF

拼音（nu）双拼（nu）

奴 nú　女又⊙　VCY
奴役vctm　奴才vcft

努 nǔ　女又力③　VCLR
努力vclt

怒 nù　女又心③　VCNU
怒不可遏vgsj　怒族vcyt

拼音（nv）双拼（ny）

汉字	拼音	字根	编码
女	nǚ rǔ	女女女女	VVVV
女兵vvrg	女排vvrd		
钕	nǚ	钅女⊖	QVG

拼音（nue）双拼（nv）

汉字	拼音	字根	编码
虐	nüè	卢七匚一	HAAG
虐待hatf			

拼音（nuan）双拼（nr）

汉字	拼音	字根	编码
暖	nuǎn	日爫二又	JEFC
暖气jern	暖房jeyn		

拼音（nuo）双拼（no）

汉字	拼音	字根	编码
挪	nuó	扌刀二阝	RVFB
挪用rvet	挪动rvfc		
诺	nuò	讠艹𠂇口	YADK
诺言yayy			
懦	nuò	忄雨丆刂	NFDJ
懦夫nffw	懦弱nfxu		
糯	nuò	米雨丆刂	OFDJ

O

拼音（o）双拼（o）

汉字	拼音	字根	编码
噢	ō	口丿冂大	KTMD
哦	ó é ò	口丿扌丶	KTRY

拼音（ou）双拼（b）

汉字	拼音	字根	编码
欧	ōu	匚乂𠂊人	AQQW
欧阳aqbj	欧共体aaws		
殴	ōu	匚乂几又	AQMC
殴打aqrs			
鸥	ōu	匚乂勹一	AQQG
呕	ǒu	口匚乂⊙	KAQY
呕吐kakf	呕心沥血knit		
偶	ǒu	亻日冂丶	WJMY
偶像wjwq	偶尔wjqi		
耦	ǒu	三木日丶	DIJY
耦合diwg			
藕	ǒu	艹三小丶	ADIY
藕断丝连aoxl			

P

拼音（pa）双拼（pa）

汉字	拼音	字根	编码
趴	pā	口止八⊙	KHWY
啪	pā	口扌白⊖	KRRG
杷	pá	木巴⊘	SCN
爬	pá	厂丨乀巴	RHYC
爬行rhtf	爬山rhmm		
耙	pá bà	三小巴⊘	DICN
琶	pá	王王巴⊗	GGCB
帕	pà	冂丨白⊖	MHRG
怕	pà	忄白⊖	NRG
怕苦nrad	怕累nrlx		

拼音（pai）双拼（pl）

汉字	拼音	字根	编码
拍	pāi	扌白⊖	RRG
拍照rrjv	拍摄rrrb		
徘	pái	彳丨三三	THDD
徘徊tdtl			
排	pái pǎi	扌丨三三	RHDD
排忧解难rnqc	排版rdth		
牌	Pái	丿丨一十	THGF
牌号thkg	牌价thww		
派	pài	氵厂𠂢⊙	IREY
派驻ircy	派别irkl		
湃	pài	氵手三十	IRDF

拼音（pan）双拼（pj）

汉字	拼音	字根	编码
盘	pán	丿舟皿⊖	TELF
盘旋teyt	盘存tedh		
判	pàn	丷𠂇刂①	UDJH
判案udpv	判刑udga		
叛	pàn	丷𠂇厂又	UDRC
叛徒udtf	叛变udyo		
盼	pàn	目八刀⊘	HWVN
盼头hwud	盼望hwyn		
畔	pàn	田丷十①	LUFH

拼音（pang）双拼（ph）

汉字	拼音	字根	编码
乓	pāng	斤一丶⊙	RGYU
滂	pāng	氵立冖方	IUPY
滂沱iuip			
庞	páng	广𠂇匕⊘	YDXE
庞杂ydvs			
旁	páng	立冖方⊙	UPYR
旁观upcm	旁门upuy		
胖	pàng	月丷十①	EUFH
胖子eubb			

拼音（pao）双拼（pk）

汉字	拼音	字根	编码
抛	pāo	扌九力①	RVLT
抛出rvbm	抛光rviq		
刨	páo bào	勹巳刂①	QNJH
咆	páo	口勹巳⊘	KQNN
咆哮如雷kkvf			
炮	páo bāo pào	火勹巳⊘	OQNN
炮兵oqrg	炮弹oqxu		
袍	páo	衤丶勹巳	PUQN
跑	pǎo páo	口止勹巳	KHQN
跑马khcn	跑遍khyn		
泡	pào	氵勹巳⊘	IQNN
泡影iqjy	泡沫iqig		
疱	pào	疒勹巳⊗	UQNV

拼音（pei）双拼（pz）

汉字	拼音	字根	编码
胚	pēi	月一小一	EGIG
胚胎egec			
醅	pēi	西一立口	SGUK
陪	péi	阝立口⊖	BUKG
陪同bumg	陪伴buwu		
培	péi	土立口⊖	FUKG
培植fusf	培训fuyk		
赔	péi	贝立口⊖	MUKG
赔钱muqg	赔本musg		
佩	pèi	亻几一丨	WMGH
佩服wmeb	佩带wmgk		
配	pèi	西一己⊘	SGNN
配备sgtl	配音sguj		

拼音（pen）双拼（pf）

汉字	拼音	字根	编码
喷	pēn pèn	口十艹贝	KFAM
喷出kfbm	喷发kfnt		
盆	pén	八刀皿⊖	WVLF
盆景wvjy	盆地wvfb		

拼音（peng）双拼（pg）

汉字	拼音	字根	编码
怦	pēng	忄一丷丨	NGUF
砰	pēng	石一丷丨	DGUH
烹	pēng	古了灬⊙	YBOU
烹调ybym	烹饪ybqn		
嘭	pēng	口士口彡	KFKE
朋	Péng	月月⊖	EEG
朋友eedc			
彭	Péng	士口丷彡	FKUE
棚	péng	木月月⊖	SEEG
棚子sebb			
蓬	Péng	艹夂三辶	ATDP
蓬勃atfp	蓬莱atag		
鹏	péng	月月勹一	EEQG
捧	pěng	扌三人丨	RDWH
捧场rdfn	捧腹大笑redt		

字	拼音	字根	编码
碰	pèng	石丷业一	DUOG
碰撞duru	碰杯dusg		

拼音（pi）双拼（pi）

字	拼音	字根	编码
不	pī	一小一⊜	GIGF
批	pī	扌匕匕Ⓩ	RXXN
批准rxuw	批驳rxcq		
披	pī	扌广又⊙	RHCY
披星戴月rjfe	披肝沥胆reie		
劈	pī pǐ	尸口辛刀	NKUV
劈波斩浪nili	劈头盖脸nuue		
噼	pī	口尸口辛	KNKU
霹	pī	雨尸口辛	FNKU
霹雳fnfd			
皮	pí	广又⊜	HCI
皮包hcqn	皮带hcgk		
疲	pí	疒广又㊂	UHCI
疲惫uhtl	疲乏uhtp		
啤	pí	口白丿十	KRTF
啤酒kris			
埤	pí pì	土白丿十	FRTF
脾	pí	月白丿十	ERTF
脾脏erey	脾气errn		
匹	pǐ	匚儿Ⓦ	AQV
匹配aqsg	匹夫有责afdg		
癖	pǐ	疒コ口辛	UNKU
屁	pì	尸匕匕Ⓦ	NXXV
屁股 nxem	屁滚尿流 nini		
僻	pì	亻尸口辛	WNKU
僻静wnge			

拼音（pian）双拼（pm）

字	拼音	字根	编码
片	piān piàn	丿丨一乙	THGN
片子thbb	片段thwd		
偏	piān	亻丶尸廾	WYNA
偏爱wyep	偏差wyud		
篇	piān	竹丶尸廾	TYNA
篇章tyuj	篇幅tymh		
翩	piān	丶尸冂羽	YNMN
骗	piàn	马丶尸廾	CYNA
骗子cybb	骗局cynn		

拼音（piao）双拼（pc）

字	拼音	字根	编码
剽	piāo	西二小刂	SFIJ
剽窃sfpw			
漂	piāo	氵西二小	ISFI
漂白isrr	漂泊isir		
缥	piāo	纟西二小	XSFI
缥缈xsxh			
飘	piāo	西二小乂	SFIQ
飘逸sfqk	飘泊sfir		
嫖	piáo	女西二小	VSFI
嫖娼vsvj			
瓢	piáo	西二小乀	SFIY
瓢泼大雨sidf			
瞟	piǎo	目西二小	HSFI
票	piào	西二小㊂	SFIU
票子sfbb	票额sfpt		

拼音（pie）双拼（px）

字	拼音	字根	编码
撇	piē piě	扌丷冂攵	RUMT
撇开ruga			
瞥	piē	丷冂小目	UMIH
瞥见ummq			

拼音（pin）双拼（pn）

字	拼音	字根	编码
姘	pīn	女丷廾⦶	VUAH
姘居vund			
拼	pīn	扌丷廾⦶	RUAH
拼音ruuj	拼搏rurg		
贫	pín	八刀贝㊂	WVMU
贫病交加wuul	贫血wvtl		
嫔	pín	女宀斤八	VPRW
频	pín	止少丆贝	HIDM
频传hiwf	频带higk		
品	pǐn	口口口⊜	KKKF
品茶kkaw	品尝kkip		
聘	Pìn	耳由一乙	BMGN
聘请bmyg	聘任bmwt		

拼音（ping）双拼（p;）

字	拼音	字根	编码
乒	Pīng	斤一丿	RGT
乒乓球rrgf	乒坛rgff		
平	píng	一丷丨⦶	GUHK
平安gupv	平白无故grfd		
评	píng	讠一丷丨	YGUH
评测ygim	评比ygxx		
凭	píng	亻丿士几	WTFM
凭着wtud	凭借wtwa		
坪	píng	土一丷丨	FGUH
苹	píng pín	艹一丷丨	AGUH
苹果agjs			
屏	píng bǐng bìng	尸丷廾⦶	NUAK
屏蔽nuau	屏除nubw		
枰	píng	木一丷丨	SGUH
瓶	píng	丷廾一丶	UAGY
瓶子uabb	瓶装uauf		
萍	píng	艹氵一丨	AIGH
萍乡aixt	萍水相逢aist		

拼音（po）双拼（po）

字	拼音	字根	编码
坡	pō	土广又⊙	FHCY
坡地fhfb	坡度fhya		
泼	pō	氵乙丿丶	INTY
泼墨inlf	泼辣inug		
颇	pō	广又丆贝	HCDM
颇有hcde	颇多hcqq		
婆	pó	氵广又女	IHCV
婆家ihpe	婆媳ihvt		
迫	pò	白辶⊜	RPD
迫在眉睫rdnh	迫不得已rgtn		
迫不及待rget	迫使rpwg		
珀	pò	王白⊖	GRG
破	pò	石广又⊙	DHCY
破案dhpv	破产dhut		
魄	pò bó tuò	白白儿厶	RRQC
魄力rrlt			

拼音（pou）双拼（pb）

字	拼音	字根	编码
剖	pōu	立口刂⦶	UKJH
剖析uksr	剖面ukdm		
掊	pòu pǒu	扌立口⊖	RUKG

拼音（pu）双拼（pu）

字	拼音	字根	编码
仆	pū pú	亻卜⊙	WHY
仆从whww			
扑	pū	扌卜⊙	RHY
扑通rhce	扑鼻而来rtdg		
铺	pū pù	钅一月丶	QGEY
铺张浪费qxix	铺盖qgug		
匍	pú	艹勹一丶	AQGY
匍匐aqaq			
蒲	pú	艹氵一丶	AIGY
朴	pǔ piáo pō pò	木卜⊙	SHY
朴实无华spfw	朴素shgx		
埔	pǔ pù	土一月丶	FGEY
浦	pǔ	氵一月丶	IGEY
普	pǔ	丷业一日	UOGJ
普法uoif	普及uoey		
瀑	pù	氵日廾水	IJAI
瀑布ijdm			

字	拼音	字根	编码	词组
曝	pù bào	日日廾氺	JJAI	曝光jjiq

Q

拼音（qi）双拼（qi）

字	拼音	字根	编码	词组
七	qī	七一乙	AGN	七拼八凑arwu 七月agee
沏	qī	氵七刀⑪	IAVN	
妻	qī	一彐丨女	GVHV	
凄	qī	冫一彐女	UGVV	凄凉uguy 凄惨ugnc
栖	qī xī	木西⊖	SSG	栖息ssth 栖身sstm
期	qī	廾三八月	ADWE	期货adwx 期间aduj
欺	qī	廾三八人	ADWW	欺负adqm 欺凌aduf
漆	qī	氵厂人氺	ISWI	漆黑islf
齐	qí	文川⑪	YJJ	齐集yjwy 齐整yjgk
其	qí	廾三八⑤	ADWU	其貌不扬aegr 其后adrg
奇	qí jī	大丁口⊜	DSKF	奇迹dsyo 奇景dsjy
歧	qí	止十又⊙	HFCY	歧义hfyq 歧途hfwt
祈	qí	礻丶斤⑪	PYRH	祈祷pypy 祈求pyfi
骑	qí	马大丁口	CDSK	骑兵cdrg 骑车cdlg
棋	qí	木廾三八	SADW	棋类saod 棋手sart 棋坛saff 棋艺saan
旗	qí	方𠂉廾八	YTAW	旗子ytbb 旗杆ytsf
乞	qǐ	𠂉乙⑩	TNB	乞丐tngh 乞怜tnnw
企	qǐ	人止⊜	WHF	企业whog 企盼whhw
启	qǐ	丶尸口⊜	YNKD	启运ynfc 启用ynet
杞	qǐ	木己②	SNN	杞人忧天swng
起	qǐ	土龰己⑩	FHNV	起步fhhi 起爆fhoj
气	qì	𠂉乙⑩	RNB	气度不凡rygm 气氛rnrn
讫	qì	讠𠂉乙②	YTNN	
迄	qì	𠂉乙辶⑩	TNPV	迄今tnwy
弃	qì	亠厶廾⑪	YCAJ	弃暗投明yjrj 弃置yclf
汽	qì	氵𠂉乙②	IRNN	汽车irlg 汽车站iluh
泣	qì	氵立⊖	IUG	泣不成声igdf
契	qì xiè	三丨刀大	DHVD	契机dhsm 契约dhxq
砌	qì	石七刀②	DAVN	
器	qì	口口犬口	KKDK	器材kksf 器官kkpn
憩	qì	丿古丿心	TDTN	

拼音（qia）双拼（qw）

字	拼音	字根	编码	词组
掐	qiā	扌⺈臼⊖	RQVG	
恰	qià	忄人一口	NWGK	
洽	qià	氵人一口	IWGK	洽谈iwyo 洽商iwum

拼音（qian）双拼（qm）

字	拼音	字根	编码	词组
千	qiān	丿十⑪	TFK	千差万别tudk 千古tfdg
仟	qiān	亻丿十⑪	WTFH	
迁	qiān	丿十辶⑪	TFPK	迁出tfbm 迁就tfyi
牵	qiān	大冖𠂉丨	DPRH	牵肠挂肚dere 牵扯dprh
铅	qiān	钅几口⊖	QMKG	铅字qmpb 铅印qmqg
谦	qiān	讠丷彐小	YUVO	谦逊yubi 谦恭yuaw
签	qiān	竹人一丷	TWGI	签字twpb 签到twgc
前	qián	丷月刂⑪	UEJJ	前功尽弃uany 前后uerg
虔	qián	虍七文⑤	HAYI	虔诚hgyd
钱	qián	钅戋丶	QGY	钱物qgtr 钱包qgqn
钳	qián	钅廾二⊖	QAFG	钳子qabb 钳制qarm
潜	qián	氵二人日	IFWJ	潜藏ifad 潜伏ifwd
浅	qiǎn	氵戋丶	IGY	浅显igjo 浅薄igai
遣	qiǎn	口丨一辶	KHGP	遣返khrc 遣散khae
谴	qiǎn	讠口丨辶	YKHP	谴责 ykgm
欠	qiàn	𠂊人⑤	QWU	欠佳qwwf 欠资qwuq
倩	qiàn	亻龶月⊖	WGEG	
嵌	qiàn	山廾二人	MAFW	嵌套madd
歉	qiàn	丷彐小人	UVOW	歉意 uvuj 歉收 uvnh

拼音（qiang）双拼（qd）

字	拼音	字根	编码	词组
枪	qiāng	木人㔾②	SWBN	枪支swfc 枪毙swxx
跄	qiāng	口止人㔾	KHWB	
腔	qiāng	月宀八工	EPWA	腔调epym
强	qiáng qiǎng	弓口虫⊙	XKJY	强迫xkrp 强暴xkja
墙	qiáng	土土丷口	FFUK	墙报ffrb 墙壁ffnk
抢	qiǎng	扌人㔾②	RWBN	抢夺rwdf 抢购rwmq

拼音（qiao）双拼（qc）

字	拼音	字根	编码	词组
悄	qiāo	忄⺌月⊖	NIEG	悄然niqd 悄悄nini
跷	Qiāo	口止七儿	KHAQ	
敲	qiāo	亠冂口又	YMKC	敲打ymrs 敲击ymfm
乔	qiáo	丿大川⑪	TDJJ	乔迁tdtf 乔木tdss
侨	qiáo	亻丿大川	WTDJ	侨乡wtxt 侨办wtlw
桥	qiáo	木丿大川	STDJ	桥头stud 桥洞stim 桥墩stfy 桥梁stiv
憔	qiáo	忄亻主灬	NWYO	憔悴nwny

字	拼音	字根	编码	词组
瞧	Qiáo	目亻主灬	HWYO	瞧见hwmq
巧	qiǎo	工一乙Ⓩ	AGNN	巧干agfg 巧合agwg
俏	qiào	亻⺌月⊖	WIEG	俏丽wigm
诮	qiào	讠⺌月⊖	YIEG	
峭	qiào	山⺌月⊖	MIEG	峭壁mink
窍	qiào	宀八工乙	PWAN	窍门pwuy
翘	qiào	七丿一羽	ATGN	翘尾巴ancn
撬	qiào	扌丿二乚	RTFN	

拼音（qie）双拼（qx）

字	拼音	字根	编码	词组
切	qiē qiè	七刀Ⓓ	AVT	切不可agsk 切削avie
茄	qié	艹力口⊖	ALKF	
且	qiě	月一⊜	EGD	且慢egnj
妾	qiè	立女⊜	UVF	
怯	qiè	忄土厶⊙	NFCY	怯场nffn 怯懦nfnf
窃	qiè	宀八七刀	PWAV	窃听pwkr 窃贼pwma
惬	qiè	忄匚一人	NAGW	惬意nauj
锲	qiè	钅三丨大	QDHD	锲而不舍qdgw

拼音（qin）双拼（qn）

字	拼音	字根	编码	词组
亲	qīn qìng	立木⊜	USU	亲自usth 亲生ustg
侵	qīn	亻彐冖又	WVPC	侵犯wvqt 侵害wvpd
芹	qín	艹斤Ⓓ	ARJ	
秦	Qín	三人禾⊙	DWTU	秦皇岛drqy 秦岭dwmw
琴	qín	王王人乙	GGWN	琴棋书画gsng
禽	qín	人文凵厶	WYBC	禽兽wyul
勤	qín	廿口主力	AKGL	勤政akgh 勤奋akdl
擒	qín	扌人文厶	RWYC	擒拿rwwg
寝	qǐn	宀冫彐又	PUVC	寝室pupg
吣	qìn	口心⊙	KNY	
沁	qìn	氵心⊙	INY	沁人心脾iwne
揿	qìn	扌钅ク人	RQQW	

拼音（qing）双拼（q;）

字	拼音	字根	编码	词组
青	qīng	主月⊜	GEF	青壮年gurh 青年gerh
氢	qīng	气乙ス工	RNCA	氢弹rnxu 氢气rnrn
轻	qīng	车ス工⊖	LCAG	轻便lcwg 轻便式lwaa
倾	qīng	亻匕丆贝	WXDM	倾巢出动wvbf 倾注wxiy
清	qīng	氵主月⊖	IGEG	清白igrr 清仓igwb
情	qíng	忄主月⊖	NGEG	情真意切nfua 情爱ngep
晴	qíng	日主月⊖	JGEG	晴空jgpw 晴朗jgyv
请	qǐng	讠主月⊖	YGEG	请坐ygww 请功ygal
庆	qìng	广大⊙	YDI	庆典ydma 庆功ydal

拼音（qiong）双拼（qs）

字	拼音	字根	编码	词组
穷	qióng	宀八力⊘	PWLB	穷国pwlg 穷苦pwad
琼	qióng	王亠小⊙	GYIY	

拼音（qiu）双拼（qq）

字	拼音	字根	编码	词组
丘	qiū	斤一⊜	RGD	
邱	qiū	斤一阝Ⓓ	RGBH	
秋	qiū	禾火⊙	TOY	秋风 tomq 秋天togd
蚯	qiū	虫斤一⊖	JRGG	
囚	qiú	口人⊙	LWI	囚禁lwss 囚犯lwqt
犰	qiú	犭丿九Ⓩ	QTVN	
求	qiú	十㐅丶⊙	FIYI	求婚fivq 求教fift
球	qiú	王十㐅丶	GFIY	球状gfud 球场gffn
裘	qiú	十㐅丶𧘇	FIYE	

拼音（qu）双拼（qu）

字	拼音	字根	编码	词组
区	qū ōu	匚㐅⊙	AQI	区分aqwv 区划aqaj
曲	qū qǔ	冂廿⊜	MAD	曲调maym 曲阜mawn
驱	qū	马匚㐅⊙	CAQY	驱动cafc 驱赶cafh
岖	qū	山匚㐅⊙	MAQY	
屈	qū	尸凵山Ⓜ	NBMK	
躯	qū	丿冂三㐅	TMDQ	躯体tmws 躯干tmfg
蛐	qū	虫冂廿⊖	JMAG	
趋	qū	土龰ク彐	FHQV	趋炎附势fobr 趋附fhbw
渠	qú	氵匚コ木	IANS	渠道iaut
取	qǔ	耳又⊙	BCY	取走bcfh 取保bcwk
娶	qǔ	耳又女⊖	BCVF	
去	qù	土厶⊙	FCU	去年fcrh 去处fcth
趣	qù	土龰耳又	FHBC	趣事fhgk 趣味fhkf

拼音（quan）双拼（qr）

字	拼音	字根	编码	词组
圈	quān juà juān	囗丷大㔾	LUDB	圈套ludd 圈阅luuu
全	quán	人王⊖	WGF	全年wgrh 全盘wgte
权	quán	木又⊙	SCY	权贵sckh 权衡sctq
泉	quán	白水⊙	RIU	泉州riyt 泉水riii
荃	quán	艹人王⊖	AWGF	
拳	quán	丷大手Ⓓ	UDRJ	拳打脚踢urek 拳击udfm
蜷	quán	虫丷大㔾	JUDB	蜷缩juxp
犬	quǎn	犬一丿丶	DGTY	
劝	quàn	又力Ⓓ	CLT	劝导clnf 劝告cltf

字	拼音 / 字根	编码
券	quàn xuàn	
	丷大刀㊂	UDVR
拼音（que）双拼（qt）		
缺	quē	
	𠂉山二人	RMNW
缺点rmhk	缺额rmpt	
瘸	qué	
	疒力口人	ULKW
却	què	
	土厶 卩①	FCBH
却步fchi	却不fcgi	
雀	què qiāo qiǎo	
	小亻 圭㊁	IWYF
雀跃iwkh		
确	què	
	石⺈用①	DQEH
确保dqwk	确定dqpg	
鹊	què	
	廾日勹一	AJQG
拼音（qun）双拼（qp）		
裙	qún	
	礻⺀彐口	PUVK
群	qún	
	彐丿口手	VTKD
群策群力vtvl	群岛vtqy	

R

字	拼音 / 字根	编码
拼音（ran）双拼（rj）		
然	rán	
	夕犬灬㊂	QDOU
然而qddm	然后qdrg	
燃	rán	
	火夕犬灬	OQDO
燃烧oqoa	燃放oqyt	
冉	rǎn	
	冂土㊁	MFD
苒	rǎn	
	艹冂土㊁	AMFF
染	rǎn	
	氵九木㊂	IVSU
染指ivrx	染色体iqws	
拼音（rang）双拼（rh）		
嚷	rǎng rāng	
	口亠口𧘇	KYKE
壤	rǎng	
	土亠口𧘇	FYKE
让	ràng	
	讠上㊁	YHG
让步yhhi	让给yhxw	

字	拼音 / 字根	编码
拼音（rao）双拼（rk）		
饶	ráo	
	饣乚七儿	QNAQ
饶恕qnvk	饶有qnde	
扰	rǎo	
	扌ナ乙丶	RDNN
扰动rdfc		
绕	rào	
	纟七丿儿	XATQ
绕道xaut	绕行xatf	
拼音（re）双拼（re）		
惹	rě ruò	
	艹ナ口心	ADKN
热	rè	
	扌九丶灬	RVYO
热诚rvyd	热爱rvep	
拼音（ren）双拼（rf）		
人	rén	
	人人人人	WWWW
人生wwtg	人生地不熟wtfy	
人数wwov	人所共知wrat	
仁	rén	
	亻二㊁	WFG
仁慈wfux	仁人志士wwff	
忍	rěn	
	刀丶心㊂	VYNU
忍耐vydm	忍气吞声vrgf	
刃	Rèn	
	刀丶㊂	VYI
认	rèn	
	讠人⊙	YWY
认出ywbm	认错ywqa	
任	Rèn	
	亻丿土㊁	WTFG
任职wtbk	任务wttl	
纫	rèn	
	纟刀丶⊙	XVYY
妊	rèn	
	女丿土㊁	VTFG
韧	rèn	
	二丨丨丶	FNHY
韧性fnnt		
恁	rèn	
	亻丿士心	WTFN
拼音（reng）双拼（rg）		
扔	rēng	
	扌乃①	REN
扔掉rerh	扔下regh	
仍	rēng	
	亻乃①	WEN

字	拼音 / 字根	编码
仍不wegi	仍旧wehj	
拼音（ri）双拼（ri）		
日	rì	
	日日日日	JJJJ
日报jjrb	日本jjsg	
拼音（rong）双拼（rs）		
戎	róng	
	戈ナ㊂	ADE
戎马adcn		
绒	róng	
	纟戈ナ①	XADT
绒毛xatf		
茸	róng	
	艹耳㊁	ABF
荣	róng	
	艹冖木㊂	APSU
荣誉apiw	荣登榜首awsu	
容	róng	
	宀八人口	PWWK
容错pwqa	容得pwtj	
融	róng	
	一口冂虫	GKMJ
融合gkwg	融为一体gygw	
冗长pmta		
拼音（rou）双拼（rb）		
柔	róu	
	龴卩丿木	CBTS
柔和cbtk	柔顺cbkd	
揉	róu	
	扌龴卩木	RCBS
肉	róu	
	冂人人㊂	MWWI
肉类mwod	肉眼mwhv	
拼音（ru）双拼（ru）		
如	rú	
	女口㊁	VKG
如是vkjg	如坐针毡vwqt	
儒	rú	
	亻雨丆‖	WFDJ
儒家wfpe		
蠕	rú	
	虫雨丆‖	JFDJ
蠕动jffc		
汝	rǔ	
	氵女㊁	IVG
乳	rǔ	
	爫孑乙②	EBNN
乳汁ebif	乳制品erkk	
辱	rǔ	
	厂二𧾷寸	DFEF

字	拼音 / 字根	编码
辱骂dfkk		
入	rù	
	八㊂	TYI
入场tyfn	入出境tbfu	
拼音（ruan）双拼（rr）		
软	Ruǎn	
	车⺈人⊙	LQWY
软座lqyw	软包装lquf	
拼音（rui）双拼（rv）		
锐	ruì	
	钅丷口儿	QUKQ
锐增qufu	锐不可当qgsi	
瑞	ruì	
	王山丆‖	GMDJ
瑞典gmma	瑞丽gmgm	
睿	ruì	
	⺊冖一目	HPGH
拼音（run）双拼（rp）		
闰	rùn	
	门王㊁	UGD
润	rùn	
	氵门王㊁	IUGG
润滑iuim	润饰iuqn	
拼音（ruo）双拼（ro）		
若	ruò	
	艹ナ口㊁	ADKF
若非addj	若干adfg	
偌	ruò	
	亻艹ナ口	WADK
弱	ruò	
	弓⺀弓⺀	XUXU
弱不禁风xgsm	弱者xuft	

S

字	拼音 / 字根	编码
拼音（sa）双拼（sa）		
仨	sā	
	亻三㊁	WDG
撒	sā sǎ	
	扌廾月攵	RAET
撒播rart	撒谎raya	
洒	sǎ	
	氵西㊁	ISG
洒泪isih	洒脱iseu	
萨	sà	
	艹阝立丿	ABUT
拼音（sai）双拼（sl）		
塞	sāi sài sè	
	宀二‖土	PFJF
塞子pfbb	塞北pfux	

字	拼音	字根	编码	词组
赛	sài	宀二‖贝	PFJM	赛事pfgk　赛场pffn
拼音（san）双拼（sj）				
三	sān	三一一一	DGGG	三朝元老dfff　三角dgqe
叁	sān	厶大三⊖	CDDF	
伞	sǎn	人丷丨ⓘ	WUHJ	
散	sǎn　sàn	龷月攵⊙	AETY	散文aeyy　散居aend
拼音（sang）双拼（sh）				
桑	sāng	又又又木	CCCS	
嗓	sǎng	口又又木	KSSC	嗓子kcbb
丧	Sàng　sāng	十丷⻖⊙	FUEU	丧身futm　丧生futg
拼音（sao）双拼（sk）				
搔	sāo	扌又丶虫	RCYJ	
骚	sāo	马又丶虫	CCYJ	骚扰ccrd　骚动ccfc
臊	sāo　sào	月口口木	EKKS	
扫	sǎo　sào	扌彐⊖	RVG	扫尾rvnt　扫雷rvfl
嫂	sǎo	女臼丨又	VVHC	嫂子vvbb
拼音（se）双拼（se）				
色	sè　shǎi	勹巴⊗	QCB	色彩qces　色调qcym
涩	sè	氵刀丶止	IVYH	
瑟	sè	王王心丿	GGNT	
拼音（sen）双拼（sf）				
森	sēn	木木木⊙	SSSU	森林ssss
拼音（seng）双拼（sg）				
僧	sēng	亻丷罒日	WULJ	僧多粥少wqxi
拼音（sha）双拼（ua）				
杀	shā	乂木⊙	QSU	杀菌qsal　杀戮qsnw
沙	shā　shà	氵小丿ⓘ	IITT	沙漠iiia　沙龙iidx
纱	shā	纟小丿ⓘ	XITT	
刹	shā	乂木刂ⓘ	QSJH	刹车qslg　刹那qsvf
砂	shā	石小丿ⓘ	DITT	砂土diff
莎	shā　suō	艹氵小丿	AIIT	
傻	shǎ	亻丿口夂	WTLT	傻瓜wtrc　傻事wtgk
煞	shà　shā	勹彐攵灬	QVTO	煞有介事qdwg
拼音（shai）双拼（ul）				
筛	shāi	⺮リ一丨	TJGH	
晒	shài	日西⊖	JSG	
拼音（shan）双拼（uj）				
山	shān	山山山山	MMMM	山城mmfd　山谷mmww
删	shān	冂冂一刂	MMGJ	
杉	shān	木彡ⓘ	SET	杉木sess
姗	shān	女冂冂一	VMMG	
衫	shān	衤冫彡ⓘ	PUET	
跚	shān	口止冂一	KHMG	
闪	shǎn	门人⊙	UWI	闪失uwrw　闪烁uwoq
陕	shǎn	阝一丷人	BGUW	陕西bgsg
扇	shàn　shān	丶尸羽⊖	YNND	
善	shàn	丷丰䒑口	UDUK	善罢甘休ulaw　善于udgf
擅	shàn	扌亠口一	RYLG	擅自ryth　擅长ryta
膳	shàn	月丷丰口	EUDK	膳食euwy
赡	shàn	贝⺈厂言	MQDY	赡养mqud
鳝	shàn	鱼一丷口	QGUK	
拼音（shang）双拼（uh）				
伤	shāng	亻𠂉力ⓘ	WTLT	伤心wtny　伤口wtkk
商	shāng	立冂八口	UMWK	商店umyh　商定umpg
晌	shǎng	日丿冂口	JTMK	晌午jttf
赏	shǎng	𭕄冖口贝	IPKM	赏赐ipmj　赏罚iply
上	shàng　shang	上丨一一	HHGG	上场hhfn　上当hhiv
尚	shàng	𭕄冂口⊖	IMKF	尚属imnt　尚有imde
裳	shang	𭕄冖口𧘇	IPKE	
拼音（shao）双拼（uk）				
捎	shāo	扌𭕄月⊖	RIEG	捎带rigk
梢	shāo	木𭕄月⊖	SIEG	
烧	shāo	火七丿儿	OATQ	烧毁oava　烧火oaoo
稍	shāo　shào	禾𭕄月⊖	TIEG	稍差tiud　稍为tiyl
勺	sháo	勹丶⊙	QYI	
少	shǎo　shào	小丿⊘	ITR	少儿itqt　少而精idog
邵	shào	刀口阝ⓘ	VKBH	
绍	shào	纟刀口⊖	XVKG	绍兴xviw
哨	shào	口𭕄月⊖	KIEG	哨所kirn　哨兵kirg
拼音（she）双拼（ue）				
奢	shē	大土丿日	DFTJ	奢侈dfwq　奢华dfwx
舌	shé	丿古⊖	TDD	
蛇	shé	虫宀匕ⓩ	JPXN	
舍	shě　shè	人干口⊖	WFKF	舍近求远wrff　舍弃wfyc
设	shè	讠几又⊙	YMCY	设防ymby　设计ymyf
社	shè	礻丶土⊖	PYFG	社稷pytl　社交pyuq
射	shè	丿冂三寸	TMDF	射程tmtk　射线tmxg
涉	shè	氵止少ⓘ	IHIT	涉及ihey　涉猎ihqt
赦	shè	土办攵⊙	FOTY	赦免foqk
慑	shè	忄耳又又	NBCC	
摄	shè	扌耳又又	RBCC	摄制rbrm　摄取rbbc
拼音（shen）双拼（uf）				
申	shēn	日丨Ⓜ	JHK	

申辩jhuy 申冤jhpq

伸 shēn 亻日丨① WJHH

伸出wjbm 伸直wjfh

身 shēn 丿冂三丿 TMDT

身世tman 身手tmrt

呻 shēn 口日丨① KJHH

呻吟kjkw

绅 shēn 纟日丨① XJHH

绅士xjfg

深 shēn 氵冖八木 IPWS

深厚ipdj 深化ipwx

神 shén 礻、日丨 PYJH

神韵pyuj 神州pyyt

沈 shěn 氵冖儿乙 IPQN

沈阳 ipbj

审 shěn 宀日丨⑩ PJHJ

审判pjud 审批pjrx

婶 shěn 女宀日丨 VPJH

婶婶vpvp

肾 shèn 刂又月⊜ JCEF

甚 shèn 廿三八乙 ADWN

甚广adyy 甚至adgc

渗 shèn 氵厶大彡 ICDE

渗透icte 渗漏icin

慎 shèn 忄十且八 NFHW

慎之又慎npcn 慎重nftg

蜃 shèn 厂二𠄌虫 DFEJ

拼音（sheng）双拼（ug）

升 shēng 丿廾⑩ TAK

升档tasi 升高taym

生 shēng 丿主⊜ TGD

生搬硬套trdd 生根tgsv

声 shēng 士尸⊘ FNR

声名大振fqdr 声明fnje

牲 shēng 丿扌丿主 TRTG

牲畜tryx 牲口trkk

绳 shéng 纟口日乙 XKJN

绳索xkfp

省 shěng xǐng 小丿目⊜ ITHF

省科委ittv 省力itlt

圣 shèng 又土⊜ CFF

圣诞节cyab 圣地cffb

胜 shèng 月丿主⊖ ETGG

胜者etft 胜败etmt

盛 shèng chéng 厂乙乙皿 DNNL

盛况dnuk 盛名dnqk

剩 shèng 禾丬匕刂 TUXJ

剩下tugh 剩余tuwt

拼音（shi）双拼（ui）

尸 shī 尸乙一丿 NNGT

尸体nnws

师 shī 刂一冂丨 JGMH

师表jgge 师长jgta

诗 shī 讠土寸⊙ YFFY

诗人yfww 诗文yfyy

施 shī 方𠂉也⊘ YTBN

施暴ytja 施政ytgh

狮 shī 犭丿刂丨 QTJH

狮子qtbb

湿 shī 氵日业一 IJOG

湿度ijya 湿润ijiu

十 shí 十一丨 FGH

十进制ffrm 十六进制fufr

什 shí shén 亻十① WFH

什么wftc 什么样wtsu

石 shí dàn 石一丿一 DGTG

石灰dgdo 石刻dgyn

时 shí 日寸⊙ JFY

时代jfwa 时断时续jojx

识 shí 讠口八⊙ YKWY

识破ykdh 识字ykpb

实 shí 宀⺀大⊘ PUDU

实习punu 实现pugm

拾 shí 扌人一口 RWGK

拾零rwfw 拾取rwbc

蚀 shí 𠂊乙虫⊙ QNJY

食 shí sí yì 人丶ヨ𠄌 WYVE

食堂wyip 食糖wyoy

史 shǐ 口乂③ KQI

史册kqmm 史学kqip

矢 shǐ 𠂉大⊘ TDU

使 shǐ 亻一口乂 WGKQ

使者wgft 使出wgbm

始 shǐ 女厶口⊖ VCKG

始发vcnt 始祖vcpy

驶 shǐ 马口乂⊙ CKQY

驶入ckty 驶向cktm

屎 shǐ 尸米③ NOI

士 shì 士一丨一 FGHG

士兵fgrg 士气fgrn

氏 shì 𠂆七⑳ QAV

氏族qayt

世 shì 廿乙⑳ ANV

世代相传awsw 世道anut

仕 shì 亻士⊖ WFG

市 shì 亠冂丨⑩ YMHJ

市长ymta 市场ymfn

示 shì 二小⊘ FIU

示意fiuj 示众fiww

式 shì 弋工三 AAD

式样aasu

事 shì 一口ヨ丨 GKVH

事后gkrg 事迹gkyo

势 shì 扌九丶力 RVYL

视 shì 礻丶冂儿 PYMQ

视察pypw 视差pyud

试 shì 讠弋工一 YAAG

试点yahk 试飞yanu

饰 shì 𠂊乙𠂉丨 QNTH

饰物qntr

室 shì 宀一厶土 PGCF

室外pgqh 室内pgmw

拭 shì 扌弋工一 RAAG

拭目以待rhnt

是 shì 日一𤴓⊘ JGHU

是非jgdj 是否jggi

适 shì 丿古辶⊖ TDPD

适中tdkh 适当tdiv

逝 shì 扌斤辶⑩ RRPK

逝世rran

释 shì 丿米又丨 TOCH

释放toyt 释义toyq

誓 shì 扌斤言⊖ RRYF

誓不罢休rglw 誓约rrxq

拼音（shou）双拼（ub）

收 shōu 乙丨攵⊙ NHTY

收编nhxy 收兵nhrg

手 Shǒu 手丿一亅 RTGH

手工艺raan 手背rtux

守 shǒu 宀寸⊘ PFU

守株待兔pstq 守备pftl

首 shǒu 丷丿目⊖ UTHF

首长utta 首场utfn

寿 shòu 三丿寸(冫) DTFU
寿辰dtdf 寿星dtjt

受 shòu 爫冖又(冫) EPCU
受骗epcy 受聘epbm

兽 shòu 丷田一口 ULGK
兽医ulat

售 shòu 亻主口(二) WYKF
售出wybm 售票员wskm

授 shòu 扌爫冖又 REPC
授粉reow 授予recb

瘦 shòu 疒臼丨又 UVHC
瘦肉uvmw 瘦弱uvxu

拼音（shu）双拼（uu）

书 shū 乙乙丨丶 NNHY
书包nnqn 书报nnrb

抒 shū 扌マ卩(丨) RCBH
抒发rcnt 抒怀rcng

叔 shū 上小又(丶) HICY
叔父hiwq 叔叔hihi

殊 shū 一夕𠂉小 GQRI
殊不知ggtd 殊荣gqap

梳 shū 木亠厶儿 SYCQ
梳理sygj 梳子sybb

淑 shū 氵上小又 IHIC

疏 shū 乙止亠儿 NHYK
疏远nhfq 疏通nhce

舒 shū 人干口卩 WFKB
舒张wfxt 舒畅wfjh

输 shū 车人一刂 LWGJ
输出lwbm 输电lwjn

蔬 shū 艹乙止儿 ANHQ
蔬菜anae

赎 shú 贝十乙大 MFND
赎罪mfld 赎买mfnu

熟 shú 亯子九灬 YBVO
熟读ybyf 熟练ybxa

暑 shǔ 曰土丿日 JFTJ
暑天jfgd 暑假jfwn

署 shǔ 罒土丿日 LFTJ
署名lfqk

鼠 shǔ 臼乙⺀乙 VNUN
鼠标vnsf 鼠目寸光vhfi

术 shù 木丶(氵) SYI
术语syyg

束 shù 一口小(氵) GKII
束之高阁gpyu 束缚gkxg

沭 shù 氵木丶(丶) ISYY

述 shù 木丶辶(氵) SYPI
述职sybk 述评syyg

树 shù 木又寸(丶) SCFY
树干scfg 树根scsv

竖 shù 刂又立(二) JCUF
竖起jcfh 竖立jcuu

恕 shù 女口心(冫) VKNU

庶 shù 广廿灬(氵) YAOI

数 shù shǔ shuò 米女攵(丶) OVTY
数典忘祖omyp 数百ovdj

拼音（shua）双拼（uw）

刷 shuā 尸冂丨刂 NMHJ
刷新nmus 刷洗nmit

耍 shuǎ 丆冂‖女 DMJV
耍弄dmga 耍赖dmgk

拼音（shuai）双拼（uy）

衰 shuāi 亠口一𧘇 YKGE
衰亡ykyn 衰败ykmt

摔 shuāi 扌亠幺十 RYXF
摔破rydh 摔打ryrs

甩 shuǎi 用乙(巛) ENV
甩掉enrh 甩开enga

帅 shuài 刂冂丨(丨) JMHH
帅气jmrn

蟀 Shuài 虫亠幺十 JYXF

拼音（shuan）双拼（ur）

闩 shuān 门一(三) UGD

拴 shuān 扌人王(一) RWGG

栓 shuān 木人王(一) SWGG

涮 shuàn 氵尸冂刂 INMJ

拼音（shuang）双拼（ud）

双 shuāng 又又(丶) CCY
双百方针cdyq 双边cclp

霜 shuāng 雨木目(二) FSHF
霜冻fsua

爽 shuǎng 大乂乂乂 DQQQ
爽直dqfh 爽口dqkk

拼音（shui）双拼（uv）

谁 shuí shéi 讠亻主(一) YWYG
谁知ywtd

水 shuǐ 水水水水 IIII
水坝iifm 水厂iidg

税 shuì 禾丷口儿 TUKQ
税额tupt 税则tumj

睡 shuì 目丿十一 HTFG
睡觉htip 睡意htuj

拼音（shun）双拼（up）

吮 shǔn 口厶儿(乙) KCQN
吮吸kcke

顺 shùn 川𠂆贝(丶) KDMY
顺延kdth 顺便kdwg

舜 shùn 爫冖夕丨 EPQH

瞬 shùn 目爫冖丨 HEPH
瞬息万变htdy 瞬间heuj

拼音（shuo）双拼（uo）

说 shuō shuì yuè 讠丷口儿 YUKQ
说长道短ytut 说唱yukj

朔 shuò 𦍌凵丿月 UBTE
朔州ubyt

硕 shuò 石𠂆贝(丶) DDMY
硕士学位dfiw 硕士生dftg

拼音（si）双拼（si）

丝 sī 纟纟一(二) XXGF
丝绸xxxm 丝毫xxyp

司 sī 𠃌一口(三) NGKD
司务长ntta 司长ngta

私 sī 禾厶(丶) TCY
私立tcuu 私利tctj

思 sī 田心(冫) LNU
思潮lnif 思考lnft

斯 sī 卄三八斤 ADWR
斯文adyy

嘶 sī 口卄三斤 KADR
嘶叫kakn

撕 sī 扌卄三斤 RADR
撕破radh 撕扯rarh

死 sǐ 一夕匕(ノノ) GQXR
死不瞑目gghh 死党gqip

巳 sì 巳乙一乙 NNGN

四 sì 口丨乙一 LHNG
四方lhyy 四边lhlp

寺 sì 土寸(冫) FFU
寺庙ffym 寺院ffbp

伺 sì cì 亻𠃌一口 WNGK

伺机wnsm | 伺候wnwh

似 sì shì 亻乙丶人 WNYW

似有wnde | 似乎wntu

饲 sì ⺈乙乙口 QNNK

饲料qnou | 饲养qnud

肆 sì 镸彐二丨 DVFH

肆意dvuj

拼音（song）双拼（ss）

松 sōng 木八厶⊙ SWCY

松紧swjc | 松劲swca

怂 sǒng 人人心⊙ WWNU

怂恿wwce

耸 sǒng 人人耳⊖ WWBF

耸立wwuu | 耸入云霄wtff

宋 sòng 宀木⊙ PSU

诵 sòng 讠マ用① YCEH

送 sòng 丷大辶⊙ UDPI

送别udkl | 送电udjn

颂 sòng 八厶丆贝 WCDM

颂词wcyn | 颂歌wcsk

拼音（sou）双拼（sb）

嗖 sōu 口白丨又 KVHC

搜 sōu 扌白丨又 RVHC

搜寻rvvf | 搜捕rvrg

拼音（su）双拼（su）

苏 sū 艹力八⊙ ALWU

苏州alyt | 苏联albu

酥 sū 西一禾⊙ SGTY

酥油sgim

稣 sū 鱼一禾⊙ QGTY

俗 sú 亻八人口 WWWK

俗不可耐wgsd | 俗称wwtq

诉 sù 讠斤丶⊙ YRYY

诉苦yrad | 诉说yryu

肃 sù 彐丨川Ⓜ VIJK

肃反virc | 肃静vige

素 sù 主幺小⊙ GXIU

素不相识ggsy | 素材gxsf

速 sù 一口小辶 GKIP

速胜gket | 速成gkdn

宿 sù xiǔ xiù 宀亻丆日 PWDJ

宿将pwuq | 宿愿pwdr

塑 sù 丷凵丿土 UBTF

塑造ubtf | 塑料ubou

溯 sù 氵丷凵月 IUBE

溯源iuid

簌 sù 𥫗一口人 TGKW

拼音（suan）双拼（sr）

酸 suān 西一厶夂 SGCT

酸性sgnt | 酸楚sgss

蒜 suàn 艹二小小 AFII

算 Suàn 𥫗目廾Ⓙ THAJ

算出thbm | 算法thif

拼音（sui）双拼（sv）

虽 suī 口虫⊙ KJU

虽则kjmj | 虽然kjqd

随 suí 阝𠂇月辶 BDEP

随处可见btsm | 随从bdww

髓 suí 冎月𠂇辶 MEDP

岁 suì 山夕⊙ MQU

岁月mqee | 岁数mqov

祟 suì 凵山二小 BMFI

遂 suì 丷豕辶⊙ UEPI

遂愿uedr | 遂意ueuj

碎 suì 石亠人十 DYWF

碎裂dygq | 碎片dyth

隧 suì 阝丷豕辶 BUEP

隧道buut | 隧洞buim

拼音（sun）双拼（sp）

孙 sūn 子小⊙ BIY

孙子兵法bbri | 孙女bivv

损 sǔn 扌口贝⊙ RKMY

损害rkpd | 损耗rkdi

笋 sǔn 𥫗彐丿⊘ TVTR

拼音（suo）双拼（so）

唆 suō 口厶八夂 KCWT

嗦 suō 口十冖小 KFPI

缩 suō 纟宀亻日 XPWJ

缩编xpxy | 缩短xptd

所 suǒ 厂コ斤① RNRH

所得税rttu | 所见rnmq

唢 suǒ 口⺌贝⊙ KIMY

索 suǒ 十冖幺小 FPXI

索贿fpmd | 索价fpww

琐 suǒ 王⺌贝⊙ GIMY

琐事gigk | 琐碎gidy

锁 suǒ 钅⺌贝⊙ QIMY

锁链qiql

T

拼音（ta）双拼（ta）

他 tā 亻也Ⓩ WBN

他国wblg | 他俩wbwg

她 tā 女也Ⓩ VBN

它 tā 宀匕Ⓚ PXB

它们pxwu

塌 tā 土日羽⊖ FJNG

塌方fjyy | 塌陷fjbq

塔 tǎ 土艹人口 FAWK

塔斯社fapy | 塔吉克ffdq

沓 tà dá 水日⊖ IJF

踏 tà 口止水日 KHIJ

踏板khsr | 踏步khhi

蹋 tà 口止日羽 KHJN

拼音（tai）双拼（tl）

胎 tāi 月厶口⊖ ECKG

胎儿ecqt

台 tái 厶口⊖ CKF

台上台下chcg | 台胞ckeq

台阶ckbw | 台盟ckje

太 tài 大丶⊙ DYI

太空dypw | 太阳系dbtx

态 Tài 大丶心⊙ DYNU

态势dyrv | 态度dyya

泰 tài 三人氺⊙ DWIU

泰州dwyt | 泰安dwpv

拼音（tan）双拼（tj）

贪 tān 人丶乙贝 WYNM

贪财wymf | 贪图wylt

摊 tān 扌又亻主 RCWY

摊子rcbb | 摊点rchk

滩 tān 氵又亻主 ICWY

滩涂iciw | 滩头icud

瘫 tān 疒又亻主 UCWY

瘫痪ucuq | 瘫软uclq

坛 tán 土二厶⊙ FFCY

坛坛罐罐ffrr | 坛子ffbb

谈 tán 讠火火⊙ YOOY

谈心yony | 谈何容易ywpj

谭 tán 讠西早① YSJH

潭 tán 氵西早① ISJH

檀 tán 木亠口一 SYLG

忐 tǎn 上心⊙ HNU

忐忑不安 hggp

坦 tǎn 土日一㊀ FJGG

坦途 fjwt　坦白 fjrr

袒 tǎn 衤丶日一 PUJG

袒露 pufk　袒护 pury

钽 tǎn 钅日一㊀ QJGG

毯 tǎn 丿二乚火 TFNO

毯子 tfbb

叹 tàn 口又⊙ KCY

叹服 kceb　叹气 kcrn

炭 tàn 山ナ火⊙ MDOU

探 tàn 扌冖八木 RPWS

探究 rppw　探路 rpkh

拼音（tang）双拼（th）

汤 tāng shāng 氵乙彡⊘ INRT

唐 táng 广彐丨口 YVHK

唐人街 ywtf　唐山 yvmm

堂 táng 丷冖口土 IPKF

堂堂正正 iigg　堂皇 iprg

棠 táng 丷冖口木 IPKS

塘 táng 土广彐口 FYVK

糖 táng 米广彐口 OYVK

糖厂 oydg　糖果 oyjs

傥 tǎng 亻丷冂口 WIMK

傥不 wigi　傥若 wiad

淌 tǎng 氵丷冂口 IIMK

躺 tǎng 丿冂三口 TMDK

躺下 tmgh　躺倒 tmwg

烫 tàng 氵乙彡火 INRO

烫伤 inwt

趟 Tang 土龰丷口 FHIK

拼音（tao）双拼（tk）

涛 tāo 氵三丿寸 IDTF

掏 tāo 扌勹𠂉山 RQRM

掏腰包 reqn

逃 táo 儿㐅辶◎ IQPV

逃窜 iqpw　逃到 iqgc

桃 táo 木儿㐅◎ SIQN

桃子 sibb　桃花 siaw

淘 táo 氵勹𠂉山 IQRM

淘金 iqqq　淘气 iqrn

萄 táo 艹勹𠂉山 AQRM

讨 tǎo 讠寸⊙ YFY

讨便宜 ywpe　讨伐 yfwa

套 tào 大镸⊙ DDU

套装 dduf　套间 dduj

拼音（te）双拼（te）

忑 tè 一卜心⊙ GHNU

忒 tè tēi tuī 弋心⊙ ANI

特 tè 丿扌土寸 TRFF

特种 trtk　特别 trkl

拼音（teng）双拼（tg）

疼 téng 疒夂丶⊙ UTUI

疼痛 utuc　疼爱 utep

腾 téng 月丷大马 EUDC

腾越 eufh　腾空 eupw

藤 téng 艹月丷氺 AEUI

拼音（ti）双拼（ti）

剔 tī 日勹彡刂 JQRJ

剔除 jqbw

梯 tī 木丷弓丿 SUXT

梯形 suga　梯田 sull

踢 tī 口止日彡 KHJR

啼 tí 口亠丷丨 KUPH

啼哭 kukk

提 tí dī 扌日一龰 RJGH

提拔 rjrd　提包 rjqn

题 tí 曰一龰贝 JGHM

题材 jgsf　题词 jgyn

蹄 tí 口止立丨 KHUH

体 tǐ tī 亻木一㊀ WSGG

体重 wstg　体裁 wsfa

替 tì 二人二日 FWFJ

替班 fwgy　替代 fwwa

拼音（tian）双拼（tm）

天 tiān 一大⊙ GDI

天窗 gdpw　天翻地覆 gtfs

添 tiān 氵一大⺌ IGDN

添补 igpu　添购 igmq

田 tián 田田田田 LLLL

田园风光 llmi　田地 llfb

恬 tián 忄丿古㊀ NTDG

恬不知耻 ngtb　恬静 ntge

甜 tián 丿古廿二 TDAF

甜味 tdkf　甜滋滋 tiiu

填 tián 土十且八 FFHW

填补 ffpu　填充 ffyc

舔 tiǎn 丿古一⺌ TDGN

拼音（tiao）双拼（tc）

挑 tiāo 扌㐅儿⊙ RIQY

挑拨离间 rryu　挑战 rihk

条 tiáo 夂木⊙ TSU

条子 tsbb　条件 tswr

眺 tiǎo 目㐅儿⊙ HIQY

眺望 hqyn

跳 tiào 口止㐅儿 KHIQ

跳伞 khwu　跳舞 khrl

拼音（tie）双拼（tx）

帖 tiē tiě tiè 冂丨卜口 MHHK

贴 tiē 贝卜口㊀ MHKG

贴补 mhpu　贴心 mhny

铁 tiě 钅𠂉人⊙ QRWY

铁案如山 qpvm　铁板 qrsr

拼音（ting）双拼（t;）

厅 tīng 厂丁⦶ DSK

厅长 dsta　厅局级 dnxe

听 tīng 口斤⦶ KRH

听从 krww　听众 krww

亭 tíng 亠口冖丁⦶ YPSJ

庭 tíng 广丿士廴 YTFP

庭园 ytlf　庭院 ytbp

停 tíng 亻亠口冖丁 WYPS

停泊 wyir　停产 wyut

婷 tíng 女亠口冖丁 VYPS

挺 tǐng 扌丿士廴 RTFP

挺拔 rtrd　挺身而出 rtdb

艇 tǐng 丿舟丿廴 TETP

拼音（tong）双拼（ts）

通 tōng tòng 龴用辶⦶ CEPK

通报 cerb　通知书 ctnn

同 tóng tòng 冂一口㊁ MGKD

同班 mggy　同伴 mgwu

铜 tóng 钅冂一口 QMGK

铜牌 qmth　铜矿 qmdy

童 tóng 立日土㊁ UJFF

童工 ujaa　童话 ujyt

统 tǒng 纟亠厶儿 XYCQ

统称 xytq　统治 xyic

捅 tǒng　扌マ用①　RCEH
捅娄子 robb

桶 tǒng　木マ用①　SCEH

筒 tǒng　⺮冂一口　TMGK

痛 tòng　疒マ用⑩　UCEK
痛不欲生 ugwt　痛饮 ucqn

拼音（tou）双拼（tb）

偷 tōu　亻人一刂　WWGJ
偷运 wwfc　偷盗 wwuq

头 tóu　冫大⑤　UDI
头部 uduk　头等大事 utdg

投 tóu　扌几又⊙　RMCY
投资 rmuq　投案自首 rptu

透 tòu　禾乃辶⑥　TEPV
透彻 teta　透顶 tesd

拼音（tu）双拼（tu）

凸 tū　丨一冂一　HGMG

突 tū　宀八大⑤　PWDU
突变 pwyo　突袭 pwdx

图 tú　囗夂冫⑤　LTUI
图纸 ltxq　图案 ltpv

徒 tú　彳土龰⊙　TFHY
徒子徒孙 tbtb　徒步 tfhi

涂 tú　氵人禾⊙　IWTY
涂脂抹粉 iero　涂改 iwnt

途 tú　人禾辶⑤　WTPI
途经 wtxc　途中 wtkh

屠 tú　尸土丿日　NFTJ
屠宰 nfpu　屠杀 nfqs

土 tǔ　土土土土　FFFF
土崩瓦解 fmgq　土特产 ftut

吐 tǔ　tù　口土⊖　KFG
吐故纳新 kdxu　吐露 kffk

兔 tù　⺈口儿丶　QKQY

拼音（tuan）双拼（tr）

湍 tuān　氵山丆刂　IMDJ
湍急 imqv

团 tuán　囗十丿⑤　LFTE
团员 lfkm　团伙 lfwo

拼音（tui）双拼（tv）

推 tuī　扌亻圭⊖　RWYG
推波助澜 riei　推测 rwim
推陈出新 rbbu　推崇 rwmp

腿 tuǐ　月彐⻏辶　EVEP

退 tuì　彐⻏辶⑤　VEPI
退避三舍 vndw　退役 vetm

蜕 tuì　虫丷口儿　JUKQ
蜕变 juyo　蜕化 juwx

褪 tuì　衤冫彐辶　PUVP
褪色 puqc

拼音（tun）双拼（tp）

吞 tūn　一大口⊜　GDKF
吞并 gdua　吞吐 gdkf

臀 tún　尸龷八月　NAWE
臀部 nauk

氽 tǔn　人水⑤　WIU

拼音（tuo）双拼（to）

托 tuō　扌丿七⊘　RTAN
托辞 rttd　托儿所 rqrn

拖 tuō　扌𠂉也⊘　RTBN
拖车 rtlg　拖儿带女 rqgv

脱 tuō　月丷口儿　EUKQ
脱颖而出 exdb　脱产 euut

驮 tuó　duò　马大⊙　CDY

陀 tuó　阝宀匕⊘　BPXN
陀螺 bpjl

驼 tuó　勹丶乙匕　CPXN

妥 tuǒ　爫女⊜　EVF
妥协 evfl　妥当 eviv

椭 tuǒ　木阝𠂇月　SBDE
椭圆 sblk

拓 tuò　tà　扌丆⊖　RDG
拓补 rdpu　拓展 rdna

唾 tuò　口丿十一　KTFG
唾骂 ktkk　唾沫 ktig

W

拼音（wa）双拼（wa）

哇 wā　口土土⊖　KFFG

挖 wā　扌宀八乙　RPWN
挖出 rpbm　挖掘 rprn

洼 wā　氵土土⊖　IFFG
洼地 iffb

蛙 wā　虫土土⊖　JFFG

娃 wá　女土土⊖　VFFG
娃娃 vfvf

瓦 wǎ　wà　一乙乙丶　GNNY
瓦房 gnyn　瓦特 gntr

袜 wà　衤冫一木　PUGS

拼音（wai）双拼（wl）

歪 wāi　一小一止　GIGH
歪理 gigj　歪门邪道 guau

外 wài　夕卜⊙　QHY
外形 qhga　外延 qhth

拼音（wan）双拼（wj）

弯 wān　亠仆弓⑥　YOXB
弯路 yokh　弯曲 yoma

湾 wān　氵亠仆弓　IYOX

豌 wān　一口丷㔾　GKUB

丸 wán　九丶⑤　VYI

完 wán　宀二儿⑥　PFQB
完蛋 pfnh　完工 pfaa

玩 wán　王二儿⊘　GFQN
玩忽职守 gqbp　玩笑 gftt

顽 wán　二儿丆贝　FQDM
顽症 fqug　顽敌 fqtd

宛 wǎn　宀夕㔾⑥　PQBB

挽 wǎn　扌⺈口儿　RQKQ
挽留 rqqy　挽回 rqlk

晚 wǎn　日⺈口儿　JQKQ
晚安 jqpv　晚宴 jqpj

婉 wǎn　女宀夕㔾　VPQB
婉转 vplf　婉言 vpyy

惋 wǎn　忄宀夕㔾　NPQB
惋惜 npna

碗 wǎn　石宀夕㔾　DPQB

万 wàn　mò　丆乙⑥　DNV
万一 dngg　万不得已 dgtn

腕 wàn　月宀夕㔾　EPQB

蔓 wàn　mán　màn　艹日罒又　AJLC

拼音（wang）双拼（wh）

汪 wāng　氵王⊖　IGG
汪洋大海 iidi

亡 wáng　亠乙⑥　YNV
亡故 yndt　亡羊补牢 yupp

王 wáng　wàng　王王王王　GGGG
王子 ggbb　王朝 ggfj

网 wǎng　冂乂乂⑤　MQQI
网络 mqxt　网球 mqgf

往 wǎng　彳丶王⊖　TYGG
往常 tyip　往昔 tyaj

罔 wǎng　冂丷亠乙　MUYN

惘 wǎng　忄冂丷乙　NMUN
惘然 nmqd

妄 wàng　亠乙女⊜　YNVF
妄自尊大 ytud　妄动 ynfc

忘 wàng 亠乙心ⓢ YNNU
忘本 ynsg | 忘不了 ygbn

旺 wàng 日王⊖ JGG
旺季 jgtb | 旺盛 jgdn

望 wàng 亠乙月王 YNEG
望洋兴叹 yiik | 望而却步 ydfh

拼音（wei）双拼（wz）

危 wēi ⺈厂㔾⊗ QDBB
危房 qdyn | 危害 qdpd

威 wēi 厂一女丶 DGVY
威逼 dggk | 威严 dggo

逶 wēi 禾女辶⊖ TVPD
逶迤 tvtb

微 wēi 彳山一攵 TMGT
微不足道 tgku | 微电子 tjbb

薇 wēi 艹彳山攵 ATMT

巍 wēi 山禾女厶 MTVC
巍峨 mtmt | 巍然屹立 mqmu

为 wéi wèi 丶力丶ⓢ YLYI
为本 ylsg | 为此 ylhx

围 wéi 囗二乙丨 LFNH
围攻 lfat | 围绕 lfxa

违 wéi 二乙丨辶 FNHP
违背 fnux | 违法 fnif

唯 wéi 口亻主⊖ KWYG
唯独 kwqt | 唯有 kwde

惟 wéi 忄亻主⊖ NWYG
惟独 nwqt | 惟恐 nwam

维 wéi 纟亻主⊖ XWYG
维持 xwrf | 维族 xwyt
维护 xwry | 维新 xwus

伟 wěi 亻二乙丨 WFNH
伟大 wfdd | 伟业 wfog

伪 wěi 亻丶力丶 WYEY
伪装 wyuf | 伪劣 wyit

尾 wěi 尸丿二乚 NTFN
尾随 ntbd | 尾巴 ntcn

纬 wěi 纟二乙丨 XFNH
纬度 xfya

苇 wěi 艹二乙丨 AFNH

委 wěi 禾女⊜ TVF
委派 tvir | 委曲求全 tmfw

萎 wěi 艹禾女⊜ ATVF
萎靡不振 aygr | 萎缩 atxp

卫 wèi 卩一⊜ BGD
卫星 bgjt | 卫兵 bgrg

未 wèi 二小ⓢ FII
未按 firp | 未必 fint

位 Wèi 亻立⊖ WUG
位次 wuuq | 位子 wubb

味 Wèi 口二小⊙ KFIY
味精 kfog | 味道 kfut

畏 wèi 田一𧘇ⓢ LGEU
畏惧 lgnh | 畏难 lgcw

胃 wèi 田月⊜ LEF
胃口 lekk

尉 wèi 尸二小寸 NFIF

谓 wèi 讠田月⊖ YLEG

喂 wèi 口田一𧘇 KLGE
喂养 klud

蔚 wèi 艹尸二寸 ANFF
蔚然 anqd | 蔚为大观 aydc

慰 wèi 尸二小心 NFIN
慰问 nfuk | 慰劳 nfap

魏 wèi 禾女白厶 TVRC

拼音（wen）双拼（wf）

温 wēn 氵日皿⊖ IJLG
温州 ijyt | 温饱 ijqn

瘟 wēn 疒日皿⊜ UJLD
瘟疫 ujum | 瘟神 ujpy

文 wén 文丶一㇏ YYGY
文本 yysg | 文字 yypb

闻 wén 门耳⊜ UBD
闻过则喜 ufmf | 闻名中外 uqkq

蚊 wén 虫文⊙ JYY

雯 wén 雨文ⓢ FYU

吻 wěn 口勹彡⑦ KQRT
吻合 kqwg

稳 wěn 禾⺈彐心 TQVN
稳步 tqhi | 稳操胜券 treu

问 wèn 门口⊜ UKD
问长问短 utut | 问答 uktw

拼音（weng）双拼（wg）

翁 wēng 八厶羽⊜ WCNF

瓮 wèng 八厶一丶 WCGN
瓮中捉鳖

拼音（wo）双拼（wo）

涡 wō guō 氵口冂人 IKMW

莴 wō 艹口冂人 AKMW

喔 wō 口尸一土 KNGF

窝 wō 宀八口人 PWKW
窝藏 pwad | 窝工 pwaa

蜗 wō 虫口冂人 JKMW

我 wǒ 丿扌乙丶 TRNY
我部 truk | 我厂 trdg

沃 wò 氵丿大⊙ ITDY
沃土 itff

卧 wò 匚丨コ卜 AHNH
卧病 ahug | 卧车 ahlg

握 wò 扌尸一土 RNGF
握别 rnkl | 握手言和 rryt

拼音（wu）双拼（wu）

乌 wū 勹乙一⊜ QNGD
乌云 qnfc | 乌合之众 qwpw

圬 wū 土二乙⊘ FFNN

污 wū 氵二乙⊘ IFNN
污点 ifhk | 污浊 ifij
污垢 iffr | 污秽 iftm

呜 wū 口勹乙一 KQNG
呜咽 kqkl

巫 wū 工人人ⓢ AWWI
巫婆 awih

屋 wū 尸一厶土 NGCF
屋顶 ngsd | 屋子 ngbb

诬 wū 讠工人人 YAWW
诬赖 yagk | 诬蔑 yaal

无 wú 二儿⊗ FQV
无形 fqga | 无须 fqed

毋 wú 𠃊𠂇ⓢ XDE
毋须 xded

吴 wú 口一大ⓢ KGDU

唔 wú ńg 口五口⊖ KGKG

梧 wú 木五口⊖ SGKG

浯 wú 氵五口⊖ IGKG

蜈 wú 虫口一大 JKGD

五 wǔ 五一丨一 GGHG
五保户 gwyn | 五洲四海 gili

午 wǔ 𠂉十⑪ TFJ
午餐 tfhq | 午饭 tfqn

伍 wǔ 人五⊖ WGG

妩 wǔ 女二儿⊘ VFQN

武 wǔ 一弋止⊖ GAHD

武昌 gajj | 武打 gars

侮 wǔ 亻𠂉ㄅ丶 WTXY
侮辱 wtdf

捂 wǔ 扌五口㊀ RGKG
捂盖子 rubb | 捂住 rgwy

鹉 wǔ 一弋止一 GAHG

舞 wǔ 𠂉卌一丨 RLGH
舞会 rlwf | 舞剧 rlnd

勿 wù 勹彡⊘ QRE

务 wù 夂力⊘ TLR
务必 tlnt | 务农 tlpe

物 wù 丿扌勹彡 TRQR
物体 trws | 物资局 tunn

误 wù 讠口一大 YKGD
误伤 ykwt | 误差 ykud

雾 wù 雨夂力⊘ FTER

X

拼音（xi）双拼（xi）

夕 xī 夕丿乙丶 QTNY
夕阳 qtbj

西 xī 西一丨一 SGHG
西郊 sguq | 西洋 sgiu

吸 xī 口乃乀⊙ KEYY
吸引 kexh | 吸毒 kegx

希 xī 乂𠂇冂丨 QDMH
希罕 qdpw | 希冀 qdux

昔 xī 廾日㊀ AJF
昔日 ajjj

析 xī 木斤① SRH

息 xī 丿目心⊘ THNU
息怒 thvc | 息事宁人 tgpw

牺 xī 丿扌西㊀ TRSG
牺牲 trtr

悉 xī 丿米心⊘ TONU
悉尼 tonx | 悉心 tony

惜 xī 忄廾日㊀ NAJG
惜别 nakl

晰 xī 日木斤① JSRH

犀 xī 尸氺⺧丨 NIRH
犀利 nitj

稀 xī 禾乂𠂇丨 TQDH
稀薄 tqai | 稀有 tqde

溪 xī 氵爫幺大 IEXD
溪流 ieiy

锡 xī 钅日勹彡 QJQR

熄 xī 火丿目心 OTHN
熄灭 otgo

蜥 xī 虫木斤① JSRH

嘻 xī 口士口口 KFKK

嬉 xī 女十口口 VFKK

膝 xī 月木人氺 ESWI
膝盖 esug

蟋 xī 虫丿米心 JTON

习 xí 乛冫㊂ NUD
习惯 nunx | 习作 nuwt

席 xí 广廿冂丨 YAMH
席位 yawu | 席地而坐 yfdw

袭 xí 𠂇匕丶𧘇 DXYE
袭击 dxfm | 袭扰 dxrd

洗 xǐ xiǎn 氵丿土儿 ITFQ
洗涤 itit | 洗耳恭听 ibak

喜 xǐ 士口䒑口 FKUK
喜悦 fknu | 喜爱 fkep

戏 xì hū 又戈⊙ CAY
戏剧 cand | 戏弄 caga

系 xì 丿幺小⊘ TXIU
系数 txov | 系统 txxy

细 xì 纟田㊀ XLG
细纱 xlxi | 细水长流 xiti

隙 xì 阝小日小 BIJI

拼音（xia）双拼（xw）

虾 xiā há 虫一卜⊙ JGHY

瞎 xiā 目宀三口 HPDK
瞎话 hpyt | 瞎指挥 hrrp

侠 xiá 亻一丷大 WGUW
侠客 wgpt

狭 xiá 犭丿一人 QTGW
狭隘 qtbu | 狭长 qtta

暇 xiá 日コ丨又 JNHC

瑕 xiá 王コ丨又 GNHC

霞 xiá 雨コ丨又 FNHC
霞光 fniq

下 xià 一卜㊂ GHI
下来 ghgo | 下里巴人 gjcw

吓 xià 口一卜⊙ KGHY
吓不倒 kgwg | 吓倒 kgwg

夏 xià 丆目夂⊘ DHTU
夏季 dhtb | 夏令营 dwap

厦 xià shà 厂丆目夂 DDHT
厦门 dduy

拼音（xian）双拼（xm）

仙 xiān 亻山① WMH
仙女 wmvv | 仙境 wmfu

先 xiān 丿土儿⊘ TFQB
先生 tftg | 先知 tftd

纤 xiān 纟丿十① XTFH
纤弱 xtxu | 纤维 xtxw

掀 xiān 扌斤𠂊人 RRQW
掀动 rrfc | 掀起 rrfh

鲜 xiān xiǎn 鱼一丷手 QGUD
鲜鱼 qgqg | 鲜红 qgxa

闲 xián 门木㊂ USI
闲置 uslf | 闲不住 ugwy

弦 xián 弓亠幺⊙ XYXY
弦外之音 xqpu

贤 xián 刂又贝⊘ JCMU
贤德 jctf | 贤惠 jcgj

嫌 xián 女䒑ヨ八 VUVO
嫌弃 vuyc

显 xiǎn 日业一㊀ JOGF
显出 jobm | 显得 jotj

险 xiǎn 阝人一䒑 BWGI
险阻 bwbe | 险恶 bwgo

县 xiàn 月一厶⊘ EGCU
县城 egfd | 县长 egta

现 xiàn 王冂儿⊘ GMQN
现场 gmfn | 现状 gmud

线 xiàn 纟戋丶 XGY
线索 xgfp | 线路 xgkh

限 xiàn 阝ヨ𠃊⊙ BVEY
限产 bvut | 限制 bvrm

陷 xiàn 阝⺈臼㊀ BQVG
陷害 bqpd | 陷阱 bqbf

馅 xiàn ⺈乚⺈臼 QNQV

羡 xiàn 丷王冫人 UGUW
羡慕 ugaj

献 xiàn 十冂䒑犬 FMUD
献礼 fmpy | 献身 fmtm

拼音（xiang）双拼（xd）

乡 xiāng 乡丿⊘ XTE

乡办 xtlw | 乡政府 xgyw

- **相** xiāng xiàng　木目⊖　SHG
  - 相识 shyk | 相思 shln
- **香** xiāng　禾日⊖　TJF
  - 香甜 tjtd | 香港 tjia
- **厢** xiāng　厂木目⊖　DSHD
- **箱** xiāng　⺮木目⊖　TSHF
  - 箱子 tsbb
- **详** xiáng　讠丷手①　YUDH
  - 详尽 yuny | 详略 yult
- **祥** xiáng　礻丶丷手　PYUD
  - 祥和 pytk
- **翔** xiáng　丷手羽⊖　UDNG
  - 翔实 udpu
- **享** xiǎng　亠子⊖　YBF
  - 享福 ybpy | 享誉 ybiw
- **响** xiǎng　口丿冂口　KTMK
  - 响应 ktyi | 响彻 ktta
- **想** xiǎng　木目心⊙　SHNU
  - 想必 shnt | 想出 shbm
- **向** xiàng　丿冂口⊖　TMKD
  - 向北 tmux | 向左 tmda
- **项** Xiàng　工丆贝⊙　ADMY
  - 项目 adhh
- **象** xiàng　勹口豕⊙　QKEU
  - 象征 qjtg | 象牙 qjah
- **像** xiàng　亻勹口豕　WQEE

拼音（xiao）双拼（xc）

- **削** xiāo　⺌月 刂①　IEJH
  - 削弱 iexu | 削足适履 iktn
- **宵** xiāo　宀⺌月⊖　PIEF
  - 宵禁 piss
- **消** xiāo　氵⺌月⊖　IIEG
  - 消沉 iiip | 消亡 iiyn
- **逍** xiāo　⺌月辶⊖　IEPD
  - 逍遥 ieer | 逍遥法外 ieiq
- **萧** xiāo　艹彐小‖　AVIJ
  - 萧萧 avav | 萧洒 avis
  - 萧瑟 avgg | 萧条 avts
- **硝** xiāo　石⺌月⊖　DIEG
  - 硝烟 diol | 硝烟弥漫 doxi
- **销** Xiāo　钅⺌月⊖　QIEG
  - 销毁 qiva | 销售量 qwjg
- **潇** xiāo　氵艹彐丿|　IAVJ
  - 潇洒 iais
- **箫** xiāo　⺮彐小丿|　TVIJ
- **霄** xiāo　雨⺌月⊖　FIEF
- **小** xiǎo　小丨丿丶　IHTY
  - 小雪 ihfv | 小偷 ihww
- **晓** xiǎo　虫七丿儿　JATQ
  - 晓之以理 jpng
- **孝** xiào　土丿子⊖　FTBF
  - 孝敬 ftaq | 孝子贤孙 fbjb
- **肖** xiāo xiào　⺌月⊖　IEF
- **效** xiào　六乂攵⊙　UQTY
  - 效法 uqif | 效仿 uqwy
- **校** xiào jiào　木六乂⊙　SUQY
  - 校长 suta | 校订 suys
- **笑** xiào　⺮丿大⊙　TTDU
  - 笑柄 ttsg | 笑逐颜开 teug
- **啸** xiào　口彐小丿|　KVIJ

拼音（xie）双拼（xx）

- **些** xiē　止匕二⊖　HXFF
- **楔** xiē　木三丨大　SDHD
- **歇** xiē　曰勹人人　JQWW
  - 歇息 jqth
- **蝎** xiē　虫日勹乙　JJQN
- **协** xié　十力八⊙　FLWY
  - 协办 fllw | 协作 flwt
- **邪** xié yé　匚丨丿阝　AHTB
  - 邪说 ahyu | 邪道 ahut
- **胁** xié　月力八⊙　ELWY
  - 胁从 elww | 胁迫 elrp
- **斜** xié　人禾⺀十　WTUF
  - 斜面 wtdm | 斜坡 wtfh
- **谐** xié　讠匕匕白　YXXR
- **鞋** xié　廿串土土　AFFF
- **写** xiě　冖一乙一　PGNG
  - 写成 pgdn | 写作 pgwt
- **泄** xiè　氵廿乙②　IANN
  - 泄私愤 itnf | 泄愤 ianf
- **泻** xiè　氵冖一一　IPGG
- **卸** xiè　𠂉止 卩①　RHBH
  - 卸车 rhlg | 卸货 rhwx
- **械** xiè　木戈廾①　SAAH
  - 械斗 sauf
- **谢** xiè　讠丿冂寸　YTMF
  - 谢意 ytuj | 谢绝 ytxq
- **懈** xiè　忄勹用丨　NQEH
  - 懈怠 nqck
- **蟹** xiè　勹用刀虫　QEVJ

拼音（xin）双拼（xn）

- **心** xīn　心丶乙丶　NYNY
  - 心灵深处 nvit | 心力交瘁 nluu
- **芯** xīn　艹心⊙　ANU
  - 芯片 anth
- **辛** xīn　辛丶一丨　UYGH
  - 辛辛苦苦 uuaa | 辛劳 uyap
- **欣** xīn　斤⺈人⊙　RQWY
  - 欣然 rqqd | 欣悦 rqnu
- **新** xīn　立木斤①　USRH
  - 新闻事业 uugo | 新闻界 uulw
- **薪** xīn　艹立木斤　AUSR
  - 薪金 auqq
- **信** xìn　亻言⊖　WYG
  - 信心 wyny | 信心倍增 wnwf

拼音（xing）双拼（x;）

- **兴** xīng　⺍八⊙　IWU
  - 兴亡 iwyn | 兴旺 iwjg
- **星** xīng　日丿主⊖　JTGF
  - 星空 jtpw | 星罗棋布 jlsd
- **腥** xīng　月日丿主　EJTG
  - 腥风血雨 emtf
- **刑** xíng　一廾 刂①　GAJH
  - 刑期 gaad | 刑事 gagk
- **行** xíng háng　彳二丨①　TFHH
  - 行不通 tgce | 行长 tfta
- **邢** xíng　一廾阝①　GABH
- **形** xíng　一廾彡①　GAET
  - 形势逼人 grgw | 形似 gawn
- **型** xíng　一廾 刂土　GAJF
  - 型号 gakg
- **醒** xǐng　西一日主　SGJG
  - 醒悟 sgng | 醒目 sghh
- **杏** xìng　木口⊖　SKF
- **姓** xìng　女丿主⊖　VIGG
  - 姓氏 vtqa | 姓名 vtqk
- **幸** xìng　土⺷十①　FUFJ
  - 幸存 fudh | 幸灾乐祸 fpqp
- **性** xìng　忄丿主⊖　NTGG

字	拼音	字根	编码
性别 ntkl	性情 ntng		
拼音（xiong）双拼（xs）			
凶	xiōng	乂凵⑩	QBK
凶暴 qbja	凶相毕露 qsxf		
兄	xiōng	口儿⑩	KQB
兄妹 kqvf	兄长 kqta		
匈	xiōng	勹乂凵⑩	QQBK
匈牙利 qatj			
胸	xiōng	月勹乂凵	EQQB
胸部 equk	胸脯 eqeg		
雄	xióng	ナ厶亻主	DCWY
雄辨 dcuy	雄辩 dcuy		
熊	xióng	厶月匕灬	CEXO
熊猫 ceqt	熊熊燃烧 ccoo		
拼音（xiu）双拼（xq）			
休	xiū	亻木⊙	WSY
休会 wswf	休假 wswn		
修	xiū	亻丨夂彡	WHTE
修配 whsg	修葺 whak		
羞	xiū	丷𠂉乙土	UDNF
羞耻 udbh	羞涩 udiv		
朽	xiǔ	木一乙②	SGNN
朽木 sgss			
嗅	xiù	口丿目犬	KTHD
嗅觉 ktip			
绣	xiù	纟禾乃①	XTET
绣花 xtaw			
袖	xiù	衤冫由⊖	PUMG
袖珍 pugw	袖口 pukk		
锈	xiù	钅禾乃①	QTET
锈蚀 qtqn			
拼音（xu）双拼（xu）			
须	xū	彡丆贝⊙	EDMY
须发 ednt	须眉 ednh		

字	拼音	字根	编码
虚	xū	虍七业一	HAOG
虚报 harb	虚度 haya		
嘘	xū	口虍七⊖	KHAG
需	xū	雨丆冂‖	FDMJ
需求 fdfi	需知 fdtd		
徐	xú	彳人禾⊙	TWTY
徐州 twyt			
许	xǔ	讠𠂉十①	YTFH
许愿 ytdr	许多 ytqq		
栩	xǔ	木羽⊖	SNG
栩栩如生 ssvt			
旭	xù	九日⊜	VJD
序	xù	广マ卩⑩	YCBK
序号 yckg	序列 ycgq		
叙	xù	人禾又⊙	WTCY
叙旧 wthj	叙谈 wtyo		
恤	xù	忄丿皿⊖	NTLG
畜	xù	亠幺田⊖	YXLF
畜产 yxut	畜生 yxtg		
绪	xù	纟土丿日	XFTJ
绪论 xfyw	绪言 xfyy		
续	xù	纟十乙大	XFND
续编 xfxy	续集 xfwy		
婿	xù	女乙止月	VNHE
絮	xù	女口幺小	VKXI
絮语 vkyg			
煦	xù	曰勹口灬	JQKO
蓄	xù	艹亠幺田	AYXL
蓄洪 ayia	蓄积 aytk		
拼音（xuan）双拼（xr）			
轩	Xuān	车二丨	LFH
轩辕 lflf	轩然大波 lqdi		

字	拼音	字根	编码
宣	xuān	宀一日一	PGJG
宣布 pgdm	宣战 pghk		
玄	xuán	亠幺⑤	YXU
玄虚 yxha	玄乎 yxtu		
悬	xuán	月一厶心	EGCN
悬浮 egie	悬而未决 edfu		
旋	xuán	方𠂉乛止	YTNH
旋风 ytmq	旋律 yttv		
漩	xuán	氵方𠂉止	IYTH
漩涡 iyik			
选	xuǎn	丿土儿辶	TFQP
选种 tftk	选拔 tfrd		
癣	xuǎn	疒鱼一手	UQGD
炫	xuàn	火亠幺⊙	OYXY
炫耀 oyiq			
绚	xuàn	纟勹日⊖	XQJG
绚烂 xqou	绚丽多姿 xgqu		
眩	xuàn	目亠幺⊙	HYXY
渲	xuàn	氵宀一一	IPGG
渲染 ipiv			
拼音（xue）双拼（xt）			
靴	xuē	廿串亻匕	AFWX
穴	xué	宀八⑤	PWU
学	xué	⺍冖子⊖	IPBF
学报 iprb	学部 ipuk		
雪	xuě	雨彐⊖	FVF
雪白 fvrr	雪中送炭 fkum		
血	xuè xiě	丿皿⊜	TLD
血战 tlhk	血案 tlpv		
拼音（xun）双拼（xp）			
勋	xūn	口贝力①	KMLT
勋章 kmuj			
熏	xūn xùn	丿一四灬	TELO

字	拼音	字根	编码
熏陶 tgbq	熏染 tgiv		
寻	xún	彐寸⑤	VFU
寻常 vfip	寻访 vfyy		
巡	xún	巛辶⑩	VPV
巡洋舰 vite	巡诊 vpyw		
巡查 vpsj	巡航 vpte		
询	xún	讠勹日⊖	YQJG
询问 yquk			
循	xún	彳厂十目	TRFH
循循善诱 ttuy	循序 tryc		
训	xùn	讠川①	YKH
训练 ykxa	训练有素 yxdg		
驯	xùn	马川①	
驯服 ckeb	驯化 ckwx		
讯	xùn	讠乙十①	YNFH
讯问 ynuk			
汛	xùn	氵乙十①	INFH
汛期 inad	汛情 inng		
迅	xùn	乙十辶⑩	NFPK
迅猛 nfqt	迅速 nfgk		
徇	xùn	彳勹日⊖	TQJG
徇私舞弊 ttru	徇情 tqng		
逊	Xùn	孑小辶⑤	BIPI
逊色 biqc	逊于 bigf		
殉	xùn	一夕勹日	GQQJ
殉葬 gqag	殉职 gqbk		

Y

字	拼音	字根	编码
拼音（ya）双拼（ya）			
丫	yā	丷丨⑩	UHK
压	yā	厂土丶⑤	DFYI
压倒 dfwg	压而不服 ddge		
呀	yā ya	口匚丨丿	KAHT
押	yā	扌甲①	RLH

押送 rlud　押运 rlfc

鸦 yā　匚丨丿一　AHTG
鸦雀无声 aiff

鸭 yā　甲勹丶一　LQYG

牙 yá　匚丨丿Ⓜ　AHTE
牙齿 ahhw

芽 yá　艹匚亅丿　AAHT

崖 yá　山厂土土　MDFF

涯 yá　氵厂土土　IDFF

衙 yá　彳五口丨　TGKH
衙门 tguy

哑 yǎ　口一业一　KGOG
哑口无言 kkfy　哑然失笑 kqrt

雅 yǎ　匚丨丿主　AHTY
雅号 ahkg　雅俗共赏 awai

亚 yà　一业一㊂　GOGD
亚军 gopl　亚欧大陆 gadb

拼音（yan）双拼（yj）

咽 yān　口口大⊙　KLDY
咽喉 klkw

烟 yān　火口大⊙　OLDY
烟幕 olaj　烟草 olaj

淹 yān　氵大日乙　IDJN
淹没 idim　淹死 idgq

焉 yān　一止一灬　GHGO

延 yán　丿止廴㊂　THPD
延安 thpv　延续 thxf

严 yán　一业厂⊘　GODR
严惩 gotg　严重 gotg

妍 yán　女一廾①　VGAH

言 Yán　言言言言　YYYY
言之无物 ypft　言下之意 ygpu

岩 yán　山石㊂　MDF
岩洞 mdim　岩石 mddg

沿 Yán　氵几口㊀　IMKG
沿岸 immd　沿边 imlp

炎 Yán　火火③　OOU
炎夏 oodh　炎症 ooug

研 yán　石一廾①　DGAH
研讨 dgyf　研习 dgnu

盐 yán　土卜皿㊀　FHLF
盐业 fhog　盐碱 fhdd

颜 yán　立丿彡贝　UTEM
颜料 utou　颜色 utqc

檐 yán　木⺈厂言　SQDY

俨 yǎn　亻一业厂　WGOD
俨然 wgqd

掩 yǎn　扌大日乙　RDJN
掩蔽 rdau　掩藏 rdad

眼 yǎn　目彐⻗⊙　HVEY
眼巴巴 hccn　眼高手低 hyrw

演 yǎn　氵宀一八　IPGW
演变 ipyo　演奏 ipdw

厌 yàn　厂犬③　DDI
厌恶 ddgo　厌烦 ddod

宴 yàn　宀日女㊀　PJVF
宴席 pjya　宴会 pjwf

艳 yàn　三丨⺈巴　DHQC
艳丽 dhgm

验 yàn　马人一⺍　CWGI
验讫 cwyt　验收 cwnh

谚 yàn　讠立丿彡　YUTE
谚语 yuyg

焰 yàn　火⺈臼㊀　OQVG
焰火 oqoo

雁 yàn　厂亻亻主　DWWY

燕 yàn　廿口⺦灬　AUKO
燕山 aumm　燕麦 augt

拼音（yang）双拼（yh）

央 yāng　冂大③　MDI
央求 mdfi

殃 yāng　一夕冂大　GQMD

秧 yāng　禾冂大⊙　TMDY
秧歌 tmsk

扬 yáng　扌乙彡①　RNRT
扬长避短 rtnt　扬长而去 rtdf

羊 yáng　丷手⑪　UDJ
羊肠小道 ueiu　羊城 udfd

阳 yáng　阝日㊀　BJG
阳春 bjdw　阳性 bjnt

杨 Yang　木乙彡①　SNRT
杨树 snsc　杨柳 snsq

洋 yáng　氵丷手①　IUDH
洋相 iush　洋洋得意 iitu

仰 yǎng　亻⺁卩①　WQBH
仰首 wqut　仰泳 wqiy

养 yǎng　丷手丶丿　UDYJ
养兵千日 urtj　养病 udug

氧 yǎng　⺧乙丷手　RNUD
氧气 rnrn　氧化 rnwx

样 yàng　木丷手①　SUDH
样板 susr　样本 susg

漾 Yang　氵丷王水　IUGI

拼音（yao）双拼（yk）

夭 yāo　丿大③　TDI
夭折 tdrr

吆 yāo　口幺⊙　KXY

妖 yāo　女丿大⊙　VTDY
妖魔 vtys　妖言惑众 vyaw

腰 yāo　月西女㊀　ESVG
腰缠万贯 exdx　腰包 esqn

邀 yāo　白方攵辶　RYTP
邀功请赏 rayi　邀请 ryyg

姚 yáo　女⺦儿Ⓩ　VIQN

谣 yáo　讠⺤⺧山　YERM
谣传 yewf　谣言 yeyy

摇 yáo　扌⺤⺧山　RERM
摇摇欲坠 rrwb　摇摆 rerl

遥 yáo　⺤⺧山辶　ERMP
遥祝 erpy　遥感 erdg

咬 yǎo　口六乂⊙　KUQY
咬牙 kuah

窈 yǎo　宀八幺力　PWXL
窈窕 pwpw

药 yào　艹纟勹丶　AXQY
药材 axsf　药用 axet

要 yào　西女㊀　SVF
要案 svpv　要员 svkm

耀 yào　⺌儿羽主　IQNY
耀武扬威 igrd　耀眼 iqhv

拼音（ye）双拼（ye）

耶 yē　耳阝①　BBH
耶稣 bbqg

椰 yē　木耳阝①　SBBH

爷 yé　八乂卩⑪　WQBJ
爷爷 wqwq

也 yě　也乙丨乙　BNHN
也罢 bnlf　也好 bnvb

野 yě　曰土⺄⺋　JFCB

野餐 jfhq　野兽 jful
业 yè　业一⊜　OGD
业绩 ogxg　业主 ogyg
叶 yè　口十①　KFH
叶公好龙 kwvd　叶片 kfth
曳 yè　日乙丿③　JNT
页 yè　丆贝③　DMU
夜 yè　亠亻夂⊙　YWTY
夜不闭户 yguy　夜餐 ywhq
液 yè　氵亠亻丶　IYWY
液化 iywx　液晶 iyjj

拼音（yi）双拼（yi）

一 yī　一一口口　GGLL
一把手 grrt　一败涂地 gmif
伊 yī　亻彐丿①　WVTT
伊拉克 wrdq　伊朗 wvyv
衣 yī　亠𧘇③　YEU
衣着 yeud　衣钵 yeqs
医 yī　匚𠂉大③　ATDI
医疗事故 augd　医德 attf
依 yī　亻亠𧘇⊙　WYEY
依此 wyhx　依此类推 whor
壹 yī　士冖一丷　FPGU
仪 yí　亻丶乂⊙　WYQY
仪态 wydy　仪表 wyge
夷 yí　一弓人③　GXWI
夷为平地 gygf
沂 yí　氵斤①　IRH
宜 yí　宀月一⊜　PEGF
宜昌 pejj　宜宾 pepr
咦 yí　口一弓人　KGXW
姨 yí　女一弓人　VGXW

贻 yí　贝厶口⊖　MCKG
贻害无穷 mpfp　贻误 mcyk
移 yí　禾夕夕⊙　TQQY
移花接木 tars　移交 tquq
遗 yí　口丨一辶　KHGP
遗臭万年 ktdr　遗传 khwf
遗迹 khyo　遗憾 khnd
颐 yí　匚丨口贝　AHKM
颐和园 atlf
疑 yí　匕𠂉大龰　XTDH
疑惑 xtak　疑惧 xtnh
乙 yǐ　乙乙口口　NNLL
已 yǐ　已乙乙②　NNNN
已观后效 ncru　已婚 nnvq
以 yǐ　乙丶人⊙　NYWY
以身试法 ntyi　以身殉职 ntgb
蚁 yǐ　虫丶乂⊙　JYQY
倚 yǐ　亻大丁口　WDSK
倚官仗势 wpwr　倚仗 wdwd
椅 yǐ　木大丁口　SDSK
椅子 sdbb
义 yì　丶乂③　YQI
义务 yqtl　义务兵 ytrg
亿 yì　亻乙②　WNN
亿万群众 wdvw
忆 yì　忄乙②　NNN
艺 yì　艹乙⑧　ANB
艺术 ansy　艺术家 aspe
议 yì　讠丶乂⊙　YYQY
议案 yypv　议程 yytk
亦 yì　亠小③　YOU
亦不例外 ygwq　亦即 yovc
屹 yì　山𠂉乙②　MTNN

屹立 mtuu
异 yì　巳廾①　NAJ
异己 nann　异常 naip
役 yì　彳几又⊙　TMCY
抑 yì　扌𠂆卩①　RQBH
抑止 rqhh　抑制 rqrm
译 yì　讠又二丨　YCFH
译著 ycaf　译本 ycsg
邑 yì　口巴⑧　KCB
易 yì　日勹彡②　JQRR
易于 jqgf　易地 jqfb
驿 yì　马又二丨　CCFH
奕 yì　亠小大③　YODU
疫 yì　疒几又③　UMCI
疫病 umug　疫情 umng
益 yì　丷八皿⊜　UWLF
益处 uwth　益虫 uwjh
谊 yì　讠宀月一　YPEG
翊 yì　立羽⊖　UNG
翌日 nujj　翌年 nurh
逸 yì　𠂊口儿辶　QKQP
逸事 qkgk
意 yì　立日心⊙　UJNU
意大利 udtj　意会 ujwf
溢 yì　氵丷八皿　IUWL
溢出 iubm　溢于言表 igyg
肄 yì　匕𠂉大丨　XTDH
肄业 xtog
毅 yì　立豕几又　UEWC
毅力 uelt　毅然决然 uquq
翼 yì　羽田龷八　NLAW

拼音（yin）双拼（yn）

因 yīn　口大③　LDI
因材施教 lsyf　因子 ldbb
阴 yīn　阝月⊖　BEG
阴间 beuj　阴冷 beuw
姻 yīn　女口大⊙　VLDY
姻缘 vlxx
茵 yīn　艹口大③　ALDU
荫 yīn　艹阝月⊜　ABEF
音 yīn　立日⊜　UJF
音质 ujrf　音标 ujsf
殷 yīn　厂彐乙又　RVNC
殷实 rvpu　殷勤 rvak
吟 yín　口人丶乙　KWYN
淫 yín　氵丿土⊜　IETF
淫秽 ietm　淫乱 ietd
银 yín　钅彐𧘇⊙　QVEY
银河 qvis　银杯 qvsg
尹 yǐn　彐丿③　VTE
引 yǐn　弓丨①　XHH
引爆 xhoj　引出 xhbm
饮 yǐn　𠂊乙𠂊人　QNQW
饮酒 qnis　饮料 qnou
蚓 yǐn　虫弓丨①　JXHH
隐 yǐn　阝𠂊彐心　BQVN
隐藏 bqad　隐恶扬善 bgru
印 yìn　𠂆一卩①　QGBH
印度 qgya　印发 qgnt

拼音（ying）双拼（y;）

应 yīng yìng　广⺍⊜　YID
应变 yiyo　应变能力 yycl
英 yīng　艹冂大③　AMDU
英国 amlg　英镑 amdu
莺 yīng　艹冖勹一　APQG
莺歌燕舞 asar
婴 yīng　贝贝女⊜　MMVF

婴儿 mmqt　婴幼儿 mxqt

樱 yīng　木贝贝女　SMMV

迎 yíng　匚卩辶⑩　QBPK

迎宾 qbpr　迎春 qbdw

盈 yíng　乃又皿⊖　ECLF

盈亏 ecfn　盈利 ectj

荧 yíng　艹冖火⑤　APOU

荧光屏 ainu　荧屏 apnu

莹 yíng　艹冖王、　APGY

萤 yíng　艹冖虫⑤　APJU

营 yíng　艹冖口口　APKK

营地 apfb　营房 apyn

蝇 yíng　虫口日乚　JKJN

赢 yíng　亠乙口、　YNKY

赢利 yntj　赢得 yntj

颖 yǐng　匕丿丆贝　XTDM

影 yǐng　曰亠小月　JYIE

影集 jywy　影剧院 jnbp

映 Yìng　日冂大⊙　JMDY

映衬 jmpu　映出 jmbm

硬 yìng　石一日乂　DGJQ

硬逼 dggk　硬币 dgtm

拼音（yo）双拼（yo）

哟 yō　口纟勹、　KXQY

唷 yō　口亠厶月　KYCE

拼音（yong）双拼（ys）

佣 yōng　亻用①　WEH

佣金 weqq

拥 yōng　扌用①　REH

拥护 rery　拥挤 rery

庸 yōng　广彐用丨　YVEH

庸才 yvft　庸碌 yvdv

臃 yōng　月亠纟圭　EYXY

臃肿 eyek

永 yǒng　、乙八⑤　YNII

永葆青春 yagd　永别 ynkl

咏 yǒng　口、乙八　KYNI

泳 yǒng　氵、乙八　IYNI

勇 yǒng　マ用力②　CELR

勇斗歹徒 cugt　勇于探索 cgrf

涌 yǒng　氵マ用①　ICEH

涌向 ictm　涌进 icfj

用 yòng　用丿乙丨　ETNH

用劲 etca　用不着 egud

拼音（you）双拼（yb）

优 yōu　亻ナ乙②　WDNN

优待 wdtf　优等 wdtf

优惠政策 wggt　优良 wdyv

忧 yōu　忄ナ乙②　NDNN

忧愁 ndto　忧愤 ndnf

呦 yōu　口幺力①　KXLN

幽 yōu　幺幺山⑤　XXMK

幽暗 xxju　幽雅 xxah

悠 yōu　亻丨攵心　WHTN

悠然 whqd　悠闲 whus

由 yóu　由丨乙一　MHNG

由此 mhhx　由此及彼 mhet

犹 yóu　犭ナ乙　QTDN

犹如 qtvk　犹豫不决 qcgu

邮 yóu　由阝①　MBH

邮差 mbud　邮戳 mbnw

油 yóu　氵由⊖　TMG

油船 imte　油层 imnf

柚 yóu　yòu　木由⊖　SMG

游 yóu　氵方𠂉子　IYTB

游说 iyyu　游艇 iyte

鱿 yóu　鱼一ナ乙　QGDN

友 yǒu　ナ又⑤　DCU

友爱 dcep　友邦 dcdt

有 yǒu　ナ月⊖　DEF

有助于 degf　有益无害 dufp

又 yòu　又又又又　CCCC

又及 ccey　又红又专 cxcf

右 yòu　ナ口⊖　DKF

右边 dklp　右侧 dkwm

幼 yòu　幺力①　XLT

幼儿园 xqlf　幼林 xlss

诱 yòu　讠禾乃①　YTET

诱因 ytld　诱导 ytnf

拼音（yu）双拼（yu）

迂 yū　一十辶⑩　GFPK

迂回 gflk

淤 yū　氵方人⺀　IYWU

淤积 iytk　淤泥 iyin

于 yú　一十⑩　GFK

于心不忍 gngv　于是 gfjg

予 yú　yǔ　マ卩⑩　CBJ

予以 cbny　予以考虑 cnfh

余 yú　人禾⑤　WTU

余暇 wtjn　余地 wtfb

鱼 yú　鱼一⊖　QGF

鱼米之乡 qopx　鱼目混珠 qhig

俞 yú　人一月刂　WGEJ

竽 yú　竹一十⑩　TGFJ

娱 yú　女口一大　VKGD

娱乐 vkqi

渔 yú　氵鱼一⊖　IQGG

渔船 iqte　渔业 iqog

愉 yú　忄人一刂　NWGJ

愉快 nwnn　愉悦 nwnu

渝 yú　氵人一刂　IWGJ

逾 yú　人一月辶　WGEP

逾期 wgad　逾越 wgfh

愚 yú　日冂丨心　JMHN

愚笨 jmts　愚蠢 jmdw

榆 yú　木人一刂　SYGJ

榆林 swss　榆树 swsc

舆 yú　臼车一八　VLGM

舆论 vlyw　舆论界 vylw

与 yǔ　一乙一⊜　GNGD

与会代表 gwwg　与会者 gwft

宇 yǔ　宀一十⑩　PGFJ

宇宙 pgpm

羽 yǔ　羽乙、㇀　NNYG

羽毛球 ntgf　羽毛 nntf

雨 yǔ　雨一丨、　FGHY

雨后春笋 frdt　雨季 fgtb

禹 yǔ　丿口冂、　TKMY

语 yǔ　讠五口⊖　YGKG

语调 ygym　语法 ygif

玉 yù　王、⑤　GYI

玉米 gyoy　玉器 gykk

吁 yù　口一十①　KGFH

芋 yù　艹一十①　AGFJ

育 yù　亠厶月⊖　YCEF

育林 ycss　育龄 ychw

郁 yù　ナ月阝①　DEBH

郁郁寡欢 ddpc　郁积 detk

狱 yù　犭丿讠犬　QTYD

峪 yù　山八人口　MWWK

浴 yù　氵八人口　IWWK

浴血奋战 itdh　浴室 iwpg

字	拼音	字根	编码	词组
预	yù	マ卩丆贝	CBDM	预赛 cbpf　预审 cbpj
域	yù	土戈口一	FAKG	
欲	yù	八人口人	WWKW	欲盖弥彰 wuxu　欲与 wwgn
谕	yù	讠人一刂	YWGJ	
阈	yù	门戈口一	UAKG	
喻	yù	口人一刂	KWGJ	
寓	yù	宀日冂丶	PJMY	寓所 pjrn　寓言 pjyy
御	yù	彳𠂉止卩	TRHB	御用 tret　御敌 trtd
裕	yù	衤氵人口	PUWK	裕固 puld
遇	yù	日冂丨辶	JMHP	遇害 jmpd　遇见 jmmq
愈	yù	人一月心	WGEN	愈甚 wgad　愈演愈烈 wiwg
誉	yù	𭕄八言⊜	IWYF	誉满全球 iiwg　誉为 iwyl
豫	yù	マ卩ク豕	CBQE	豫剧 cbnd
拼音（yuan）双拼（yr）				
冤	yuān	冖ク口丶	PQKY	冤案 pqpv　冤狱 pqqt
鸳	yuān	夕㔾勹一	QBQG	
渊	yuān	氵丿米丨	ITOH	渊博 itfg　渊源 itid
元	yuán	二儿⑥	FQB	元宝 fqpg　元旦 fqjg
员	yuán	口贝③	KMU	员工 kmaa
园	yuán	口二儿⑥	LFQV	园丁 lfsg　园林 lfss
原	yuán	厂白小③	DRII	原载 drfa　原则 drmj
圆	yuán	口口贝③	LKMI	圆柱 lksy　圆滑 lkim
袁	yuán	土口𧘇③	FKEU	
援	yuán	扌爫二又	REFC	援兵 rerg　援建 revf
缘	yuán	纟彑豕丶	XXEY	缘故 xxdt　缘木求鱼 xsfq
源	Yuán	氵厂白小	IDRI	源远流长 ifit　源源不断 iigo
猿	yuán	犭丿土𧘇	QTFE	
远	Yuǎn	二儿辶⑥	FQPV	远近 fqrp　远景 fqjy
苑	yuàn	艹夕㔾⑥	AQBB	
怨	yuàn	夕㔾心③	QBNU	怨恨 qbnv　怨气 qbrn
院	yuàn	阝宀二儿	BPFQ	院长 bpta　院方 bpyy
愿	yuàn	厂白小心	DRIN	愿意 druj　愿望 dryn
拼音（yue）双拼（yt）				
曰	yuē	曰丨乙一	JHNG	
约	yuē	纟勹丶⊙	XQYY	约旦 xqjg　约定 xqpg
月	yuè	月月月月	EEEE	月报 eerb　月色 eeqc
岳	yuè	斤一山⦶	RGMJ	岳父 rgwq　岳母 rgxg
钥	yuè　yào	钅月⊖	QEG	钥匙 qejg
悦	yuè	忄丷口儿	NUKQ	悦耳 nubg　悦目 nuhh
阅	yuè	门丷口儿	UUKQ	阅读 uuyf　阅览 uujt
跃	yuè	口止丿大	KHTD	跃居 khnd　跃居第一 kntg
越	yuè	土龰匚丿	FHAT	越冬 fhtu　越发 fhnt
拼音（yun）双拼（yp）				
云	yún	二厶③	FCU	云雾 fcft　云层 fcnf
匀	yún	勹冫⊜	QUD	匀速 qugk　匀称 qutq
芸	yún	艹二厶③	AFCU	
允	yǔn	厶儿⑥	CQB	允诺 cqya　允许 cqyt
陨	yǔn	阝口贝⊙	BKMY	陨落 bkai　陨石 bkdg
孕	yùn	乃子⊜	EBF	孕育 ebyc　孕妇 ebvv
运	yùn	二厶辶③	FCPI	运抵 fcrq　运动 fcfc
晕	yùn　yūn	日冖车⦶	JPLJ	晕头转向 jult
酝	yùn	西一二厶	SGFC	酝酿 sgsg
韵	yùn	立日勹冫	UJQU	韵律 ujtv　韵味 ujkf
熨	Yùn	尸二小火	NFIO	
蕴	yùn	艹纟日皿	AXJL	蕴藏 axad　蕴涵 axib
Z				
拼音（za）双拼（za）				
咂	zā	口匚冂丨	KAMH	
杂	zá	九木③	VSU	杂事 vsgk　杂费 vsxj
砸	zá	石匚冂丨	DAMH	砸碎 dady　砸坏 dafg
拼音（zai）双拼（zl）				
灾	zāi	宀火③	POU	灾害 popd　灾祸 popy
栽	zāi	土戈木③	FASI	栽倒 fawg　栽跟头 fkud
宰	zǎi	宀辛⦶	PUJ	宰杀 puqs　宰相 push
载	zǎi	土戈车⊜	FALD	载重 fatg　载歌载舞 fsfr
再	zài	一冂土⊜	GMFD	再植 gmsf　再版 gmth
在	zài	𠂇丨土⊜	DHFD	在案 dhpv　在编 dhxy
拼音（zan）双拼（zj）				
咱	zán	口丿目⊖	KTHG	咱们 ktwu
攒	zǎn	扌丿土贝	RTFM	
暂	zàn	车斤日⊜	LRJF	暂不 lrgi　暂定 lrpg
赞	zàn	丿土儿贝	TFQM	赞不绝口 tgxk　赞成 tfdn
拼音（zang）双拼（zh）				
赃	zāng	贝广土⊖	MYFG	赃款 myff　赃物 mytr
脏	zàng	月广土⊖	EYFG	

葬 zàng 艹一夕廾 AGQA

葬送 agud 葬礼 agpy

拼音（zao）双拼（zk）

遭 zāo 一冂廾辶 GMAP

遭到 gmgc 遭劫 gmfc

糟 Zāo 米一冂日 OGMJ

糟粕 ogor 糟蹋 ogkh

凿 záo 业一丷凵 OGUB

凿开 ogga

早 zǎo 早丨乙丨 JHNH

早安 jhpv 早班 jhgy

枣 zǎo 一冂小⺀ GMIU

枣庄 gmyf

蚤 zǎo 又丶虫ⓢ CYJU

澡 zǎo 氵口口木 IKKS

灶 zào 火土⊖ OFG

皂 zào 白七Ⓚ RAB

造 zào 丿土口辶 TFKP

造成 tfdn 造船 tfte

噪 zào 口口口木 KKKS

噪声 kkfn 噪音 kkuj

燥 zào 火口口木 OKKS

躁 zào 口止口木 KHKS

拼音（ze）双拼（ze）

则 zé 贝刂⑪ MJH

则有 mjde

择 zé zhái 扌又二丨 RCFH

择善而从 rudw 择优 rcwd

泽 zé 氵又二丨 ICFH

责 zé 主贝ⓢ GMU

责成 gmdn 责罚 gmly

啧 zé 口主贝⊙ KGMY

拼音（zei）双拼（zw）

贼 zéi 贝戈ナ⑪ MADT

拼音（zen）双拼（zf）

怎 Zěn 𠂉丨二心 THFN

怎会 thwf 怎么 thtc

拼音（zeng）双拼（zg）

曾 zēng 丷㓁日⊖ ULJF

曾经 ulxc 曾为 ulyl

曾任 ulwt 曾以 ulny

增 zēng 土丷㓁日 FULJ

增重 futg 增兵 furg

憎 zēng 忄丷㓁日 NULJ

憎恨 nunv 憎恶 nugo

赠 zèng 贝丷㓁日 MULJ

赠与 mugn 赠阅 muuu

拼音（zha）双拼（va）

咋 zhā zhà zǎ 口𠂉丨二 KTHF

楂 zhā 木木日⊖ SSJG

扎 zhá 扌乙Ⓩ RNN

扎扎实实 rrpp 扎根 rnsv

札 zhá 木乙Ⓩ SNN

札记 snyn

闸 zhá 门甲⑪ ULK

闸门 uluy

眨 zhǎ 目丿之⊙ HTPY

眨眼 hthv

诈 zhà 讠𠂉丨二 YTHF

诈取 ytbc 诈骗 ytcy

柞 zhà 木𠂉丨二 STHF

咤 zhà 口宀丿七 KPTA

栅 zhà 木冂冂一 SMMG

栅栏 smsu

炸 zhà zhá 火𠂉丨二 OTHF

炸弹 otxu 炸断 oton

榨 zhà 木宀八二 SPWF

拼音（zhai）双拼（vl）

斋 zhāi 文厂冂‖ YDMJ

摘 zhāi 扌立冂古 RUMD

摘编 ruxy 摘抄 ruri

宅 zhái 宀丿七Ⓚ PTAB

宅院 ptbp

窄 zhǎi 宀八𠂉二 PWTF

债 zhài 亻主贝⊙ WGMY

债主 wgyg 债额 wgpt

拼音（zhan）双拼（vj）

沾 zhān 氵⺊口⊖ IHKG

沾边 ihlp 沾光 ihiq

粘 zhān nián 米⺊口⊖ OHKG

粘贴 ohmh

瞻 zhān 目⺈厂言 HQDY

瞻仰 hqwq 瞻前顾后 hudr

斩 zhǎn 车斤⑪ LRH

斩草除根 labs 斩钉截铁 lqfq

展 zhǎn 尸廾𧘇ⓢ NAEI

展销 naqi 展播 nart

盏 zhǎn 戋皿⊖ GLF

崭 zhǎn 山车斤⑪ MLRJ

崭露头角 mfuq 崭新 mlus

辗 zhǎn 车尸廾𧘇 LNAE

辗转 lnlf 辗转反侧 llrw

占 zhàn zhān ⺊口⊖ HKF

占住 hkwy 占便宜 hwpe

战 zhàn ⺊口戈⊙ HKAY

战败 hkmt 战报 hkrb

站 zhàn 立⺊口⊖ UHKG

站长 uhta 站得住 utwy

绽 zhàn 纟宀一⺊ XPGH

绽开 xpga

拼音（zhang）双拼（vh）

张 zhāng 弓丿七㇏ XTAY

张掖 xtry 张家口 xpkk

章 zhāng 立早⑪ UJJ

章节 ujab 章程 ujtk

涨 zhǎng zhàng 氵弓丿㇏ IXTY

涨价 ixww 涨幅 ixmh

掌 zhǎng 丷冖口手 IPKR

掌握分寸 irwf 掌舵 ipte

丈 zhàng ナ㇏ⓢ DYI

丈夫 dyfw 丈量 dyjg

仗 zhàng 亻ナ㇏⊙ WDYY

仗势欺人 wraw 仗义 wdyq

帐 zhàng 冂丨丿㇏ MHTY

帐篷 mhtt 帐本 mhsg

胀 zhàng 月丿七㇏ ETAY

账 zhàng 贝丿七㇏ MTAY

障 zhàng 阝立早⑪ BUJH

障碍 budj

拼音（zhao）双拼（vk）

钊 zhāo 钅刂⑪ QJH

招 zhāo 扌刀口⊖ RVKG

招聘制 rbrm 招惹 rvad

昭 zhāo 日刀口⊖ JVKG

昭雪 jvfv 昭然若揭 jqar

找 zhǎo 扌戈Ⓣ RAT

找遍 rayn 找寻 ravf

沼 zhǎo 氵刀口⊖ IVKG

沼泽 ivic　沼气 ivrn

兆 zhào　儿㐅㊂　QIV

兆头 qiud

赵 zhào　土𠂉乂㊂　FHQI

照 zhào　日刀口灬　JVKO

照相 jvsh　照搬 jvrt

罩 Zhào　罒⺊早⦶　LHJJ

拼音（zhe）双拼（ve）

蜇 zhē　zhé　扌斤虫㊂　RRJU

遮 zhē　广廿灬辶　YAOP

遮蔽 yaau　遮挡 yari

折 zhē　zhé　shé　扌斤⦶　RRH

折叠 rrcc　折断 rron

哲 zhé　扌斤口⊖　RRKF

哲里木盟 rjsj　哲理 rrgj

蛰 zhé　扌九丶虫　RVYJ

辙 zhé　车一厶攵　LYCT

者 zhě　土丿日⊖　FTJF

这 zhè　zhèi　文辶㊂　YPI

这次 ypuq　这点 yphk

浙 zhè　氵扌斤⦶　IRRH

浙江 iria

蔗 zhè　艹广廿灬　AYAO

拼音（zhen）双拼（vf）

贞 zhēn　⺊贝㊂　HMU

贞节 hmab　贞操 hmrk

针 zhēn　钅十⦶　QFH

针织品 qxkk　针刺 qfgm

侦 zhēn　亻⺊贝⊙　WHMY

侦听 whkr　侦查 whsj

珍 zhēn　王人彡⦶　GWET

珍珠 gwgr　珍爱 gwep

帧 zhēn　冂丨⺊贝　MHHM

桢 zhēn　木⺊贝⊙　SHMY

真 zhēn　十且八㊂　FHWU

真才实学 ffpi　真诚 fhyd

斟 zhēn　艹三八十　ADWF

斟酌 adsg

诊 zhěn　讠人彡⦶　YWET

诊断 ywon　诊治 ywic

枕 zhěn　木冖儿⊘　SPQN

枕头 spud　枕木 spss

阵 zhèn　阝车⦶　BLH

阵地 blfb　阵雨 blfg

振 Zhèn　扌厂二𧘇　RDFE

振荡 rdai　振动 rdfc

朕 zhèn　月丷大⊙　EUDY

镇 zhèn　钅十且八　QFHW

镇定 qfpg　镇定自若 qpta

震 zhèn　雨厂二𧘇　FDFE

震颤 fdyl　震荡 fdai

拼音（zheng）双拼（vg）

争 zhēng　𠂊彐丨⦶　QVHJ

争相 qvsh　争论 qvyw

征 zhēng　彳一止⊖　TGHG

征兵 tgrg　征程 tgtk

挣 zhēng　zhèng　扌𠂊彐丨　RQVH

挣扎 rqrn　挣脱 rqeu

睁 zhēng　目𠂊彐丨　HQVH

睁眼 hqhv　睁开眼睛 hghh

筝 zhēng　𥫗𠂊彐丨　TQVH

蒸 zhēng　艹了八灬　ABIO

蒸气 abrn

拯 zhěng　扌了八一　RBIG

拯救 rbfi

整 zhěng　木口小止　SKIH

整套 gkdd　整体 gkws

正 zhèng　zhēng　一止⊖　GHD

正宗 ghpf　正本清源 gsii

证 zhèng　讠一止⊖　YGHG

证词 ygyn　证书 ygnn

郑 zhèng　丷大阝⦶　UDBH

郑重 udtg　郑重其事 utag

政 zhèng　王止攵⊙　GHTY

政变 ghyo　政策 ghtg

症 zhèng　疒一止⊖　UGHD

症状 ugud　症结 ugxf

拼音（zhi）双拼（vi）

之 zhī　之之之之　PPPP

之中 ppkh　之二 ppfg

之后 pprg　之际 ppbf

支 zhī　十又㊂　FCU

支书 fcnn　支委 fctv

汁 zhī　氵十⦶　IFH

芝 zhī　艹之㊂　APU

芝加哥 alsk

吱 zhī　zī　口十又⊙　KFCY

枝 zhī　木十又⊙　SFCY

枝繁叶茂 stka　枝节 sfab

知 zhī　𠂉大口⊖　TDKG

知足 tdkh　知道 tdut

织 zhī　纟口八⊙　XKWY

织物 xktr　织补 xkpu

肢 zhī　月十又⊙　EFCY

肢解 efqe　肢体 efws

脂 zhī　月匕日⊖　EXJG

脂肪 exey

蜘 zhī　虫𠂉大口　JTDK

执 zhí　扌九丶⊙　RVYY

执拗 rvrx　执笔 rvtt

侄 zhí　亻一厶土　WGCF

直 zhí　十且⊖　FHF

直属 fhnt　直奔 fhdf

值 zhí　亻十且⊖　WFHG

值班 wfgy　值班室 wgpg

职 zhí　耳口八⊙　BKWY

职工 bkaa　职称 bktq

植 zhí　木十且⊖　SFHG

植株 sfsr　植保 sfwk

殖 zhí　shi　一夕十且　GQFH

殖民主义 gnyy　殖民地 gnfb

止 zhǐ　止丨一一　HHGG

止血 hhtl　止痛 hhuc

只 zhǐ　zhī　口八㊂　KWU

只当 kwiv　只得 kwtj

址 zhǐ　土止⊖　FHG

纸 zhǐ　纟𠂆七⊘　XQAN

纸张 xqxt　纸上谈兵 xhyr

指 zhǐ　扌匕日⊖　RXJG

指标 rxsf　指挥 rxrp

至 zhì　一厶土⊖　GCFF

至于 gcgf　至诚 gcyd

志 zhì　士心㊂　FNU

志趣 fnfh　志士 fnfg

制 zhì　𠂉冂丨刂　RMHJ

制做 rmwd　制版 rmth

帜 zhì　冂丨口八　MHKW

治 zhì　氵厶口⊖　ICKG

治愈 icwg　治安 icpv

质 zhì　厂十贝⑧　RFMI
质子 rfbb　质变 rfyo

挚 zhì　扌九丶手　RVYR
挚友 rvdc

秩 zhì　禾𠂉人⊙　TRWY
秩序 tryc

致 zhì　一厶土夂　GCFT
致病 gcug　致词 gcyn

智 zhì　𠂉大口日　TDKJ
智育 tdyc　智慧 tddh

滞 zhì　氵一川冖　IGKH
滞后 igrg　滞留 igqy

稚 zhì　禾亻主㊀　TWYG
稚气 twrn

置 zhì　皿十且㊀　LFHF
置办 lflw　置备 lftl

拼音（zhong）双拼（vs）

中 zhōng　zhòng　口丨Ⓘ　KHK
中标 khsf　中波 khih

忠 zhōng　口丨心⑧　KHNU
忠告 khtf　忠厚 khdj

终 zhōng　纟夂冫⊙　XTUY
终场 xtfn　终点 xthk

盅 zhōng　口丨皿㊀　KHLF

钟 zhōng　钅口丨Ⓘ　QKHH
钟爱 qkep　钟头 qkud

衷 zhōng　亠口丨衣　YKHE
衷心希望 ynqy　衷肠 yken

肿 zhǒng　月口丨Ⓘ　EKHH
肿瘤 ekuq　肿胀 eket

种 zhǒng　zhòng　禾口丨Ⓘ　TKHH
种地 tkfb　种族主义 tyyy

众 zhòng　人人人⑧　WWWU
众议院 wybp　众议员 wykm

重 zhòng　chóng　丿一日土　TGJF
重重困难 ttlc　重点 tghk

拼音（zhou）双拼（vb）

州 zhōu　丶丿丶丨　YTYH

舟 zhōu　丿舟⑧　TEI
舟山 temm

周 zhōu　冂土口㊂　MFKD
周总理 mugj　周报 mfrb

洲 zhōu　氵丶丿丨　IYTH

粥 zhōu　弓米弓Ⓩ　XOXN

轴 zhóu　车由㊀　LMG
轴心 lmny　轴承 lmbd

肘 zhǒu　月寸⊙　EFY

帚 zhǒu　彐冖冂丨　VPMH

咒 zhòu　口口几Ⓚ　KKMB
咒骂 kkkk

宙 zhòu　宀由㊀　PMF

皱 zhòu　⺈彐𠂆又　QVHC
皱纹 qvxy　皱眉 qvnh

骤 zhòu　马耳又豕　CBCI
骤然 cbqd

拼音（zhu）双拼（vu）

朱 zhū　𠂉小⑧　RII

侏 zhū　亻𠂉小⊙　WRIY
侏儒 wrwf

株 zhū　木𠂉小⊙　SRIY
株洲 sriy　株连 srlp

珠 zhū　王𠂉小⊙　GRIY
珠子 grbb　珠宝 grpg

诸 zhū　讠土丿日　YFTJ
诸多 yfqq　诸葛亮 yayp

猪 zhū　犭丿土日　QTFJ
猪肉 qtmw

蛛 zhū　虫𠂉小⊙　JRIY
蛛丝马迹 jxcy

竹 zhú　𠂉丿一亅　TTGH
竹子 ttbb　竹竿 tttf

竺 zhú　⺮二㊂　TFF

烛 zhú　火虫⊙　OJY
烛光 ojiq

逐 zhú　豕辶⑧　EPI
逐字逐句 epeq　逐步 ephi

主 zhǔ　丶王㊂　YGD
主子 ygbb　主办 yglw

属 zhǔ　shǔ　尸丿口丶　NTKY
属于 ntgf　属实 ntpu

煮 zhǔ　土丿日灬　FTJO

嘱 zhǔ　口尸丿丶　KNTY
嘱咐 knkw　嘱托 knrt

瞩 zhǔ　目尸丿丶　HNTY
瞩目 hnhh

伫 zhù　亻宀一㊀　WPGG

住 zhù　亻丶王㊀　WYGG
住处 wyth　住地 wyfb

助 zhù　月一力Ⓛ　EGLT
助产士 eufg　助长 egta

注 zhù　氵丶王㊀　IYGG
注重 iytg　注册 iymm

贮 zhù　贝宀一㊀　MPGG
贮备 mptl　贮藏 mpad

驻 zhù　马丶王㊀　CYGG
驻扎 cyrn　驻地 cyfb

柱 zhù　木丶王㊀　SYGG
柱子 sybb　柱石 sydg

祝 zhù　礻丶口儿　PYKQ
祝愿 pydr　祝词 pyyn

著 zhù　艹土丿日　AFTJ
著作权 awsc　著称 aftq

蛀 zhù　虫丶王㊀　JYGG
蛀虫 jyjh

筑 zhù　⺮工几丶　TAMY
筑路 takh

铸 zhù　钅三丿寸　QDTF
铸铁 qdqr　铸造 qdtf

箸 zhù　⺮土丿日　TFTJ

拼音（zhua）双拼（vw）

抓 zhuā　扌𠂆丨㇏　RRHY
抓住 rrwy　抓辫子 rubb

爪 zhuǎ　zhǎo　𠂆丨㇏⑧　RHYI

拼音（zhuai）双拼（vy）

拽 zhuāi　zhuài　yè　扌日乙丿　RJXT

拼音（zhuan）双拼（vr）

专 zhuān　二乙丶⑧　FNYI
专著 fnaf　专案 fnpv

砖 zhuān　石二乙丶　DFNY
砖头 dfud

转 zhuǎn　zhuàn　车土乙丶　LFNY
转正 lfgh　转运 lffc

赚 zhuàn　贝䒑彐小　MUVO
赚头 muud　赚钱 muqg

撰 zhuàn　扌巳巳八　RNNW
撰写 rnpg　撰稿 rnty

拼音（zhuang）双拼（vd）

妆 zhuāng　丬女㊀　UVG

字	拼音	字根	编码
庄	zhuāng	广土㊂	YFD
庄园 yflf	庄稼 yftp		
桩	zhuāng	木广土㊀	SYFG
桩子 sybb			
装	zhuāng	丬士亠𧘇	UFYE
装束 ufgk	装扮 ufrw		
状	zhuàng	丬犬⊙	UDY
状元 udfq	状况 uduk		
幢	zhuàng chuáng	冂丨立土	MHUF
撞	zhuàng	扌立日土	RUJF
撞车 rulg	撞坏 rufg		
拼音（zhui）双拼（vv）			
追	zhuī	亻ココ辶	WNNP
追捕 wnrg	追查 wnsj		
锥	zhuī	钅亻主㊀	QWYG
坠	zhuì	阝人土㊁	BWFF
坠毁 bwva	坠落 bwai		
缀	zhuì	纟又又又	XCCC
拼音（zhun）双拼（vp）			
准	zhǔn	冫亻主㊀	UWYG
准保 uwwk	准备 uwtl		
拼音（zhuo）双拼（vo）			
卓	zhuō	卜早(刂)	HJJ
卓著 hjaf	卓绝 hjxq		
拙	zhuō	扌凵山(丨)	RBMH
拙劣 rbit	拙笨 rbts		
捉	zhuō	扌口龰⊙	RKHY
捉住 rkwy	捉襟见肘 rpme		
桌	zhuō	⺊早木(冫)	HJSU
桌子 hjbb			
灼	zhuó	火勹丶⊙	OQYY
灼热 oqrv	灼伤 oqwt		
茁	zhuó	艹凵山(丨)	ABMJ
茁壮 abuf			
浊	zhuó	氵虫⊙	IJY
酌	zhuó	西一勹丶	SGQY
酌情 sgng	酌定 sgpg		
啄	zhuó	口豕丶⊙	KEYY
着	zhuó zhāo zháo zhe	丷𦍌目㊁	UDHF
着迷 udop	着慌 udna		
琢	zhuó zuó	王豕丶⊙	GEYY
琢磨 geys			
拼音（zi）双拼（zi）			
仔	zī zǐ zǎi	亻子㊀	WBG
仔细 wbxl			
兹	zī cí	丷幺幺(冫)	UXXU
兹有 uxde	兹将 uxuq		
咨	zī	冫勹人口	UQWK
咨询 uqyq	咨文 uqyy		
资	zī	冫勹人贝	UQWM
资本 uqsg	资本家 uspe		
淄	zī	氵巛田㊀	IVLG
淄博 ivfg			
滋	zī	氵丷幺幺	IUXX
滋补 iupu	滋长 iuta		
籽	zǐ	米子㊀	OBG
子	zǐ	子子子子	BBBB
子女 bbvv	子弹 bbxu		
姊	zǐ	女丿乙丿	VTNT
姊妹 vevf			
梓	zǐ	木辛(丨)	SUH
紫	zǐ	止匕幺小	HXXI
紫红 hxxa	紫阳 hxbj		
字	zì	宀子㊁	PBF
字符 pbtw	字根 pbsv		
自	zì	丿目㊂	THD
自救 thfi	自居 thnd		
渍	zì	氵主贝⊙	IGMY
拼音（zong）双拼（zs）			
宗	zōng	宀二小(冫)	PFIU
宗法观念 picw	宗教 pfft		
综	zōng zèng	纟宀二小	XPFI
综观 xpcm	综合 xpwg		
踪	zōng	口止宀小	KHPI
踪迹 khyo	踪影 khjy		
总	zǒng	丷口心(冫)	UKNU
总投资 uruq	总务 uktl		
纵	Zòng	纟人人⊙	XWWY
纵坐标 xwsf	纵队 xwbw		
粽	zòng	米宀二小	OPFI
拼音（zou）双拼（zb）			
走	zǒu	土龰(冫)	FHU
走路 fhkh	走遍 fhyn		
奏	zòu	三人一大	DWGD
奏效 dwuq	奏乐 dwqi		
揍	zòu	扌三人大	RDWD
拼音（zu）双拼（zu）			
租	zū	禾月一㊀	TEGG
租赁 tewt	租界 telw		
足	zú	口止(冫)	KHU
足球 khgf	足够 khqk		
族	zú	方𠂉𠂉大	YTTD
诅	zǔ	讠月一㊀	YEGG
诅咒 yekk			
阻	zǔ	阝月一㊀	BEGG
阻碍 bedj	阻挡 beri		
组	zǔ	纟月一㊀	XEGG
组装 xeuf	组长 xeta		
祖	zǔ	礻丶月一	PYEG
祖辈 pydj	祖传 pywf		
拼音（zuan）双拼（zr）			
钻	zuàn zuān	钅⺊口㊀	QHKG
钻机 qhsm	钻进 qhfj		
攥	zuàn	扌⺮目小	RTHI
拼音（zui）双拼（zv）			
嘴	zuǐ	口止匕用	KHXE
嘴脸 khew	嘴巴 khcn		
最	zuì	日耳又(冫)	JBCU
最佳 jbwf	最近 jbrp		
罪	zuì	罒丨三三	LHDD
罪行 ldtf	罪行累累 ltll		
醉	zuì	西一亠十	SGYF
拼音（zun）双拼（zp）			
尊	zūn	丷西一寸	USGF
尊长 usta	尊贵 uskh		
遵	zūn	丷西一辶	USGP
遵命 uswg	遵守 uspf		
拼音（zuo）双拼（zo）			
昨	zuó	日𠂉丨二	JTHF
昨天 jtgd	昨晚 jtjq		
左	zuǒ	𠂇工㊁	DAF
左面 dadm	左派 dair		
作	zuò zuō	亻𠂉丨二	WTHF
作茧自缚 watx	作成 wtdn		
坐	zuò	人人土㊁	WWFF
坐吃山空 wkmp	坐等 wwtf		
座	zuò	广人人土	OWWF
座右铭 ydqq	座标 ywsf		
做	zuò	亻古攵丶	WDTY
做成 wddn	做出 wdbm		

18030 版五笔字型支持的生僻汉字
（按汉语拼音排序）

娭 VCTD	欸 CTDW
欸 CTDW	毐 FXDR
晻 JDJN	叆 FCEC
枊 SQBH	卬 QBH
慠 NGQT	隞 BGQT
嶅 GQTM	璈 GGQT
隩 BTMD	朳 SWY
夿 DCB	峇 MWGK
鲃 QGCN	鼥 VNUC
弝 XCN	攽 WVTY
柈 SUFH	湴 IUOG
靽 AFUF	艕 THGY
髈 MEUY	枹 SQNN
桮 SGIK	椑 SRTF
镚 QMEE	棓 SUKG
鞁 AFHC	骳 MEHC
栟 SUAH	伻 WGUH
琫 GDWH	鞛 AFUK
鲾 QGGL	邲 NTBH
侘 WPTA	珌 GNTT
柲 SNTT	梐 SXXF
皕 DJDJ	赑 MMMU
湢 IGKL	愊 NGKL
煏 OGKL	馝 TJNT
髲 DEHC	獘 UMID
邠 WVBH	躃 KHNU
躄 NKUH	笾 TLPU
惼 NYNA	碥 DYNA
抃 RYHY	骉 CCCF
猋 DDDU	摽 RSFI
幖 MHSI	滮 IHAE
熛 OSFI	瀌 IYNO
鞞 AFRF	哱 KFPB
嶓 MTOL	殠 GQTD
浡 IFPB	鲌 QGRG
馎 QNGF	僰 GMIW
鎛 QGEF	馞 TJFB
髆 MEGF	欂 SAIF
峬 MGEY	庯 YGEY
埗 FHIT	偲 WLNY
宷 PTOU	穇 TCDE
憯 NAQJ	鸧 WBQG
嶒 MULJ	扠 RCYY
垞 FPTA	嵖 MSJG
梴 STHP	幨 MHQY
弨 XVKG	僝 WNBB

瀍 IYJF	巉 MQKY
镵 QQKY	刬 GJH
啴 KUJF	蒇 ADMY
韂 AFQY	玚 GNRT
赪 FOHM	[illegible] SMWN
趻 KHWN	踸 KHAN
宬 PDN	[illegible] YQAS
[illegible] QDMY	漦 FITI
呎 KNYY	瘛 UDHD
憏 NWFI	[illegible] DWVN
䌷 XMG	犨 WYWH
[illegible] IPKT	偢 WTOY
噇 KUJF	柷 SKQN
俶 WHIC	滀 IYXL
歜 LQJW	斶 RLQJ
欻 OOQW	[illegible] UWWF
僢 WEPH	踳 KHDJ
圌 LMDJ	堾 FDWK
鰆 QGDJ	滣 IDFE
辵 EHU	娖 VKHY
惙 NCCC	婼 VADK
婥 VHJH	歠 CCCW
呲 KHXN	跐 KHHX
骴 MEHX	[illegible] UQWE
泚 IHXN	佽 WUQW
熜 OTLN	悰 NPFI
倅 WYWF	瘄 UAJD
踧 KHHC	憱 NYIN
膰 ETOL	獕 QTMY
漼 IMWY	摧 RMWY
吋 KFY	[illegible] HLQA
酂 TFQB	剉 WWFJ
[illegible] AJJH	咑 KRSH
酦 SGNY	[illegible] TOLH
墦 FTOL	璠 GTOL
嬔 VQKG	朏 EBMH
豮 EFAM	坋 FWVT
覂 STPU	[illegible] QREJ
[illegible] SVQR	伕 WFWY
茀 AXJJ	玞 GFWY
柎 SWFY	罦 LEBF
乍 TFF	榑 SGEF
箙 TEBC	髴 DEXJ
俛 WQKQ	玕 GFH
[illegible] TGEL	洑 IWDY
荄 AYNW	忓 NFH

笴 TSKF	鳡 QGDN
骭 MEFH	㧁 RMQY
棡 SMQY	矼 DAG
堽 FLGH	暠 JYMK
饹 QNTK	茖 ATKF
滆 IGKH	槅 SGKH
[illegible] IFPC	鹒 YVWG
堩 FNGG	暅 JNGG
[illegible] FAWN	蛬 AWJU
姤 VRGK	冓 FJGF
搆 RFJF	雊 QKWY
菰 ARCY	[illegible] LRCY
罛 LRCY	蓇 AMEF
榾 SMEG	穀 FPTC
堌 FLDG	劀 CBTJ
[illegible] AIAW	罣 LFFF
夬 NWI	瘝 ULII
琯 GPHN	[illegible] AOJF
筦 TPFQ	痯 UPHN
鳤 QGTN	祼 PYJS
瓘 GAKY	洸 IIQN
珖 GIQN	邽 FFBH
珪 GFFG	廆 YRQC
鬶 FWMH	瓌 GYLE
氿 IVN	佹 WQDB
垝 FQDB	姽 VQDB
硊 DQDB	筀 TFFF
腘 ELGY	菓 AJSU
馃 QNJS	奤 DDMD
咍 KCKG	浬 IJFG
浛 IWYK	琀 GWYK
[illegible] KUNT	扞 RFH
闬 UFK	郃 WGKB
迒 YMPV	淏 IJGD
鄗 YMKB	滈 IYMK
暠 JYMK	皞 RRDF
澔 IRTK	[illegible] ADKJ
盉 TLF	佫 WTKG
猲 QTJN	愒 NJQN
翯 NYMK	脝 EYBH
姮 VGJG	鸻 TFHG
啈 KFUF	[illegible] KUJW
吽 KRHH	吰 KDCY
紘 XDCY	[illegible] MWYO
竑 UDCY	翃 DCNG
嗊 KAMY	齁 THLK

睺 HWND	犼 QTBN
郈 RGKB	垕 RGKF
鲘 QGRK	搰 RMEG
嘝 KQEF	衚 TDEH
沍 IGXG	枑 SGXG
楛 SADG	鄠 FFNB
鳠 QGAC	搳 RPDK
嫿 VGLB	耲 DIYE
澴 ILGE	嬛 VLGE
垍 FTHG	鹮 LGKG
逭 PHNP	睆 HPFQ
塃 FAYQ	喤 KRGG
怳 NKQN	滉 IJIQ
榥 SJIQ	皝 RGIQ
翙 MQNG	阓 UKHM
殨 GQKM	蔧 ADHV
嘒 KDHV	僡 WGJN
槥 SDHV	潓 IGJN
憓 NGJN	[illegible] DMJM
惛 NQAJ	棔 SQAJ
圂 LEI	慁 LENU
漷 IYBB	嚄 KAWC
臛 EFWY	墼 LBMF
伋 WEYY	忣 NEYY
姞 VFKG	鹡 IWEG
蹐 KHIE	鱾 QGNN
徛 TDSK	惎 ADWN
穊 TVCQ	漈 IWFI
穄 TWFI	罽 LDOJ
檵 SXXN	傢 WPEY
跲 KHWK	斝 KKPF
槚 SSMY	菅 APHN
椾 SUEJ	鰜 QGUO
揃 RUEJ	暕 JGLI
瀽 IPFH	峧 MUQY
螀 UQFJ	鳉 QGUF
膙 EXKJ	弶 XYIY
筊 TUQU	皦 RRYT
珓 GUQY	窌 PWQB
滘 IPWK	嘦 KWSV
漖 IFTT	噭 KRYT
[illegible] ARRR	[illegible] RELF
痎 UYNW	湝 IXXR
劼 FKLT	[illegible] GVHI
倢 WGVH	袺 PUFK
絜 DHVI	楬 SJQN

蚴 JFCL	栿 SQAH
槲 SQEH	玠 GWJH
褫 PUYH	偈 WNNK
浞 INYU	琎 GFJP
唫 KQG	祲 PYVC
靳 AKGR	搢 RGOJ
溍 IGOJ	瑨 GGOJ
墐 FAKG	殣 GQAG
猔 QTYI	鹋 GEQG
廪 YNJI	鼱 VNUE
浒 IFJH	璟 GJYI
倞 WYIY	垌 FMKG
冏 MWKD	泂 IMKG
弆 FCAJ	煛 JANO
颎 XODM	勼 QVV
洵 IQKG	梮 SNNK
跔 KHQK	湨 IHDY
䴗 HDQG	跼 KHNK
椇 SHWY	筶 TKKF
蒟 AUQK	秬 TANG
粔 OANG	歔 HAOW
澽 IHAE	砄 DNWY
睊 HKEG	罥 LKEF
屫 NTTK	莙 AVTK
馂 QNCT	焌 OCWT
畯 LCWT	畹 LDGN
搗 RAJN	亥 YNTW
愒 NJQN	欿 QVQW
衎 TFFH	崁 MFQW
墈 FADL	磡 DADL
椂 SYVI	焅 OTFK
匼 AWGK	惃 NHDK
剅 DQJZ	榼 SFCL
搭 RPTK	窓 PTKN
捐 RHEG	阬 BYMN
硁 DCAG	悾 NPWA
鞚 AFPA	楛 SADG
袴 PUDN	姱 VDFN
抁 RIAN	鲙 QGWC
窾 PWFW	劻 AGLT
洭 IAGG	恇 NAGG
封 FFJH	骙 CWGD
槐 SRQF	磈 DRQC
襀 PUKM	崑 MJXX
垐 YYFF	裈 PUPL
焜 OJXX	鹍 JXXG
笞 TTDF	鞟 AFYB
揦 RGKJ	梾 SGOY
襕 PUUI	籣 TUGI
壈 FYLT	桹 SYVE

嫏 VYVB	硠 DYVE
沴 IWET	烺 OYVE
埌 FYVE	崀 MYVE
嫪 VNWE	簕 TAFL
饹 QNTK	蔂 ALXI
礌 DFLG	畾 IIIM
傫 WLLI	樏 SLLI
藟 ALLL	癗 UFLD
颣 OXIM	崚 MFWT
蓤 ATFT	堎 FFWT
睖 HFWT	梩 SJFG
㚚 FITV	醯 SGYC
劙 XEJJ	浬 IJFG
凓 USSY	盩 XFUL
磏 DUVO	俍 WYVE
悢 NYVE	蹽 KHDI
漻 INWE	嫽 VDUI
簝 TDUI	髎 MENE
憭 NDUI	瞭 HDUI
殙 GQJG	瞜 HOVG
潾 IOQH	璘 GOQH
菻 ASSU	皊 RWYC
鸰 WYCG	笭 TWYC
舲 TEWC	袚 PYFT
蹓 KHQL	飗 MQQL
鹠 QYVG	镠 QNWE
罶 LQYL	磟 DNWE
剅 GKUJ	溇 IOVG
甪 TEZ	菉 AVIU
杧 SYNN	睩 HVIY
僇 WNWE	箓 TVIU
醁 SGVI	蕗 AKHK
啰 KLQY	菰 ARCY
孖 BBG	痳 USSI
祃 PYCG	霡 FEYI
嫚 VJLC	牤 TRYN
铓 QAYN	亹 YVMG
酕 SGTN	髪 DECT
呣 KXYY	芼 ATFN
兕 RQB	眊 HTFN
鄚 AJDB	媢 VJHG
毷 JHTN	嚜 KLFF
娒 VTXY	脢 ETXY
郿 NHBH	禖 PYAS
酶 SGTY	渼 IUGD
幪 MHAE	曚 JAPE
矇 HAPE	獴 QTAE
瀰 IXGQ	醾 SGYO
沵 IQIY	洣 IOY
萛 APJU	幎 MHPU

俛 WQKQ	勔 DMJL
纱 YXIT	忞 YNU
旻 JYU	筤 TNAB
湣 INAJ	暋 NATJ
洺 IQKG	萛 APJU
暝 JPJU	摩 AYSR
劘 YSSJ	眛 HGSY
眽 HREY	靺 AFGS
霂 FISU	挐 VKRJ
嵖 BXYY	迺 SPD
倷 WDFI	禚 PUCX
猸 QTNM	嫑 DHHT
崾 MDHT	牑 EFDJ
麅 YNJQ	泌 IVYN
蹍 KHNE	荼 AWIU
莶 AWYN	嵲 MTHS
槷 FWFS	軃 THSB
苧 APSJ	鬃 DEPS
秾 TPEY	醲 SGME
砮 VCDF	俦 WDFF
籹 OVG	朒 EMWW
麘 YSSJ	嘡 KAWC
弇 RRRJ	湝 IGGC
帆 MHCN	棑 SHDD
箄 TRTF	篚 TTHF
褐 PUJN	嚹 KLUP
溚 IAWK	遝 LIPI
阘 UJND	漯 ILXI
臺 FKPF	薹 AFKF
倓 WOOY	埮 FOOY
楷 SSLF	燂 OSJH
磹 DSJH	醰 SGSJ
菼 AOOU	嚐 KIPF
蹬 KHIF	鄘 YVHB
赫 FOYK	梼 SDTF
绹 XQRM	醄 SGQM
磿 DYSD	腻 EANY
熥 OCEP	蠹 FKUU
臜 EUDJ	臢 EUDG
鹏 RHAG	擿 RUMP
適 UPMP	畑 OLG
鲑 QJGH	洟 IGXW
俶 WHIC	薙 ATDY
趯 FHNY	黇 AMWK
恭 AGDN	湉 INTD
忝 GDIU	饹 QNTK
澳 IMAW	觇 MAWQ
岩 MVKF	蓓 AWHE
蔚 AMWF	怗 NHKG
桯 SKGG	鞓 AFKG

侹 WTFP	珽 GTFP
脡 ETFP	蓶 ARWY
峂 MTUY	烔 OMGK
鲖 QGMK	曈 JUJF
衕 TMGH	葖 APWD
腯 ERFH	瘏 UFTJ
侻 WUKQ	饦 QNTA
扡 RPXN	侂 WYTA
陁 BTBN	啴 KUJF
堷 FDAE	鼧 VNUX
萚 ARCH	跅 KHRY
瓹 LRCY	窊 PWRY
㖞 KKMW	帵 MHPB
塆 FYOX	刓 FQJH
汍 IVYY	抏 RFQN
尪 DNGD	揻 RDGY
椳 SLGE	溦 IMGT
鳂 QGLE	闱 UFNH
硙 DMNN	痏 UDED
骫 MEVY	痜 YRQC
䪝 AFED	碨 DLGE
罻 LNFF	鳚 QGNF
榅 SJLG	辒 LJLG
薀 AIJL	鳁 QGJL
炆 OYY	鼤 NAJJ
抆 RYY	璺 VMGY
鹟 WCNG	塕 FWCN
滃 IWCN	鼺 THLC
踒 KHTV	偓 WNGF
涴 IPQB	洿 IDFN
郚 GKBH	䴓 AWWG
铻 QGKG	珷 GGAH
碔 DGAH	扤 RGQN
屼 MGQN	靰 AFGQ
肸 EWFH	饻 QNYE
恓 NSG	悕 NQDH
娭 VCTD	晞 JQDH
睎 HQDH	傒 WEXD
徯 TEXD	僖 WFKK
磎 DEXD	噏 KWGN
谿 EXDK	瘜 UTHN
憙 FKUN	熺 OFKK
窸 PWTN	徯 WWKD
巇 MHAA	爔 OUGY
蟰 JMWK	鱔 QEMK
郎 THBH	嶍 MNRG
霤 FNRF	鳛 QGNR
枲 CKSU	屃 YNOO
嘻 JFKK	蟢 JFKK
卌 GLK	屃 NMI

昤 HWGN	郤 WWKB	枸 SQJG	嘪 KNNW	檦 SSGO	艜 THGY	摂 RADN	瑱 GFHW
滫 IWHE	赩 FOQC	玡 GAHT	拯 RGOG	狖 QTPW	伃 WCBH	烝 BIGO	泜 IQAY
潟 IVQO	虢 IJIM	猰 QTDD	犟 DGAR	玝 GGNG	褕 PUWJ	栁 STDK	榰 SFTJ
畫 VFHL	祫 PYWK	奊 DXGD	弇 WGKA	髃 MEJY	铻 QGKG	蹠 KHYO	抵 RQAN
陜 BADW	忺 NQWY	梾 SOOY	晻 JDJN	堉 FYCE	淯 IYCE	沚 IHG	厔 DGCF
铦 QTDG	捋 RVFY	甗 HAGY	黡 DDLO	棫 SAKG	罭 LAKG	庤 YFFI	狾 QTRR
蚿 JYXY	猕 QTQI	殁 MQBD	墕 FGHO	萸 ATMD	潏 ICBK	梽 SFNY	畤 LFFY
崄 MWGI	毨 TFNQ	昒 JNRT	飏 MQNR	鹓 PQBG	鼋 FQKN	铚 QGCF	袲 YRWE
巇 MHPN	瓖 GYKE	垟 FUDH	喓 KSVG	嫄 VDRI	衎 TFQH	锧 QRFM	寘 PFHW
鉐 RMRK	衖 TAWH	垚 FFFF	猺 QTEM	篗 TDAC	薅 VFAC	韪 FPLH	瘈 UDHD
鸮 KGNG	婋 VHAM	飖 ERMQ	窅 PWHF	軏 LGQN	篂 THHC	摘 RUMP	柊 STUY
猇 QTHM	蟏 JAVJ	袧 PUXL	暍 JJQN	黗 LFOB	鹜 QTYO	穜 TUJF	蚺 JKHH
洨 IUQY	毇 QDEC	婜 ATDV	黟 LFOQ	贇 YGAM	沄 IFCY	侇 WTEY	诗 YDTF
謏 YVHC	咲 KUDY	匜 ABV	檕 SCBF	畇 LQUG	埿 FQUQ	轶 LTEY	舺 TEQG
猲 QTJN	屟 NANS	栴 ATBN	逄 QQPI	膹 ETFM	栽 FAOI	哵 KKYH	赒 MMFK
媟 VANS	塮 FTMF	栘 SQQY	扅 YNQQ	僟 WFAL	篸 TCCE	鳌 FUFL	伷 WMG
薢 AQEH	嶰 MQEH	椸 SYTB	簃 TTQQ	噆 KAQJ	醓 SGCC	佁 WQVG	怡 NQVG
澥 IQEH	炘 ORH	辥 XTDE	扆 YNYE	鄮 TFQB	牂 NHDD	毯 TOGY	傪 WTON
焮 ORQW	狌 QTTG	踦 KHDK	苅 AQJJ	慥 NTFP	簉 TTFP	酙 SGPF	籧 TDHJ
箵 TITH	钘 QGAH	溵 IRVC	栅 SANN	奓 DQQU	挓 RPTA	馔 QNNW	膇 EWNP
铏 QGAJ	婞 VFUF	勔 NAML	晹 JJQR	劄 TWGJ	艣 THLG	衡 TFHH	埻 FYBG
讻 YQBH	恟 NQQB	潩 ILAW	蒧 AFWY	箚 TWGJ	茌 ATHF	棁 SUKQ	齗 HXMW
诇 YMKG	夐 QMWT	瞖 ATDH	燚 OOOO	拃 RTHF	鲊 QGTF	蔪 AJRH	鄞 QYVR
琇 GTET	褎 YQGE	禋 PYSF	閆 UYD	鲞 UDQG	溠 IUDA	捴 RWCN	龇 HXKK
媭 EDMV	欻 OOQW	涏 IRFF	愸 GODN	雩 FYF	酢 SGPF	呰 HXKF	剚 GKVJ
湑 INHE	魊 RQCY	吋 KFY	呎 KNYY	楀 STMY	鹯 YLKG	牸 TRPB	戫 FAMW
歔 HAOW	嫵 VAKO	霙 FAMD	簒 TYNY	鳣 QGYG	琖 GAAY	篲 THDB	朘 ECWT
姁 VQKG	湑 INHE	暎 JAMD	膺 YWWY	飐 MQHK	黯 LFOY	寂 PBCU	晬 JYWF
煖 OEFC	芓 ACBJ	雒 VKCY	颙 JMHM	礡 DIPR	炤 OVKG	槜 SWYE	捘 RCWT
懁 NLGE	翾 LGKN	湧 ICEL	鲬 QGCE	旐 YTQI	罂 JEPA	捽 RYWF	岞 MTHF
暅 JGJG	烜 OGJG	櫻 DIDT	斿 YTBG	嗻 KYAO	奢 DXYF	轕 LAJN	鵖 VQWO
昡 JYXY	茓 APWU	蚰 JMG	楢 SUSG	晢 RRJF	嗻 KYAO		
浛 IPMJ	珣 GQJG	鲉 QGMG	羑 UGQY	袗 PUWE	纼 XXHH		

（完）

读书笔记